ISBN 978-0-259-14077-1
PIBN 10679519

1 MONTH OF
FREE
READING

at
www.ForgottenBooks.com

By purchasing this book you are
eligible for one month membership to
ForgottenBooks.com, giving you
unlimited access to our entire
collection of over 700,000 titles via
our web site and mobile apps.

To claim your free month visit:
www.forgottenbooks.com/free679519

English
Français
Deutsche
Italiano
Español
Português

www.forgottenbooks.com

Mythology Photography **Fiction**
Fishing Christianity **Art** Cooking
Essays Buddhism Freemasonry
Medicine **Biology** Music **Ancient
Egypt** Evolution Carpentry Physics
Dance Geology **Mathematics** Fitness
Shakespeare **Folklore** Yoga Marketing
Confidence Immortality Biographies
Poetry **Psychology** Witchcraft
Electronics Chemistry History **Law**
Accounting **Philosophy** Anthropology
Alchemy Drama Quantum Mechanics
Atheism Sexual Health **Ancient History**
Entrepreneurship Languages Sport
Paleontology Needlework Islam
Metaphysics Investment Archaeology
Parenting Statistics Criminology
Motivational

KÖNIGLICHE MUSEEN ZU BERLIN ·

BESCHREIBENDES VERZEICHNIS

DER

GEMÄLDE

DRITTE AUFLAGE

MIT 60 LICHTDRUCKTAFELN

PREIS GEBUNDEN 12 MARK

BERLIN
W. SPEMANN
1891

VORWORT.

—

Die neue Ausgabe des Katalogs schließt sich im allgemeinen der zweiten Auflage von 1883 an. Die Ausarbeitung hält sich an die früher ausgesprochenen Grundsätze: neben dem vollständigen Namen der Künstler die Hauptdaten ihres Lebens, sowie die Hauptzüge ihres Bildungsgangs anzugeben; von den Bildern eine derart eingehende Beschreibung zu liefern, daß sie aus derselben wieder erkannt und von ähnlichen Bildern unterschieden werden können; endlich, wo erforderlich, die Bestimmung des Bildes zu begründen. Wohl aber sind, um den Katalog etwas handlicher und durch billigen Preis weitesten Kreisen zugänglich zu machen, die Beschreibungen der Bilder sowie die Biographien der Künstler knapper gehalten und die kritischen Ausführungen möglichst eingeschränkt worden.

Die Geschichte der Bilder ist, soweit sie nach litterarischen Quellen und aus den Erwerbungsakten festzustellen war, beigefügt worden.

Diese neue Bearbeitung ist in ihrer ersten Hälfte noch von Herrn Geheimrat Julius Meyer gemeinsam mit Herrn Dr. von Tschudi, in der zweiten Hälfte von letzterem allein durchgeführt worden; einzelne Notizen von Herrn Geheimrat Meyer für diese zweite Hälfte des Katalogs konnten noch in den „Zusätzen" aufgenommen werden. Der Unterzeichnete hat sich nur bei der Bestimmung der Bilder und bei der Durchsicht des Manuskripts und den Korrekturen beteiligt. Für die Bio-

graphien der holländischen Meister hat wieder Herr
Dr. A. Bredius, Direktor des Mauritshuis im Haag,
seine neuesten Forschungen bereitwilligst zur Verfügung
gestellt.

Für den Gebrauch des Verzeichnisses ist besonders
zu beachten:

In den Beschreibungen der Bilder sind die Bezeichnungen rechts und links immer von dem Standpunkte
des Beschauers genommen.

Die Künstler-Inschriften, sowohl die Monogramme
als die vollen Namensbezeichnungen, sind mit mög-
lichster Treue und mit wenigen Ausnahmen in der
Originalgröfse facsimiliert worden.

Die Gröfse der Gemälde ist nach dem Metermafse
gegeben, und zwar immer innerhalb des Rahmens.

Wo das Bindemittel, mit welchem das Bild gemalt
ist, nicht eigens angegeben worden, handelt es sich
jedesmal um ein Oelgemälde.

Im April 1891.

BODE
Direktor der Kgl. Gemäldegalerie.

Aelst. Evert van Aelst (Aalst). Holländische Schule. — Stilllebenmaler, geb. zu Delft 1602, † daselbst den 19. Febr. 1657. Thätig zu Delft.

E. van Aelst? Stillleben. Auf einer, mit einer grauen **921** Decke teilweise bedeckten Tischplatte ein totes Rebhuhn, eine Ente und eine Goldammer. Dunkler Grund.

Vielleicht von Willem van Aelst, dem die Mehrzahl der dem Evert zugeteilten Bilder angehört.

Leinwand, h. 0,58, br. 0,49. — Sammlung Giustiniani, 1815.

Aelst. Willem (Guillielmo) van Aelst (Aalst). Holländische Schule. — Stilllebenmaler, geb. 1626 zu Delft, † zu Amsterdam um oder nach 1683. Schüler seines Oheims Evert van Aeist und in Florenz des O. Marcells. Thätig in Delft, Frankreich, Italien und Amsterdam (seit 1656).

Stillleben. Auf einer, mit rotem Teppich teilweise be- **961** deckten Marmorplatte zwei Schnepfen, Stieglitze u. s. w. Darüber, an der Wand hängend, Steinhühner. Dunkler Grund.

Bez. am Tischbein: *W. V. Aelst 1653.*

Leinwand, h. 0,65, br. 0,48. — Erworben 1838 in Augsburg.

Stillleben. Auf einer mit grüner Decke teilweise be- **975** legten Marmorplatte verschiedenes Prachtgeräte zwischen Trauben und einem Teller mit Pfirsichen. Dunkler Grund.

Bez. links unten: *Guillmo van Aelst 1659.*

Leinwand, h. 0,84, br. 0,70. — Königliche Schlösser.

Albertinelli. s· unter Bartolommeo.

Aldegrever. Heinrich Trippenmeker, gen. Aldegrever oder Alde Grave. Deutsche Schule. — Maler, Goldschmied und vorwiegend Kupferstecher, geb. zu Paderborn 1502, lebte daselbst noch 1555. Bildete sich nach Albrecht Dürer. Thätig zu Soest (daselbst schon 1530).

Verz. d. Gemälde.

556A   Bildnis des Engelbert Therlaen, Bürgermeisters von Lennep (im J. 1551). Fast ganz von vorn. In schwarzem Barett und pelzgefütterter Schaube, die Linke auf einem Schädel ruhend, in der Rechten die Handschuhe haltend. Hintergrund Architektur, mit dem Wappen Therlaen's.

Am Gesims der Wand das Monogramm und 1551.
Halbfig. fast lebensgrofs. Eichenholz, h. 0,61, br. 0,46. — Erworben 1848 von C. Brauns in Braunschweig.

Alegretto. Alegretto Nuzi (Alegretto da Fabriano). Umbrische Schule. — Geb. zu Fabriano, urkundlich zuerst erwähnt 1346 als Mitglied der Florentiner Malergilde, † zu Fabriano angeblich 1385 im Alter von 79 Jahren. Thätig zu Fabriano, kurze Zeit zu Florenz und Venedig (vermutlich vor 1348).

1076   Maria mit zwei Heiligen. Die thronende Maria trägt auf beiden Armen das bekleidete Kind. Links der hl. Bartholomaeus, rechts die hl. Katharina. Goldgrund mit farbigen Mustern.

Bez. auf der untersten Thronstufe: *Alegrictus 'de Fabriano* ♫ 𝑦 *pimxit.*
Tempera. Pappelholz, h. 0,49, br. 0,26. — Sammlung Solly, 182

1078   Kreuzigung. Am Fufse des Kreuzes kniet Magdalena, die Füfse Christi küssend; links Maria, rechts Johannes. Ueber dem Kreuze der Pelikan auf seinem Neste. Goldgrund.

Seitenstück zum vorigen Bilde.
Tempera. Pappelholz, h. 0,49, br. 0,26. — Sammlung Solly, 1821.

Allegri. Antonio Allegri, gen. Correggio. Lombardische Schule. — Geb. zu Correggio um 1494, † daselbst den 5. März 1534. Schüler des Antonio Bartolotti zu Correggio und des Francesco Bianchi zu Modena (?), ausgebildet durch das Studium der Ferraresen (besonders des Lorenzo Costa) und des Lionardo da Vinci. Thätig in Correggio und Parma (seit 1518).

218   Leda und Jupiter als Schwan. In reicher Waldlandschaft sitzt unter einem Baume Leda mit dem Schwan im Schoofse. Im Mittelgrunde rechts zwei ihrer Begleiterinnen im Bade; hinter Leda zwei Dienerinnen. Links Amor, die Lyra spielend, und zwei musizierende Liebesgötter.

Das Bild wurde 1603 in Spanien für Kaiser Rudolf II. erworben,

218.   Antonio Allegri gen. Correggio.

nach der Eroberung Prags durch die Schweden im Jahre 1648 nach
Stockholm gebracht und gelangte 1722 in den Besitz des Regenten
Philipp von Orleans, dessen frömmelnder Sohn Ludwig das Bild zer-
schnitt und den Kopf der Leda vernichtete. Der Hofmaler Charles
Coypel, Direktor der Sammlung des Herzogs, flickte das Bild wieder
zusammen und ersetzte den Kopf der Leda. Aus dem Nachlafs Coypels
kam das Gemälde 1752 an den Sammler Pasquier und 1755 nach dessen
Tod in den Besitz Friedrichs des Grofsen (für 16,050 Livres). Seit
1830 im Museum, wo Schlesinger einen neuen Kopf der Leda einfügte.
Leinwand, h. 1,52, br. 1,91. — Königliche Schlösser.

Allegri. Kopie nach Antonio Allegri.

Jo und Jupiter. Jo, auf einem Felsen sitzend und fast   **216**
ganz vom Rücken gesehen, wird von dem in einer Wolke
verhüllten Gotte umarmt. Rechts vorn eine Vase mit einer
Aloe und der Kopf eines trinkenden Rehbockes.

Vortreffliche alte Kopie, schon 1587 in Spanien für Kaiser
Rudolf II. erworben, während das Original, gegenwärtig in der K. K.
Galerie zu Wien, erst nach 1600 gleichfalls in den Besitz Rudolfs II.
kam. Das Bild teilte das Schicksal der Leda (s. oben) und wurde
ebenfalls durch Ludwig von Orleans verstümmelt. Der von Coypel
gemalte Kopf der Jo wurde später (1806) in Paris von Prudhon ersetzt.
Leinwand, h. 1,38, br. 0,83. — Königliche Schlösser.

Altdorfer. Albrecht Altdorfer. Deutsche Schule. — Maler,
Baumeister und Kupferstecher, geb. vor 1480, † zu Regensburg bald nach dem 12. Febr. 1538. Bildete sich nach
Albrecht Dürer, auch unter Einflufs von Matthias Grünewald. Thätig zu Regensburg (daselbst ansässig seit 1505).

Doppelbild. Links: Der hl. Franciscus empfängt   **638**
knieend die Wundenmale. — Rechts: Der hl. Hieronymus
kasteit sich vor dem Crucifix. Hintergrund beider Bilder
waldige Berglandschaft.

Beide bez. links unten mit dem Monogramm und der Jahreszahl 1507.
Lindenholz, jedes Bild h. 0,32, br. 0,19. — Sammlung Solly, 1821.

Landschaft mit Staffage. Zur Linken lagert unter   **638A**
hohen Bäumen eine Satyrfamilie. Rechts weiter zurück ein
Satyr, der eine Nymphe verfolgt und Ausblick in gebirgige
Landschaft.

Bez. links oben mit dem Monogramm und der Jahreszahl 1507.
— 1839 in der Sammlung Kraenner in Regensburg (Waagen, Kunst-
werke u. Künstler etc.).
Lindenholz, hoch 0,23, br. 0,20. — Sammlung Suermondt, 1874.

638 B   Ruhe auf der Flucht nach Aegypten. An einem
reich verzierten Renaissancebrunnen sitzt rechts Maria mit dem
Kinde. Engelchen musizieren auf dem Brunnenrand und
plätschern im Wasser. Rechts vorn Joseph, der Maria
Kirschen darreichend. Im Mittelgrund der gebirgigen Landschaft eine Stadt an einem grofsen See.

>   Bez. auf einer Tafel am Brunnen: Ab'tu Altorffer pictor
>   Ratisponen in salutem aie (animae) hoc tibi munus diva
>   Maria sacravit corde fideli 1510. Folgt das Monogramm.
>   Lindenholz, h. 0,57, br. 0,38. — Erworben 1876 aus der Sammlung
>   Fr. Lippmann in Wien.

638 C   Landschaft mit der Darstellung des Sprüch-
worts: „Der Hoffart sitzt der Bettel auf der Schleppe."
Der Freitreppe eines zur Linken gelegenen Renaissanceschlosses
schreitet ein fürstliches Paar zu, auf dessen Schleppe sich
eine Bettlerfamilie gelagert hat. Im Hintergrund eine Stadt
an felsiger Meeresküste.

>   Rechts an einem Baumstamm: 1531 und das Monogramm. —
>   Sammlung Develey, München 1869.
>   Lindenholz, h. 0,30, br. 0,42. — Erworben 1876 aus der Sammlung
>   Fr. Lippmann in Wien.

638 D   Kreuzigung. In der Mitte Christus am Kreuz zwischen
den beiden Schächern. Vorn sitzt Magdalena, vom Rücken
gesehen; rechts entfernt sich Maria, von Johannes, einer
zweiten hl. Frau und Joseph von Arimathia geleitet. Hintergrund bergige Landschaft mit einer Stadt am Wasser.   .

>   Bez. unten in der Mitte mit dem Monogramm.
>   Lindenholz, h. 0,28, br. 0,21. — Erworben 1886 durch letztwillige
>   Verfügung der Frau Dr. Marie Weber in Berlin.

Amberger. Christoph Amberger. Deutsche Schule (Augsburg). — Geb. um 1500, im Jahre 1530 in die Augsburger Malerzunft aufgenommen, † zu Augsburg zwischen Okt. 1561 und
Okt. 1562. Unter venetianischer Einwirkung gebildet. Thätig
namentlich zu Augsburg.

556   Bildnis Kaiser Karls V. (1500—1558). Fast im Profil
nach rechts. Auf dem Haupt ein flaches Barett; über dem
grünlich grauen Sammtkleid, auf dem das goldene Vliefs
ruht, die schwarze Schaube. Auf dem hellgrauen Grund das
kaiserliche Wappen zwischen den Säulen des Herkules und
der Wahlspruch: Pluss oultre; darunter: Aetatis XXXII.

638 B. Albrecht Altdorfer.

556. Christoph Amberger.

Auf der Rückseite aus gleicher Zeit die schadhafte Inschrift: *Christoff Amberg* .... *zu Augspurg* und auf einem Blättchen mit etwas späterer Schrift: *die Handt von Amberger.* — Eine alte Kopie mit Veränderungen in der Akademie zu Siena. — Nach alter Ueberlieferung wird berichtet, Karl V. habe für das Bildnis dem Meister eine goldene Kette geschenkt und das Dreifache des bedungenen Lohnes (10 Thir.) gezahlt.

Brustbild fast in Lebensgröfse. Lindenholz, h. 0,66, br. 0,50. — Erworben vor 1820.

Bildnis des Kosmographen Sebastian Münster **583** 1 89—1552). Nach rechts gewendet. Mit schwarzem Barett, (in rotem Unterkleide und hohem weifsen Hemde; darüber die schwarze mit hellem Pelz gefütterte Schaube. Grüner Grund.

Auf der Rückseite befindet sich die Inschrift: *Sebastian Münster Cosmographus. Seines Alters 65 gemalt Ao. 1552.*

Brustbild in Lebensgr. Lindenholz, h. 0,54, br. 0,42 — Erworben vor 1820.

Amberger? **Bildnis des Feldhauptmanns Georg von** **577** **Frundsberg** (1473—1528). Von vorn, etwas nach rechts gewendet. In voller Rüstung, mit Helm und Schärpe; in der Rechten eine Hellebarde. Hintergrund eine Nische. Rechts das Wappen. — Unter dem Bildnis eine siebenzeilige lateinische Inschrift, auf die Kriegsthaten und das Lebensalter Frundsbergs bezüglich.

Bald nach 1528, dem Todesjahr des Frundsberg, gemalt. — Eine alte Kopie, mit deutscher Inschrift, in Augsburger Privatbesitz.

Lebensgr. Halbfig. Rottannenholz, h. 1,51, br. 0,96. — Sammlung Solly, 1821.

Amerighi. Michelangelo Amerighi (Amerigi oder Morigi, richtiger Merisi), gen. **Caravaggio.** Römische Schule. — Maler und Radirer, geb. zu Caravaggio 1569, † zu Porto Ercole 1609. In Venedig nach Giorgione gebildet, in Rom Schüler des Cavaliere d'Arpino. Thätig in Venedig (vor 1592) und vornehmlich in Rom (1592—1606), alsdann in Neapel, Malta und Sizilien (1606—1609).

Grablegung Christi. Johannes und Joseph von **353** Arimathia tragen den Leichnam Christi zu Grabe. Zwischen Beiden Magdalena, Christi rechte Hand küssend. Hintergrund Landschaft, mit dem Kalvarienberg zur Rechten.

Dieses und die Mehrzahl der folgenden Bilder befanden sich schon bei Lebzeiten des Meisters in der Sammlung Giustiniani.

Leinwand, h. 2,80, br. 2,11. — Sammlung Giustiniani, 1815.

354   Bildnis eines Mannes. Nach links aufblickend. Barhaupt, in schwarzem Gewand. Dunkler Grund. Studie.

> Brustbild in Lebensgr. Leinwand, h. 0,75, br. 0,62. — Sammlung
> Giustiniani, 1815.

356   Bildnis einer jungen Frau (angeblich eine römische
Courtisane, Namens Phyllis). Den Kopf etwas nach links ge-
wendet. Mit hohem Haarputz; im Begriff mit der Rechten
Orangeblüten an das Mieder zu stecken. Dunkler Grund.

> Brustbild in Lebensgr. Leinwand, h. 0,70, br. 0,56. — Sammlung
> Giustiniani, 1815.

365   Der heilige Matthaeus. Er schreibt, mit über-
geschlagenem Bein sitzend, das Evangelium in ein Buch; der
rechts neben ihm stehende Engel führt ihm dabei die
Hand. Dunkler Grund.

> Als Altartafel für die Matthäuskapelle von S. Luigi de' Francesi
> zu Rom gemalt, aber wegen der vulgären Gestalt und Haltung des
> Apostels aus der Kirche verwiesen; darauf vom Marchese Vincenzo
> Giustiniani angekauft.
> Leinwand, h. 2,32, br. 1,83. — Sammlung Giustiniani, 1815.

369   Amor als Herrscher. Der geflügelte Amor, Pfeil
und Bogen in der Rechten, tritt die vor ihm auf dem
Boden liegenden Attribute der irdischen Macht, der Wissenschaften unb Künste übermütig mit Füßen. Dunkler Grund.

> S. die Bemerkung zu dem folgenden Bilde.
> Leinwand, h. 1,54, br. 1,10. — Sammlung Giustiniani, 1815.

381   Der überwundene Amor. Ein geharnischter ge-
flügelter Genius überwindet, den Blitzstrahl in der Rechten,
den rechts zu Boden gestreckten Amor. Ganz links zu
Füßen des Genius Pluto. Dunkler Grund.

> Wie schon durch gleichzeitige Berichte bestätigt wird, hat A. in
> den beiden Bildern No. 369 und 381 die irdische und die himmlische
> Liebe darstellen wollen.
> Leinwand, h. 1,79, br. 1,18. — Sammlung Giustiniani, 1815.

Andrea.   s. Brescianino. und Sarto.

Angel. Philip (Philips) **Angel.** Holländische Schule. —
Maler, vornehmlich von Stillleben, und Radirer, getauft den
14. Septbr. 1616 zu Middelburg, daselbst im Oktbr. 1683 urkundlich zum letzten Mal angeführt. Todesjahr unbekannt.
Thätig in Haarlem und in Leiden zwischen 1639 und 1645;
von 1646—1651 und von 1656—1662 in Batavia; von 1652 bis

60 \. Fra Giov. da Ficsolc.

1656 in Ispahan. 1665 in die Heimat zurückgekehrt und bis
zu seinem Tode in Middelburg thätig.

Stillleben. Auf einem Tische liegen einige todte Vögel **918 A**
in und neben einem Eimer. Hellgrauer Grund.

Bez. unten: *P. Angel 1650.* — Das einzige jetzt noch nachweisbare
Bild des Meisters.
Eichenholz, oval, h. 0,10, br. 0,12. — Sammlung Suermondt, 1874.

Angelico. Fra Giovanni da Fiesole, gen. Angelico, oder
Beato Angelico, auch kurzweg Fiesole. Florentinische Schule.
— Geb. 1387 in der florentinischen Provinz Mugello, 1407 zu
Fiesole in den Dominikaner-Orden eingetreten, † zu Rom
18. März 1455. Thätig vornehmlich in Fiesole (1418—1436)
und Florenz (1436—1446), zeitweilig in Cortona (zwischen
1409 und 1418), Rom (1446—1455) und Orvieto (1447).

Thronende Maria mit dem Kinde. Maria sitzt, **60**
das bekleidete Kind auf dem Schofs, vor einem gemusterten Vorhange aus Goldbrokat. Zu den Seiten des
Vorhangs links der hl. Dominicus, rechts Petrus Martyr.

Tempera. Pappelholz, h. 0,70, br. 0,50. — Sammlung Solly, 1821.

Das jüngste Gericht. In drei Abteilungen. **60A**
Mittelbild. Oben Christus als Weltenrichter in der
Mandorla; zu beiden Seiten Maria, Johannes d. T., Apostel,
Evangelisten, Propheten, Heilige und Engel. Unten die
Scheidung der Auferstandenen in Selige und Verdammte. —
Linker Flügel. Auf blumiger Wiese werden Selige (zu-
meist Dominikaner) von Engeln im Reigen aufwärts ge-
leitet. Ganz oben die Pforte des Paradieses, goldene Strahlen
entsendend; in feierlichem Zuge ihr entgegenwandelnd
Paare von Engeln und Dominikanern. Rechts oben der hl.
Antonius, abwärts auf eine Gruppe von Gestalten deutend,
welche auf Wolken stehend, emporschweben: ein Kardinal
im Dominikanerkleid, ein Papst und ein Engel. — Rechter
Flügel. Oben Engel und Heilige, sich an die himmlische
Heerschaar des Mittelbildes anschliefsend. Unten die Hölle,
in deren sieben Abteilungen die Verdammten von Teufeln
gepeinigt werden. In der Mitte der Hölle der dreiköpfige
Höllenfürst Lucifer. Goldgrund.

Aus der Zeit von Fiesole's römischem Aufenthalt, mithin wahr-

scheinlich 1446/47 oder bald nach 1450 gemalt. — Eine Kopie des
Bildes, unter Spranger's Namen, in der Galerie zu Turin (No. 408). —
Die erste Kunde über das Bild datiert aus dem Jahre 1811. Es befand
sich damals in Rom, im Besitz eines Bäckers, von dem es bald nach
1816 der Kardinal Fesch erwarb. Bei dem Verkauf dieser Sammlung
im J. 1845 zog es einer der Erben, Fürst Musignano, Sohn des Lucien
Bonaparte, zurück, um es später an Lord Ward, den nachherigen Earl
of Dudley, zu verkaufen.

    Tempera. Pappelholz, Mittelbild h. 1,01, br. 0,63, Flügel je h. 1,01,
br. 0,27. — Erworben 1884 aus der Sammlung des Earl of Dudley zu London.

61   **Die hh. Dominicus und Franciscus.** Vor einer
Kirche begrüßt Dominicus den ˙von links herantretenden
Franciscus als Genossen seines Werkes, die von Christus ab-
gefallene Welt zu bekehren. In der Luft links Maria als
Fürbitterin vor dem thronenden Christus. Links im Grunde
Landschaft.

    Tempera. Pappelholz, h. 0,26, br. 0,31. — Erworben 1823.

62   **Verklärung des hl. Franciscus.** In einer Kloster-
zelle auf einer Wolke emporschwebend, erteilt er fünf Ordensbrüdern den Segen (Pax vobis). Rechts im Grunde Landschaft.

    Tempera. Pappelholz, h. 0,26, br. 0,31. — Erworben 1823.

Angelico. Schule des Fra Giovanni Angelico da Fiesole
(der obere Teil von Cosimo Rosselli?) Florentinische Schule.

57   **Das jüngste Gericht.** Christus als Weltenrichter, von
Engeln umgeben, zwischen der thronenden Maria, Johannes d. T., Aposteln und Kirchenvätern. Unten links die Seligen,
rechts die Verdammten. In den Zwickeln die Brustbilder
der Propheten Daniel, Jeremias, Jesaias und Elias.

    Bez. auf dem Sockel des (alten) Rahmens: HOC OPVS FEC.
FIERI JACOBVS LODOVICI JACOBI D̄M̄I LEI DE VILLANIS
PRO REMEDIO Ā̂IE SVE ET D̂N. MAGDALENE VXORIS EIVS
ET SVORVM. ANNO DOMINI MILESSIMO CCCCLⁿVI. Das Bild ist
also ein Jahr nach dem Tode des Fra Angelico gemalt. Der obere
Teil erinnert an die Kunstweise des Cosimo Rosselli.

    Tempera. Pappelholz, h. 1,81, br. 2,84. — Sammlung Solly, 1821.

Antonello. Antonello da Messina (Antonello di Salvatore
d'Antonio, oder degli Antonj). Venetianische Schule. — Geb.
zu Messina um 1444, † zu Venedig um 1493. Unter dem Einfluß der Eyck und später des Gio. Bellini ausgebildet.
Thätig in Messina und namentlich in Venedig (seit 1473).

Der hl. Sebastian. An einen hinter ihm stehenden 8
Pfahl gefesselt und von Pfeilen durchbohrt; das geneigte
Haupt etwas nach links gewendet. Hintergrund Himmel.

Bez. auf der Brüstung: *Antonellus Mesaneus p.* — Die freien
Wiederholungen dieser Darstellung zu Frankfurt a. M., Bergamo (Städtische
Galerien) und Padua (Casa Maidura) stehen dem Berliner Bilde nach.
Brustbild unter Lebensgr. Rotbuchenholz, h. 0,48, br. 0,35. —
Sammlung Solly, 1821.

Maria mit dem Kinde. Maria, etwas nach links ge- 13
wendet, hält das nackte Kind, das auf einer Brüstung vor ihr
steht. Hintergrund Landschaft.

Bez. auf der Brüstung: *Antonellus Messanensis p.* — Das Gemälde
stammt aus Treviso und wurde nach Ridolfi und Federici von
A. für Caterina Cornaro gemalt, von dieser aber an eine ihrer Damen
verschenkt, als sich dieselbe zu Treviso mit einem Conte Avogaro vermählte. Im Besitze dieser Familie befand sich das Bild noch im An-
fange dieses Jahrhunderts.
Maria Halbfig. Pappelholz, h. 0,69, br. 0,54. — Sammlung Solly, 1821.

Bildnis eines jungen Mannes. Etwas nach links ge- 18
wendet. Bartlos, mit langem Haar; in schwarzem pelzgefüttertem Gewand und schwarzer Mütze mit Sendelbinde.
Vor eine Brüstung; Hintergrund Himmel und etwas Landschaft.

Am unteren Rande der Brüstung die Inschrift: PROSPERANS
MODESTVS ESTO INFORTVNATVS VERO PRVDENS („Im Glück
sei bescheiden, im Unglück aber klug"). Auf einem Blättchen darüber
die Bezeichnung *1478 Antonellus messaneus me pinxit.* — Auf dem
Blendrahmen zwei Zettel; der eine trägt handschriftlich: From the
Vitturi Collection at Venice, 1773; der andere gedruckt: Jean de Bellunio
in the dress of a noble Venetian painted 1470 (korrigiert mit Tinte 45)
and presumed the only picture of the master in England.
Brustbild in Drittel-Lebensgr. Nußbaumholz h. 0,20, br. 0,14. —
Erworben 1832 durch Tausch von Solly.

Bildnis eines jungen Mannes. In dreiviertel Profil 18A
nach links. Bartlos, in rotem pelzgefüttertem Mantel und
violetter Mütze mit Sendelbinde. Dunkler Grund.

Auf einem Papierblättchen an der Brüstung die Bez. *1474 Antonellus Messanus me pinxit.* — Sammlung Hamilton, London 1882.
Brustbild etwas unter Lebensgr. Pappelholz, h. 0,32, br. 0,26. — Erworben 1889 in Paris.

Bildnis eines jungen Mannes. Etwas nach links 25
gewendet. Bartlos, das lange Haar mit einer roten einfachen

Kappe bedeckt; in roter Schaube, unter der das schwarze
Untergewand sichtbar wird. Schwärzlicher Grund.

Fast lebensgr. Brustbild. — Pappelholz, h. 0,38, br. 0,29. — Erworben 1841/42 in Italien.

Antonio. Antonio da Crevalcore. Sein voller Name: Antonio Leonelli da Crevalcore. Schule von Bologna. — Maler
vornehmlich von Blumen und Früchten, auch Musiker; thätig
um 1480—1500 zu Bologna. † vor 1525.

1146   Heilige Familie. Maria, Joseph und der kleine Johannes verehren das auf einer steinernen Brüstung sitzende
Christuskind, welches mit beiden Händen eine Citrone hält.

Seitwärts an zwei Pfeilern Gehänge von Orangen und Pfirsichen. Hintergrund Landschaft.

Bez. auf einem Blättchen unten: *Opra de Antonio da Crevalcore
1493* (die dritte Ziffer undeutlich, läfst sich aber nur als 9 ergänzen).
— Einziges bekanntes Werk des Meisters, der von Lokalschriftstellern
des 17. Jahrhunderts als ein „gefeierter Maler von Blumen, Früchten
und Tieren" (um 1490) angeführt wird.

Maria und Joseph Halbfig. etwas unter Lebensgr. Pappelholz,
h. 0,68, br. 0,54 — Sammlung Solly, 1821.

Aspertini. Amico Aspertini, gen. Amico Bolognese. Schule
von Bologna. — Geb. zu Bologna um 1475, † daselbst gegen
Ende 1552. Mutmafslich Schüler seines Vaters Giovann-
antonio, gebildet unter den Einflüssen der umbrischen und
der ferraresischen Schule. Thätig namentlich in Bologna,
Lucca und Rom.

118   Anbetung der Hirten. In der Mitte liegt das Christkind, von Maria, Joseph, Hirten und Engeln verehrt; links
die Hütte mit Ochs und Esel. Im Mittelgrunde der gebirgigen Landschaft der Zug der drei Könige; rechts oben
die Verkündigung an die Hirten.

Bez. auf dem Postament der Säule links: *amicus bononiensis faciebat.*
Pappelholz, h. 1,14, br. 0,80. — Sammlung Solly, 1821.

Bacchiacca. s. Ubertini.

Backer. Jacob Adriaensz Backer. Holländische Schule.
— Geb. zu Harlingen 1608 oder 1609 (nach Houbraken),
† zu Amsterdam den 27. Aug. 1651. Schüler des Lambert
Jacobsz zu Leeuwarden, dann des Rembrandt zu Amsterdam
(schon vor 1636), wo er seitdem thätig war.

Bildnis des Rechtsgelehrten François de Vroude. **810 B**
Nach rechts gewendet. In schwarzer Tracht und breitem Stein-
kragen neben einem Tische sitzend. In der Linken hält er das
Augenglas, in der Rechten ein Taschentuch. Dunkler Grund.

Bez. links im Grunde mit dem Monogramm und: *1643;* zur
Rechten: *Aet. 76.*
Kniestück in Lebensgr. Leinwand, h. 1,10, br. 0,94. — Erworben 1873
von Miethke in Wien.

Bagnacavallo. s. Ramenghi.

Bakhuisen. Ludolf Bakhuisen. Zeichnet sich auch Back-
huisen, Backhuizen und Backhuijsen. Holländische Schule. —
Marinemaler und Radirer, geb. zu Emden 1633 (?), begraben
zu Amsterdam den 12. Nov. 1708. Schüler des A. van
Everdingen und H. Dubbels. Thätig in Amsterdam.

Stürmische See an bergiger Küste. Ein Schiff **888**
und ein Boot suchen den Eingang des Hafens, an dessen
Seiten sich zwei Thürme erheben.

Leinwand, h. 0,87, br. 1,34. — Erworben 1835 von J. G. Liesching
in Stuttgart.

Leicht bewegte See. Mit Booten und Schiffen, unter **895**
denen in der Ferne zwei grofse Kriegsschiffe.

Bez. an dem kleinen Boote vorn: *1664 L. Back.*
Leinwand, h. 0,56, br. 0,97. — Königliche Schlösser.

Baidung. Hans Baldung, gen. Grien. Deutsche Schule. —
Maler, Kupferstecher und vielfach als Zeichner für den
Holzschnitt thätig, geb. zu Weyerstein (am Turm bei Strafs-
burg; die Familie stammte aus Schwäbisch Gmünd) zwischen
1475 und 1480, † zu Strafsburg 1545. Gebildet unter dem
Einflusse der Schule von Colmar, des Matthias Grünewald
und Dürers. Thätig nach den Wanderjahren vornehmlich in
Strafsburg und in Freiburg im Breisgau (1511—1516).

Kopf eines Greises. Nach rechts gewendet. Mit weifsem **552 B**
wallendem Barte und weifsem Haupthaare, die Schultern in
einen Mantel gehüllt. Dunkler Grund.

Früher dem Albrecht Dürer zugeschrieben. — Ringsum angestückt.
— Sammlungen von Kirschbaum, München 1822; von Holzschuher,
Nürnberg 1869
Unter Lebensgr. Eichenholz, h. 0,32, br. 0,23. — Sammlung
Suermondt, 1874.

Altarbild. Mittelbild: Die Anbetung der Könige. **603 A**

Der in der Mitte stehende König vermutlich das Bildnis des Stifters. In der Landschaft zu beiden Seiten je ein Reitertrupp des Gefolges. — Auf den Flügeln: links der hl. Georg, rechts Mauritius; auf den Rückseiten der Flügel: links die hl. Katharina, rechts Agnes, sämtlich auf landschaftlicbem Grunde.

Aus der Stadtkirche zu Halle. Das Gegenstück (die Marter des hl. Sebastian, jetzt bei Frl. Przibram in Wien) trägt das Monogramm des Meisters und die Jahreszahl 1507.

Lindenholz, Mittelbild h. 1,21, br. 0,70, Flügelbilder br. je 0,28. — Erworben 1872 aus der Sammlung des Justizrath Wilke in Halle a. S.

Balen. s. unter Jan Brueghel.

Barbari. Jacopo de' Barbari, in Deutschland Jakob Walch (d. h. der wälsche Jakob) genannt. Venetianische Schule. — Maler und Kupferstecher, geb. vermutlich zu Venedig, † vor 1515. Unter dem Einflusse des Gio. Bellini und namentlich des Antonello gebildet. Thätig von 1472—1511: in Venedig (bis um 1500), in Nürnberg (vornehmlich um 1500—1504 und vermutlich schon um 1494—1497) und in den Niederlanden (daselbst in den Diensten des Grafen Philipp, natürlichen Sohnes des Herzogs Philipp von Burgund); seit 1510 als Hofmaler der Erzherzogin Margarethe, Regentin der Niederlande.

26A   **Maria mit dem Kinde und Heiligen.** Links sitzt Maria, das Kind mit der Rechten haltend; sie hat die Linke auf das Haupt der von Johannes dem T. empfohlenen Stifterin, Caterina Cornaro, Königin von Cypern (1454—1510), gelegt. Zwischen Johannes und Maria die hl. Barbara. Im Grunde Landschaft mit einem Flußthal (Thal der Etsch).

Weißtannenholz auf Nußbaum-Blendholz, h. 0,67, br. 0,84. — Geschenkt 1877 von J. C. Robinson in London.

Barbieri. Giovanni Francesco Barbieri, gen. Guercino. Schule von Bologna. — Geb. zu Cento den 8. Febr. 1590, † zu Bologna den 22. Dez. 1666. Schüler des Benedetto Gennari und des G. B. Cremonini zu Cento, des Paolo Zagnoni zu Bologna, unter dem Einflusse des Lodovico Carracci ausgebildet. Thätig vornemlich zu Cento (bis 1642), zeitweilig zu Rom (1621—1623), Piacenza (1626) und Modena (1632), von 1642 an in Bologna.

Maria mit dem Kinde. Maria umfafst mit dem linken **368**
Arm das auf ihrem Schofse sitzende Kind. Dunkler Grund.

Maria Halbfigur in Lebensgr. — Leinwand, h. 0,76, br. 0,61. —
Sammlung Giustiniani, 1815.

Barnaba. Barnaba da Modena. Zeichnet sich stets
Barnabas de Mutina. Italienische Schule (Modena). —
Geb. zu Modena, thätig seit 1364—1380 (nach urkundlichen
Berichten und den noch bekannten Daten seiner Werke)
in Modena, Genua (daselbst urkundlich 1364, 1370 und 1380
nachgewiesen), Pisa und Piemont (um 1377).

Maria mit dem Kinde. Maria hält das Kind, das **1171**
eißen auf seiner Linken sitzenden Stieglitz füttert, auf dem
linken Arm. Goldgrund.

Bez. unten, in goldener Schrift auf rothem Grund: *Barnabas de
mutina pinxit* mcccLxviiii.
Maria Halbfigur in Lebensgr. Tempera, Leinwand auf Pappelholz geklebt, oben im Spitzbogen abschliefsend, h. 1,06, br. 0,66. —
Erworben 1845.

Bartolo. Bartolo di Fredi (Bartolo di Maestro Fredi).
Schule von Siena. — Geb. zu Siena um 1330, urkundlich
schon 1353 thätig (in gemeinsamer Werkstatt mit Andrea Vanni),
† zu Siena den 26. Januar 1410. Schüler der beiden Lorenzetti; thätig zu Siena, zeitweilig in S. Gimignano (namentlich
um 1362—1366) und in Volterra (vor 1380).

Anbetung der Könige. Rechts vor der Hütte die hl. **1112**
Familie und der älteste König der dem Kind knieend den
Fufs küfst. Von links her nahen die beiden anderen Könige
mit ihrem Gefolge. Hintergrund felsiges Gebirge.

Tempera, Pappelholz, h. 0,21, br. 0,70. — Sammlung Solly, 1821.

Bartolommeo. Fra Bartolommeo della Porta, auch Baccio
oder il Frate genannt. Sein weltlicher Name: Bartolommeo
Pagholo oder di Paolo del Fattorino; als Dominikaner Fra
Bartolommeo di San Marco. Florentinische Schule. — Geb.
1475 in Florenz (vor der Porta di S. Pier Gattolini; daher
der Beiname), † daselbst den 31. Oktober 1517. Schüler
des Cosimo Rosselli, ausgebildet unter dem Einflusse Lionardo's,
später auch Raphael's. Thätig namentlich zu Florenz, von
1507—1512 gemeinschaftlich mit Mariotto Albertinelli· kurze
Zeit in Venedig (1508) und in Rom (nach 1514).

Albertinelli. Mariotto Albertinelli. Nach seinem Vater: **Mariotto di Biagio di Bindo.** Florentinische Schule. — Geb. zu Florenz den 13. Oktober 1474, † daselbst den 5. November 1515. Schüler des Cosimo Rosselli, unter dem Einflusse Fra Bartolommeo's ausgebildet. Thätig zu Florenz.

249   Himmelfahrt der Maria. Maria, von musizierenden Engeln umgeben, schwebt auf der Mondsichel empor. Am Grabe, aus welchem Rosen und Lilien hervorspriessen, knieen links die hh. Johannes d. T., Petrus und Dominicus, rechts die hh. Petrus Martyr, Paulus und Magdalena. Hintergrund Landschaft.

Mit der Inschrift: ORATE PRO PICTORE — Anordnung und Zeichnung rühren wohl ganz von Fra Bartolommeo her; dagegen erscheint die Hand Albertinelli's in der Ausführung des oberen Teils. Pappelholz, h. 3,01, br. 1,80. — Sammlung Solly, 1821.

Basalti. Marco Basaiti. Venetianische Schule. — Von griechischen Eltern geb. im Venetianischen. Geburts- und Todesjahr unbekannt. Schüler und Gehülfe des Luigi Vivarini, dann vermutlich des Gio Bellini. Thätig zu Venedig 1490 bis mindestens 1521.

6   Klage um den Leichnam Christi. Der tote Christus ruht aufrecht im Schoße der Maria. Links hinter Maria steht Nikodemus; rechts Johannes, Joseph von Arimathia und Magdalena. Dunkler Grund.

Von einer alten Inschrift finden sich oben rechts noch folgende z. T. undeutliche Reste: *Marci Ba . . . i p.* — Gehört zu den häufigen Wiederholungen der Beweinung Christi (mit Veränderungen), welche zumeist auf den Namen Gio Bellini's getauft sind, aber, sämtlich von Schülern oder Nachfolgern des Meisters ausgeführt, wohl auf ein verschollenes Werk Bellini's zurückgehen. Halbfig. Pappelholz, h. 0,60, br. 0,86. — Sammlung Solly, 1821.

20   Altartafel in vier Abteilungen. Obere Abteilung (Lünette). Maria mit dem Kinde sitzt zwischen der hl. Anna (oder Katharina von Siena?) und der hl. Veronika. Halbfig. — Untere Abteilungen. In der mittleren: Johannes der Täufer mit Kreuz und Spruchband. Linke Abteilung: Der hl. Hieronymus, eine Schriftrolle in der Rechten. Rechte Abteilung: Der hl. Franciscus, ein offenes Buch und Kreuz in den Händen. Hintergrund Landschaft.

Pappelholz. Obere Abteilung: h. 0,47, br. 1,40; jede der unteren: h. 0,93, br. 0,37. — Sammlung Solly, 1821.

Der hl. Sebastian. An die Säule gebunden und von **37** Pfeilen durchbohrt, den linken Arm über das nach rechts geneigte Haupt gelegt. Im Hintergrund ein burggekrönter Hügel an einem Fluſs.

Bez. auf der Plinthe der Säule *Marcus Basaiti . p* . — Eine kleinere Original-Wiederholung mit geringen Abweichungen in der Galerie Doria zu Rom unter dem Namen Perugino. Eine zweite ganz verwandte Darstellung des hl. Sebastian in S. Maria della Salute zu Venedig.

Pappelholz, h. 2,17, br, 1,02. — Sammlung Solly, 1821.

Bassano. s. Ponte.

Bassen. Bartholomeus (Bartelmees) van Bassen. Holländische Schule. — Baumeister und Architekturmaler, 1613 als Meister in die Lukasgilde zu Delft aufgenommen, begraben den 28. November 1652 im Haag. Thätig (nach den Daten auf seinen Bildern) seit 1613 in Delft und später im Haag, vorübergehend in England und in Antwerpen.

Inneres einer Kirche. Hauptschiff einer Kirche im **695** Stile der Hochrenaissance: darin eine Prozession, die sich nach vorn bewegt.

Die Figuren von Fr. Fraucken d. J. (s. diesen). — Bez. links am Sockel des Pfeilers: *B. van Bassen 1624* und darüber *F. Franck figuravit. invenit.*

Eichenholz, h. 0,53, br. 0,79. — Königliche Schlösser.

Saal-Ansicht. In einem reich geschmückten Saale im **755** Renaissance-Stile vorn rechts ein Herr, der tanzend auf eine Dame zuschreitet. Zur Linken ein Page und zwei Hunde. Im Hintergrund noch fünf Figuren.

Eichenholz, h. 0,29, br. 0,42. — Sammlung Solly, 1821.

Batoni. Pompeo (Girolamo) Batoni oder Battoni. Römische Schule. — Geb. zu Lucca den 5. Februar 1708, † zu Rom den 4. Februar 1787. Insbesondere zu Rom durch Studien nach Raphael nnd der Antike ausgebildet. Thätig zu Rom.

Vermählung von Amor und Psyche. Amor, von **504** Hymen unterstützt, steckt der Psyche den Ring an den Finger. Links Venus auf ihrem Wagen, rechts Zephyr auf einer Wolke. Hintergrund Architektur und Landschaft.

Bez. auf der Sockelplatte des Bettes: *Pompeo Batoni Pire Ao 1756. Roma.*

Leinwand, h. 0,83, br. 1,18. — Königliche Schlösser.

Bazzi. Giovanni Antonio Bazzi oder de' Bazzi, gen. Sodoma. Lombardische und Sienesische Schule. — Geb. zu Vercelli (in Savoyen) wahrscheinlich 1477, † zu Siena den 14./15. Februar 1549. Schüler des Martino Spanzotti zu Vercelli, seit 1498 in Mailand, wohl durch das Studium des Lionardo da Vinci weiter ausgebildet. Thätig namentlich in Siena und Rom; 1518—1525 vermutlich wieder in Oberitalien.

109   Caritas. Die jugendliche Caritas hält ein Knäblein auf dem linken Arm, während zwei andere Kinder lebhaft an ihr emporverlangen. Der Pelikan auf dem Bäumchen links als Sinnbild der Elternliebe. Hintergrund Landschaft.

Aus der früheren Zeit des Meisters, um 1503—1505, wie aus der nahen Verwandtschaft mit den Fresken von S. Anna in Creta (bei Pienza) erhellt. — Dieselbe weibliche Figur in der Lucretia des Kestner-Museums zu Hannover.

Pappelholz h. 0,87, br. 0,49. — Erworben 1841/42 in Italien.

Beerstraaten. Jan Abrahamsz Beerstraaten oder Beerstraten. Holländische Schule. — Getauft den 31. Mai 1622 zu Amsterdam, † daselbst 1666. Thätig zu Amsterdam, nach den Daten auf seinen Bildern, seit 1641.

868A   Winterlandschaft. Vor einer holländischen Stadt (Amsterdam), welche sich von rechts nach der Ferne ausbreitet, bewegen sich einzelne Schlittschuhläufer und Schlitten auf einer weiten Eisfläche.

Bez. links unten in der Ecke: *J. Beerstraaten fecit.*

Leinwand, h. 0,90, br. 1,25. — Erworben 1846.

Bega. Cornelis (Pietersz) Bega. Zeichnet sich bisweilen auch Begga. Holländische Schule. — Maler und Radirer getauft zu Haarlem den 15. November 1620, † daselbst den 27. August 1664 an der Pest. Schüler des Adriaan van Ostade, vermutlich unter dem Einfluss des Frans Hals weiter ausgebildet. Thätig zu Haarlem, nach einer Studienreise, die den Künstler durch Deutschland (1653) und wahrscheinlich bis Rom führte.

871   Die Lautenspielerin. Vor einem mit Instrumenten

und Noten bedeckten Tische sitzt ein Mädchen auf dem
Boden und begleitet seinen Gesang auf der Laute.

Bez. unten, links von der Mitte: *C. Bega Ao. 1662.*
Leinwand, h. 0,35, br. 0,32. — Königliche Schlösser.

Bauernfamilie. Ein kleines auf dem Schofse seiner **872**
jugendlichen Mutter sitzendes Mädchen greift nach seiner
Flasche, die ihm der rechts daneben sitzende Vater vorenthält.

Leinwand auf Holz, h. 0,30, br. 0,25. — Königliche Schlösser.

Begeijn. Abraham Cornelias Begeijn oder **Bega.** Holländische Schule. — Maier und Radirer, geb. in Holland um
1630, † den 11. Juni 1697 zu Berlin. Nachfolger des Claas
Berchem; thätig in Leyden bis 1667, später im Haag und
endlich seit 1688 in Berlin (als Hofmaler des Kurfürsten von
Brandenburg).

Landschaft mit Vieh. Im Vordergrund einer Cam- **889**
pagnalandschaft ein Hirt und eine rastende Heerde. Links
im Grunde ein hohes Gebäude.

Bez. links unten mit dem Monogramm (aus B und G gebildet).
— Ob dies Monogramm dem A. C. Begeijn angehöre, ist nicht ganz
zweifellos, da dessen Bezeichnung, aus seinen Bildern und Radirungen
bekannt, gewöhnlich aus A und B besteht (seltener auch aus C A B
mit dem ganzen Namen). A Bredius deutet es auf Barent Graet,
em er das Bild daher zuschreibt. Ueber ein verwandtes und ähnlich
gezeichnetes Bild der Schweriner Sammlung No. 51 siehe den Katalog.
Leinwand auf Holz, h. 0,36, br. 0,31. — Königliche Schlösser.

Beham. Barthel Beham. Zeichnet sich selbst bis zum
Jahre 1530 Peham, dann Beham (oder Behem). Deutsche
Schule. — Maler und Kupferstecher, geb. zu Nürnberg 1502,
in Italien 1540. Bildete sich nach Albrecht Dürer. Thätig
vornehmlich in Nürnberg, München (schon 1527) und in
Südschwaben (für Graf Gottfried Werner von Zimmern).

Dreiteilige Tafel. Links die hl. Katharina mit Palm- **619A**
zweig und Rad, in der Mitte der hl. Paulus mit Schwert
und Buch, rechts die hl. Agnes das Lamm auf den Armen.
Goldgrund.

Dieses und das folgende Bild befanden sich ehedem in der Herr-
chaft Zimmern.
Fichtenholz, Mittelbild h. 0,61, br. 0,18; Seitenbilder je h. 0,60,
r. 0,20. — Erworben 1850 aus der Sammlung Hirscher.

Zweiteilige Tafel. Links der hl. Crispin, rechts der **619B**

hl. Crispinian; beide mit Schusterwerkzeug und Palmen in
den Händen. Goldgrund.

Zu No. 619A gehörig.
Fichtenholz, jede Abteilung h. 0,64, br. 0,19. — Erworben 1850 aus
der Sammlung Hirscher.

Beijeren. Abraham van Beijeren. Holländische Schule. —
Maler von Stillleben und Marinen, geb. 1620 oder 1621 im
Haag. Thätig zumeist im Haag, dann in Delft (um 1657), in
Amsterdam (1672) und Alkmaar (1674).

983A   Stillleben. Auf einem teppichbedeckten Tische ein
Römer und rechts davon mehrere Schalen mit Obst, mit
Fischen, einer Citrone und einer Auster, daneben ein
Hummer.

Bez. an der Tischplatte mit dem Monogramm. — Kam 1873 aus
der Sammlung Villestraux in diejenige von B. Suermondt.
Leinwand, h. 0,69, br. 0,61. — Sammlung Suermondt, 1874.

Bellegambe. Jean Bellegambe. Niederländische Schule. —
Geb. zu Douai um 1470, urkundlich zuerst 1504 genannt,
† um 1533. Thätig zu Douai.

641   Flügelaltar mit der Darstellung des jüngsten
Gerichts. Mittelbild: Jüngstes Gericht. Christus als
Richter auf dem Regenbogen; unter ihm vier zum Gericht
posaunende Engel. Auf der Erde rechts die Gottlosen vom
Erzengel Michael in die Verdammnis gestürzt, links die
Frommen von zwei anderen Engeln aufwärts geleitet. —
Linker Flügel: Das Paradies. In einem grofsen Garten
mit Baulichkeiten werden in verschiedenen Gruppen die
sieben Werke der Barmherzigkeit belohnt. Rechts oben ein
schwebender Engel mit Schrifttafel und Schlüssel. — Rechter
Flügel: Die Hölle. Phantastischer mit Marter-Werkzeugen
Ungetümen und Flammen erfüllter Bau, darin die sieben
Todsünden bestraft werden. In der Höhe ein schwebender
Engel, bereit den Höllengrund mit einem grofsen Stein zu
verschliefsen; ein zweiter mit einer Schrifttafel.

Eine genaue Beschreibung und Abbildung bei Dehaisnes, Jean
Bellegambe, p. 161 fg.
Eichenholz, Mittelbild h. 2,22, br. 1,78; jedes Flügelbild h. 2,1
br. 0,82. Sammlung Soily, 1821.

Bellini. Gentile Bellini. Venetianische Schule. — Geb.

28. Giovanni Bellini.

zu Padua oder Venedig mutmafslich um 1426 oder 1427,
† zu Venedig den 23. Februar 1507. Schüler seines Vaters
Jacopo Bellini, in Padua unter dem Einflusse seines Schwagers
Andrea Mantegna weiter ausgebildet. Thätig zu Venedig
(1479/80 in Constantinopel am Hofe Mahomet's II. und kurze
Zeit in Rom).

Maria mit dem Kinde und Stiftern. Maria hält, etwas **1180**
nach links gewendet, das mit der Rechten segnende Kind auf
ihrem Arm. Unten die Brustbilder des Stifterpaars in Profil,
links der Mann, rechts die Frau. Goldgrund.

Bez. auf dem Sockelfriese des gleichzeitigen Rahmens: *Opus.
Gentilis. Bellinus.* — Aus der frühesten Zeit des Meisters um oder
bald nach 1450, und unter dem Einflusse des Vaters Jacopo.

Halbfig. Tempera. Pappelholz, h. 0,75, br. 0,46. — Sammlung
Solly, 1821.

Bellini. Giovanni Bellini. Venetianische Schule. — Geb.
zu Padua oder Venedig um 1428, † zu Venedig den 29. Nov.
1516. Schüler seines Vaters Jacopo, in Padua (zwischen 1450
und 1462) unter dem Einflusse seines Schwagers Andrea
Mantegna weiter gebildet. Thätig in Venedig, wo er sich
(seit 1474) nach dem Vorgange des Antonello da Messina der
Oelmalerei zuwandte.

Maria mit dem Kinde. Maria hält, nach links gewendet, **10**
das segnende Kind auf dem Schofse. Goldgrund.

Eine ganz ähnliche Darstellung, ebenfalls Original, bei Senator
Morelli in Mailand. Eine Schulkopie in der städtischen Sammlung
zu Treviso.

Maria Halbfig. Pappelholz, h. 0,54, br. 0,42. — Sammlung Solly, 1821.

Maria mit dem Kinde. Maria, geradeaus blickend, um- **11**
fafst mit der Rechten das nackte Kind, welches, in der Linken
eine Birne haltend, vor ihr auf einer steinernen Brüstung
steht. Hinter der Maria ein schmaler Vorhang, zu dessen
Seiten Landschaft.

Bez. auf der Brüstung: *Joannes Bellinus.* — Zwei ähnliche Ma-
donnen in der Akademie zu Venedig (No. 94 mit der Jahreszahl 1487).

Maria Halbfig. Pappelholz, h. 0,77, br. 0,56. — Sammlung Solly, 1821.

Der todte Christus. Christus aufrecht, von vorn ge- **28**
sehen, das Haupt nach rechts geneigt, wird von zwei trauernden
Engeln unterstützt, die sich in halber Figur über einer hellroten Draperie erheben. Hintergrund Himmel.

Aus des Meisters früherer Zeit und unter dem Einflusse des Andrea Mantegna (um 1460—1464). — Ein ganz ähnliches Bild, aber geringer,
unter dem Namen Mantegna bei Herrn Menghini in Mantua. — Verwandte Darstellungen im Stadthause zu Rimini und im Museo civico
in Venedig.

Fig. bis zum Knie. Tempera. Pappelholz, h. 0,82, br. 0,66. —
Sammlung Solly, 1821.

1177 · Maria mit dem Kinde. Maria hält, das Haupt nach
links gewendet, mit beiden Händen das Kind, das vor ihr
auf einer Brüstung steht. Im Grunde bergige Landschaft.

Eine der frühesten Arbeiten des Meisters, noch vor der mante-
gnesken Zeit, unter dem bestimmenden Einflusse des Vaters Jacopo und
der Schule von Murano.

Maria Halbfig. Pappelholz, h. 0,67, br 0,49. — Sammlung Solly, 1821.

4   Bellini? Beweinung Christi. Der Leichnam Christi
wird von Maria und Johannes, die ihn von beiden Seiten
unterstützen, betrauert. Hintergrund Himmel.

Diese Darstellung, welche in Wiederholungen und Kopieen vielfach
wiederkehrt, geht wohl auf ein Original aus der späteren Zeit des
Meisters zurück. Doch steht das Berliner Bild, das vielleicht von Marco
Basaiti (s. d.) herrührt, dem Meister am nächsten. Eine Schulkopie,
dem Donato Veneziano zugeschrieben, in der Akademie zu Venedig,
eine zweite „Art des Cima" benannt, im Museo civico zu Padua, eine
dritte im Museum zu Vicenza; außerdem verschiedene Nachbildungen
in byzantinischer (griechischer) Manier (z. B. bei Guggenheim zu Venedig
und in kleinem Maßstab in der Berliner Galerie, No. 1158), welche
Zeugnis von der Beliebtheit der Darstellung ablegen.

Halbfig. Pappelholz, h. 0,68, br. 0,86. — Sammlung Solly, 1821.

Bellini. Schule des Giovanni Bellini. Venetianische Schule.

3   Segnender Christus. Christus, von vorn gesehen, in
der Linken ein Buch haltend, erteilt mit der Rechten den
Segen. Hintergrund Landschaft und Himmel.

Ein nahe verwandtes Bild in der Galerie zu Dresden, ganze Figur,
mit Recht dem Cima zugeschrieben.

Fig. bis zum Knie. Pappelholz, h. 1,04, br. 0,87. — Sammlung
Solly, 1821.

12   Die Bildnisse von zwei jungen venetianischen
Edelleuten. Beide bartlos, mit schwarzen Mützen und in
pelzverbrämten Schauben. Der Aeltere zur Linken nach
rechts gewendet, rechts der Jüngere nach links blickend.
Dunkler Grund.

Eine etwas spätere Wiederholung des Bildes, dem Gentile Bellini

zugeschrieben, aber gleichfalls aus der Schule von Giovanni, im Louvre,
mit dem Unterschiede, dafs hier die Stellungen der Fig. vertauscht
sind, und mit verändertem Hintergrund. Das hiesige Bild wahrscheinlich von Francesco Bissolo (s. d.).
Brustbild in Lebensgr. Leinwand, h. 0,43, br. 0,61. — Sammlung
Solly, 1821.

Belotto. Bernardo Belotto seltener Bellotto, gen. Canaletto.
Venetianische Schule. — Landschafts- und Architekturmaler,
insbesondere von Städte-Prospekten, auch Radirer, geb. zu
Venedig den 30. Januar 1720, † zu Warschau den 17. Okt.
1780. Schüler seines Oheims Antonio da Canale, von welchem
er den Beinamen annahm. Thätig in Venedig, Rom, Ober-
Italien (bis gegen 1745); alsdann in München (um 1745), in
Dresden (1747 bis 1755, dann nach 1762—1768), in Wien (1758
bis 1760) und endlich in Warschau (1762, dann seit 1768, als
Hofmaler König Stanislaus II. von Polen).

Der Marktplatz zu Pirna. Ansicht vom Markte in die **503B**
Kirch- und Schlofsgasse; zur Linken das Rathaus, weiter
zurück die gotische Kirche. Rechts im Grunde der Sonnenstein. Der Platz ist von zahlreichen Figuren belebt.
Bez. links unten: *B. B. de Canaletto. fec.* — Seitenstück zum
folgenden Bilde (s. die Bemerkung zu demselben).
Leinwand, h. 0,46, br. 0,78. — Erworben 1878 von Unterstaats-
sekretär von Gruner in Berlin.

Das Oberthor von Pirna. Durch das in der Mitte **503C**
befindliche Thor Blick in eine Strafse. Im Mittelgrunde die
gotische Kirche; weiter vorn die Stadtmauern, welche sich
nach rechts zur Feste Sonnenstein hinaufziehen.
Seitenstück zu 503 B. — Dieselben Ansichten von Pirna, in
gröfserem Mafsstabe, in der Bilderfolge des Meisters in der Galerie
zu Dresden, jedoch mit anderer Staffage (von Stefano Torelli).
Leinwand, h. 0,47, br. 0,78. — Erworben 1882 in Dresden.

Beltraffio. s. Boltraffio.

Benozzo. Benozzo Gozzoli. Nach dem Vater: Benozzo
di Lese di Sandro. Florentinische Schule. — Geb. 1420
zu Florenz, † 1498 zu Pisa. Zuerst als Goldschmied und
Erzbildner Gehülfe des Lorenzo Ghiberti (1444); als Maler
Schüler des Fra Giovanni da Fiesole und dessen Gehülfe,
1446 in Rom, 1447 in Orvieto. Thätig zu Montefalco (1449
bis um 1455), kurze Zeit in Perugia (1456), zu Florenz (um

1459—1462), in S. Gimignano (1463 bis um 1468) und vornehmlich in Pisa (1469—1485, und wohl noch länger).

60B   **Maria mit dem Kinde.** Maria hält das Kind auf dem
Schofse; links die hl. Magdalena, rechts die hl. Martha.
Hinter Maria zwei Engel einen Mantel aus gemustertem
Goldstoff emporhaltend.

> Ganz verwandt der 1450 datierten Altartafel des Meisters, die Spende
> des hl. Gürtels darstellend (in der Sammlung des Laterans zu Rom).
> Tempera. Pappelholz, h. 0,59, br. 0,36. — Erworben 1883 von
> A. Castellani in Rom (stammt aus der Nähe von Perugia).

Berchem. Nicolaas (Claas) Pietersz Berchem oder Berghem.
Zeichnet sich bisweilen auch Berrighem. Holländische
Schule. — Maler und Radirer, getauft zu Haarlem den
1. Oktober 1620, † zu Amsterdam den 18. Februar 1683.
Schüler seines Vaters Pieter Claasz, später des P. de Grebber
und J. Wils in Haarlem, des N. Moeijaert und J. B. Weenix
in Amsterdam. Nach einem Aufenthalte in Italien thätig in
Haarlem und später in Amsterdam.

836   **Düstere Winterlandschaft.** Auf der Eisfläche eines
Flusses von rechts zwei Packpferde vor einem Futtertroge,
ferner Jäger, Schlittschuhläufer, Fischerinnen u. a. m. Links
ein hoher Brückenbogen, der zu Hütten und einer Windmühle führt. In der Ferne rechts ein qualmender Kalkofen.

> Bez. links unten in der Ecke: *Berchem. F.* — Ein ähnliches aber
> kleineres Bild bei Mr. Cook in Richmond.
> Eichenholz, h. 0,48, br. 0,69. — Königliche Schlösser.

890   **Der Halt vor dem Wirtshause.** Zur Rechten hält
vor einem italienischen Wirtshause ein zweispänniger Karren,
dessen Fuhrmann der Wirt einen Trunk reicht.

> Bez. an dem Gesimse der Hausthüre: *Berchem.*
> Leinwand, h. 0,32, br. 0,37. — Königliche Schlösser.

896   **Der Halt an der Schmiede.** Vor einer rechts im Felsen
liegenden Schmiede halten Jäger; einer derselben läfst sein
Pferd beschlagen. Links unter einem verfallenen Viadukt
eine Viehherde.

> Bez. rechts unten in der Ecke: *Berchem.*
> Eichenholz, h. 0,70, br. 0,85. — Königliche Schlösser.

896A   **Junge Frau.** Von vorn gesehen, den Kopf etwas nach

links geneigt. Mit vollem dunklem Haar und entblöfstem
Hals. Grauer Grund. Studie.

Brustbild in Lebensgr. Leinwand, h. 0,56, br. 0,48. — Erworben
1873 in Florenz.

Bergen. Dirk van Bergen oder Berghen oder van den
Bergen. Holländische Schule. — Thätig zu Haarlem 1661
bis 1690 nach den Daten auf seinen Werken. Nachfolger
des Adriaan van de Velde.

860

Tierstück. Italienische Landschaft mit Ruinen, vor
denen eine Bäuerin eine Kuh melkt; eine andere Kuh steht
rechts hinter dieser und legt den Kopf auf ihren Rücken.

Eichenholz, h. 0,19, br. 0,26. — Erworben 1843 aus der Sammlung
Reimer zu Berlin.

862

Tierstück. Italienische Landschaft mit Vieh, das von
einer ihr Kind säugenden Hirtin gehütet wird.

Gegenstück von No. 860.
Eichenholz, h. 0,19, br. 0,26. — Erworben 1843 aus der Sammlung
Reimer zu Berlin.

Bernardo. Bernardo da Firenze. Bezeichnet sich Bernardus
de Florentia. Seine Identität mit Bernardo Daddi ist zweifel-
haft. Florentinische Schule. — Geb. zu Florenz, † nach 1366 (?).
Schüler des Giotto (nach alter Angabe), unter dem Einfluſs
Sieneser Meister ausgebildet, thätig nach den Daten auf seinen
Werken um 1320—1347.

1064

Kleiner Flügelaltar. Mittelbild: Krönung der
Maria. Zu den Seiten des Thrones, auf welchem Christus
und Maria sitzen, Cherubim und Seraphim, verehrende
Heilige und musizierende Engel. — Linker Flügel: Geburt
Christi. — Rechter Flügel: Kreuzigung Christi. —
In den Giebelfeldern: die Brustbilder Christi und zweier
Evangelisten in runder Einrahmung. — Goldgrund.

Das Bild stimmt mit den bezeichneten Gemälden des Bernardo da
Firenze (insbesondere denen in der Akademie zu Florenz und in der
Akademie zu Siena, in beiden Sammlungen dem Bernardo Daddi zu-
geschrieben) genau überein. — Eine alte Kopie des Altärchens im
Louvre; eine vielleicht eigenhändige Wiederholung des Mittelbildes in
der Galerie zu Altenburg.

Tempera. Pappelholz, Mittelbild h. 0,42, br. 0,22, Flügel je h. 0,37,
br. 0,18. — Sammlung Solly, 1821.

Berthold. Meister Berthold. Deutsche Schule. — Maler

der in den ersten Jahrzehnten des 15. Jahrhunderts in Nürnberg thätig war. Von ihm der Imhof'sche Altar. Hauptmeister
der alten Nürnberger Schule. Nach Thode „Nürnberger
Malerschule", S. 24 ff.

1207 - 1210   Zwei Altarflügel mit Innen- und Aussenbildern.

1208   Linkes Aufsenbild. Maria mit dem Kinde. Maria
eine goldene Krone auf dem Haupte, hält anf dem linken
Arme das Kind und in der Rechten einen Apfel (mit Bezug
auf die Erbsünde, von welcher Christus erlöst). Dunkelblauer
Grund mit goldenen Sternen.

1209   Rechtes Aufsenbild. Der hl. Petrus Martyr. Der
Heilige, am Vorderhaupte die Todeswunde, hält in der
Rechten das erhobene Schwert; die Linke auf einen Stab
gestützt. Dunkelblauer Grund mit goldenen Sternen.

1207   Linkes Innnenbild. Die hl. Elisabeth von Thüringen. Die Heilige, unter einem gotischen Baldachin stehend,
reicht einem Krüppel (Figur in verkleinertem Mafsstabe) ein
Brot, während sie andere Brote mit der Linken in den Falten
des Mantels trägt. Goldgrund.

1210   Rechtes Innenbild. Johannes der Täufer. Der
Täufer unter einem gotischen Baldachin stehend, zeigt mit
der Rechten auf das Lamm, welches mit der Siegesfahne auf
einem Buche in seiner Linken ruht. Goldgrund.

Auf den Aufsenbildern die Wappen der Nürnberger Familien
Deichsler (links) und Zenner (rechts). Nach einer handschriftlichen
Notiz Waagen's stammen die Flügel von einem Altar in der vormaligen
Dominikanerkirche zu Nürnberg, den ein Berchtold Deichsler gestiftet
hatte; ein Brett von dem geschnitzten Mittelstück des Altars enthielt
den Namen „Berchtold Deychsler"; es bleibe ungewifs, ob der Stifter
das so genannte Mitglied dieser Familie gewesen sei, dessen Tod 1418
oder 1419 erfolgte. Dagegen erklärt Waagen in seinem Handbuch,
dafs nach urkundlicher Nachricht die Familie Deichsler jenen Altar im
J. 1400 in die jetzt abgetragene Katharinenkirche zu Nürnberg, in welcher
auch v. Murr einen von den Deichsler gestifteten Altar anführt, gestiftet
habe. — Der blaue Grund mit den Sternen aus Goldpapier gehört einer
älteren Restauration an.

Weifstanne, je h. 1,57, br. 0,37. — Erworben 1844.

Bertucci. Giovanni Battista Bertucci, gen. Giovanni Battista
da Faenza. Umbrische Schule. — Geb. zu Faenza, urkundlich
daselbst zuerst 1503 erwähnt, thätig um 1503—1516 in Faenza.

Bildete sich unter dem Einfluſs von Perugino und Pinturicchio.

Anbetung der Könige. Vor einer Ruine sitzt Maria **132** mit dem Kinde, dem die Magier ihre Geschenke darbringen; zur Linken hinter Maria steht Joseph. Vorn links der knieende Stifter (aus der Familie Manzolini zu Faenza). Im Grunde bergige Landschaft mit dem Gefolge der drei Könige.

Für die Familie Manzolini gemalt und ursprünglich in S. Caterina zu Faenza.

Pappelholz, h. 2,15, br. 2,63. — Sammlung Solly, 1821.

Betti. s. Pinturicchio.

Biglo. s. Francia.

Bissolo. Pier Francesco Bissolo. Venetianische Schule. — Geburts- und Todesjahr unbekannt. Schüler des Giovanni Bellini. Thätig zu Venedig, 1492—1530 (1492 urkundlich an den Malereien im grofsen Ratssaale des Dogenpalastes beteiligt).

Auferstehung Christi. Christus mit der Siegesfahne **43** steht segnend auf der Grabesplatte; neben derselben zwei ruhende Wächter. Hintergrund Landschaft.

Pappelholz, h. 1,82, br. 0,86. — Sammlung Solly, 1821.

Bissolo. Petrus de Inganatis: vermutlich derselbe wie Pier Francesco Bissolo (s. oben). Venetianische Schule.

Maria mit dem Kinde und Heiligen. Links neben **41** Maria, die das segnende Kind auf dem Schofse hält, Johannes der Täufer und eine Heilige; rechts Antonius von Padua und Magdalena. Hintergrund Himmel.

Bez. auf der Brüstung: *Petrus de Inganatis p.* — Aufser dem Berliner Bilde trägt noch eins, das sich im Privatbesitz in Venedig befindet, obige Bezeichnung und charakterisiert sich ebenfalls durch völlige Uebereinstimmung mit den Werken Bissolo's. Mit jener Bezeichnung soll Bissolo auf seine Fähigkeit angespielt haben, die Weise Bellini's und Giorgione's nachzuahmen und damit seine Zeitgenossen zu täuschen (ingannare).

Halbfig. Pappelholz, h. 0,68, br. 1,00. — Sammlung Solly, 1821.

Bles. Herri (Hendrik) Bles, in Italien gen. Civetta, nach dem Zeichen auf seinen Bildern, einem Käuzchen. Eigne Bezeichnung: Henricus Blesius. Niederländische Schule. — Geb. zu Bouvignes bei Namur um 1480. Wahrscheinlich unter dem Einflusse Patinir's ausgebildet, als dessen Schüler auch K. van Mander Bles nennt. Nach einem Aufenthalte

in Italien (namentlich im Venetianischen) thätig in den Niederlanden.

624 Bildnis eines jungen Mannes. Von vorn gesehen.
Mit schwarzem Barett, in grünem Unterkleide mit roten Aer-
meln und schwarzer Pelzschaube; in der Linken einige
Veilchen. Hintergrund Landschaft.

Bez. mit dem Monogramm, dem Käuzchen, auf einem Baume
rechts im Grunde. — Ein ganz verwandtes Bildnis, ebenfalls mit landschaftlichem Grunde, von derselben Hand, befindet sich im Louvre
(II, No. 607), dort als „unbekannt" aufgeführt.
Brustbild unter Lebensgröfse. Eichenholz, h. 0,48, br. 0,35. — Erworben 1843 aus der Sammlung Reimer zu Berlin.

Bois. Guillam (Willem) du Bois. Holländische Schule.
— Landschaftsmaler, 1646 in die Gilde zu Haarlem aufge-
nommen, begraben daselbst den 7. Juli 1680. Thätig zu
Haarlem, nach einer Studienreise durch Deutschland.

1038 Ansicht eines waldreichen Seitenthales des
Rheins. Vorn, rechts am Flufs, zwei Reiter auf einem Saum-
pfade; auf dem jenseitigen Ufer und der dahinter sich er-
hebenden Anhöhe einige Gehöfte.

Bez. rechts unten über dem Wege: *G d Bois.*
Leinwand, h. 0,58, br. 0,88. — Erworben 1843 aus der Sammlung
Reimer zu Berlin.

Bol. Ferdinand Bol. Holländische Schule. — Maler und
Radirer, getauft zu Dordrecht im Juni 1616, begraben zu
Amsterdam den 24. Juli 1680. Schüler Rembrandt's zu Amsterdam.
Thätig zu Amsterdam (schon vor 1640).

809 Bildnis einer ältlichen Dame. Nach links gewendet,
geradeaus blickend. In schwarzem Kleide, mit weifser Haube,
breitem Steinkragen und Manschetten. In der Linken ein
Taschentuch. Grauer Grund.

Bez. links im Grunde: *F. Bol fecit 1642.*
Halbfig. in Lebensgröfse. Leinwand, h. 0,87, br. 0,67. — Erworben
1843 aus der Sammlung Reimer zu Berlin.

809A Brustbild eines jungen Mannes. Von vorn gesehen,
mit geneigtem Haupt nach unten blickend. Das lange Haar,
von einem Diadem zusammengehalten, fällt auf einen weiten
Mantel, den er über der Brust mit der Linken zusammen-
fafst. Bräunlicher Grund.

Rechts die schadhafte Bezeichnung: *f. bol fecit 1644.* — Scheint eine Studie zu einem der Engel auf der Auferstehung Christi in der Kopenhagener Galerie zu sein.

Lebensgrofs. Leinwand, h. 0,76, br. 0,65. — Sammlung Suermondt, 1874.

Bol. Hans Bol. Niederländische Schule. — Maler, Zeichner und Radirer, geb. zu Mecheln den 16. Dezember 1534, † zu Amsterdam den 20. November 1593. Schüler der Brüder seines Vaters, Jan und Jacob Bol. Nach längeren Reisen in Deutschland und einem Aufenthalte in Heidelberg thätig einige Zeit in Mecheln, dann vornehmlich in Antwerpen (1572—1584) und später in Amsterdam.

Dorfansicht. Gruppen von allerlei Volk beleben die **650A** Dorfstrafsen. Links wird ein Verbrecher unter Geleit von Soldaten zur Richtstatt geschleift. Vor dem Wirtshause Zuschauer, Bettler und streitende Bauern.

Dieselbe Darstellung, aber gröfser, im Böhmischen Museum zu Prag. Eichenholz, h. 0,25, br. 0,36. — Sammlung Suermondt, 1874.

Boltraffio. Giovanni Antonio Boltraffio oder Beltraffio. Mailändische Schule. — Geb. zu Mailand 1467, † daselbst den 15 Juni 1516 (seiner Grabschrift zufolge im Alter von 49 Jahren). Schüler des Lionardo da Vinci. Thätig zumeist in Mailand, wahrscheinlich einige Zeit auch in Bologna.

Die hl. Barbara. In beiden Händen den Kelch haltend **207** steht die Heilige, von vorn gesehen, in bergiger Landschaft; links weiter zurück der Turm.

Pappelholz, h. 1,70, br. 1,11. — Sammlung Solly, 1821.

Boltraffio? Maria mit dem Kinde. Maria hält in der **207B** Linken eine Blume, nach der das auf einer Brüstung sitzende Kind greift. Hintergrund Landschaft.

Dem Meister nahe verwandt, aber doch nicht mit Sicherheit ihm zuzuweisen.

Halbfig. in halber Lebensgr. Pappelholz, h. 0,42, br. 0,31. — Erworben 1872 in Mailand.

Bonifacio. Bonifacio Veneziano, richtiger B. Veronese der Jüngere (II). Familienname de Pittatis. Venetianische Schule. — Geb. 1491 zu Verona, † den 19. Oktober 1553 zu Venedig. Schüler des Palma Vecchio oder doch unter dessen Einflufs gebildet und Nachfolger des älteren Bonifacio.

Die Ehebrecherin vor Christus. Christus, zur Linken **200**

am Eingange des Tempels sitzend und von den Pharisäern
wegen der Ehebrecherin befragt, welche eben durch Kriegsknechte vor ihn geführt wird, deutet zur Erde auf die dort
geschriebenen Worte. Rechts eine Gruppe von Frauen.
Hintergrund Landschaft.

Bez. auf dem Stein, auf weichen Christus den Fufs gestellt: MDLII. —
EineWiederholung des Bildes,wahrscheinlichKopie,in der Brera zu Mailand.
Leinwand, h. 1,42, br. 3,05. — Sammlung Solly, 1821.

Bonvicino. Alessandro Bonvicino, gen. Moretto da Brescia.
Zeichnet sich Alex. Morettus. Venetianische Schule (Brescia).
— Geb. zu Brescia um 1498, † daselbst Ende 1555.
Schüler und Gehülfe des Fioravante Ferramola zu Brescia,
dann nach Romanino, Tizian, und Raphael (vornehmlich
nach Stichen) fortgebildet. Zumeist in Brescia thätig; zeitweilig
in Bergamo (urkundlich 1529), Mailand und Verona (1540/41).

197   Glorie der Maria und Elisabeth. Auf Wolken gelagert Maria mit dem Kinde nebst der hl. Elisabeth und dem
kleinen Johannes, von zwei Engeln verehrt; darüber die Taube.
Unten knieen der Stifter Fra Bartolommeo Averoldo, Abt
vom Kloster der Umiliati in Verona, und rechts dessen Neffe
Aurelio Averoldo, beide in weifser Ordenstracht. Ueber
ihnen ein Engel mit Spruchband. Durch ein Portal Blick
auf felsige Landschaft.

Bez. auf dem Mittelstreifen des Fufsbodens: *Ales. Morettus.
Prix. P. MDXLI.* — Auf dem Spruchband des Engels: TVO SYDERE
AFFLARI REVIVISCERE EST (etwa: der Strahl Deines Gestirnes giebt
neues Leben). — Von Averoldo 1541 für die Kirche della Ghiara in
Verona bestellt.
Leinwand, h. 2,65, br. 1,86. — Erworben 1841 aus der Sammlung
des Grafen Lecchi in Brescia.

Bordone. Paris Bordone. Venetianische Schule. — Geb.
zu Treviso um 1500, † zu Venedig den 19. Januar 1570 (neuen
Stils 1571). Schüler Tizian's, bildete sich nach den Werken
Giorgione's weiter aus. Thätig in Treviso, Venedig und
Vicenza, Crema, Genua und Turin; in Paris (1538 bis 1540)
und Augsburg (um 1540). Vermutlich 1559 zum zweiten
Male nach Paris berufen.

169   Die Schachspieler. Zwei Männer in schwarzer
Kleidung, an einem teppichbedeckten Tische sitzend, spielen

197. **Aless. Bonvicino** gen. **Moretto**.

Schach. Der zur Rechten thut einen Zug, den Blick auf den
Beschauer gerichtet. Im Mittelgrunde links eine Säulenhalle,
rechts eine hügelige Landschaft, in der vier Kartenspieler sitzen.

Bez. unten auf der Brüstung: *O. Paris. B.*
Ganze Fig. etwas unter Lebensgr. Leinwand, h. 1,12, br. 1,81. —
Königliche Schlösser.

Thronende Maria mit dem Kinde und Heiligen. 177
In einer Nische mit musivisch dekorierter Wölbung thront
Maria mit dem Kind, das, nach rechts gewendet, dem auf
den Stufen knieenden Augustinus die Bischofsmütze aufsetzt.
Links die hl. Magdalena; rechts Katharina und vor ihr der
knieende Aló mit Schmiedehammer und Zange.

Pappelholz, h. 2,06, br. 1,35. — Sammlung Solly, 1821.

Thronende Maria mit dem Kinde und Heiligen. 191
Unter offenem Bogen thront Maria, dem auf ihrem Schoße
stehenden Kind mit der Linken eine Frucht vorhaltend. Zur
Linken Gregor der Große und der hl. Rochus, rechts der
hl. Sebastian und die hl. Katharina. Hintergrund Himmel.

Aus der Kirche S. Maria de' Batuti zu Belluno und ohne Zweifel
die eine der beiden von Vasari gerühmten Altartafeln aus Belluno
(„che sono bellissime").
Pappelholz, h. 2,96, br. 1,79. — Sammlung Solly, 1821.

Männliches Bildnis. Von vorn gesehen, den Kopf **156**
nach rechts gewendet. In schwarzer Kleidung und schwarzem Barett. Grund eine Nische, daneben ein antikes Relief.

Halbfig. Leinwand, h. 0,86, br. 0,87. — Erworben 1841/42 in Italien.

Weibliches Bildnis. Junge Frau, nach links ge- **198**
wendet. Mit Straußenfeder-Barett und rotem ausgeschnittenen
Kleid. Dunkler Grund.

Wohl nur eine alte Kopie.
Brustbild. Leinwand, h. 0,61, br. 0,46. — Erworben 1841 in Venedig.

Bordone? Der hl. Sebastian. Der an die Säule ge- **195**
fesselte Heilige steht auf antiken Bautrümmern und blickt
nach dem mit der Märtyrerkrone von links oben herabschwebenden Engel. Im Mittelgrunde zahlreiche Bauten
Roms in willkürlicher Zusammenstellung.

Das Wappen ist dasjenige der Lumago, eines lombardischen Ge-
schlechtes. — Eine geringere Wiederholung, „Schule des Giorgione"
benannt, in der Ambrosiana zu Mailand.
Leinwand, h. 1,53, br. 0,90. — Sammlung Solly, 1821.

Borgognone. Ambrogio Borgognone (Ambrogio di Stefano da Fossano, gen. Borgognone). Zeichnet sich zumeist Ambrosius Bergognonis. Mailändische Schule. — Geb. zu Mailand um 1440—1450, † daselbst wahrscheinlich an der Pest 1523 (das letzte datierte Bild von 1522). Vermutlich Schüler Vincenzo Foppa's des Aelteren. Thätig namentlich in Mailand, aufserdem in Pavia und der nahegelegenen Certosa (1486 bis 1494), in Lodi (1497) und Bergamo (um 1508).

51   Thronende Maria mit dem Kinde. Maria hält das segnende Kind auf dem Schofse; zu ihren Seiten zwei kleine anbetende Engel. Auf dem vergoldeten Thron Reliefdarstellungen: in der Nische Moses mit den Gesetztafeln, auf dem Sockel Mannaregen und Moses das Wasser aus dem Felsen schlagend; auf den Pfeilern Prophetenfiguren.
> Aus der früheren Zeit des Meisters, um 1490—1500.
> Pappelholz, oben rund, h. 1,19, br. 0,54. — Sammlung Solly, 1821.

52   Thronende Maria mit dem Kinde und Heiligen. Maria sitzt mit dem Kind unter einem Baldachin von goldgemustertem Stoff; zur Linken Johannes der Täufer, zur Rechten der hl. Ambrosius. In der Luft zu beiden Seiten je vier schwebende Engel. In der Landschaft rechts die Schlacht, in welcher Ambrosius zu Pferde in den Wolken erscheint.
> Bez. unten auf einem Blättchen: *Ambrosii bergognoni opus.* — Aus späterer Zeit, um 1505—1510. — Die Erscheinung des hl. Ambrosius in der Schlacht bezieht sich wohl auf den durch die Vermittelung dieses Heiligen bei Pariabiago von den Mailändern im Jahre 1336 erfochtenen Sieg. — Vermutlich das Bild, das Albuzzio im Oratorium von S. Liberata zu Mailand sah.
> Pappelholz, h. 1,82, br. 1,33. — Sammlung Solly, 1821.

Both. Jan Both. Holländische Schule. — Landschaftsmaler und Radirer, geb. zu Utrecht um 1610, † daselbst am 9. August 1652. Schüler des Abraham Bloemaert (seit 1624), in Rom durch den Einflufs Claude Lorrain's zum Landschaftsmaler ausgebildet und mit diesem wetteifernd thätig. Im Jahre 1640 wieder thätig in Utrecht.

863   Italienische Landschaft. In einem Thale, in dessen Mittelgrunde eine Brücke über einen breiten Flufs führt, hält vorn auf der Strafse eine Jagdgesellschaft von Herren und Damen zu Pferde. Rechts vorn eine hohe Baumgruppe; auf der Höhe der Berge eine Stadt.

106. Sandro Botticelli.

Bez. links unten: *J. B. 1650*. — Die Staffage, früher irrtümlich
dem Audries Both († vor 1640) zugeschrieben, ist dem J. B. Weenix
verwandt.
 Leinwand, h. 1,59, br. 2,06. — Sammlung Solly, 1821.

**Bottioelli. Sandro Botticelli (Sandro di Mariano Filipepi
gen. Botticelli).** Florentinische Schule. — Geb. zu Florenz
1446, † daselbst den 17. Mai 1510. Zuerst Schüler des Goldschmieds Botticelli, dann des Fra Filippo Lippi, ausgebildet
unter dem Einflusse der Pollaiuoli sowie des Verrocchio,
und weiterhin des Lionardo da Vinci. Thätig vornehmlich
zu Florenz, 1481/1482 in Rom.

Bildnis eines jungen Mannes. Nach links gewendet. **78**
Mit schwarzer Mütze, in bräunlichem Kleide. Grauer Grund.
 Bisher dem Filippino Lippi zugeschrieben, zeigt aber in Zeichnung,
Färbung und Behandlung ganz die Kunstweise Botticelli's.
 Brustb. in Lebensgr. Tempera. Pappelholz, h. 0,41, br. 0,31. —
Erworben 1829 durch Rumohr.

Maria mit dem Kinde und Engeln. Maria hält vor **102**
einer Thronnische das auf der Brüstung stehende Kind; sie
ist von Engeln umgeben, welche brennende Kerzen und
Blumenvasen tragen; auf dem Gesims der Nische zwei
marmorne Engelchen, welche eine Krone über ihrem Haupt
halten. Hintergrund Himmel.
 Das von Vasari angeführte „Tondo", welches B. für die Kirche
S. Francesco vor dem Thore nach S. Miniato malte; obwohl von ihm
als „cosa bellissima" erwähnt, verrät das Bild, der zweiten Periode
des Meisters (etwa 1482—85) angehört, doch die Mitwirkung von Gehülfen.
 Tempera. Pappelholz, rund, Durchmesser: 1,92. — Sammi. Solly, 1821.

Thronende Maria mit dem Kinde und Heiligen. **106**
Maria bietet dem in ihrem Schofse liegenden Kinde die Brust
dar. Links von ihr steht Johannes der Täufer, rechts der
bejahrte Evangelist Johannes; dahinter eine Steinbrüstung
mit drei aus geflochtenen Palmenblättern, aus Cypressen-
und Myrtenzweigen hergestellte Laubnischen.
 Auf dem Spruchbande am Kreuze, das Johannes d. T. hält: ECCE
AGNVS DEI QVI TOLLIS PECHATA MVNDI. — Hauptwerk aus der
zweiten Periode des Meisters. Nach Vasari für die Kapelle der Bardi
in Santo Spirito zu Florenz gemalt. Wurde, wie es scheint, 1825 von
den Kirchenpatronen an den Bilderhändler Fedele Acciaj verkauft.
 Tempera. Pappelholz, h. 1,85, br. 1,80. — Erworben 1829 durch
Rumohr.

106A   Bildnis einer jungen Frau. Im Profil nach links. In rotem ausgeschnittenen Kleid, das reiche Haar von einer Perlenschnur durchflochten. Dunkler Grund.

Das Bild stammt aus dem für Cosimo de' Medici erbauten Palast Riccardi.

Brustbild unter Lebensgröfse. Tempera. Pappelholz, br. 0,54, h. 0,41. Ringsum angestückt. — Erworben 1875 in Florenz.

106B   Bildnis des Giuliano de' Medici. Im Profil nach rechts. In grünschillerndem Unter- und rotem pelzgefüttertem Oberkleid. Blauer Grund.

Vermutlich kurz vor dem Tode des Giuliano, Bruders des Lorenzo Magnifico, gemalt, der fünfundzwanzigjährig am 26. April 1478 bei der Verschwörung der Pazzi im Dom von Florenz ermordet wurde. — Eine geringere Wiederholung des Bildes bei Senator Morelli in Mailand.

Brustbild in Lebensgröfse. Tempera. Pappelholz, h. 0,54, br. 0,36. — Erworben 1878 aus dem Palazzo Strozzi zu Florenz.

1124   Venus. Nackt, mit langem goldenem Haupthaar, in einer der Statue der mediceischen Venus verwandten Stellung, jedoch das Haupt nach links geneigt. Dunkler Grund.

Die gleiche Figur wie die Venus in dem Bilde „Allegorie auf die Geburt der Venus" in den Uffizien zu Florenz, welches Sandro für die Villa Cosimo's de' Medici zu Castello malte. Nur die Anordnung der Haartracht ist verändert; doch sieht man noch in dem dunklen Grunde das an der rechten Seite des Körpers herabwallende Haar durchscheinen. — Beachtenswert auch als das zu jener Zeit seltene Beispiel einer freien Kopie nach der Antike.

Tempera. Leinwand, h. 1,57, br. 0,68. An den Seiten angestückt. — Sammlung Soily, 1821.

1128   Der hl. Sebastian. An einen Baumstamm gefesselt und von Pfeilen durchbohrt. Hintergrund Landschaft mit den abziehenden Kriegsknechten.

Aus der früheren Zeit des Meisters, unter dem Einflufs der Pollajuoli und des Verrocchio. — Vermutlich das Bild des hl. Sebastian, gemalt im Jahre 1473, das sich lange in Sta. Maria Maggiore zu Florenz befand und wohl identisch mit dem Sebastian ist, den Botticelli nach Vasari für den älteren Lorenzo de' Medici malte.

Tempera. Pappelholz, h. 1,95, br. 0,75. — Sammlung Solly, 1821.

Boucher. Art des François Boucher. Französische Schule.

496A   Venus und Amor. Venus, an einen Rasenhügel gelehnt und auf den abgestreiften Gewändern ausgestreckt, hält einen Blumenkranz über Amor. Hinter ihr eine grofse Gartenvase.

Leinwand, h. 0,31, br. 0,24. — Sammlung Suermondt, 1874.

Bourfse. Esaias Bourfse. Holländische Schule. — Geb.
um 1630 zu Amsterdam, daselbst thätig zwischen 1656 und
1672, in der Stellung eines „Adelborst" (Unteroffizier) zur
See zeitweilig auf Seereisen im Dienste der ostindischen
Kompagnie. Unter dem Einflusse von Rembrandt. Die
Bilder des seltenen Meisters gingen bisher unter dem Namen
des P. de Hoogh und des Delfter Vermeer.

Der Junge mit den Seifenblasen. In dem Hofraum   **912A**
eines holländischen Hauses sitzt auf den Backsteinziegeln
des Bodens ein Junge, vergnügt den Seifenblasen nach-
blickend, die er in die Luft gesendet hat; in der Rechten das
Seifenbecken.

Früher dem Delfter Vermeer zugeschrieben. Doch befindet sich
im Suermondt-Museum zu Aachen ein ganz ähnliches mit E. Bourfse 1656
bezeichnetes Bild desselben Gegenstandes. — Sammlungen Roos zu
Amsterdam, 1820; Cb. Haas zu Amsterdam, 1824; W. Bürger, 1869.
Leinwand, h. 0,61, br. 0,48. — Sammlung Suermondt, 1874.

Bouts. Dierick (Dirk) Bouts (Dirk van Haarlem). Niederländische Schule. — Geb. zu Haarlem um 1410—1420 (mutmafslich), † zu Löwen den 6. Mai 1475. Unter dem Einflusse
des Aalbert van Ouwater, später des Roger van der Weyden
gebildet. Thätig zu Haarlem und vornehmlich zu Löwen
(daselbst schon vor 1448).

Der Prophet Elias in der Wüste. Der schlafend am   **533**
Boden liegende Elias wird vom Engel, der Speise und Trank
neben ihn gestellt hat, geweckt. In der Felslandschaft zur
Rechten schreitet der Prophet gestärkt den Bergen zu.

Dieses Gemälde sowie die folg. No. 539 und zwei Bilder in
München („Abraham und Melchisedek" und „Mannalese") bildeten die
Innenseiten der Flügel eines Triptychons, dessen Mittelbild das Abend-
mahl darstellt und sich noch in der Peterskirche zu Löwen befindet,
für welche das Ganze ursprünglich gemalt war. — Die Quittung des
Meisters über die 1467 empfangene Zahlung ist noch vorhanden.
Eichenholz, h. 0,85, br. 0,69. — Erworben 1834 aus der Sammlung
Bettendorf in Aachen.

Feier des Passahfestes. In einem Gemach stehen um   **539**
einen viereckigen Tisch die sechs Mitglieder einer jüdischen
Familie, im Begriff das Passahlamm zu verzehren. Links
Ausblick in den Hof, durch dessen Thor ein junger Mann
eintritt.

Verz. d. Gemälde.

Gegenstück von No. 533.

Eichenholz, h. 0,85, br. 0,69. — Erworben 1834 aus der Sammlung Bettendorf in Aachen.

545B   Maria in Verehrung. Die Hände zusammengelegt, abwärts blickend. In hell violettem Kleide und blauem Mantel. Links ein turmartiger Bau. Im Grunde Landschaft mit grüner Weide.

Wurde früher einem Schüler des Jan van Eyck, später dem Memling zugeschrieben, zeigt aber, wie Dr. Scheibler mit Recht hervorhob, völlige stilistische Uebereinstimmung mit den Werken des Bouts. — Scheint ein Stück aus einem gröfseren Gemälde zu sein, das die Geburt Christi darstellte. — Stammt aus der 1803 aufgehobenen Abtei Salmannsweiler (Salens), und kam dann zu einem Herrn von Issel nach Freiburg i. B., der auch das angebliche Pendant dazu, eine sehr beschädigte Madonna, besessen haben soll. Von ihm erwarb es Appelationsgerichtsrat Baer, aus dessen Besitz es in die Sammlung Hirscher überging.

Kleine Halbfig. Eichenholz, h. 0,24, br. 0,14. — Erworben 1850 aus der Sammlung Hirscher zu Freiburg im Breisgau.

Bouts. Nachfolger des Dierick Bouts. Niederländische Schule.

543   Christus am Kreuze mit Heiligen. Zunächst dem Kreuze stehen klagend links Maria, rechts Johannes. Neben denselben links ein Bischof, einen Schlüssel in der Rechten haltend und einen Drachen unter seinem Fulse zertretend, rechts ein zweiter Bischof, in einem Buche lesend. Grund hügelige Landschaft.

Diesem Bilde liegt ein Originalwerk des Dirk Bouts zu Grunde, welches sich jetzt im Privatbesitz zu Wien befindet. Doch sind im Berliner Bilde die beiden Bischöfe hinzugefügt.

Eichenholz, h. 0,71, br. 1,07. — Sammlung Solly, 1821.

550   Die hh. Agathe und Clara. In einer Landschaft steht links die hl. Agathe, in der Rechten die Zange mit einer ihrer Brüste, rechts die hl. Clara, sich auf einen Bischofsstab stützend.

Flügelbild zu No. 543.

Eichenholz, h. 0,72, br. 0,51. — Sammlung Solly, 1821.

Brekelenkam. Quirijn (Gerritsz) Brekelenkam. Holländische Schule. — Geb. zu Zwammerdam bei Leiden, † zu Leiden 1668. Schon vor 1648 zu Leiden thätig. Datierte Bilder seiner Hand sind uns zwischen den Jahren 1652 und 1668 bekannt.

796A   Die Obsthändlerin. Hinter ihrem Stande sitzend, spricht dieselbe zu einer rechts vor ihr stehenden jungen Frau. Links neben dieser ein kleines Mädchen, das seiner Schürze Kirschen entnimmt.

Bez. links unten: *Q. B. 1661.* — Kam 1873 aus der Sammlung Leonhardt in Köln zu Suermondt.

Eichenholz, h. 0,46, br. 0,35. — Sammlung Suermondt, 1874.

Brescianino. Andrea del Brescianino (Familienname: Piccinelli). Schule von Siena. — Geburts- und Todesjahr unbekannt. Zeit der Thätigkeit: 1507 bis nach 1525. Unter dem Einflusse von Sodoma in Siena, dann von Fra Bartolommeo gebildet. Seit 1507 in Siena ansässig, von 1525 an Mitglied der Gilde in Florenz und daselbst thätig (zumeist gemeinsam mit dem Bruder Raffaello).

Die hl. Anna Selbdritt. Maria, im Schofse ihrer Mutter **230** sitzend, beugt sich nach links zu dem Kinde herab, das, mit dem Lamme spielend, zu ihr aufblickt. Hintergrund eine Nische.

Pappelholz, h. 1,29, br. 0,96. — Erworben 1829 durch Rumohr.

Breu. Jörg (Georg) Breu, Brew oder Prew. Zeichnet sich selbst mit dem Monogramm oder auch Jorg Prew. Deutsche Schule. — Maler und Zeichner für den Holzschnitt. Thätig zu Augsburg um 1501—1530 † daselbst 1536. Wahrscheinlich unter dem Einflusse des H. Burckmair und des A. Altdorfer gebildet.

Maria mit dem Kinde und Heiligen. Maria, mit dem **597A** Kinde in weiter Landschaft sitzend, wird von zwei Engeln gekrönt. Rechts von ihr die hl. Katharina und weiter zurück die hl. Barbara. Vorn rechts sieben Engelchen als Repräsentanten von Glaube, Liebe, Hoffnung und den vier Kardinal-Tugenden. In den Wolken erscheint Gott-Vater.

Bez. rechts am Brunnen mit dem aus den Buchstaben i b gebildeten Monogramm und 1512. — Die beiden Wappen in dem Bilde, offenbar von späterer Hand hineingemalt, sind diejenigen des Christoph Haimer zu Reichenstein (1517—1571) und seiner Gattin Apollonia Pernerinn zu Rauchen-Schachen.

Fichtenholz, h. 0,75, br. 0,52. — Erworben zwischen 1845 und 1847.

Bril. Paulus Bril. Vlämische Schule. — Landschaftsmaler, geb. zu Antwerpen 1554, † zu Rom den 7. Oktober 1626. Schüler des Damiaen Oortelmann zu Antwerpen und später

in Rom Schüler seines Bruders Mattheus (beide Brüder kamen
schon unter Gregor XIII., 1572—1585, nach Rom).

714   Jagd auf Ziegen. An einem steilen bewaldeten Berg-
abhange zur Rechten machen Bauern Jagd auf Ziegen. Die
erlegten Tiere werden vorn auf Esel geladen. Links Fernsicht.

Leinwand, h. 0,72, br. 1,05. — Königliche Schlösser.

744   Bergiges Meeresufer. Mit einzelnen Ruinen und verfallenen Hütten besetzt; vorn am Strande rechts Fischer beim
Fischfang, links Matrosen in der Nähe eines größeren Schiffes
um ein Feuer beschäftigt.

Leinwand, h. 0,57, br. 0,84. — Sammlung Solly, 1821.

Bronzino. Agnolo di Cosimo, gen. Bronzino. Florentinische
Schule. — Geb. in Monticelli bei Florenz um 1502, † zu
Florenz den 23. November 1572. Zuerst Schüler des Raffael-
lino del Garbo, dann des Jacopo da Pontormo in Florenz;
ausgebildet durch das Studium der Werke Michelangelo's.
Thätig zu Florenz.

337   Bildnis Cosimo's I. de' Medici, Großherzogs von
Toskana (1519—1574; Großherzog seit 1570). Nach rechts
gewendet, den Blick nach links gerichtet. In rot eingefaßtem
Stahlpanzer. Die Rechte auf dem Helme ruhend, der auf
einem Baumstumpfe liegt, die Linke einen Lorbeerzweig
haltend. Grund grüner Vorhang.

Eine Wiederholung des Bildes in der städtischen Sammlung zu
Lucca, eine zweite bei O. Hainauer in Berlin u. a. m.

Lebensgr. Halbfig. Pappelholz, h. 0,91, br. 0,62. — Sammlung
Solly, 1821.

338   Bildnis eines jungen Mannes. Leicht nach links
gewendet. In grauschwarzer Kleidung, auf einer Steinbank
sitzend und in der Rechten einen Brief haltend. Grünlicher
Grund.

Lebensgr. Halbfig. Pappelholz, h. 0,86, br. 0,67. — Sammlung
Solly, 1821.

338A   Bildnis des Ugulino Martelli. Sitzend. Von vorn
gesehen. In schwarzer Kleidung und schwarzem Barett, ein
blaugebundenes Buch (Bembo) mit der Linken auf sein Knie
stützend, während die Rechte auf der beim Anfang des
9. Gesanges aufgeschlagenen Ilias ruht. Hintergrund der Hof
des Palazzo Martelli mit der Statue des David von Donatello.

338 A. Agnolo Bronzino.

Bez. auf der Kante der Tischplatte: *Bronzo Fiorentino*. — Von Vasari erwähnt. — Ugolino Martelli (1519—1592), Humanist und selbst litterarisch thätig, in späteren Jahren Bischof zu Glandeves im südlichen Frankreich. — Der Hof des Palazzo Martelli zeigt noch heute die gleiche Gestalt, nur befindet sich jetzt die Statue des David im Treppenhause.

Lebensgr. Fig. bis zu den Kuleen. Pappelholz, h. 1,02, br. 0,85. — Erworben 1878 aus dem Palazzo Strozzi zu Florenz.

Bildnis der Eleonore von Toledo. In jugendlichem **338 B** Alter, von vorn gesehen. Mit Perlenschmuck um den Hals, in den Ohren und auf dem goldgestickten Gewand. Die Haare in ein Goldnetz gefafst. Die auf der Brüstung liegende Rechte hält ein Taschentuch. Hintergrund roter Vorhang.

Eleonore, Tochter des Pedro von Toledo, Vizekönigs von Neapel, verheiratet mit Cosimo, dem ersten Grofsherzog von Toskana.

Pappelholz, h. 0,58, br. 0,42. — Erworben 1890.

Brouwer. Adriaen Brouwer. Vlämische Schule. — Maler und Radirer, geb. um 1605 oder 1606, wahrscheinlich zu Oudenaerde, begraben in Antwerpen den 1. Februar 1638. Schüler des Frans Hals zu Haarlem, daselbst urkundlich 1626 und 1627, vorher zu Amsterdam thätig; dann zu Antwerpen, wohin er 1631 gelangte, unter dem Einflusse von Rubens weiter ausgebildet. Seitdem thätig zu Antwerpen.

Der Hirt am Wege. An einem sandigen Weg, der **853 H** zu ein paar zur Linken zwischen hohen Bäumen versteckten Bauernhütten führt, sitzt ein Hirte und bläst auf der Schalmei; neben ihm sein Hund, auf der anderen Seite des Weges einige Schafe. Rechts Ausblick auf eine von den Dünen begrenzte Wiese.

Bez. links an dem Sandhügel mit dem Monogramm.

Eichenholz, h. 0,49, br. 0,82. — Erworben 1878 in Paris.

Die Toilette. Eine ältliche Frau, nach rechts gewendet, **853 A** in schwarzem Kostüm und weifser Haube, ist vor einem Spiegel beschäftigt, ihren breiten Kragen zusammenzustecken. Grund dunkel.

Bez. im Grunde rechts mit dem Monogramm. — In der Folge der „sieben Todsünden" des Meisters als Superbia gestochen.

Halbfig. Eichenholz, oval, h. 0,18, br. 0,13. — Sammlung Suermondt, 1874.

Dünenlandschaft im Mondschein. Vorn links eine **853 B**

Gruppe von drei Bauern; weiter zurück zwischen Bäumen ein
Dorf am Strande des Meeres, über dem der Mond sich erhebt.

Bez. rechts unten mit dem Monogramm. — Sammlung Brentano
in Frankfurt a. M. 1871.

Eichenholz, h. 0,25, br. 0,34. — Sammlung Suermondt, 1874.

Brueghel.   Jan Brueghel d. A., gen. **Fluweelen** oder **Sammet-**
brueghel. Zeichnet sich ausnahmsweise auch **Bruegel.** Vlä- .
mische Schule. — Maler und Radirer, geb. 1568 zu Brüssel,
† den 13. Januar 1625 zu Antwerpen. Sohn Peeter Brueghel's
d. A., Schüler des älteren Peeter Goetkint in Antwerpen.
Nach einem mehrjährigen Aufenthalte in Italien (1593—1596)
thätig zu Antwerpen.

678   **Die Schmiede des Vulcan.** Vor den Ruinen eines
gewölbten Baues stehen zur Linken neben Vulcan, der einen
Schild schmiedet, Venus und Amor. Rings umher Gesellen
an der Arbeit sowie Waffenstücke und Prachtgerät aller
Art. In der Ferne ein feuerspeiender Berg.

Gehört zu einer Folge von vier Bildern, welche die Elemente
darstellen; die anderen drei kamen 1771 nach Holland. — Die drei
Hauptfiguren von **Hendrik van Balen** (geb. zu Antwerpen 1575,
† daselbst 17. Juli 1632, thätig zu Antwerpen).

Eichenholz, h. 0,54, br. 0,93. — Königliche Schlösser.

688   **Fest des Bacchus.** Unter dem Laubdach hoher Frucht-
bäume sitzen Bacchus und Ariadne; von einem von links
herantretenden Faun werden ihnen Trauben und von einem
knieenden Genius ein Glas Wein gereicht. Rings umher
Satyrn, Nymphen, Kinder. Aus der Ferne kommt von links
der Zug des Silen heran.

Die Figuren von **Johann Rottenhammer** (geb. zu München
1564, † zu Augsburg 1623, thätig zu Venedig, Augsburg und München).
Eichenholz, h. 0,65, br. 0,94. — Königliche Schlösser.

688A   **Stillleben.** In einem glasierten Thongefäß ein großer
Strauß von Gartenblumen. Auf der Tischplatte links ein
Blumenkranz, rechts ein Zweig Johannisbeeren. Dunkler
Grund.

Eichenholz, h. 0,64, br. 0,59. — Erworben 1862.

742   **Das Paradies.** Auf einem Wiesengrund und in den
Zweigen hoher Bäume allerlei Getier. In der Ferne Eva,
welche Adam den Apfel reicht.

Die gleiche Darstellung im Museo del Prado zu Madrid, welche dort als Original gilt, ist nur eine alte Kopie.
Eichenholz, h. 0,59, br. 0,42. — Königliche Schlösser.

Landschaft mit dem hl. Hubertus. In einer Wald- **765** lichtung kniet rechts der Heilige, von seinen Hunden umgeben, vor dem zwischen dem Geweih des Hirsches erscheinenden Cruzifix. Rechts neben ihm sein Pferd.

Der hl. Hubertus ist von der Hand des Rubens. — Eine Original-wiederholung im Museo del Prado zu Madrid, doch ist in dieser der Hubertus von Brueghel's eigener Hand. Eine kleinere mannigfach veränderte Wiederholung in der Pinakothek zu München, bez. BRUEGHEL 1621; auch hier die Figuren von Brueghel selbst.
Eichenholz, h. 0,60, br. 0,90. — Königliche Schlösser.

Bruyn. Bartholomaeus Bruyn (auch Bruin, Brun, Bruen Breun gen.). Deutsche Schule. — Geb. wahrscheinlich in Holland (Haarlem?) 1493, † in Köln zwischen 1553 und 1557. Bildete sich nach dem Meister des Todes Mariä, später unter dem Einfluß italianisierter Holländer (Scorel?, Heemskerck?). Thätig zu Köln nachweislich seit 1515, 1519 einer der „Vier-undvierziger" der Malerzunft. (Mitteilungen von E. Firmenich-Richartz).

588

Bildnis des Johannes von Ryht, Bürgermeisters von Köln († 1533). Von vorn gesehen. In pelzgefütterter zur Hälfte roter, zur Hälfte schwarzer Schaube und schwarzem Barett. In der Linken eine Papierrolle. Im dunkelgrünen Grunde zwei Wappen.

Bez. oben mit der Jahreszahl 1525.
Brustbild in Lebensgröße. Eichenholz, oben abgerundet, h. 0,61, br. 0,45. — Sammlung Solly, 1821.

Beweinung Christi. Maria den Leichnam Christi mit **612** beiden Händen umfassend; links Johannes, das Haupt Christi unterstützend, rechts Magdalena, dessen Hand küssend. Dunkler Grund.

Frühes Bild des Meisters, in dem sich seine Abhängigkeit von dem Meister des Todes Mariae deutlich ausspricht.
Eichenholz, h. 0,27, br. 0,39. — Königliche Schlösser.

Die Dreieinigkeit. In himmlischer Glorie Gottvater, **613** zu dessen Häupten die Taube schwebt, den dornengekrönten Christus vor sich haltend. Von den Engeln zu seinen Seiten trägt einer das Kreuz, ein anderer die Martersäule. Unten bergige Flußlandschaft.

Gegenstück zu No. 613; beide vermutlich die Flügel zu einem verschollenen Mittelbilde. — Aus der früheren Zeit des Meisters.
Eichenholz, h. 0,80, br. 0,31. — Sammlung Solly, 1821.

613A   **Maria mit dem Kinde und Anna.** Unter einem
Baldachin sitzt links Maria mit dem Kinde, dem die rechts
sitzende hl. Anna eine Birne darbietet. Vorn in kleiner Figur
der anbetende Stifter. Hintergrund Landschaft.

Gegenstück zum vorigen Bilde.
Eichenholz, h. 0,78, br. 0,31. — 1880 aus dem Magazin der vor
1830 ausgeschiedenen Bilder ausgewählt; zur Sammlung Solly gehörig.

639   **Maria mit dem Kinde.** Vor einem gemusterten Vorhange sitzt zur Rechten Maria mit dem Kinde, das den links
vor ihm knieenden Herzog von Kleve segnet. Ueber Maria
halten zwei Engel eine Krone. Durch ein Fenster Ausblick
in eine felsige Landschaft, in der die hh. Magdalena und Hieronymus in Bufsübung begriffen sind. An den Kissen auf der
Bank das Wappen von Kleve.

Aus der mittleren Zeit des Meisters.
Eichenholz, h. 1,38, br. 1,16. — Königliche Schlösser.

Bugiardini. Giuliano **Bugiardini.** Zeichnet sich auf seinen
Bildern Julianus Florentinus (nach seinem Vater Giuliano di
Piero genannt). Florentinische Schule. — Geb. in einer Vor-
stadt von Florenz den 29. Jan. 1475, † zu Florenz den
16. Februar 1554. Schüler des Mariotto Albertinelli und des
Domenico Ghirlandaio; eine Zeitlang Gehülfe des Michelangelo und des Albertinelli. Thätig vornehmlich in Florenz,
einige Zeit auch in Rom (1508) und Bologna (zwischen 1526
und 1530).

283   **Maria mit dem Kinde und Heiligen.** Maria verehrt
knieend das vor ihr auf dem Boden sitzende Kind. Links der
Apostel Philippus, rechts Joseph; weiter vorn kniet links
Johannes der Evangelist, rechts der hl. Hieronymus. Oben
ein schwebender Engel mit einem Spruchband (Gloria in
eccelsis). Hintergrund Landschaft.

Bez. unten in der Mitte: *Jul. Flo. Fac.* (= Julianus Florentinus
faciebat).
Papppelholz, h 2,10, br. 1,72. — Sammlung Solly, 1821.

Burckmair. Hans **Burckmair.** Zeichnet sich selbst immer
Burgkmair. Deutsche Schule. — Maler, Bildschnitzer und

Zeichner für den Holzschnitt, geb. 1473 zu Augsburg, † daselbst 1531. Sohn und Schüler des Thoman Burckmair, in jungen Jahren bei Schongauer in Colmar, weiter ausgebildet unter dem Einflusse Dürer's und der venetianischen Malerei. Thätig zu Augsburg (daselbst 1498 in die Malerzunft aufgenommen).

Der hl. Ulrich, Schutzpatron von Augsburg. Nach rechts **569** gewendet. In bischöflichem Ornat, in der Linken einen Fisch haltend. Grund Landschaft.

Flügel eines Altars. Fichtenholz, h. 1,04, br. 0,40. — Erworben 1843 aus der Sammlung Reimer zu Berlin unter dem Namen Amberger.

Die hl. Barbara. Nach links gewendet. In reichen Ge- **572** wändern, in der Rechten den Kelch, in der Linken die Palme. Grund Landschaft.

Flügel eines Altarbildes. Fichtenholz, h. 1,04, br. 0,40. — Erworben 1843 wie das Gegenstück No. 569.

Heilige Familie. In den Ruinen eines Renaissance- **584** baues sitzt rechts Maria mit dem Kinde, dem Joseph eine Traube reicht. Rechts weiter zurück Ochs und Esel. Durchblick in bergige Landschaft.

Bez. unter dem Kapitäl des Pfeilers: *Jö. Burckmair pingebat in Augusta regia. 1511.*
Lindenholz, h. 0,45, br. 0,33. — Erworben 1843 aus der Sammlung Reimer zu Berlin.

Byzantinische Schule.

Maria mit dem Kinde. Auf Maria's rechtem Arm sitzt **1048** das bekleidete Kind das mit der Rechten segnet; in seiner Linken die Weltkugel. Goldgrund.

Die Zeit, in welche derartige Darstellungen aus der byzantinischen Schule fallen, ist schwer näher zu bestimmen, da Stil und Behandlungsweise, nach festen Normen und Regeln überliefert, durch lange Zeiträume die gleichen bleiben. Jedenfalls gehört das hiesige Bild, wie schon der Typus des Kindes zeigt, nicht der älteren Zeit an und ist wohl in Italien (Venedig?) von byzantinischen Künstlern gemalt.
Maria Halbfigur in Lebensgr. Pappelholz, h. 0,65, br. 0,51. — Sammlung Solly, 1821.

Calcar. Johannes Stephan (oder Stevens) von Calcar, gen. Giovanni da Calcar. Venetianische Schule. — Maler und Zeichner für den Holzschnitt, geb. zu Calcar (Herzogtum Kleve) um 1499, † zu Neapel 1546. Schüler Tizian's, thätig vornehmlich in Venedig (wohl schon vor 1536) und später in Neapel.

190   Bildnis eines jungen Mannes. Nach rechts gewendet. Unter dem Bogen einer antiken Zirkusruine stehend, in schwarzem Rock mit braunen gemusterten Aermeln, die Linke am Degengriff, den rechten Arm auf ein Gesims gestützt.

Bez. unten links: AETATIS. 23. A. 1535 (die letzte Ziffer undeutlich geworden, könnte auch 3 oder 6 sein). — Unzweifelhaft von derselben Hand wie das Porträt im Louvre zu Paris, das schon in dem alten Inventar von Bailly (1709—1710) als Werk des Calcar bezeichnet ist. Auch weisen Färbung und Landschaft auf einen niederländischen Schüler Tizians hin.

Mehr als Halbfigur in Lebensgröfse. Leinwand, h. 1,06, br. 0,88. — Königliche Schlösser.

Calderari. Giovanni Maria Zaffoni, gen. **Calderari.** Von seinem Geburtsorte auch Giovanni Maria da Pordenone genannt. Venetianische Schule. — Geb. zu Pordenone. Geburts- und Todesjahr unbekannt. Zeit seiner Thätigkeit 1534—1564. Nachahmer des Pordenone (Giovanni Antonio), thätig vornehmlich in Pordenone und Umgegend.

158   Calderari? Doppelbildnis. Ein Ballschläger, in der Linken das Schlagholz haltend, stützt die Rechte, in der er den Ball hält, auf die Schulter eines Pagen, der ihm den Gurt nestelt. Ausblick auf das Stadthaus und die Loggia von Udine.

Mehr als Halbfig. in Lebensgröfse. Leinwand, h. 1,03, br. 1,17. — Sammlung Solly, 1821.

Caliari. S. Veronese.

Cambiaso. Luca Cambiaso, auch Luchetto da Genova und Cangiaso genannt. Schule von Genua. — Geb. zu Moneglia bei Genua den 18. Okt. 1527, † zu Madrid um 1585. Schüler seines Vaters Giovanni Cambiaso, thätig in Genua und Madrid.

358   Caritas. Eine knieende, nach links gewendete Frau nährt ein Kind, während zwei andere Kinder von beiden Seiten sich an sie anschmiegen. Hintergrund Laubwerk.

Leinwand, h. 1,37, br. 1,07. — Einzelner Ankauf aus der Sammlung Giustiniani vor 1815.

Campaña. Pedro Campaña, als Vlame Peeter de Kempeneer gen. Zeichnet sich zumeist Petrus Campaniensis (ein-

mal Petrus Kempener). Spanische Schule. — Baumeister,
Bildhauer und Maler, geb. um 1490 (nach Pacheco) vermutlich
zu Brüssel, † daselbst 1588. Bei längerem Aufenthalt in Rom
(um und nach 1530) durch das Studium Raphael's und Michelangelo's ausgebildet; thätig vornehmlich in Sevilla (von 1538
bis 1562?), zeitweilig in Cordoba und anderen Städten Anda-
lusiens, dann (seit 1562) in Brüssel.

Maria mit dem Kinde. Maria reicht dem in ihrem   **409**
linken Arm ruhenden Kinde, zu dem sie ernst hernieder-
blickt, die Brust. Dunkler Grund.)

> Maria Halbfig. in Lebensgröfse. Eichenholz, h. 0,71, br. 0,54. —
> Erworben 1835 in Paris aus der Sammlung Mathieu de Favier.

Canal. Schule des Antonio Canal (eigentlich Giovanni
Antonio da Canal, auch Canale), gen. Canaletto. Venetianische
Schule.   **490**

**Ansicht der Kirche S. Maria della Salute zu
Venedig.** Vom Canal grande aus gesehen. Auf dem Kanal
Gondeln und Barken.

> Leinwand, h. 0,60, br. 0,95. — Königliche Schlösser.   **493**

**Ansicht des Dogenpalastes, der Piazzetta und
des Markusturmes zu Venedig.** Links die Bibliothek
und die Münze, rechts das Kriminalgefängnis mit der Seufzer-
brücke. Vom Canal grande aus gesehen. Auf dem Kanal
eine Galeere, Gondeln und Barken.

> Leinwand, h. 0,58, br. 0,93. — Königliche Schlösser.   **501**

Ansicht des Canal Grande zu Venedig. Blick auf
den Palast Grimani mit seiner Umgebung. Auf dem Kanal
Gondeln und Barken.

> Leinwand, h. 0,58, br. 0,93. — Königliche Schlösser.   **503**

**Ansicht der Dogana di Mare und der Kirche
S. Maria della Salute zu Venedig.** Mit dem links
liegenden Seminario patriarcale, vom Canal grande aus gesehen. Auf dem Kanal eine Galeere und Gondeln.

> Leinwand, h. 0,59, br. 0,94. — Königliche Schlösser.

Canaletto. S. Belotto.

Cano. Alonso Cano. Spanische Schule (Granada und
Madrid). — Maler und Bildner in Holz, geb. zu Granada den
19. März 1601, † daselbst den 3. Okt. 1667. Schüler des Fran-

cisco Pacheco, des Juan de Castillo und des Bildhauers Juan Martinez Montañez zu Sevilla. Thätig zu Sevilla (bis 1637) Madrid (1637—1651) und Granada (bis zu seinem Ende).

414B   Die hl. Agnes. Als Märtyrerin, mit der Palme in der Linken, hinter einer Brüstung stehend, auf der rechts das Lamm ruht. Hellgrauer Hintergrund.

Bez. rechts an der Tischplatte mit dem aus ALO und CANO gebildeten Monogramm. — Vermutlich aus der frühen Zeit des Meisters. Halbfig. Leinwand, h. 1,11, br. 0,86. — Erworben 1852 aus der Sammlung des Marschalls Soult.

Cappelle. Jan van de Cappelle. Holländische Schule. — Marine- und Landschaftsmaler, auch Radirer, geb. zu Amsterdam, † ebenda den 1. Januar 1680. Schüler des Simon de Vlieger. Thätig zu Amsterdam (urkundlich erwähnt von 1653—1674).

875A   Stille See. In der Nähe des Strandes mehrere Fischerboote, rechts eine schmale Landzunge mit einigen Hütten.

Bez. am Boote links: *J. v. Cappell.*
Leinwand, h. 0,43, br. 0,71. — Erworben 1876 aus der Sammlung Lippmann-Lifsingen, Wien.

Caravaggio. S. Amerighi.

Cariani. Giovanni Busi oder de' Busi, gen. Cariani. Venetianische Schule (Bergamo). — Geb. zwischen 1480 und 1490 in Fuipiano (bei Bergamo), † nach 1541. Schüler des Palma Vecchio zu Venedig und nach Giorgione ausgebildet. Thätig vornehmlich in Bergamo.

185   Junge Frau in reicher Landschaft (Allegorie?). Auf blumigem Rasen liegt eine junge Frau, in weitem rotem Gewande und blickt über die nackte rechte Schulter nach aufsen. Vor ihr ein weifser Schofshund. Im Mittelgrunde vier orientalische Reiter an einem Flusse. Weiter zurück eine befestigte Stadt, eine Burg und in der Ferne wieder eine Ortschaft, sämtlich in Flammen stehend.

Das Bild, früher dem Giorgione, dann dem Morto da Feltre zugeschrieben, gehört indes nach dem Typus der Frau und der malerischen Behandlung weit eher dem Cariani. Leinwand auf Holz gezogen, h. 0,74, br. 0,94. — Königliche Schlösser.

188   Männliches Bildnis. Von vorn gesehen, den Kopf nach rechts gewendet. In schwarzer Kleidung und mit

414. B E. Murillo.

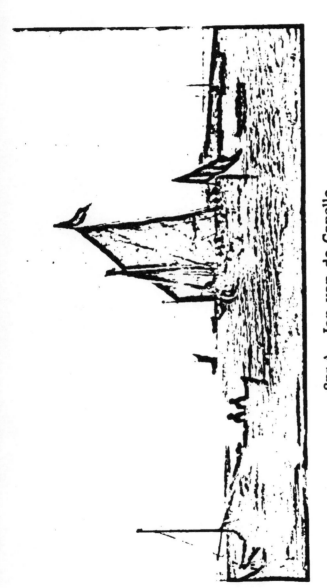

875 Λ. Jan van de Capelle.

schwarzem Barett. In der Linken eine Papierrolle, die
Rechte auf ein Relief gelegt, das einen bärtigen männlichen
Kopf darstellt. Im Hintergrund links Aussicht in's Freie.

Halbfig. etwas unter Lebensgr. Leinwand, h. 0,59, br. 0,51. —
Sammlung Solly, 1821.

Carpaccio. Vittore Carpaccio (Scarpaccia). Er zeichnet
sich **Carpatius, Charpatius** oder ähnlich. Venetianische Schule.
— Vermutlich in Capodistria geb. Geburts- und Todesjahr
unbekannt. Wahrscheinlich Schüler der Vivarini und des
Gentile Bellini; unter Giovanni Bellini und mit ihm gemeinsam
im Dogenpalast (1507) beschäftigt. Thätig nach den Daten
auf seinen erhaltenen Bildern 1489—1522 zu Venedig.

Maria mit dem Kinde und Heiligen. Maria hält 14
das Kind, das die Hände auf der Brust kreuzt und zu ihr aufblickt, auf dem Schoße. Links Hieronymus, rechts Katharina.
Hintergrund gebirgige Landschaft.

In der Komposition durchaus abhängig von einem Bilde Gio. Bellini's in der Akademie zu Venedig.

Maria und die Heiligen Halbfig. Pappelholz, h. 0,74, br. 1,11. —
Sammlung Solly, 1821.

Einsegnung des hl. Stephanus. Petrus, zur Rechten 23
auf der Freitreppe eines Palastes stehend, segnet den Stephanus
und sechs andere Gläubige, welche vor ihm knieen, zu Diakonen ein. Hinter Petrus vier andere Apostel. Vorn zur Linken
eine Gruppe von Zuschauern. Neben den knieenden Diakonen
vier Frauen in südslavischer und Männer in orientalischer
Tracht. Im Hintergrund rechts bis zum Meer die Festungsmauern der Stadt, links eine burggekrönte Anhöhe.

Bez. rechts unten auf einem Blättchen: *Victor Carpathius finxit
M. D. XI.* — Gehört zu einer Folge von fünf, für die Scuola di
S. Stefano zu Venedig ausgeführten, Gemälden aus der Geschichte des
hl. Stephanus, von denen sich jetzt drei in Stuttgart (Galerie), Paris
(Louvre) und Mailand (Brera) befinden.

Leinwand, h. 1,48, br. 2,31. — Sammlung Solly, 1821.

Carracci. Agostino Carracci. Schule von Bologna. —
Maler und Kupferstecher, geb. zu Bologna den 15. Aug. 1557,
† zu Parma den 22. Mai 1602. Schüler des Prospero Fontana,
Bart. Passerotti und Domenico Tibaldi; unter dem Einfluß
seines Vetters Lodovico Carracci weiter ausgebildet. Thätig
in Bologna, Parma (1581 und in den letzten Lebensjahren),

Venedig (1581 und längere Zeit seit 1589) und Rom (von 1597—1599).

372A   Bildnis einer Dame in mittleren Jahren. Von vorn gesehen. In einem Lehnstuhle sitzend, in grauem Oberkleid mit Spitzenkragen, in der Rechten ein Buch haltend, die Linke auf die Lehne gestützt. Rötlich brauner Grund.

Nach der Inschrift: HANNÆ PAROLINÆ GVICCIARDINÆ IMAGINEM AVGVST CARRATIVS PINXIT ANNO 1598, das Bildnis einer Johanna Parolini-Guicciardini. — Früher in der Galerie Graf Festetics, dann in der Sammlung Sterne zu Wien (1873 in der Ausstellung der Gemälde alter Meister in Wien). Kniestück in Lebensgröfse. Leinwand, h. 0,95, br. 0,76. — Erworben 1882 in Wien.

Carracci. Annibale Carracci. Schule von Bologna. — Maler, Radirer und Kupferstecher, getauft zu Bologna den 3. November 1560, † zu Rom dem 14. oder 15. Juli 1609. Schüler seines Vetters Lodovico Carracci zu Bologna; durch Studien nach Correggio in Parma (seit 1580), nach Tintoretto und Paolo Veronese in Venedig, endlich in Rom nach Raphael und Michelangelo ausgebildet. Thätig in Bologna und später vornehmlich in Rom (1600—1609).

364   Christus am Kreuze. Am Fuße des Kreuzes die ohnmächtig zusammensinkende Maria, von einer hl. Frau unterstützt, und die klagende Magdalena. Links Johannes am Boden liegend, mit gefalteten Händen. Hintergrund Landschaft.

Bez. unten rechts: *Annibal Caratius f.*, und unten links auf einem Blättchen: MDXCIIII. Leinwand, h. 0,32, br. 0,22. — Sammlung Giustiniani, 1815.

372   Bergige Landschaft. In der Mitte eine Burg, zu der eine steinerne Brücke über einen Fluß führt. Vorn links im Schatten einer Baumgruppe ein musizierendes Paar.

Leinwand, h. 0,80, br. 1,43. — Einzelner Ankauf aus der Sammlung Giustiniani vor 1815.

Carreño. Don Juan Carreño de Miranda. Spanische Schule (Madrid). — Geb. zu Aviléz in Asturien den 25. März 1614, † zu Madrid im September 1685. Schüler des Pedro de las Cuevas und des Bartolomé Roman zu Madrid, unter den Einflüssen von Velazquez, Rubens und insbesondere von A. van

Dyck ausgebildet. Thätig vornehmlich zu Madrid, kurze Zeit zu Toledo.

Bildnis des Königs Karl II. von Spanien (1661 bis **407** 1700). Als Knabe, in schwarzer Hoftracht, mit langem blondem Haar, nach rechts gewendet, neben einem Tisch stehend, auf den er die Hand mit dem Hut stützt. An der Wand zwei Spiegel, in denen die bilderbehängten Wände widerscheinen.

Bez. rechts über dem Tische: AETATIS SUAE XII. ANN., und auf dem Sockel des Tischfußes: *Joannes a Carrenno pictor reg. et cubiub fac anno 1673.* Der Meister zeichnet sich mithin als Pictor Regius et Cubicularius, d. h. Königlicher Maler und Kämmerer. — Eine ganz übereinstimmende Wiederholung des Bildes, jedoch ohne Bezeichnung, im Museo del Prado zu Madrid; eine andere befand sich in der Sammlung des Prinzen Pierre de Bourbon, eine dritte, etwas verändert, unter dem Namen Murillo in der ehemaligen Sammlung Molinari in Mailand.

Ganze Figur in Lebensgröße. Leinwand, h. 2,05, br. 1,42. — Erworben 1836 durch Geschenk des Freiherrn von Werther, Preußischen Gesandten zu Paris.

Carucci. Jacopo Carucci, gen. Jacopo da Pontormo. Florentinische Schule. — Geb. zu Pontormo bei Empoli den 25. oder 26. Mai 1494, begraben zu Florenz den 2. Januar 1557. Schüler des Lionardo da Vinci (seit 1507), Mariotto Albertinelli und Piero di Cosimo, vornehmlich ausgebildet unter Andrea del Sarto (als dessen Gehülfe seit 1512). Thätig in Florenz.

Bildnis des Malers Andrea del Sarto (1487—1531). **239** Nach links gewendet, gradaus blickend. Mit schwarzem Barett und grauem Ueberwurf. Hintergrund graue Wand, links grüner Vorhang.

Brustb. in Lebensgr. Pappelholz, h. 0,63, br. 0,44. — Sammlung Solly, 1821.

Catena. Vincenzo di Biagio, gen. Catena. Zeichnet sich Vincentius da Tarvixio (Vincenzo da Treviso). Venetianische Schule. — Geb. zu Treviso, † zu Venedig 1531. Unter dem Einflusse des Giovanni Bellini ausgebildet. Thätig seit 1495 zu Venedig.

Maria mit dem Kinde und Heiligen. Maria verehrt **19** das in ihrem Schoße schlafende Kind. Links Joseph und Johannes der Täufer; rechts Antonius von Padua, den Stifter empfehlend, und Katharina. Dunkler Grund.

Halbfiguren, der Stifter Brustbild. Leinwand, h. o'87, br. 1,53. —
Sammlung Solly, 1821.

32   Bildnis des Grafen Raimund Fugger. Von vorn
gesehen, leicht nach rechts gewendet. Mit blondem Vollbart,
in dunklem seidenen Wams, mit Sammet - Schaube und
schwarzem Barett. Die Rechte sprechend erhoben, die Linke
am Gürtel. Grauer Grund.

Wahrscheinlich das Bildnis, welches sich nach Vasari im Fondaco
de' Tedeschi befand, wo sich damals Raimund Fugger (1489—1535) aus
der bekannten Bankierfamilie zu Augsburg, als einer der angesehensten
deutschen Kaufleute aufhielt. 1530 von Karl V. in den Grafenstand erhoben, war er der Begründer der (älteren) Raimundus-Linie des Hauses.
Halbfig. in Lebensgröfse. Leinwand, h. 0,75, br. 0,63. — Erworben 1841.

Caulitz. Peter Caulitz. Deutsche Schule. — Maler von
Landschaften und Tierstücken, geb. zu Berlin um 1650,
† daselbst 1719. Zuerst in Rom, dann durch das Studium
der Holländer gebildet. In Berlin 1695 zum kurfürstlichen
Hofmaler ernannt. Thätig zu Berlin.

932   Hühnerhof. Ein Hahn und ein Puter stehen sich, von
den Hennen umgeben, kampfbereit gegenüber; vorn eine
Taube. Im Hintergrund ein italienisches Landhaus.

Bez. links unten in der Ecke: *P. Caulitz. fecit.*
Leinwand, h. 1,30, br. 1,53 — Königliche Schlösser.

Cerezo. Mateo Cerezo. Spanische Schule (Madrid). —
Geb. zu Burgos 1635, † zu Madrid 1675. Schüler seines
Vaters Mateo und des Juan Carreño de Miranda in Madrid,
unter dem Einflusse des Murillo und des van Dyck ausgebildet.
Thätig vornehmlich zu Madrid, zeitweilig in Burgos, Valla-
dolid und Valencia.

408B   Christus am Kreuze. Den Blick flehend nach oben
gewendet. Hintergrund düstere Landschaft; durch schwere
Wolken schimmert das Abendrot.

Leinwand, h. 2,06, br. 1,62. — Sammlung Suermondt, 1874.

Cerquozzi. Michelangelo Cerquozzi, gen. Michelangelo delle
Battaglie oder Bambocciate. Römische Schule. —Schlachten-,
Genre- und Stilllebenmaler, auch Radirer, geb. zu Rom den
2. Februar 1602, † daselbst den 6. April 1660. Schüler des
Cavaliere d'Arpino und des P. P. Bonzi, gen. il Gobbo, aus-

gebildet unter dem Einflusse des Pieter de Laar. Thätig
zu Rom.

Auszug eines Papstes aus Rom. Der Zug von Reitern **443**
und Wagen, von der Leibwache der Schweizer und von
Mönchen in Prozession gebildet, bewegt sich der Porta
S. Paolo zu, neben der sich die Cestiuspyramide erhebt. Im
Mittelgrunde die Basilika S. Paolo fuori le mura. In der
Ferne das Albaner Gebirge.

Leinwand, h. 0,96, br. 1,31. — Königliche Schlösser.

Ceules. S. Janssens.

Chatel. S. Duchatel.

Chodowieckl. Daniel Chodowiecki. Deutsche Schule. —
Maler, Zeichner und Radirer, geb. zu Danzig den 16. Oktober
1726, † zu Berlin den 7. Februar 1801. Durch Zeichnungen nach
Boucher und Watteau und in der Malerei unter Haid und
Bernhard Rode gebildet. Thätig zu Berlin.

Bildnis des Joseph Banks. Etwas nach rechts ge- **491A**
wendet. Im Pelzrock, mit weifser Halsbinde. In einem Rund
auf gemaltem bräunlichem Felde.

Bez. unter dem Rand: *D. Chodowiecki pinx. Berol.;* weiter unten:
JOSEPH BANKS ESQ. — Joseph Banks, 1743—1820, englischer Reisender
(reiste 1769—1771 mit Cook um die Welt) und Gelehrter, Stifter der
afrikanischen Gesellschaft zu London.

Kleines Brustbild. Kiefernholz, h. 0,23, br. 0,16 (mit dem umgebenden Grund). — 1859 aus dem Kupferstich-Kabinet überwiesen.

Bildnis des Dr. Solander. Im Profil nach rechts. In **491B**
rotem Rock, mit gepuderter Perrücke und weifser Halsbinde.
In einem Rund auf gemaltem bräunlichem Felde.

Bez. unter dem Rand: *D. Chodowiecki pinx. Berol.;* weiter unten:
DR. SOLANDER. Daniel Solander, 1736—1781, schwedischer Reisender
(reiste 1769—1771 mit Cook um die Welt) und Gelehrter, Beamter des
British Museum.

Kleines Brustbild. Kiefernholz, h. 0,23, br. 0,16 (mit dem umgebenden Grund). — 1859 aus dem Kupferstich-Kabinet überwiesen.

Cignani. Carlo Cignani. Schule von Bologna. — Geb. zu
Bologna den 15. Mai 1628, † zu Forli den 6. September 1719.
Schüler des Gio. Batt. Cairo und des Franc. Albani (dessen
Gehülfe bis 1660), ausgebildet durch das Studium der Werke
Correggio's und der Carracci. Thätig in Rom, Bologna,
Parma und Forli (daselbst vornehmlich 1686—1706).

Verz. d. Gemälde. 4

447   Venus und Anchises. Anchises, auf die Lyra gestützt,
im Begriff sich vor Venus zu erheben, welche in Begleitung
des Amor von rechts herantritt. Hintergrund bergiges Meeresufer.

Leinwand, h. 0,98, br. 1,31. — Sammlung Solly, 1821.

Cima. Giovanni Battista da Conegliano, gen. **Cima.** Zeichnet
sich Joannes Baptista Coneglianensis, oder blofs Joannes Baptista.
Venetianische Schule. — Geb. vermutlich zu Conegliano.
Geburts- und Todesjahr unbekannt. Thätig nach den Daten
auf seinen Bildern 1489—1508 (angeblich noch 1517). Ausgebildet zu Venedig unter dem Einflusse des Gio. Bellini
und des Antonello da Messina. Thätig zu Udine und Conegliano, vornehmlich zu Venedig und wieder im Friaul.

2   Thronende Maria mit dem Kinde und Heiligen.
In einem offenen Kuppelbau sitzt auf hohem Throne Maria
mit dem segnenden Kinde. Links die hh. Petrus und Ro-
mualdus; rechts Paulus und Bruno. Das Mosaik der Kuppel
zeigt, der Darstellung in der Vorhalle von S. Marco nach-
gebildet, die Geschichte Josephs. Hintergrund Himmel.

Bez. auf einem Blättchen an den Stufen des Thrones: *Joannis
Baptiste Coneglianesis opus.*

Pappelholz, h. 2,06, br. 1,35. — Sammlung Solly, 1821.

7   Maria mit dem Kinde und dem Stifter. Maria hält
auf dem Schofse das Kind, welches den links knieenden
Stifter segnet. Hintergrund bergige Landschaft mit dem
Schlosse Colalto bei Conegliano.

Bez. auf einem Blättchen in der Ecke unten rechts: *Joanes baptista Coneglanensis.*

Maria Halbfigur, der Stifter Brustbild. Pappelholz, h, 0,66, br. 0,90.
— Sammlung Solly, 1821.

15   Heilung des Anianus. Auf dem Marktplatz zu
Alexandria heilt Markus die mit·der Ahle verwundete Hand
des Anianus, der, von Zuschauern in orientalischer Tracht
umgeben, vorn zur Linken mit seinem Schusterwerkzeuge
vor einem Palaste sitzt. Im Hintergrunde ein Kuppelbau.

Nach Boschini ehedem in der Kirche der Gesuati in Venedig. —
Ganz links unten: *ap^{ta}* (Baptista) als Reste der Bezeichnung.

Pappelholz, h. 1,72, br. 1,35. — Sammlung Solly, 1821.

2. Gio. Battista Cima da Conegliano.

Maria mit dem Kinde. Auf dem Schoß der nach **17**
rechts gewendeten Maria steht das nackte Kind, das in der
Linken einen Stieglitz hält. Hintergrung bergige Landschaft.

Bez. auf der Brüstung: *Iovannes Baptista. Coneis. p.* — Eine
kleinere und etwas geringere Originalwiederholung mit einigen Veränderungen in der National Gallery zu London. Eine ganz ähnliche
Darstellung in der Akademie zu Venedig.
Maria Halbfig. Pappelholz, h. 0,62, br. 0,51. — Sammlung Solly, 1821.

Cima. Nachfolger des Giovanni Battista da Conegliano gen.
Cima. Venetianische Schule.

Die hh. Lucia, Magdalena und Katharina. Die drei **42**
Heiligen stehen unter einem von Pfeilern getragenen Bogen;
in der Mitte Lucia, auf einem niedrigen Sockel, in der Linken
eine Lampe tragend; links Magdalena mit dem Salbgefäß;
rechts Katharina, an sie angelehnt das Stück eines Rades.
Hintergrund bergige Landschaft.

Früher der Spätzeit des Previtali zugeschrieben.
Leinwand, h. 1,38, br. 1,19. — Sammlung Solly, 1821.

Civetta. S. Bles.

Claesz. Pieter Claesz van Haarlem. Holländische Schule. —
Maler von Stillleben, geb. zu Steinfurt, Vater des Nicolaas
Pietersz Berchem (welchen Namen nur der Sohn führte);
urkundlich zuerst 1617 zu Haarlem genannt und thätig daselbst
(wohl schon vor 1617); begraben zu Haarlem den 1. Jan. 1661.

Stillleben. Auf einem Tische, der zum Teil mit einem **948**
weißen Linnen bedeckt ist, die Bestandteile eines Frühstücks:
rechts eine Pastete, links zwei Platten neben einem Nautilus-
pokal, einem umgeworfenen silbernen Becher und zwei Wein-
gläsern. Grauer Grund.

Eine Wiederholung in der Sammlung Mansi zu Lucca.
Eichenholz, h. 0,53, br. 0,69. — Sammlung Solly, 1821.

Stillleben. Auf einem Tische, der teilweise mit einem **948 A**
weißen Linnen bedeckt ist, links eine Pastete, Citronen, Brot;
daneben ein Römer, ein Champagnerglas, eine Zinnkanne und
umgeworfene silberne Schale; rechts zwischen Laub Früchte
auf einer Platte und in einem Korbe. Im Hintergrund links
ein Fenster.

Die Früchte von Roelof Claessen Koets (1642 in der Haarlemer
Lucasgilde, † 1653/54).
Eichenholz, h. 1,14, br. 1,72 — Sammlung Suermondt, 1874.

Cleve. Joos van Cleve oder Joost van Cleef (Familienname wahrscheinlich van der Beke) Niederländische Schule. — Geb. zu Antwerpen, 1511 in die Gilde eingeschrieben, † am 10. Nov. 1540 ebenda. Thätig in Antwerpen, Paris und London für die Höfe daselbst.

633A   Bildnis eines jungen Mannes. Nach links gewendet, gradaus blickend. Bartlos; mit schwarzem Barett und Gewand, mit der Rechen vor der Brust den Mantel fassend. Dunkler Grund.

In der Sammlung zu Blenheim Holbein benannt (s. Scharf, A List of the pictures in Blenheim Palace, p. 55). Doch weisen Auffassung und Behandlung auf einen niederländischen Meister hin, der italienischen Einfluß bekundet. — Rubens hat das Bildnis, das vermutlich identisch ist mit der No. 225 seines Nachlasses, möglichst treu kopiert, wenn auch natürlich in seine Kunstweise übersetzt, s. No. 786 der Münchener Pinakothek.

Lebensgr. Brustbild. Papier auf Eichenholz, h. 0,44, br. 0,31. — Erworben 1885 aus der Sammlung des Herzogs von Marlborough zu Blenheim.

Clouet. Schule des François Clouet, gen. Jeannet oder Janet. Französische Schule.

472   Bildnis Heinrich's II. von Frankreich (1518—1559). Nach links gewendet. In schwarzem, reich gesticktem Gewand und schwarzem Barett, um den Hals die Kette und das Medaillon des Michael-Ordens. Grünlich grauer Grund.

Ein besseres Exemplar, datiert 1559 (also gemalt im Todesjahr des Königs) in der Galerie Pitti zu Florenz, ein zweites im Louvre zu Paris.

Brustbild unter Lebensgr. Eichenholz, h. 0,43, br. 0,34. — Sammlung Giustiniani, 1815.

475   Bildnis des jungen Herzogs von Anjou (nachmals Heinrich III. von Frankreich; 1531—1589). Nach links gewendet. In schwarzem reich gesticktem Gewand mit roten Aermeln und schwarzem Barett; um den Hals die Kette und das Medaillon des Michael-Ordens. Grünlich grauer Grund.

Gegenstück zum vorigen Bilde. — Ein besseres Exemplar, angeblich das Original, aber gleichfalls nur alte Kopie, in der Galerie zu Bergamo.

Brustbild unter Lebensgr. Eichenholz, h. 0,44, br. 0,34. — Sammlung Giustiniani, 1815.

Codde. Pieter Codde. Holländische Schule. — Geb. 1599 oder 1600, gest. 1678 zu Amsterdam. Vermutlich unter dem

Einfluſs des Frans Hals zu Haarlem gebildet. Thätig in Amsterdam.

Vorbereitung zum Carneval. In einem Zimmer, in **800A** dem Kostüme bunt durch einander liegen, vier zum Teil schon maskierte Männer, von denen einer auf einem Tische sitzt und ein anderer zur Laute singt.

Bez. auf einem Bilde an der Wand: *P. Codde f.* — Aus der mittleren Zeit des Meisters.

Eichenholz, h. 0,33, br. 0,52. — Sammlung Suermondt, 1874.

Coello. Alonso Sanchez Coello. Spanische Schule (Madrid). — Geb. zu Benifayró (bei Valencia) im Beginn des 16. Jahrhunderts (1515?), † 1590 zu Madrid. Schüler des Antonis Mor zu Madrid. Thätig in Lissabon und Madrid.

Bildnis Phillipp's II. von Spanien (1527—1598). Nach **406B** rechts gewendet. In reicher Rüstung, in der Rechten den Commandostab haltend. Dunkler Grund.

Eine alte Kopie in dem Hôtel-de-ville zu Louvain. — Königliche Sammlung in Madrid bis 1800; Sammlung von Schepeler in Aachen, 1851.

Ganze Figur in Lebensgröfse. Leinwand, h. 1,87, br. 0,99. — Sammlung Suermondt, 1874

Coltellini. Michele Coltellini. Zeichnet sich auch **Cortelini.** Schule von Ferrara. — Angeblich geb. 1480 zu Ferrara und † daselbst 1542, doch sind beide Daten nicht beglaubigt; von 1529 bis 1535 urkundlich nachweisbar. Unter dem Einflusse von Ercole Grandi und Lorenzo Costa gebildet.

Die Beschneidung Christi. Maria hält über dem in **119** der Mitte stehenden Altar das Kind, an welchem der Hohepriester die Beschneidung vollzieht. Hinter Maria Joachim und Anna.

Bez. rechts unten mit der Jahreszahl: MDXVI.

Pappelholz, h. 0,51, br. 0,76. — Sammlung Solly, 1821.

Der auferstandene Christus mit Heiligen. Christus, **1115A** mit den Wundmalen, steht segnend in der Mitte. Zur Linken kniet Johannes der Täufer, zur Rechten der hl. Hieronymus, hinter diesen steht links der hl. Stephan, rechts der hl. Dominikus. Hintergrund Landschaft.

Bez. links unten auf einem Blättchen: *Michaelis Cortelini opus,* und unten in der Mitte: MCCCCCIII. PESTIS TPRE (d. h. pestis tempore, zur Zeit der Pest).

Pappelholz, h, 1,64, br. 1,20. — Vermutlich Sammlung Solly, 1821.
1837 von Berlin an das Museum zu Königsberg abgegeben, 1884 hierher
zurückgeführt.

Conti. Bernardino de' Conti. Lombardische Schule.
Zeichnet sich **Bernardinus de Comitibus** oder **de Comite**, auch
Bernardinus comes. — Geb. zu Pavia. Thätig zu Mailand,
nach den Daten auf seinen noch erhaltenen Bildern, von
1499 bis nach 1522. Gehört der älteren lombardischen Schule
an und bildete sich unter dem Einflusse Lionardo's weiter aus.

55   Bildnis eines Kardinals. Im Profil nach links. In
rotem Mantel und roter Kappe. Dunkler Grund.

Bez. oben in der Ecke links: *Me Fecit Bnardinus de Comitibus.*
— Oben die Inschrift: ETATIS. ANNORVM. XLVII. MCCCCLXXXXVIIII.
DIE. XV. MARTII.
Brustbild in Lebensgröße. Pappelholz, h. 0,52, br. 0,48. — Geschenkt
1836 von dem preußischen Gesandten zu Paris, Freiherrn von Werther.

Coques. Gonzales (Gonzalo) Coques oder **Cocx.** Vlämische
Schule. — Geb. 1618 zu Antwerpen, † daselbst den 18. April 1684.
Schüler des Porträtmalers Peeter Brueghel (dieses Namens
der dritte, seit 1626/27), dann des David Ryckaert d. J.; aus-
gebildet unter dem Einfluß des A. van Dyck. Thätig in
Antwerpen.

864B   Bildnis des jungen Cornelis de Bie. In grau-
seidenem Wams, neben einem Tische sitzend und von
einem Buche, in das er schreibt, aufblickend. In der Linken,
die über der Stuhllehne ruht, hält er einen Brief. Im Grunde
des Gemachs eine Bibliothek.

Cornelis de Bie, Notar zu Lier (geb. den 10. Febr. 1627), war der
Verfasser von „Het gulden cabinet van de edele vrij schilderconst",
Antwerpen 1662, welches Nachrichten über die zeitgenössischen Künstler
giebt. — Sammlungen Schamp d'Averschoot; Graf Cornelissen.
Kniestück. Etwa Viertel-Lebensgröße. Kupfer, h. 0,27, br. 0,22. —
Sammlung Suermondt, 1874.

Cornelisz. Jacob Cornelisz van Amsterdam oder **van Oostsanen.** Zeichnet sich mit einem Monogramm (aus J und A
mit einer Hausmarke gebildet). — Holländische Schule. —
Maler und Zeichner für den Holzschnitt, geb. zu Oostsanen; unter dem Einfluß des Cornelis Engelbrechtsz ausgebildet. Thätig um 1500—1530 zu Amsterdam.

Flügelaltar. Mittelbild: Maria mit dem Kinde. **607**
Von Engelchen umgeben, sitzt Maria vor einer mit persischem
Teppich bedeckten Brüstung. Hintergrund Landschaft. —
Linker Flügel: Der Stifter mit dem hl. Augustinus.
Der Heilige im Bischofsornate, in der Linken das von
einem Pfeil durchbohrte Herz. Vor ihm kniet der Stifter,
in den Händen ein Gebetbuch. Hintergrund Landschaft. —
Rückseite: Die hl. Anna Selbdritt. In einem Gemache
stehend, auf dem rechten Arme die in kleiner Figur dargestellte Maria mit dem Christuskinde haltend. Hintergrund
Landschaft. — Rechter Flügel: Die Stifterin mit der
hl. Barbara. Die Heilige in reichem Gewande von Goldbrokat, in der Linken eine Pfauenfeder haltend. Vor ihr
kniet die Stifterin, in den gefalteten Händen einen Rosenkranz. Hintergrund Landschaft. — Rückseite: Die hl.
Elisabeth von Thüringen. In einem Gemache stehend,
auf dem Haupte eine Krone, in der Rechten eine zweite
Krone haltend. Zu ihren Füfsen ein verkrüppelter Bettler.
Hintergrund Landschaft.
Eine sehr verwandte Darstellung, aber mit lebensgrofsen Figuren,
in dem Museum zu Antwerpen.
Eichenholz. Mittelbild h. 0,42, br. 0,32; Flügel je h. 0,51, br. 0,17.
— Sammlung Solly, 1821.

Correggio. S. Allegri.

Cosimo. S. Piero.

Costa. Lorenzo Costa. Schule von Ferrara und Bologna.
— Geb. zu Ferrara 1460, † zu Mantua den 5. März 1535.
Herangebildet unter Cosma Tura und Ercole Roberti zu
Ferrara. Thätig vornehmlich zu Bologna (wohin er schon
1483 übersiedelte), eine Zeitlang gemeinsam mit Francesco
Francia und unter wechselseitigem Einflufs, endlich in
Mantua (von 1507 an).

Darstellung Christi im Tempel. Maria reicht, von **112**
Josef begleitet, Simeon das Kind dar. Hinter ihr unter
einem Baldachin ein Altar, zu dessen Seiten zwei Chorknaben
und etwas tiefer zwei Leviten stehen. Auf der untersten Stufe
stehen links Johannes d. T., rechts eine Dienerin, auf einer
Schüssel zwei Tauben darbringend. Vorn kniet links eine
Sibylle, rechts ein Prophet. Hintergrund Landschaft.

Bez. auf der Tafel, welche die Sibylle hält: *Laurentius Costa f. 1502.*
Pappelholz, h. 3,08, br. 2,61. — Sammlung Solly, 1821.

115 Beweinung Christi. Maria kniet neben dem Leichnam Crhisti, den Joseph von Arimathia und Nikodemus in einem Linnen zu ihr herniedergelassen. Dahinter Johannes und Magdalena wehklagend. Hintergrund Landschaft mit dem Kalvarienberg.
Bez. auf einem Blättchen unten: *Laurentius Costa M.CCCCCJIII.*
Pappelholz, h. 1,81, br. 1,37. — Sammlung Solly, 1821.

Cotignola. S. Marchesi.

Coxie. S. unter Hubert und Jan van Eyck.

Craesbeeck. Joos (Joost oder Josse) van Craesbeeck. Vlämische Schule. — Geb. zu Neerlinter (in Brabant) vor oder um 1606, 1654 zu Brüssel noch am Leben (nach C. de Bie † vor 1662). In Antwerpen, wo er 1631 als Bürger eingeschrieben und 1633/34 in die Gilde aufgenommen wurde, unter dem Einflusse von A. Brouwer ausgebildet. Thätig zu Antwerpen und Brüssel (seit 1651).

856A Der Bauer mit der Filzmütze. Im Profil nach links. Einen Krug in der Hand. Hellbrauner Grund.
Bez. am Kruge mit dem Monogramm.
Kleines Brustbild. Eichenholz, rund, Durchmesser: 0,09. — Sammlung Suermondt, 1874.

Cranach. Lucas Cranach d. A. Nach seinen Eltern Lucas Müller (?), nach seinem Geburtsorte Cranach, nach seiner Kunst Lucas Maler gen. Deutsche Schule. — Maler, Kupferstecher und Zeichner für den Holzschnitt, geb. zu Kronach in Franken (den 4. ?) Oktober 1472, † den 16. Oktober 1553 zu Weimar (daselbst seit 1552). Schüler seines Vaters; thätig vornehmlich in Wittenberg; seit 1504 in den Diensten des Kurfürsten von Sachsen.

559A Maria mit dem Kinde und dem kleinen Johannes. Maria hält auf ihrem Schofse das Kind, das von einer Traube nascht, die ihm der links stehende Johannesknabe emporreicht.
Bez. links unten mit der Schlange mit liegenden Flügeln (die sich erst seit 1537 auf seinen und den Bildern der Werkstatt findet).
Lindenholz, h. 0,77, br. 0,57. — Erworben 1890 durch letztwillige Verfügung von Herrn Dr. C. Lampe in Leipzig.

Appollo und Diana. Apollo, in der Linken Pfeil und **564**
Bogen, steht vor der rechts auf einem liegenden Hirsch
sitzenden Diana. Hintergrund Landschaft mit einer Stadt.

Bez. links unten mit der Schlange und der Jahreszahl 1530.
Rotbuchenholz, h. 0,51, br. 0,36. — Erworben vor 1830.

Adam und Eva. Unter dem Baume der Erkenntnis **567**
steht rechts Eva und reicht, von der Schlange bethört, Adam
den Apfel, den derselbe mit der Linken ergreift. Links ein
liegender Hirsch, rechts ein Löwe. Hintergrund Buschwerk.

Bez. links unten mit der Schlange und der Jahreszahl 1533.
Rotbuchenholz, h. 0,47, br. 0,34. — Königliche Schlösser.

Anna Selbdritt. Auf einer Steinbank sitzt Anna, auf **567A**
dem Schofs das Kind haltend, dem die rechts danebeu sitzende
Maria Kirschen gereicht hat. Drei Engelchen halten hinter
der Gruppe einen Vorhang empor, neben dem man rechts
in eine Gebirgslandschaft blickt.

Bez. auf der Steinbank links mit der Schlange. Bild der früheren
Zeit, wohl noch vor 1520.
Tannenholz, h. 0,41, br. 0,27. — Erworben 1890 durch letztwillige
Verfügung von Herrn Dr. C. Lampe in Leipzig.

David und Bathseba. Bathseba sitzt, von drei Frauen **567B**
umgeben, an einem Wässerchen und läfst sich von einer
Magd die Füfse waschen. Dahinter eine Mauer, über deren
Brüstung der harfenspielende König und drei Männer herüber-
sehen.

Bez. an der Mauer rechts mit der Schlange und der Jahreszahl 1526.
Rotbuchenholz, h. 0,36, br. 0,24. — Erworben 1890 von Frau
Medizinalrat Klaatsch in Berlin.

Christus im Hause des Pharisäers. Christus, zur **568**
Linken an einem Tische sitzend, wendet sich redend zu
Simon und seinen zwei Tischgenossen. Vor ihm kniet rechts
Magdalena, seinen linken Fufs, den sie eben gesalbt hat, mit
ihrem Haare trocknend. Hinter dem Tisch vier Zuschauer
und ein Mundschenk.

Bez. auf dem Sitze Christi mit der Schlange mit liegenden Flügeln.
— Aus der Schlofskapelle zu Sangerhausen.
Pappelholz, h. 0,80, br. 1,09. — 1832 vom Kultusministerium über- **580**
wiesen.

Christus am Oelberge. Dem betend nach links
gewendeten Christus erscheint ein Engel, der auf den auf

einem Felsen stehenden Kelch deutet. Vorn die drei
schlafenden Jünger. In der Ferne rechts Judas mit seiner Rotte.

Bez. im Terrain unter dem knieenden Christus mit der Schlange
mit liegenden Flügeln und der Jahreszahl 1537. — S. die Bemerkung
zu dem folgenden Bilde.
Lindenholz, h. 1,47, br. 1,10. — Königliche Schlösser.

581   Grablegung Christi. Der Leichnam des Herrn wird
von Joseph von Arimathia, Nikodemus und Johannes in
das Steingrab gelegt; hinter dem Grabe die klagenden Frauen.
Vorn rechts Maria Magdalena. Im Grunde das Grabgewölbe.

Bez. unten im Terrain mit der Schlange mit liegenden Flügeln
und 1538. — Die Gemälde 580—581, wie auch No. 579 (s. unter Lucas
Cranach d. J.), gehören zu einer Folge von neun Darstellungen der
Leidensgeschichte Christi, wovon sich die übrigen sechs noch im alten
Schlosse zu Berlin befinden.
Lindenholz, h. 1,48, br. 1,10. — Königliche Schlösser.

589   Bildnis des Kardinals Albrecht von Brandenburg,
Kurfürsten von Mainz (1490—1545), als hl. Hieronymus
Zwischen Buschwerk sitzt der Kardinal schreibend an einem
auf Baumstümpfen hergerichteten Tische, umgeben von
wilden Tieren. Rechts vor ihm das Cruzifix. Auf waldiger
Anhöhe das Kloster, in welches die von dem Löwen zurück-
getriebene Karawane, die den Klosteresel geraubt hat, ein-
reitet.

Bez. am Fuſse des Tisches mit der Schlange und 1527.
Lindenholz, h. 0,57, br. 0,37. — Sammlung Solly, 1821.

590   Bildnis Johann Friedrich's des Groſsmütigen,
Kurfürsten von Sachsen (1503—1554). Von vorn gesehen, mit geringer Wendung nach rechts. Mit schwarzem
Barett und Pelzkragen über dem schwarzen Gewand; in
den behandschuhten Händen das Reichsschwert geschultert
haltend. Grund eine Nische.

Die Tafel ist an drei Seiten verkleinert.
Halbe lebensgr. Fig. Lindenholz, h. 0,90, br. 0,70. — Königl.
Schlösser.

593   Der Brunnen der Jugend. Zu einem Wasserbecken,
in dessen Mitte ein Springbrunnen mit den Statuen der Venus
und des Amor, werden von der Linken aus einer felsigen
Landschaft alte Weiber herangefahren. Durch die Wunder-
kraft des Wassers verjüngt, steigen sie zur Rechten aus dem
Bassin heraus, um, in einem Zelte geschmückt, sich auf

blumiger Wiese in Gesellschaft von Rittern mit Tanz und
Gastmahl zu vergnügen.

Bez. unten mit der Schlange mit liegenden Flügeln und 1546.
Lindenholz, h. 1,21, br. 1,84. — Königliche Schlösser.

Venus und Amor. Neben Venus, die an Hals und 594
Armen reichen Schmuck trägt, steht links auf niedrigem
Postament der kleine Amor mit Pfeil und Bogen. Dunkler
Grund.

Lindenholz, h. 1,65, br. 0,60. — Königliche Schlösser.

Bildnis eines jungen Patriziers. Nach rechts ge- 618
wendet und blickend. Mit schwarzem Barett, in schwarzem
Unterkleide und schwarzem Pelzmantel. Blauer Grund.

Bez. links mit der Schlange und 1528.
Brustbild in halber Lebensgröfse. Rotbuchenholz, h. 0,39, br. 0,24.
— Sammlung Solly, 1821.

Bildnis der Katharina von Bora, Gemahlin 637
Luther's (vermählt 1527). Nach links gewendet und gradaus blickend. In schwarzem ausgeschnittenen Kleide mit
hohem Kragen und goldgestickter Netzhaube. Dunkelblauer
Grund.

Bez. rechts mit der Schlange.
Kleines Brustbild. Rotbuchenholz, rund, Durchmesser: 0,10. —
Sammlung Solly, 1821.

Venus und Amor. Neben der, nur mit einem leichten 1190
Schleier geschmückten Venus steht Amor, der sich über die
Stiche der Bienen beklagt, denen er Honig entwendet hat;
Venus bedeutet ihn, wie viel schmerzhafter die Wunden
seiner Pfeile seien (nach einem pseudo-anakreontischen Ge-
dicht: vergl. Theokr. Id. XIX, $K\eta\rho\iota o\kappa\lambda\acute{\epsilon}\pi\tau\eta\varsigma$: Der Honigdieb).
Dunkler Grund.

Bez. links | unten mit der Schlange mit liegenden Flügeln. —
Darunter eine lateinische Inschrift, welche den Inhalt des Bildes angiebt. — Eine Anzahl freier Wiederholungen gröfseren und kleineren
Formats aus den Jahren 1530—1534 in den öffentlichen Sammlungen
von Weimar, Nürnberg, Schwerin, Liechtenstein in Wien und Stockholm; das beste Exemplar ist wohl dasjenige in der Sammlung Borghese zu Rom von 1531.
Lindenholz, h. 1,72, br. 0,63. — Königliche Schlösser.

Cranach d. A.? Die hl. Anna Selbdritt. Die hl. Anna 544A
reicht der links vor ihr stehenden, als Mädchen dargestellten
Maria das unbekleidete Christkind. Blauer Grund.

Gehört zu einer Gruppe von Gemälden, welche eine Zeitlang mit
dem Namen Pseudo-Grünewald bezeichnet wurden, aber gegenwärtig
— bei noch nicht abgeschlossener Forschung — teils dem Cranach
selbst als Arbeiten seiner früheren Zeit, teils einem oder zwei anonymen
Meistern, welche aus der Schule Cranach's stammen, aber noch andere
Einflüsse aufgenommen haben, zugewiesen werden. Das obige Bild,
wohl von Cranach selbst, da es dem Meister sehr nahe kommt und
zudem sein Gegenstück (Segnender Christus), das sich in der Schloß-
kirche zu Zeitz befindet, noch den Namen Cranach führt.

Lindenholz, h. 1,86, br. 0,82. — Erworben 1865.

563 Cranach d. A.? Kopie nach Hieronymus Bosch. Flügel-
altar. Mittelbild: Das jüngste Gericht. In den Wolken
Christus auf dem Regenbogen als Weltenrichter thronend
zwischen Maria und Johannes, weiter unten je sechs Apostel.
In der Luft Selige von Engeln aufwärts getragen. Auf der
Erde Darstellung der Hölle. — Rechter Flügel: Die Hölle.
Darstellung von Höllenstrafen als Fortsetzung des Mittelbildes. Vorn in der Mitte thront als Höllenrichter in einer
Art Turm ein teuflisches Ungetüm, zu dem die Sünder heran-
geschleppt werden. — Rückseite: Maria als Schmerzens-
mutter. Schwarzer Grund. Ganze lebensgr. Figur. —
Linker Flügel: Das Paradies. In reicher Landschaft ver-
schiedene Vorgänge aus der Schöpfungsgeschichte. In der
Luft der thronende Gott Vater, die himmlischen Heer-
scharen im Kampfe gegen die gefallenen Engel zum Siege
leitend. — Rückseite: Christus als Schmerzensmann.
Schwarzer Grund. Ganze lebensgr. Figur.

Das Original von der Hand des Hieronymus Bosch (Jeronimus van
Aeken, gen. Bosch, geb. zu Herzogenbusch zwischen 1460 und 1464,
† daselbst 1516) befindet sich in der Akademie zu Wien. Das
Berliner Bild ist eine alte Kopie — mit einigen Veränderungen —
von einem dem älteren Lucas Cranach sehr nahe stehenden Meister
der sächsischen Schule, vielleicht sogar ein Werk des Cranach selbst
aus seiner früheren Zeit (etwa um 1520).

Lindenholz, Mittelbild h. 1,63, br. 1,25, Flügel je h. 1,63, br. 0,58. —
Königliche Schlösser.

Cranach. Werkstatt des Lucas Cranach d. A. Deutsche
Schule.

635 Bildnis des Herzogs Georg von Sachsen (1471
bis 1539). Nach rechts gewendet und blickend. In schwarzem

hohen Mantel, auf dem das goldene Vlies liegt. Die Hände
in einander gelegt. Hellgrüner Grund.

Bez. links oben mit der Schlange und 1534.
Rotbuchenholz, h. 0,20, br. 0,14. — Sammlung Solly, 1821.

Bildnis Friedrich's (III.) des Weisen, Kurfürsten **636**
von Sachsen (1463—1525). Nach rechts gewendet. Mit
schwarzem Barett und schwarzer pelzgefütterter Schaube.
Hellblauer Grund.

Bez. links mit der Schlange und 1532.
Rotbuchenholz, h. 0,13, br. 0,12. — Sammlung Solly, 1821.

Cranach. Nachfolger des Lucas Cranach d. A. (um 1520
bis 1530). Deutsche Schule.

Der hl. Hieronymus. In felsiger Landschaft sitzt der **565**
Heilige schreibend vor einem auf einem Baumstumpf hergerichteten Tische. Links ruht der Löwe. In der Ferne
links der Heilige in Kasteiung, rechts das Kloster, in
welches die von dem Löwen verfolgte Karawane, welche den
Klosteresel geraubt hat, einzieht.

Lindenholz, h. 0,49, br. 0,35. — Sammlung Solly, 1821.

Christus und die Samariterin. Eine jugendliche, in **588A**
deutsche Tracht gekleidete Frauengestalt steht zur Linken
vor dem auf dem Rand eines Ziehbrunnens sitzenden Christus.
Hintergrund Landschaft mit einem Stadtthor.

Lindenholz, h. 0,64, br. 0,46. — Erworben 1854.

Cranach. Lucas Cranach d. J. Deutsche Schule. — Maler
und Zeichner für den Holzschnitt, geb. zu Wittenberg den
4. Oktober 1515, † zu Weimar den 25. Jan. 1586. Schüler seines
Vaters (in dessen Werkstatt bis 1553). Thätig zu Wittenberg.

Fufswaschung der Apostel. In einem Hofe kniet **579**
Christus zur Linken vor dem inmitten der anderen Apostel
sitzenden Petrus, um an ihm die Fufswaschung vorzunehmen.
Einer der Apostel bringt von links eine Wasserkanne, ein
anderer tritt durch eine Thür im Hintergrund ein. Hintergrund Architektur.

Bez. rechts unten in der Ecke mit der Schlange mit liegenden Flügeln
und der Jahreszahl 1537 (die letzte Ziffer nur zum Teil erkennbar). — Gehört zu der obengenannten (s. No. 580 und 581) Reihenfolge von Passions-
bildern. Doch ist dieses Werk nach seinen stilistischen Merkmalen,
wie nach der Form des Monogrammes (mehr nach oben geschwungene

Flügelfedern und höhere mittlere Schlangenwindung) dem jüngeren
Cranach zuzuteilen und zwar als frühestes datiertes Bild desselben.
Lindenholz, h. 1,47, br. 1,10. — Königliche Schlösser.

Crayer. Gaspar (auch Jasper) de Crayer oder Craeyer.
Vlämische Schule. — Getauft den 18. November 1584 zu Antwerpen, † zu Gent den 27. Januar 1669. Schüler des Raphael
van Coxie zu Brüssel und unter dem Einflusse von Rubens
ausgebildet. Thätig zu Brüssel, kurze Zeit zu Madrid und
seit 1664 zu Gent.

868   Christus zu Emaus. Christus, rechts vorn sitzend,
wird, indem er beim Mahle das Brod bricht, von den Jüngern
erkannt. Links der Wirt, Speisen auftragend; rechts seine
Frau, welche Christus ein Glas Wein reicht. Dunkler Grund.
Fig. bis zu den Knieen. Leinwand, h. 1,55, br. 1,89. — Königliche
Schlösser.

Credi. Lorenzo di Credi. Nach dem Vater Lorenzo di
Andrea d'Oderigo gen. Florentinische Schule. — Geb. zu
Florenz 1459, † daselbst den 12. Januar 1537. Zunächst
Schüler seines Vaters, des Goldschmieds Andrea, dann des
Andrea del Verrocchio und unter dem Einflusse seines Mit-
schülers Lionardo da Vinci ausgebildet. Thätig zu Florenz
(in Verrocchio's Werkstatt bis zu dessen Tode).

100   Maria mit dem Kinde. In einer zerfallenen Hütte verehrt Maria knieend das zur Linken vor ihr liegende Kind.
Im Mittelgrunde der Landschaft links der hl. Joseph den Esel
führend.
Tempera. Pappelholz, h. 1,10, br. 0,70. — Sammlung Soily, 1821.

103   Maria von Aegypten. Die Büsserin, von ihrem Haupthaar fast ganz bedeckt, wendet sich knieend und mit gefalteten Händen einem Engel zu, welcher von links herabschwebend ihr den Kelch des Abendmahls bringt. Hintergrund
Landschaft.
Ganz ähnlich kommt die Gestalt der Maria von Aegypten in
einem Bilde des Louvre vor, das Maria in der Herrlichkeit darstellt
und dort dem Cosimo Rosselli zugewiesen wird, aber unzweifelhaft
der Schule Verrocchio's angehört und in der Komposition wohl auf
diesen Meister selbst zurückgeht. Ebenso ist mit dieser Figur übereinstimmend eine Thonstatuette der hl. Magdalena von Verrocchio im
Berliner Museum. Es wird somit das Bild Lorenzo's auf ein Vorbild

von der Hand Verrocchio's zurückzuführen sein. — Ursprünglich in
Santa Chiara in Florenz.

Tempera. Pappelholz, h. 1,45, br. 0,85. — Sammlung Solly, 1821.

Credi. Schule des Lorenzo di Credi. Florentinische Schule.

Maria mit dem Kinde. Maria kniet zur Rechten mit **89**
gefalteten Händen vor dem links auf der Erde liegenden
Kinde. Neben einer Tempelruine Ausblick in die Landschaft.

Tempera. Pappelholz, rund, Durchm. 0,73. — Sammlung Solly, 1821.

Crespi. Giovanni Battista Crespi, gen. il Cerano. Mailändische Schule. — Maler, Bildhauer und Architekt, geb. zu
Cerano (Gebiet von Novara) 1557, † zu Mailand 1633. Schüler
der Procaccini, in Venedig und unter dem Einfluss des Caravaggio zu Rom ausgebildet. Thätig vornehmlich zu Mailand.

Gelübde der Franziskaner. Zahlreiche Ordensbrüder, **352**
unter denen sich zur Rechten ein Bischof und die hl. Clara
befinden, wenden sich in Verzückung nach oben; daselbst
deutet eine Hand aus den Wolken auf ein Spruchband, das dem
Orden Frieden und Barmherzigkeit verheifst. Hintergrund
Gebirgs-Landschaft.

Auf dem Spruchbande die Inschrift: QVICVNQVE HANC
REGVLAM SECVTI FVERINT PAX SVPER ILLOS ET MISERICOR-
DIA. — Bez. unten rechts auf einem Blättchen: *CC edebat M. DC.*
Leinwand, h. 3,21, br. 1,93. — Sammlung Solly, 1821.

Cristus. Petrus Cristus. Zeichnet sich Petrus X̄P̄R̄ oder
X̄P̄I (d. h. Christophori?). Niederländische Schule. — Geb.
zu Baerle; in Brügge, wo er 1444 das Bürgerrecht erwarb,
1472 noch am Leben. Gebildet unter dem Einflusse des Jan
van Eyck und vielleicht dessen Schüler; thätig vornehmlich
zu Brügge (nach den Daten auf seinen noch erhaltenen
Werken 1446 bis 1467).

Doppelbild. Oben: Verkündigung. Vor der in ihrem **529A**
Gemache zur Rechten am Boden kauernden Marie verneigt
sich der Engel der in der Linken ein kristallenes Szepter
trägt. Durch Fenster und Thüre Durchblick in eine Fiufs-
landschaft. — Unten: Geburt Christi. Das vor der Hütte
liegende Kind wird von Maria, der helfenden Jüdin (nach
dem Evangelium der Jungfrau Maria), drei Engelchen und
Joseph verehrt. In der Hütte Ochs und Esel. In der Landschaft rechts die Verkündigung an die Hirten.

Bez. unten auf dem Rahmen: *Petrus. xpi. me. fecit.* — Nebst
529 B. Seitenflügel eines Altarschreins, der sich in einer Kirche von
Burgos befand.
Eichenholz, h. 1,34, br. 0,56. — Erworben 1850 aus Privatbesitz in
Augsburg.

529B   Das jüngste Gericht. Zwischen Kreuz und Säule
thront Christus auf dem Regenbogen, die Füfse auf die
kristallene Weltkugel gesetzt. Unter ihm Maria, zu deren
Seiten links Magdalena zwischen weiblichen, rechts Johannes
der Täufer zwischen männlichen Heiligen knieen.   Auf
Bänken jederseits sechs Apostel; hinter ihnen die Vertreter
des geistlichen und weltlichen Standes. Unten auf der Erde
der geharnischte hl. Michael, den Teufel und den Tod be-
kämpfend, der seine Knochenarme über der mit den Ge-
marterten angefüllten Hölle ausbreitet. In der Landschaft
einzelne Auferstehende.

Bez. unten auf dem Rahmen: *anno. domini. m. cccc. III* — Ge-
genstück zu 529 A.
Eichenholz, h. 1,34, br. 0,56. — Erworben 1850 aus Privatbesitz in
Augsburg.

532   Bildnis eines jungen Mädchens (angeblich einer
Lady Talbot).   Nach links gewendet. Mit schwarzer hoher
Mütze und blauem mit weifsem Pelz gefüttertem Ueberkleide.
Auf dem blofsen Halse eine dreifache Kette. Hintergrund
graue Wand mit Holzgetäfel.

Trug auf dem alten gleichzeitigen Rahmen die Inschrift: Opus
Petri Cristophori (handschriftl. Bemerkung von Waagen). — Ein männ-
liches Bildnis von der Hand des Meisters von ganz gleicher Gröfse,
den englischen Gesandten Edward Grimston darstellend (datiert 1446,
in der Sammlung Verulam in England befindlich), das auch denselben
Hintergrund aufweist, erscheint wie ein Gegenstück des Berliner Bildes.
Darnach würde letzteres wohl die Gattin des Grimston und nicht die
Lady Talbot vorstellen.
Kleine Halbfigur. Eichenholz, h. 0,28, br. 0,21. — Sammlung Solly, 1821.

Crivelli. Carlo Crivelli. Zeichnet sich **Karolus** oder **Carolus**
Crivellus Venetus, seit 1490 mit dem Zusatz Miles. Venetianische Schule. — Geb. zu Venedig um 1430—40, thätig nach
den Daten auf seinen Gemälden von 1468 bis 1493 in Venedig
und vornehmlich in den Marken (Ascoli). Gebildet unter dem
Einflufs der Schule von Padua und des Antonio und Bartolommeo Vivarini.

861 h. Aalbert Cuijp.

Die hl. Magdalena. Die Heilige steht in reicher zum **1156**
Teil plastisch verzierter Kleidung, in der Rechten das Salbgefäfs haltend, mit der Linken den Mantelzipfel fassend, auf
einem Marmorpostament. Hinter der Heiligen ein schmaler
Teppich, über dem oben ein Blumengewinde hängt. Gemusterter Goldgrund.

> Bez. auf einem Blättchen rechts unten: *Opus Karoli Crivelli Venet.*
> Pappelholz, h. 1,52, br. 0,49. — Sammlung Solly, 1821.

Christus im Grabe mit Heiligen. In der Mitte **1173**
Christus im Sarkophage, von Maria und Johannes gehalten.
Links der hl. Hieronymus in Bufsübung. Rechts die hl.
Magdalena. Durch die Rundbogen, welche die Darstellungen
umrahmen, Ausblick in bergige Landschaft.

> Bez. auf beiden mittleren Pfeilern: *Opus Karoli Crivelli Veneti.*
> — Aus der frühesten Zeit des Meisters, unter dem Einfluß der Schule
> Squarcione's. — Ehemals im Besitz von Girol. Zanetti in Venedig.
> Tempera, Pappelholz, h. 0,36, br. 1,27. — Sammlung Solly, 1821.

Croce. S. Santa Croce.

Cuijp. Aalbert Cuijp. Holländische Schule. — Maler und
Radirer, geb. zu Dordrecht im Oktober 1620, begraben da-
selbst den 15. November 1691. Schüler seines Vaters Jacob
Gerritsz Cuijp. Thätig vornehmlich in Dordrecht.

Sandige Flachlandschaft. Vor einem Gehöft zur **861**
Linken ein Ziehbrunnen, an dem einige Personen beschäftigt sind.

> Bez. rechts unten: *A cuyp.* — Frühes Bild des Meisters.
> Eichenholz, h. 0,24, br. 0,30. — Erworben 1843 aus der Sammlung
> Reimer in Berlin.

Sonnige Dünenlandschaft. Inmitten einer Dorfstrafse **861A**
steht ein Ziehbrunnen, dem ein Mann vier Kühe zutreibt.

> Bez. links unten in der Ecke: *A. cuyp.* — Frühes Bild des Meisters.
> Eichenholz, h. 0,49, br. 0,72. — Sammlung Suermondt, 1874.

Flufslandschaft. An dem zur Rechten steil abfallen- **861B**
den Ufer eines breiten von Booten befahrenen Flusses tränken
ein paar Hirten ihre Kühe. In der Ferne am linken Ufer eine
Stadt.

> Gehört zu den Werken des Meisters aus seiner Blütezeit um 1660.
> — Eine ganz ähnliche Darstellung von etwas gröfserem Format im
> Museum zu Rotterdam. — Sammlung Schönborn zu Wien, 1866.
> Eichenholz, h. 0,31, br. 0,39. — Sammlung Suermondt, 1874.

Verz. d. Gemälde.   5

8616   Frühlingslandschaft. Am Fufse eines Dünenhügels
eine Strafse mit Wanderern. Weiter rechts ein Wasser-
tümpel, in dem ein Hirte seine Kühe tränkt. Auf dem Hügel
zwei Schafheerden.

> Bez. links unten zweimal: *A. cuyp.* — Aus Cuijp's frühester Zeit.
> Eichenholz, h. 0,49, br. 0,73. — Erworben in Paris 1879.

Cuijp. Benjamin (Gerritsz) Cuijp. Holländische Schule.
— Getauft zu Dordrecht im Dezember 1612, † im August 1652
daselbst. Schüler seines Bruders Jacob Gerritsz Cuijp; unter
dem Einflusse Rembrandt's weiter ausgebildet. Thätig zu
Dordrecht, kurze Zeit im Haag (1643).

743B   Anbetung der Hirten. Mehrere Hirten verehren vor
einer verfallenen Hütte das in der Wiege liegende Christkind. Maria kniet anbetend hinter der Wiege. Zur Seite
und in der Ferne links Hirten mit Vieh. Engelkinder blicken
aus dem sich öffnenden Himmel herab.

> Bez. an einer Holzthüre rechts: *cuyp*.
> Eichenholz, h. 0,74, br. 0,56. — Erworben 1877.

Cuijp. Jacob Gerritsz Cuijp. Holländische Schule. — Geb.
zu Dordrecht im Dezember 1594, † daselbst (?) 1651 oder 1652.
Schüler des Abraham Bloemaert. Thätig zu Dordrecht.

743   Bildnis einer alten Frau. Nach links gewendet. In
einem Lehnstuhle sitzend, mit weifser Haube und Steinkragen,
in schwarzem Kleide. Grauer Grund.

> Bez. links über der Stuhllehne: *Aetatis 68. Anno 1624*
> *JG. cuyp. fecit.*
> Kniestück in Lebensgröfse. Eichenholz, h. 1,06, br. 0,76. — Er-
> worben 1841.

743A   Bildnis eines jungen holländischen Brautpaares
als Damon und Phyllis. Beide bekränzt, mit Schäfer-
stäben in den Händen, lustwandeln am Fufse eines steilen
Berghanges. Ihnen zu Seite je ein Schaf. Links Blick in die
Ferne.

> Bez. rechts an einer Säulentrommel: *Cuyp. F.*
> Eichenholz, h. 0,86, br. 0,57. — Erworben 1876 in Berlin.

David. Gerard David. Niederländische Schule. — Geb.
zu Ouwater um 1460, † zu Brügge den 13. August 1523. Gebildet unter dem Einflusse des Hans Memling. Urkundlich
zuerst 1483 erwähnt bei seinem Eintritt in die Gilde zu Brügge:

1515 auch in die Gilde zu Antwerpen aufgenommen. Thätig
vornehmlich zu Brügge und kurze Zeit in Antwerpen.

Christus am Kreuze. Am Fuſse des Kreuzes kniet **573**
Magdalena; weiter nach links stehen neben ihr Maria mit
Johannes und zwei heilige Frauen; rechts der gläubige Hauptmann mit drei Kriegsknechten. Vorn rechts ein Hund. In
dem Mittelgrund der gebirgigen Landschaft Jerusalem.

Eichenholz, h. 1,41, br. 1,00. — Sammlung Solly, 1821.

David. Nachfolger des Gerard David. Niederländische Schule.

Anbetung der Könige. Unter einem an eine Palast- **551B**
ruine angebauten Strohdache sitzt links Maria. Auf ihrem
Schoſse das segnende Kind, dem die drei Könige, der älteste
knieend, ihre Gaben darbringen. Im Mittelgrund kniet das
Stifterpaar mit zwei Kindern. Im Hintergrund jenseits eines
Flüſschens ein Hügel, von dem sich in langem Zuge das
Gefolge der Könige herabbewegt.

Vermutlich von einem holländischen Künstler, der dem Gerard
David sehr nahe steht, in manchem auch an den jugendlichen Mabuse
erinnert, aber weder den einen noch den anderen in der Energie der
Zeichnung und der Vollendung der Technik erreicht.

Von Holz auf Leinwand übertragen, h. 0,86, br. 0,69. — Erworben
1890 durch letztwillige Verfügung von Herrn Dr. C. Lampe in Leipzig.

Decker. J. Decker. Holländische Schule. — Thätig um
1640 bis 1660. Ueber Leben und Ort der Thätigkeit des
fälschlich F. Decker genannten Künstlers sind keine Nachrichten erhalten. In seinen wenigen erhaltenen Bildern,
welche Innenräume insbesondere von Schmieden und Webe-
stuben darstellen, steht er zwischen Isack van Ostade und
Thomas Wijck etwa in der Mitte.

Die Schmiedewerkstatt. An der lodernden Esse zwei **993**
Gesellen, von denen der eine zur Rechten das Eisen schmiedet,
der andere links das seinige im Feuer zum Glühen bringt.

Bez. links an einem Holzklotz: *J Decker 1644.*

Eichenholz, h. 0,45, br. 0,53. — Königliche Schlösser.

Delorme u. s. f., s. Lorme u. s. f.

Denner. Balthasar Denner. Deutsche Schule. — Geb. den
15. November 1685 zu Altona, † zu Rostock den 14. April 1749.
Schüler eines Zeichenlehrers Amama zu Altona, an der
Akademie zu Berlin (seit 1707) und durch eigene Studien

5*

ausgebildet. Thätig vornehmlich in Hamburg und in London
(1721—1724), zeitweilig an deutschen Höfen (namentlich in
Schwerin), in Berlin und Kopenhagen (1717).

1014   Bildnis eines Greises. Nach rechts gewendet, gradaus
blickend. In braunem pelzgefütterten Rock, der am Halse
das offene Hemd sehen läfst. Bräunlicher Grund.

Bez. im Grunde rechts an der Seite: *Denner fect.*
Lebensgr. Brustbild. Kupfer, h. 0,38, br. 0,30. — Erworben 1832.

Deutsche Schule. Meister aus Oesterreich um 1480 bis 1500.

1205   Maria mit dem Kinde. Maria, unter einem Baldachin
thronend, hält dem auf ihrem Schofse sitzenden Kind mit
der Linken eine Lilie hin. Vorn kniet der geistliche Donator
(in kleinem Mafsstab). — Rückseite: Anbetung der
Könige. Maria, rechts vor einer romanischen Schlofsruine
sitzend, hält das Kind auf dem Schofs, dem der vor ihm zur
Linken knieende König einen Kelch darreicht. Dahinter die
beiden anderen Könige und das Gefolge. Goldgrund.

Dieses und das folgende Bild zeigen einige Verwandtschaft mit
vier dem Wolfgang Ruland zugeschriebenen Tafelbildern aus der Legende des Täufers in der Kunstsammlung des Stiftes Klosterneuburg
und mögen daher wohl in Oesterreich unter dem Einflufs dieses
Meisters entstanden sein.
Weifstannenholz, die Vorderseite auf Leinwand, h. 2,02, br. 1,08. —
Sammlung Solly, 1821.

1206   Die Dreieinigkeit. Der unter einem Baldachin
thronende Gottvater hält den Gekreuzigten vor sich, über
dessen Haupt die Taube schwebt. — Rückseite: Vorgang
aus der Geschichte des hl. Kreuzes. In einem gotischen
Kirchenportal steht zur Linken ein Bischof, umgeben von
vier Chorknaben, das Kreuz vor sich haltend; vor demselben
knieen der Kaiser Konstantin und seine Mutter Helena; hinter
ihnen das Gefolge. Goldgrund.

Gegenstück zu No. 1205. Beide zusammen wahrscheinlich Flügel-
bilder zu einem jetzt verschollenen Mittelstück.
Weifstannenholz, die Vorderseite auf Leinwand, h. 2,02, br. 1,08
— Sammlung Solly, 1821.

Deutscher Meister um 1520—1530.

1192   Männliches Bildnis. In mittleren Jahren, nach links
gewendet, geradaus blickend. Mit schwarzem Barett und

schwarzer pelzgefütterter Schaube. An einem Fingerringe
der Linken das Familien-Wappen. Dunkelgrüner Grund.

Zeigt wie das folgende Bild Verwandtschaft mit der Kunstweise
Cranach's in seiner früheren Zeit. Die beiden Dargestellten gehören,
dem Wappen nach, der sächsischen Familie von Maschwitz an: ein
Umstand, der gleichfalls für die Herkunft der Bilder aus Cranach's
Schule spricht.
Fast lebensgr. Brustb. Lindenholz, h. 0,43, br. 0,31. — Sammlung
Solly, 1821.

Weibliches Bildnis. Mit geringer Wendung nach **1191**
rechts; die Hände zusammengelegt. In schwarzer Pelzkappe
und pelzgefüttertem Rock. Dunkelgrüner Grund.

Gegenstück von 1192.
Fast lebensgr. Brustb. Lindenholz, h. 0,41, br. 0,29. — Sammlung
Solly, 1821.

Deutscher Meister um 1530—1550.

Bildnis eines jungen Architekten. Von vorn ge- **629 A**
sehen, Kopf und Blick nach rechts gewendet. Mit schwarzem
Barett, in rotem Wams und grauem Mantel, in der Linken
einen Zirkel. Hintergrund die Zimmerwand mit Meſsgerät.

Das Bildnis gehört wohl der Niederrheinischen oder der West-
fälischen Schule an und zeigt Verwandtschaft mit den früheren Werken
des Hermann tom Ring (Münster, 1521—1597). Für seinen niederrheinischen Ursprung spricht auch die Holzart der Tafel.
Halbe Figur unter Lebensgr. Eichenholz, h. 0,53, br. 0,43. — Erworben 1873 in Florenz.

Diepenbeeck. Abraham van Diepenbeeck. Vlämische Schule.
— Maler und Zeichner für Kupferwerke, sowie Glasmaler,
getauft den 9. Mai 1596 zu Herzogenbusch, † zu Antwerpen
zwischen dem 17. April und dem 16. Sept. 1675. Schüler
seines Vaters, des Glasmalers Jan Roelofszone, und später
des Rubens. Thätig vornehmlich zu Antwerpen (seit 1623),
einige Zeit in England und in Paris (1632, nach Marlette).

Vermählung der hl. Katharina. Maria hält zur **818**
Rechten auf ihrem Schoſse das Kind, das der vor ihm
knieenden Heiligen den Ring an den Finger steckt. Mit
Spannung folgen dem Vorgang der kleine Täufer, Franciscus
und Josef. Hintergrund Architektur.

Fig. überlebensgroſs. Leinwand, h. 2,00, br. 2,42. — Königliche
Schlösser

Die Flucht der Cloelia. Cloelia, zu Pferde aus dem **964**

Lager des Etruskerkönigs entflohen, im Begriff mit ihren
Begleiterinnen nach links den Tiber zu durchschreiten. Zur
Linken vorn der Flufsgott mit der Urne.

Ein ganz ähnliches Bild von der Hand des Meisters, in kleineren
Figuren, im Louvre.

Fig. überlebensgrofs. Leinwand, h. 2,36, br. 3,43. — Königliche
Schlösser.

Diepraem. Abram (Abraham) Diepraem oder Diepraam.
Holländische Schule. — 1648 Mitglied der Malergilde zu Dord-
recht, 1674 noch am Leben, † angeblich zu Rotterdam.
Schüler des Glasmalers Stoop und des H. M. Sorgh in
Rotterdam; durch das Studium Brouwer's weiter gebildet.
Thätig in Dordrecht.

891A   Das Frühstück. Ein Bauer, rechts vor einem Fasse
sitzend, hält in der Rechten einen abgehäuteten Häring, von
dem er schmunzelnd ein Stück zum Munde führt. Dunkler Grund.

Bez. am Fasse oben: *A Diepraem 1665.*
Eichenholz, h. 0,30, br. 0,25. — Sammlung Suermondt, 1874.

Dijk. Philip van Dijk. Holländische Schule. — Geb. zu
Amsterdam den 10. Jan. 1680, † im Haag den 3. Febr. 1752.
Schüler des Arnold Boonen in Amsterdam; im Anschlufs
an Eglon van der Neer und A. van der Werff weiter ausgebildet. Thätig abwechselnd in Amsterdam, in Middelburg
(seit 1710) und im Haag (schon 1718), einige Zeit als Hofmaler
in Cassel (daselbst nachweislich thätig 1725 und 1736).

1026   Der Lautenspieler. Eine junge Dame, über ein
Balkongeländer gebeugt, bricht eine Blume für einen Herrn,
der hinter ihr stehend die Laute spielt. Neben ihr links
ein kleines Mädchen, das nach der Blume greift. Hintergrund
Park mit der Statue der Flora.

Bez. rechts unten in der Ecke: *P. van Dyk. 1727.*
Eichenholz, h. 0,37, br. 0,29. — Königliche Schlösser.

1028   Der Zeichenunterricht. In der Brüstung eines wein-
umrankten Fensters erteilt eine junge Frau ihrem zur Linken
sitzenden Knaben Unterricht im Zeichnen. Vorn rechts ein
kleines Mädchen, die Statue eines Amors bekränzend. Im
Hintergrund links die Statue der Mediceischen Venus.

Bez. unten: *P. van Dyk. f. 1728.* — Gegenstück zu No. 1026.
Eichenholz, h. 0,37, br. 0,28. — Königliche Schlösser.

Dolci. Carlo (Carlino) Dolci. Florentinische Schule. — Geb. zu Florenz den 25. Mai 1616, † daselbst den 17. Jan. 1686. Schüler des Jacopo Vignali, thätig vornehmlich in Florenz.

Der Evangelist Johannes. Auf einen Felsen zur **423** Rechten gelehnt und im Begriff die Offenbarung niederzuschreiben. Hinter ihm rechts der Adler. Hintergrund Himmel.

Zwei ganz ähnliche Darstellungen von der Hand des Meisters in der Galerie Pitti zu Florenz.

Halbfigur. Leinwand, achteckig, h. 1,13, br. 0,92. — Vor 1815 aus der Sammlung Giustiniani einzeln erworben.

Domenichino. S. Zampieri.

Domenico. Domenico Veneziano, urkundlich Domenico di Bartolommeo da Venezia. Florentinische Schule. — Geb. zwischen 1400 und 1410, vermutlich zu Venedig, urkundlich zuerst 1439 erwähnt, begraben zu Florenz am 15. Mai 1461. Thätig in Perugia und zumeist in Florenz.

Martyrium der hl. Lucia. Der in einem Hof knieenden **64** Heiligen stöfst der Henker von rückwärts den Dolch in's Genick. Auf einem Balkon zur Rechten Pascasius, Statthalter von Sizilien, die Hinrichtung befehlend. Hintergrund Architektur und Himmel.

Gehört mutmafslich als Teil der Predella zu einem Hauptwerke des Meisters, das sich jetzt in den Uffizien zu Florenz befindet. Dasselbe, „OPUS DOMINICI DE VENETIIS" bezeichnet, stammt aus der Kirche Sta. Lucia de' Bardi in Florenz und stellt die thronende Jungfrau mit dem Kinde zwischen den hh. Johannes d. T., Franciscus, Nicolaus und Lucia vor.

Tempera. Pappelholz, h. 0,25, br. 0,29. — Erworben 1841/42 in Italien.

Dou. Gerard (Gerrit) Dou. Holländische Schule. — Geb. zu Leiden den 7. April 1613, begraben daselbst den 9. Februar 1675. Schüler des Kupferstechers Bart. Dolendo, des Glasmalers Pieter Couwenhorn und (von 1628—1631) Rembrandt's. Thätig vornehmlich in Leiden.

Büfsende Magdalena. Mit halbentblöfster Brust sitzt **843** die Büfserin, die Hände ringend, nach links gewendet, in ihrem Gemach. Vor ihr rechts ein Tisch mit Geldbörse, hinter ihr ein Gobelin als Vorhang.

Bez. rechts am Sockel eines kannelierten Pilasters: *G Dou. 1638.*

Kniestück. Eichenholz, h. 0,30, br. 0,23. — Königliche Schlösser.

847   Bildnis von Rembrandt's Mutter. Nach links gewendet. Im Pelzmantel, mit brauner durch ein schmales
Tuch befestigter Pelzkappe. Dunkelgrauer Grund.

Bez. links im Grunde: *GDou.* — Aus der frühesten Zeit Dou's.
Kleines Brustbild. Eichenholz, oval, h. 0,22, br. 0,17. — Königliche Schlösser.

854   Die Vorratskammer. Eine Köchin tritt mit einem
Lichte in einen kellerartigen Raum, in welchem vorn rechts
auf einem Fasse ein Topf, Messingkessel und Mausefalle
stehen. Im Hintergrunde Küchengeräte und Speisevorräte.

Leinwand auf Holz, h. 0,32, br. 0,25. — Königliche Schlösser.

Dubois, Dujardin u. s. f., s. du Bois, du Jardin u. s. f.

Duccio. Duccio di Buoninsegna. Schule von Siena. —
Geb. vermutlich zu Siena um 1260, zuerst nachweisbar 1282,
urkundlich zuletzt erwähnt 1320. Thätig zu Siena.

1062A   Gemälde in drei Abteilungen. Mittelbild: Geburt Christi. In offener Hütte lagert Maria vor der Krippe
mit dem Kind; zu beiden Seiten anbetende Engel. Neben
Maria links Joseph; etwas tiefer zwei Frauen den Neuge-
borenen badend. Rechts zwei Hirten, denen ein Engel eine
Schriftrolle mit den Worten: annuncio vobis gaudium magnum,
entgegenhält. Goldgrund. — Linker Flügel: Der Prophet
Jesaias eine Pergamentrolle haltend mit der Schrift: Ecce
virgo concipiet et pariet filium et vocabitur nomen ejus
Emanuel. — Rechter Flügel: Der Prophet Hesekiel eine
Pergamentrolle haltend mit der Schrift: Vidi portam in domo
domini clausam (;) vir non transibit per eam, dominus solus
intrat et init per eam. Goldgrund.

Teil der Predella zu dem grofsen Altarwerke, das Duccio 1308 bis
1310 für den Hauptaltar des Domes zu Siena malte und dessen Haupt-
stücke(Vorderseite: thronende Madonna mit dem Kinde, zwischen Heiligen
und Aposteln; Rückseite: die Leidensgeschichte Christi) jetzt in den
beiden Kapellen zu Seiten des Chors aufgestellt sind. Bekanntlich ein
Hauptwerk der Schule von Siena, das für Siena nicht blofs zu der
neuen grofsen Epoche der Malerei den Uebergang bildet, sondern auch
auf den Fortgang derselben mannigfach eingewirkt hat.

Tempera. Pappelholz, mit der ursprünglichen Rahmenleiste
h. 0,87, br. 0,47, Mittelbild (ohne Rahmen) h. 0,43, br. 0,44, Flügel je
h. 0,43, br. 0,16. — Erworben als Geschenk 1884 in Florenz.

1062 A. Duccio di Buoninsegna.

Duck. Jacob Duck. Zeichnet sich am häufigsten J. A. Duck (die Bezeichnungen A. Duck, A. van Duck und A. Le Duck anscheinend sämtlich gefälscht). Holländische Schule. — Geb. 1600 in Utrecht, daselbst in den J. 1630—32 als Meister aufgenommen, † im Haag (?) nach 1660; thätig in Utrecht und im Haag (daselbst 1656 ansässig).

Fouragierende Soldaten. In einer Scheune, in welcher **864** zur Linken im Grunde holländische Soldaten damit beschäftigt sind, Stroh vom Boden zu holen, stehen vorn neben Waffen-- stücken zwei Offiziere in voller Rüstung; links ein paar andere Offiziere.

Eichenholz, h. 0,63, br. 0,80. — Königliche Schlösser.

Dürer. Albrecht Dürer. Deutsche Schule. — Geb. zu Nürnberg den 21. Mai 1471, † daselbst den 6. April 1528. Maler, Kupferstecher und Zeichner für den Holzschnitt. Durch seinen Vater im Zeichnen unterwiesen, später (seit 1486) Schüler des Michel Wolgemut; in Venedig insbesondere unter dem Einfluß des Mantegna weiter ausgebildet. Nach einer vierjährigen Wanderschaft (1490—1494) in Süddeutschland, Elsaß und nach Venedig thätig zu Nürnberg (seit 1495). Ging Ende des Jahres 1505 abermals nach Venedig und blieb daselbst während des Jahres 1506; seit März 1507 wieder in Nürnberg. 1521/22 in den Niederlanden.

Maria mit dem Kinde. Auf Maria's Schoß sitzt links **557B** das nackte Kind, das mit beiden Händen eine Frucht hält. Dunkler Grund.

Bez. links in der Mitte mit dem Monogramm und 1518. — Das Bild hat durch ältere Restaurationen gelitten.

Maria Brustbild. Lindenholz, h. 0,49, br. 0,40. — Erworben 1880 in Florenz aus der Sammlung Capponi.

Bildnis Friedrich's des Weisen (1463—1525). Nach **557C** rechts gewendet und gradaus blickend. In mittleren Jahren, mit lockigem Haar und Vollbart. Mit schwarzem Barett, schwarzem Wams und Untergewand von farbigem Brokat. Eine Papierrolle in der Linken. Grünlicher Grund.

Bez. links unten mit dem Monogramm (das Monogramm, von etwas ungewöhnlicher Form, hat sich als alt erwiesen). — Das Bild, das in die Jahre 1496—1498 gesetzt werden muß, fällt somit in die Frühzeit des Meisters und zeigt alle hervorragenden Merkmale seiner

damaligen Kunstweise. Nicht blofs Auffassung und Anordnung, auch
die Technik und die feine Leinwand, auf welcher das Bildnis gemalt
ist, verraten die deutliche Einwirkung seines ersten italienischen
Aufenthaltes und insbesondere den Einflufs Mantegna's.

Lebensgr. Halbfig. Wasser- oder Leimfarbe auf feiner Leinwand.
h. 0,76, br. 0,57. — Erworben 1882 auf der Versteigerung der Sammlung des Herzogs von Hamilton in London.

557D   **Bildnis des Jacob Muffel.** Nach links gewendet.
Bartlos, in schwarzer, mit dreifacher Goldborte verzierter
Mütze. Untergewand von tiefgrünem Sammet, darüber die
pelzgefütterte Schaube. Hellblauer Grund.

Links oben die Inschrift: AETATIS. SUAE. ANNO. LV. SALUTIS.
VERO. M. D. XXVI. und das Monogramm. — Zwei alte Kopieen schon
im vorigen Jahrhundert in Privatbesitz zu Nürnberg; die eine derselben, aus dem 17. Jahrhundert, gegenwärtig im Germanischen Museum
daselbst. — Dafs der Dargestellte der angesehene Nürnberger Ratsherr
und Septemvir Jakob Muffel sei, der 1514 Bürgermeister von Nürnberg
wurde und mit Dürer befreundet war, beruht auf alter Tradition:
schon 1778 wird eine jener Kopieen als Porträt des Jakob Muffel angeführt. — Bis 1867 in der Sammlung Schönborn in Pommersfelden.

Ursprünglich auf Holz, 1870 in Petersburg auf Leinwand übertragen.
h. 0,49, br. 0,36. — Erworben 1883 in Paris aus der Sammlung Narischkin.

557E   **Bildnis des Hieronymus Holzschuher.** Etwas nach
links gewendet, den Blick nach rechts gerichtet. Barhaupt
mit weifsem Haar und Vollbart, in pelzgefütterter Schaube.
Hellgrünlicher Grund.

Bez. oben links: HIERONIM⁹. HOLTZSCHUER. ANNO. DONI. 15⸗
ETATIS. SUE. 57; auf dem Grunde rechts das Monogramm. — Das
Bild befindet sich noch in seinem ursprünglichen Rahmen; auf dem
Schiebdeckel desselben (an dessen Stelle jetzt die Glasscheibe getreten
ist) sind die vereinigten Wappen der Familien Holzschuher und Münzer
in einem Kranze und mit der Jahreszahl MDXXVI gemalt. — Hieronymus
(1469—1529), aus der alten angesehenen Nürnberger Patrizierfamilie der
Holzschuher, kam 1499 in den inneren Rat, wurde 1500 zum jüngeren
1509 zum älteren Bürgermeister erwählt und 1514 zum Septemvir berufen. Er war mit Dürer befreundet, der ihm von seiner niederländischen
Reise ein Geschenk mitbrachte, und gehörte mit zu den Anhängern
der neuen reformatorischen Bewegung.

Brustbild in Lebensgr. Lindenholz, h. 0,49, br. 0,36. — Erworben
1884 von der Familie der Freiherrn von Holzschuher in Nürnberg.

Dyck. Anthonius (Anthonis, Anthonie oder Antonio) van
Dyck. Zeichnete sich zumeist Antonius oder Antonio van Dyck.
Vlämische Schule. — Maler und Radirer, geb. zu Antwerpen
den 22. März 1599, † zu Blackfriars (London) den 9. Dezember

557E. Albrecht Dürer.

ck

1641. Schüler des Hendrik van Balen (seit 1610) zu Antwerpen, daselbst als Gehülfe des Rubens (nach 1618, in welchem Jahr van Dyck als Meister in die Gilde zu Antwerpen aufgenommen wurde) und unter seinem Einfluſs weiter ausgebildet. Thätig in Antwerpen, bei einem längeren italienischen Aufenthalte (1623 bis 1627) vornehmlich in Genua und Rom, später in London, woselbst er schon früher, um 1620/21, einige Zeit am Hofe Jacob's I. thätig gewesen; 1632 als Hofmaler Karls I.; zeitweilig in Brüssel (1634/35) und in Paris (1640/41) und vermutlich um 1627/28 in Holland.

Verspottung Christi als König der Juden. Christus, **770** gebunden, inmitten der Kriegsknechte, von denen einer ihm die Dornenkrone auf das Haupt drückt, ein anderer ein Schilfrohr als Szepter darreicht, während ihn zwei Pharisäer verhöhnen. Ganz links der römische Hauptmann. Hintergrund die Kerkerwand.

Eine Originalwiederholung (aus Rubens' Besitz) im Museo del Prado zu Madrid, jedoch ohne die Figuren des römischen Hauptmanns und des Kriegsknechts hinter demselben. — S. auch No. 799.
Fig. überlebensgroſs. Leinwand, h. 2,62, br. 2,14. — Königliche Schlösser.

Beweinung Christi. Der auf einer Erdbank ruhende **778** Leichnam Christi wird von Johannes, Maria und Magdalena beklagt. Ein weinender Engel rechts deutet auf die Wundmale Christi. Im Hintergrund die Grabeshöhle.

Bez. in der unteren Ecke rechts von späterer Hand: v. Dijk. — Aus der Zeit des zweiten Aufenthaltes des Meisters in Antwerpen, nach seiner Rückkehr aus Italien (1527) und unter dem Einflusse Tizian's. — Eine Wiederholung mit geringen Abweichungen in der Aegidienkirche zu Nürnberg, doch nur aus der Werkstatt des Meisters. Eine zweite Wiederholung, Schulbild, in der Galerie zu Stuttgart.
· Lebensgr. Fig. Leinwand, h. 2,20, br. 1,66. — Königliche Schlösser.

Bildnis des Thomas François de Carignan, **782** **Prinzen von Savoyen.** Etwas nach rechts gewendet. In voller Rüstung, über die ein Spitzenkragen fällt; den Kommandostab in der Rechten, die Linke auf den Helm gelegt. Im Hintergrunde Wand und ein Vorhang.

Bez. auf einem Zettel links unten: Thomas Sabaudus Princeps de Carignan. a⁰. 1634, und rechts unten: *Ant. van Dyck, Eques Fec.* — Der Prinz (1596—1656), fünfter Sohn des Herzogs Karl Emanuel I.

von Savoyen und Stammvater der jetzt regierenden Linie des Hauses Piemont-Savoyen, war zuerst General in spanischen Diensten, dann der französischen Armeen in Italien und Grofsmeister von Frankreich. Im Jahre 1634 befand er sich in den Niederlanden, und das hiesige Bildnis ist somit wohl in Brüssel gemalt. — Eine Wiederholung in Windsor, die daselbst als Original gilt, ist nur eine mäfsige Kopie.

Kniestück in Lebensgr. Leinwand, h. 1,12, br. 1,03. — Erworben 1835.

787. Die bufsfertigen Sünder. Maria Magdalena, der König David und der verlorene Sohn nahen sich von rechts reuevoll dem Christuskinde, welches Maria auf dem Schofse hält. Hintergrund Mauer und Landschaft.

Nach der Rückkehr aus Italien im Anschlufs an Tizian gemalt. — In öffentlichen Sammlungen verschiedene Wiederholungen des Bildes, von denen das etwas gröfsere Exemplar im Louvre das einzige ganz eigenhändige ist. Das hiesige Bild ist wohl in der Werkstatt unter des Meisters Beihülfe entstanden.

Halbfig. in Lebensgr. Leinwand, h. 1,08, br. 1,33. — Königliche Schlösser.

790E Der hl. Petrus. Der Apostel zeigt mit der Rechten auf ein offenes Buch, das er mit der Linken auf seine Kniee stützt. Grund Wand und düsterer Himmel.

Sammlung Pastor zu Burtscheid, 1820. Sammlung Uselino, Amsterdam 1868.

Halbfig. in Lebensgr. Leinwand, h. 0,89, br. 0,72. — Sammlung Suermondt, 1874.

799 Die beiden Johannes. Zwischen Pfeilern steht links der Evangelist Johannes, zu Häupten den Adler, auf das Evangelium deutend; rechts Johannes der Täufer, auf das Lamm zu seiner Seite weisend. Hintergrund Landschaft.

Bez. am Buche unter dem Fufse Johannes' d. E. *A° van Dyck: fecit.* — Gehört mit der Verspottung Christi (No. 770), der Ausgiefsung des hl. Geistes (im Vorrat der Berliner Galerie) und der Gefangennahme Christi (in der Sammlung zu Corsham House in England) zu einer Reihenfolge von Gemälden, welche für die frühe, noch ganz von Rubens beeinflufste Zeit des Meisters besonders charakteristisch sind. Die drei Berliner Bilder befanden sich früher und vermutlich schon ursprünglich zu Brügge in der Abtei zu den Düren und wurden 1768 von dem Prinzen Heinrich von Preufsen bei seiner Anwesenheit in den Niederlanden angekauft. — Original-Skizze zu dem Bilde No. 799 in Madrid, Akademie der Künste.

Fig. überlebensgrofs. Leinwand, h. 2,61, br. 2,12. — Königliche Schlösser.

Dyck. Antonius van Dyck. Aus der Werkstatt. Vlämische Schule.

Bildnis der Infantin Isabella Clara Eugenia, **788** Tochter Philipp's II. von Spanien. Als Priorin, in der Tracht des von ihr gestifteten geistlichen Ordens, von vorn gesehen, die Hände in einander gelegt. Hintergrund Architektur.

Die Infantin (1566—1633), seit 1597 Gemahlin des Erzherzogs Albrecht von Oesterreich, Statthalters der Niederlande, blieb nach dessen Tode (1621) Regentin derselben. — Das Bildnis der Isabella ist in ganz ähnlicher Haltung öfters von Ant. van Dyck und seinen Gehülfen gemalt worden; als die besten, wohl eigenhändigen Exemplare müssen diejenigen in den Galerieen zu Turin, von Liechtenstein und in Hopetownhouse (Schottland) angesehen werden.

Halbe Fig. in Lebensgr. Leinwand, h. 0,99, br. 0,75. — Königliche Schlösser.

Die Kinder König Karl's I. von England. In einem **790** Gemach, das sich im Grunde nach dem Parke öffnet, steht Karl, Prinz von Wales, die Linke auf eine grofse Dogge gelegt. Neben ihm stehen zur Linken Prinz Jakob, Herzog von York, in langem Kleide und weifsem Häubchen, dann die Prinzessin Maria; zur Rechten die Prinzessin Elisabeth, welche die kleine, auf einem Stuhle sitzende Prinzessin Anna festhält.

Bez. links in der Mitte mit der Jahreszahl 1637 und der Inschrift·
REGIS MAGNAE BRITANIAE PROLES.
PRINCEPS CAROLVS NATVS 29. MAI 1630.
JACOBVS DVX EBORACENSIS NATVS 14. OCTOB. 1633.
PRINCEPS MARIA NATA 4. NOVEMB. 1631.
PRINCEPS ELIZABETH NATA 20. DEZEMB. 1635.
PRINCEPS ANNA NATA 17. MARTII 1636.

Das letzte Datum, 1636, beruht auf einem Versehen und mufs 1637 heifsen. Das Bild, von dem sich eine etwa gleichwertige Wiederholung in Windsor Castle befindet, ist nach dem Entwurf des Meisters im wesentlichen, wenn auch unter der Beihülfe desselben, von Gehülfen ausgeführt und erinnert in der glatten Behandlung insbesondere an Adriaen Hanneman (1601—1671, thätig im Haag und in London), der sich insbesondere unter dem Einflusse des A. van Dyck ausgebildet hatte.

Ganze Fig. in Lebensgr. Leinwand, h. 1,63, br. 2,02. — Königliche Schlösser.

Dyck. Art des Antonius van Dyck. Vlämische Schule.

Bildnis der Prinzessin Maria, ältesten Tochter **786**

König Karl's I. von England. Etwa siebenjährig, etwas
nach links gewendet, vor einer Säule stehend. In blau-
seidenem, spitzenbesetztem Kleide. Neben der Säule rechts
ein Brokatvorhang.

Ganze Fig. in Lebensgr. Leinwand, h. 1,32, br. 1,07. — Königliche
Schlösser.

Eeckhout. Gerbrand van den Eeckhout. Holländische Schule.
— Maler und Radirer, geb. zu Amsterdam den 19. August
1621, bestattet daselbst den 29. September 1674. Schüler des
Rembrandt van Rijn. Thätig zu Amsterdam.

820   Darstellung Christi im Tempel. In einer düsteren
Tempelhalle hält Simeon, vorn zur Linken knieend, das
Christkind in den Armen. Hinter Simeon links verschiedene
Priester. Rechts von ihm Maria und Joseph, der in der
Linken die Tauben hält, die ein Hund beschnobert. Von
rechts kommt Hanna herbei.

Leinwand, h 0,83, br. 1,00. — Einzelner Erwerb aus der Sammlung
Giustiniani vor 1815.

829   Mercur tötet Argus. Mercur hat den rechts vor ihm auf
dem Boden ruhenden Argus durch sein Flötenspiel eingeschläfert und greift eben nach dem neben ihm liegenden
Schwerte. Dahinter die in eine weiße Kuh verwandelte Io.
Hintergrund bergige Landschaft.

Bez. rechts im Terrain: *G. v. Eeckhout. fc. Anno 1666.*
Leinwand, h, 0,94, br. 1,10. — Königliche Schlösser.

804   Eeckhout? Die Erweckung von Jairi Töchterlein.
Christus erweckt durch seine Berührung die auf ihrem Lager
vor ihm hingestreckte Tote. Rechts von Christus der Vater,
zur Linken eine Gruppe von drei Figuren. Ganz vorn ein
junger Mann.

Von G. F. Schmidt als Rembrandt gestochen. Doch ist auch die
Herkunft des Bildes von Eeckhout nicht über allen Zweifel erhaben.
Leinwand, h. 0,33, br. 0,42. — Erworben 1843 aus der Sammlung
Reimer zu Berlin.

Elias. Nicolaes Elias (eigentlich Nicolaes Elias Pickenoy).
Holländische Schule. — Geb. 1590 oder 1591 zu Amsterdam,
† ebenda zwischen 1646 und 1656, vielleicht Schüler des A. van
der Voort. Thätig in Amsterdam.

Bildnis des Cornelis de Graef, Bürgermeisters **753A**
von Amsterdam. Nach rechts gewendet und gradaus
blickend. In reicher schwarzseidener Tracht, kurzem Mantel
und breitem liegendem Spitzenkragen. Hintergrund Flur des
(1652 abgebrannten) Rathauses zu Amsterdam.

<small>Gegenstück zu No. 753B. — Sammlung Ilpenstein zu Amsterdam, 1873.
Ganze Fig. in Lebensgr. Leinwand, h. 1‚84, br. 1‚04. — Sammlung
Suermondt, 1874.</small>

Bildnis der Catarina Hooft, Gemahlin des **753B**
Cornelis de Graef. Nach links gewendet und gradaus
blickend. In weifsem silbergesticktem, spitzenbesetztem Untergewande und schwarzseidenem Oberkleide; über dem breiten
Spitzenkragen liegt reicher Halsschmuck. In der Rechten
einen Fächer von schwarzen Straufsenfedern. Grund Architektur.

<small>Gegenstück zu No. 753A., und wie dieses früher dem Thomas
de Keyser zugeschrieben, indes nach der Uebereinstimmung mit den
zahlreichen Portraitstücken des Meisters in Amsterdam zweifellos von
Elias. — Auf den Rückseiten der Bilder sind Namen, Stand und
Lebensalter der Dargestellten verzeichnet. — Sammlung Ilpenstein zu
Amsterdam, 1873.
Ganze Fig. in Lebensgr. Leinwand, h. 1‚84, br. 1‚04. — Sammlung
Suermondt, 1874.</small>

Elsheimer. Adam Elsheimer, Elshaimer, oder Aelsheimer.
In Italien **Adamo Tedesco** gen. Deutsche Schule. — Maler
und Radirer, getauft zu Frankfurt a. M. den 18. März 1578,
† zu Rom mutmafslich 1620. Schüler des Philipp Uffenbach
zu Frankfurt, ausgebildet durch das Studium der grofsen
italienischen Meister, thätig zu Rom (daselbst schon im
Jahre 1600).

Die badende Nymphe. Eine Nymphe, von einem Satyr **664A**
verfolgt, rettet sich zur Linken eilig aus dem Teich in dem
sie gebadet hat, ans Ufer. Im Hintergrund der waldigen
Landschaft Silen auf seinem Esel nebst einem Begleiter.

<small>Kupfer auf Eichenholz, h. 0,14, br. 0,20 — 1880 aus dem Kupfer-
stichkabinet überwiesen.</small>

Der hl. Martin und der Bettler. Links der Heilige, **664B**
im Begriffe den Mantel, den er schon zur Hälfte um den
Bettler geworfen, mit dem Schwerte zu zerschneiden. Hintergrund Waldlandschaft.

Aus der früheren Zeit des Meisters. — Sammlung Pourtalès, Paris 1865.
Kupfer, rund, Durchmesser 0,21. — Erworben 1881 in Paris, aus
der Sammlung des Marquis de Ganay unter dem Namen des Guercino.

664C   Arkadische Waldlandschaft. Johannes der Täufer
sitzt vorn zur Linken an einem von dichtem Laubwald um-
gebenen Teich, zu seinen Füfsen das Lamm.
  Kupfer, h. 0,13, br. 0,17. — Erworben zu Wien 1884 von Prof. Thausing
  Elst. S. Verelst.
  Ercole. S. Roberti.
  Everdingen. Allart van Everdingen. Holländische Schule.
— Landschaftsmaler und Radirer, geb. zu Alkmaar 1621, be-
graben zu Amsterdam den 8. November 1675. Schüler des
Roelant Saverij zu Utrecht und besonders des Pieter Molyn
(oder Pieter Mulier?) in Haarlem; 1645 als Meister in die
Lucasgilde zu Haarlem aufgenommen. Nach Reisen in der
Skandinavischen Halbinsel (um 1640—1644) thätig zu Alkmaar,
Haarlem und seit 1652 in Amsterdam.

835   Landschaft. Rechts ein bewaldeter, zu einem Wasser
abfallender Berghang, an dessen Fufs zwei Reiter.
  Bez. an einem Stein im Wasser: *AvE.*
  Eichenholz, h. 0,25, br. 0,22. — Königliche Schlösser.

835A   Norwegische Landschaft. Felsiger Berghang nach
links zu einem Gewässer abfallend, an dessen Ufer einige
Jäger.
  Die kleine Staffage ist von der Hand des modernen Malers
  L. B. Bakalowicz. — Sammlung Mündler, Paris.
  Eichenholz, h. 0,32, br. 0,28. — Sammlung Suermondt, 1874.

835B   Flufslandschaft. Schroffe Felsen steigen rechts von
dem Ufer eines Flusses an, auf dem mehrere Kähne fahren.
  Bez. rechts unten: *AvEverdingen 1648.* — Sammlung Gruner, Berlin.
  Eichenholz, h. 0,30, br. 0,41. — Erworben 1880 in Berlin aus dem
  Nachlafs des Restaurators Schmidt.

887A   Norwegische Gebirgslandschaft. Tannenwald mit
steilen Felspartieen zur Rechten, an deren Fufs einige Hütten
liegen.
  Bez. rechts unten: *AvEverdingen.*
  Leinwand, h. 1,14, br. 0,89. — Erworben 1864 von Restaurator Schlesinger in Berlin.

913   Burg am Flusse. Ein Fluss, auf dem mehrere Kähne
mit zahlreichen Insassen, bespült den Fufs einer waldigen,

von einer Burg gekrönten Anhöhe. Im Vordergrund ein paar
hohe Tannen; unter denselben einige Schafe.

Bez. links unten: *AvEverdingen.*
Leinwand, h. 1,24, br. 1,04. — Königliche Schlösser.

Eyck. Hubert und Jan van Eyck. Niederländische Schule.
— Hubert van Eyck, geb. zu Maaseijck (zu Eijck an der Maas)
um 1370, † zu Gent den 18. Sept. 1426. Thätig zu Gent. —
Jan van Eyck, geb. zu Maaseijck um 1390, † zu Brügge
den 9. Juli 1440. Schüler seines älteren Bruders Hubert
und nach dessen Vorgang an der Ausbildung und Ver-
breitung der Oelmalerei wesentlich beteiligt. Thätig in Gent,
dann im Haag (1422—1424 als Hofmaler des Herzogs Johann
von Bayern) und in Lille (1425—1428 als Hofmaler des Herzogs
Philipp d. G. von Burgund), nach einer Reise nach Portugal
und Spanien (1428 und 1429) endlich in Brügge (daselbst
ansässig seit Januar 1430 bis zu seinem Tode).

    Sechs Flügel des Altarbildes: Die Anbetung des 512—523
Lammes. (Nach der Apokalypse VII. 9.)

Dieses Hauptwerk der beiden Brüder, zugleich das bedeutendste
Werk der niederländischen Schule, wurde für die Kapelle des Jodocus
Vydt und seiner Gattin Isabella Burluut in der Kirche S. Johann
(später S. Bavo) zu Gent ausgeführt. Das untere Mittelbild des um-
fangreichen Altarwerkes, die Anbetung des Lammes darstellend, sowie
die darüber befindlichen Einzelfiguren von Gott-Vater, Johannes und
Maria befinden sich noch in S. Bavo, während die beiden oberen
äufsersten Flügelbilder (mit den Figuren von Adam und Eva) in die
Galerie zu Brüssel gekommen sind (1861). Ueber Urheber, Besteller und Zeit
der Ausführung berichtet die Inschrift, welche sich auf dem alten
Rahmen des Bildes (und zwar auf den No. 518, 519, 522, 523) befindet.
Sie lautet:

(PICTOR) HVBERTVS E EYCK. MAJOR QVO NEMO REPERTVS
INCŒPIT PONDVS. (QUOD) JOHANNES ARTE SECVNDVS
(FRATER PERF)ECIT IVDOCI VYD PRECE FRETVS.
VERSVS SEXTA MAI VOS COLLOCAT ACTA TVERI

D. h. „Der Maler Hubert van Eyck, gröfser als welcher keiner
gefunden worden, begann das Werk, das Johann, der Bruder, in der
Kunst der Zweite, auf des Jodocus Vyd Bitte vollendete." — Die Verbindung der im letzten Verse rot geschriebenen, hier grofs gedruckten Buchstaben ergiebt die Nachricht, dafs das Werk am 6. Mai 1432 aufgestellt wurde.
— Die eingeklammerten Worte teils fehlend, teils undeutlich geworden,
sind nach einer um die Mitte des 16. Jahrh. veranstalteten Handschriften-
Sammlung ergänzt. Allein die hier überlieferte Inschrift war wohl
nicht nach dem Originale, sondern nach einer älteren Abschrift kopiert,

und ist die Richtigkeit der Ergänzungen nicht unzweifelhaft: für PICTOR
und FRATER PERF. ist der leergelassene Platz nicht ganz ausreichend,
falls die Worte nicht abgekürzt waren (pondus quod und versus sind
Korrekturen für pondusque und versu).

Wann Hubert den Auftrag für das Altarwerk erhielt, ist unbekannt.
Doch läfst sich aus der Biographie des Jan van Eyck soviel feststellen,
dafs derselbe vor 1426 sich an der Arbeit nicht beteiligen und von Mai
1425 zu Lille im Dienste Philipp's des Guten thätig, dann auf längerer
Reise bis Ende 1429 abwesend, vor 1430 die Vollendung des von Hubert
1426 unfertig zurückgelassenen Werkes nicht betreiben konnte. Immerhin
konnte sich seine Thätigkeit an dem Werke, da die Aufstellung am
6. Mai 1432 erfolgte, über mehr als zwei Jahre erstrecken. Während
also von Hubert vermutlich der Entwurf des Ganzen herrührt, gehen
darüber die Ansichten sehr auseinander, welche Tafeln in der Ausführung dem Hubert, welche dem Jan angehören und welche der
Einzelbilder, von Hubert begonnen, Jan fertiggestellt habe. Als aus-
schliefsliche Arbeit des Hubert werden ziemlich einstimmig die drei
oberen Mittelbilder, die Einzelfiguren Gott-Vaters, der Maria und des
Johannes, von Vielen auch die Stifterbildnisse (diese neuerdings von
Einigen dem Jan zugeteilt), die Tafeln mit den singenden und spie-
lenden Engeln (die aber schon einige für Jan charakteristische Züge
aufweisen und daher wohl von diesem fertig gemalt sind) angesehen.
Adam und Eva gelten jetzt zumeist als das Werk des Jan. Im übrigen
scheint der Anteil des Jan in der Ausführung und Vollendung der
unteren kleinfigurigen Innentafeln, sowie der Aufsenseiten, insbesondere
der Verkündigung (mit den Lünetten) und den statuarischen Heiligen-
gestalten zu bestehen.

Das Altarwerk, ein Allerheiligenbild, besteht aus zwölf Tafeln in
zwei Reihen, von denen die obere sieben, die untere fünf Tafeln ent-
hält. Ist der Schrein geöffnet, so zeigt die obere Reihe die Herrlichkeit des Himmels, die untere die Anbetung des Lammes. Oben: Gott-
Vater, links Maria, rechts Johannes der Täufer; auf den vier Flügeln
links singende Engel (No. 514) und Adam, rechts musizierende Engel
(No. 515) und Eva. Unten: die Anbetung des Lammes, auf den vier
Flügeln links die Streiter Christi (No. 513) und die gerechten Richter
(No. 512), rechts die hh. Einsiedler (No. 516) und die hh. Pilger (No. 517).
Bei geschlossenem Schrein zeigte die obere Reihe die Verkündigung,
darüber die Propheten Zacharias und Micha (No. 520 und 521), und zwei
Sibyllen (auf den Rückseiten von Adam und Eva); die untere Reihe
die beiden Johannes (No. 518 und 523) und zu deren Seiten die Bildnisse der Stifter (No. 519 und 522). — Der ganze Altar wurde restauriert 1550 von Jan Scorel und Lancelot Blondel, 1663 durch Antoine
van der Heuvel.

512   Die gerechten Richter. Festlicher Zug von zehn
reich gekleideten nach rechts hin reitenden Rittern. Der
vorderste auf einem Schimmel stellt den Hubert van Eyck.

514. Hubert und Jan van Eyck.

515. Hubert und Jan van Eyck.

515. Hubert und Jan van Eyck.

der Reiter im schwarzen Kleide, welcher aus dem Bilde herausschaut, den Jan van Eyck dar (nach alter Ueberlieferung). Hintergrund bergige Landschaft.

Inschrift auf dem alten Rahmen (verdeckt): JVSTI JVDICES. — Wahrscheinlich beruht die ganz weltliche Darstellung der gerechten Richter und der Streiter Christi auf einer mifsverstandenen Auffassung der im Hymnus de omnibus sanctis gebrauchten Bezeichnung für die Heiligen des Himmels (Springer, Ueber die Quellen der Kunstdarstellung im Mittelalter). — Die sechs Flügel (No. 512—523) wurden 1815 um 3000 Gulden an den Kunsthändler Nieuwenhuis und von diesem für 100 000 frs. an den englischen Sammler Solly verkauft. Eichenholz, h. 1,44, br. 0,51. — Sammlung Solly, 1821.

Die Streiter Christi. Drei Ritter in vollem Waffenschmuck, in der Rechten die erhobene Lanze, reiten einem sich nach rechts bewegenden Zuge von sechs reichgekleideten Reitern voran, unter denen vier gekrönte Häupter. Hintergrund waldige Landschaft mit den fernen Alpen. **513**

Inschrift auf dem alten Rahmen (verdeckt): CHRISTI MILITES. Eichenholz, h. 1,44, br. 0,51. — Sammlung Solly, 1821.

Die singenden Engel. Zur Rechten ein mit Schnitzwerk reich verziertes Notenpult vor dem acht singende Engel in reichen Mefsgewändern stehen. Hintergrund Himmel. **514**

Inschrift auf dem alten Rahmen (verdeckt): MELOS DEO LAVS PHENIS GRAR A . . O . Die beiden mittleren Buchstaben des letzten Wortes sind durch eine schon in alter Zeit eingelassene Eisenschraube ausgelöscht (vielleicht zu ergänzen: perhennis gratiarum actio). Die Inschrift, welche wie überall den Gegenstand der Darstellung angiebt, bezeichnet den Gesang als zum ewigen Preise (und Danke?) Gottes bestimmt. Eichenholz, oben abgerundet, h. 1,61, br. 0,69. — Sammlung Solly, 1821.

Die musizierenden Engel. Vorn rechts ein Engel in reichem Brokatgewand die Orgel spielend; ihm zur Rechten, weiter zurück, fünf Engel, von denen die beiden vorderen die Pausen zählen. Hintergrund Himmel. **515**

Inschrift auf dem alten Rahmen (verdeckt): LAVDANT EVM IN CORDIS ET ORGANO (d. h. sie preisen den Herrn mit Saiten- und Orgelspiel.) Eichenholz, oben abgerundet, h. 1,61, br. 0,69. — Sammlung Solly, 1821.

Die heiligen Einsiedler. Paulus und Antonius schreiten einem sich nach links bewegenden Zug von zehn Einsiedlern voran, den Magdalena und Maria von Aegypten **516**

6*

beschliefsen. Hintergrund felsige Landschaft mit südlicher Vegetation.

Inschrift auf dem Rahmen (verdeckt): HEYREMETI STI (die hh. Einsiedler).

Eichenholz, h. 1,44, br. 0,51. — Sammlung Solly, 1821.

5|7 **Die heiligen Pilger.** Der hl. Christoph in ragender Gestalt an der Spitze eines sich nach links bewegenden Zuges von siebenzehn heiligen Pilgern. Hintergrund Landschaft mit südlicher Vegetation.

Unterschrift auf dem Rahmen (verdeckt): PEREGRINI STI (die hh. Pilger).

Eichenholz, h. 1,44, br. 0,51. — Sammlung Solly, 1821.

5|8 **Johannes der Täufer.** (Rückseite von No. 512.) Mit der Rechten auf das Lamm, das er auf dem linken Arm hält, deutend. Als Standbild in der Einfassung eines gotischen Bogens grau in grau gemalt.

Auf dem Sockel des Standbildes die Inschrift: S. JOHES BAPTA.

Eichenholz, h. 1,44, br. 0,51. — Sammlung Solly, 1821.

5|9 **Bildnis des Stifters Jodocus Vydt.** (Rückseite von No. 513.) Knieend nach rechts gewendet. In rotem pelzgefüttertem Rock, den ein schwarzer Ledergürtel zusammenhält. In der Einfassung eines gotischen Bogens.

Ganze lebensgr. Fig. Eichenholz, h. 1,44, br. 0,51. — Sammlung Solly, 1821.

520 **Der Engel Gabriel.** (Rückseite von No 514). Gabriel, verkündet knieend, die Lilie in der Linken, mit der Rechten nach oben deutend, die himmlische Botschaft. Durch ein gotisches Fenster Ausblick auf die Häuser einer Stadt. — Darüber im Halbrund der Prophet Zacharias, mit der Rechten auf die Schrift deutend. Kleine Halbfigur.

Auf der über dem Propheten schwebenden Schriftrolle die Inschrift: EXVLTA SATIS FILIA SION JVBILA. ECCE REX TVVS VENIT. (Der Prophet Zacharias IX, 9: Aber du Tochter Zion freue dich sehr, jauchze; siehe, dein König kommt zu dir.) — Unter dem Halbrund auf dem alten Rahmen die Inschrift (verdeckt): ZACHARIA PROPHETA. — Zu der Darstellung des Gemachs, in dem die Verkündigung (No. 520 und 521) vor sich geht, gehören noch die Rückseiten der Tafeln mit Adam und Eva. — Dafs der durch die Fensteröffnungen dieses Gemachs sichtbare Stadtausschnitt einen bestimmten, noch heute erkennbaren Strafsenzug der Stadt Gent darstelle, ist sehr zweifelhaft.

519 u. 518. Hubert und Jan van Eyck.

523 u. 522. Hubert und Jan van Eyck.

Eichenholz, oben abgerundet, h. 1,61, br. 0,69. — Sammlung Solly, 1821.

Maria. (Rückseite von No. 515.) Maria an ihrem Betpulte **521** knieend, über ihrem Haupte die Taube, lauscht, die Hände über die Brust gelegt, der himmlischen Botschaft. Durch ein gotisches Fenster Ausblick auf die Häuser einer Stadt. — Darüber im Halbrund der Prophet Micha, auf Maria herabschauend. Kleine Halbfigur.

Auf der über dem Propheten schwebenden Schriftrolle die Inschrift: EX TE EGREDIETVR QVI SIT DOMINATOR IN ISRAEL. (Der Prophet Micha V, 1: Aus dir soll mir der kommen, der in Israel Herr sei.) — Unter dem Halbrund auf dem alten Rahmen die Inschrift (verdeckt): MICHA PROPHETA.

Eichenholz, oben abgerundet, h. 1,61, br. 0,69. — Sammlung Solly, 1821.

Bildnis der Isabella Vydt, geb. Burluut, Gemahlin 522 des Jodocus Vydt. (Rückseite von No. 516.) Mit gefalteten Händen, knieend nach links gewendet. In dunkelviolettem, grüngefütterten Kleide und weifsem Kopftuch. In der Einfassung eines gotischen Bogens.

Ganze Figur in Lebensgröfse. Eichenholz, h. 1,44, br. 0,51. — Sammlung Solly, 1821.

Johannes der Evangelist. (Rückseite von No. 517.) Mit **523** der Rechten den Kelch segnend, aus dem sich der Kopf eines Ungetüms und vier Schlangen erheben. Als Steinbild in der Einfassung eines gotischen Bogens grau in grau gemalt.

Auf dem Sockel des Standbildes die Inschrift: S. JOHES EVANTA. Eichenholz, h. 1,44, br. 0,51. — Sammlung Solly, 1821.

Eyck. Kopie nach Hubert und Jan van Eyck von der Hand des Michiel van Coxie (Coczie, Coxcien oder Coxcyen). Niederländische Schule. — Geb. zu Mecheln 1497, † daselbst den 10. März 1592. Schüler seines Vaters Michiel und des Barend van Orley. Nach mehrjährigem Aufenthalte in Italien thätig in Mecheln (seit 1539, später wieder seit 1563) und in Brüssel (woselbst er 1543 das Bürgerrecht erwarb, bis 1563).

Anbetung des Lammes. Im Mittelgrunde einer reichen **524** südlichen Landschaft steht das Lamm auf dem Altare, sein Herzblut in eine goldene Schale ergiefsend; darüber am Himmel die Taube. Um den Altar knieen im Kreise vierzehn Engel mit den Leidenswerkzeugen. Von rechts ziehen die

weiblichen Märtyrer, von links die männlichen herbei. Im
Vordergrunde der Brunnen des lebendigen Wassers
(Apokalypse XXII). Rechts knieen die Apostel, hinter ihnen
stehen die Geistlichen, Päpste, Bischöfe und Mönche; links
knieen die Propheten, hinter ihnen stehen die Patriarchen
und Helden des alten Bundes. Im Hintergrunde rechts das
himmlische Jerusalem. Nach der Vision des Evangelisten
Johannes (Apokalypse VII, 9; vergl. XIV).

An dem Altare die Inschriften: ECCE AGNVS DEI, QVI TOLLIT
PECCATA MVNDI und JESVS VIA, VERITAS, VITA. (Siehe da das
Lamm Gottes, das die Sünden der Welt trägt. — Jesus ist der Weg,
die Wahrheit und das Leben.) — Bez. am Brunnen: *Michael de
Coxie me fecit. Anno. 1550.* Die letzte Ziffer war ursprünglich
zweifellos eine 8. — Kopie nach dem Mittelbilde in der unteren Reihe
des Altarschreins von Hubert und Jan van Eyck, das sich noch heute
in S. Bavo zu Gent befindet. S. auch No. 525. Die übrigen von Coxie
kopierten Tafeln befinden sich in der Münchener Pinakothek und in
S. Bavo zu Gent. — Die Kopie des ganzen Altars war dem Meister
von König Philipp II bestellt und 1559 vollendet, gelangte aber niemals
nach Spanien.
Eichenholz, h. 1,33, br. 2,36. — Erworben 1823.

525   Der thronende Gott-Vater. Die dreifache Krone
auf dem Haupte, in reich mit Edelsteinen umsäumtem Mantel;
in der Linken das Scepter haltend, die Rechte segnend erhoben. Zu seinen Füfsen eine Krone. Hinter ihm ein Teppich,
in den als Muster der Pelikan, die Brut mit seinem Blute
nährend (mit der Umschrift: Jesus Christus), gewebt ist;
darüber goldener Grund, mit einer auf die göttliche Macht,
Güte und Vergeltung bezüglichen Inschrift.

Diese im Halbkreise um die Tiara geführte Inschrift lautet:
+ HIC E DEVS POTETISSIM' P DIVINA MAJESTATE + SV' OIM
OPTI' P DVLCEDIS BOITATE ✕ REMVNERATOR LIBERALISSIMVS
PROPTER INMEN ✕ SAM LARGITATEM (Hic est deus potentissimus
propter divinam majestatem suorum (?) omnium optimus propter dulce-
dinis bonitatem etc.). — Auf dem Sockel des Thrones die Inschrift:
VITA . SINE . MORTE . IN . CAPITE.   IVVET'. SN. SENECTVTE
IFRONTE. GAVDIV. SN. MERORE. A. DEXTRIS. SECVRITAS. SÑ.
TIORE . A . SINIST'S (Leben ohne Tod im Haupte. Jugend
ohne Alter an der Stirn. Freude ohne Trauer zur Rechten. Sicherheit ohne Furcht zur Linken.) — Das über die Brust laufende Band
enthält in Perlen die Inschrift „SABAOTH". Dies namentlich spricht
neben anderen Gründen für die Auffassung, dafs der Dargestellte
Gott Vater, und nicht, wie Manche annehmen, Christus als Himmels-

525 D. Jan van Eyck.

könig sei. — Kopie nach dem Mittelbilde in der oberen Reihe des Genter Altarwerks von Hubert und Jan van Eyck. Das Original in S. Bavo zu Gent. Vergl. No. 524.

Eichenholz, oben im Halbrund abschliefsend, h. 2,07, br. 0,79. — Erworben 1823.

Eyck. Moderne Kopie nach Hubert und Jan van Eyck.

Maria. Mit der Krone und reich geschmückt, sitzend 525D nach rechts gewendet, in einem Buche lesend. Hinter Maria ein gemusterter Teppich, darüber Goldgrund mit einer Inschrift zum Preise der Maria.

Die im Halbkreis um das Haupt der Maria geführte Inschrift lautet: + · HEC Ē SPECIOSIOR SOLE +SVᴾ OĒM STELLARV DISPOSICOē ³ LVCI X OᴾATA IVEIT⁹ PO CADOR E EÑ LVCIS E.. NE + SPECLM SN X MACLA DEI (Hec est speciosior sole, super omnem stellarum dispositionem luci comparata invenitur prior, candor est enim lucis e(ter)ne speculum sine macula dei). — S. die Bemerkung zu No. 525 E.

Eichenholz, oben im Halbkreis abschliefsend, h. 1,61, br. 0,69.

Johannes der Täufer. Sitzend nach links gewendet; 525E auf seinem Schofse ein offenes Buch; mit der erhobenen Rechten auf Gott-Vater deutend. Hinter Johannes ein gemusterter Teppich, darüber Goldgrund mit einer Inschrift zum Preise des Johannes.

Die Inschrift lautet: + · HIC Ē BAPTISTA JOĤĒS · MAIOR HŌIE · PAR ANGLIS LEGIS X SVMA · EWAGELII SACIO · APLOᴮ VOX · SILECIV PPHETAR... X LVCERNA MVND.... NI TESTIS (Hic est baptista Johannes, major homine, par angelis, legis summa, evangelii sanctio, apostolorum vox, silentium prophetar(um), lucerna mund(i, domi)ni testis). — Beide Bilder Kopien nach den Seitengemälden zu dem Mittelbilde des Gott-Vaters; die Originale sind noch, wie oben bemerkt, in der Kirche S. Bavo zu Gent. Die Kopieen sind ausgeführt von Carl Friedr. Schulz (aus Gelchow bei Storkow) im J. 1826.

Eichenholz, oben im Halbkreis abschliefsend, h. 1,61, br. 0,69.

Eyck. Jan van Eyck. Niederländische Schule.

Bildnis Christi als Königs der Könige. Das Haupt 528 Christi, nach frühmittelalterlichem Typus ganz von vorn gesehen, von einem in Kreuzform gotisch stilisierten Heiligenschein umgeben. Auf dem Saume des roten Gewandes die Inschrift: Rex Regum. Auf dem grünen Grunde oben A und Ω, unten I (Initium) und F (Finis).

Auf der alten steinartig bemalten, den Rahmen bildenden Einfassung die Inschrift oben: VIA VERITAS VITA, unten: PRIMVS ET

NOVISSIMVS. (Der Weg, die Wahrheit und das Leben; der Erste und
der Letzte.) — Bez. oberhalb dieser letzten Worte: *Johannes de eyck me
fecit et applevit anno 1438. 31 Januarij. Ame* (= al-same (?) = ebenso
wie) *ich. chan.* — Alte verkleinerte Kopie mit geringen Abweichungen
im Museum zu Brügge, mit der falschen Inschrift: Johannes de Eyck
Inventor anno 1440 3o. January. — Alte Kopie von gleicher Größe in
der Pinakothek zu München.
      Brustbild in Lebensgr. Eichenholz, h. 0,51, br. 0,39. — Sammlung
Solly, 1821.

528A   Der segnende Christus. Im Profil nach links, die
rechte Hand segnend erhoben. Rechts das naturalistische
Stabwerk eines gotischen Rahmens. Goldgrund.
      Fragment. Das Bild giebt die Züge einer Vera Ikon wieder, die,
in einen Smaragd geschnitten, seit alter Zeit sich in Konstantinopel
befand und erst von Sultan Baiazid II. dem Papst Innocenz VIII. geschenkt worden war.
      Eichenholz, h. 0,18, br. 0,13. — Erworben in London 1888.

525A   Der Mann mit den Nelken. Nach links gewendet,
den Beschauer anblickend; bartlos, mit gefurchten Zügen.
In grauer pelzgefütterter Schaube und Pelzhut. Auf der Brust
das Kreuz der Antoniusbrüderschaft an gedrehter Silberkette.
In der Rechten eine weiße und zwei rote Nelken; die Linke
mit sprechendem Ausdruck erhoben. Dunkelgrüner Grund,
von einem gemalten gelben Rahmen umschlossen, auf welchem
die Hände aufliegen.
      Eine Kopie dieses Bildnisses, mit veränderter Handhaltung, findet
sich auf einer Anbetung der Könige eines westphälischen Meisters um
1500 in Velen, auf welcher der älteste König die Züge des Mannes mit
den Nelken trägt. — Sammlung Engels, Köln 1867.
      Brustbild in Dreiviertel-Lebensgr. Eichenholz, h. 0,40, br. 0,31. —
Sammlung Suermondt, 1874.

523A   Bildnis des Johann Arnolfini. Leicht nach links
gewendet. Bartlos, in grüner, pelzgefütterter Schaube und
roter turbanartiger Mütze. Die Hände übereinander gelegt.
Dunkler Grund.
      Johann Arnolfini lebte als Faktor des Lucchneser Hauses Marco
Guidecon in Brügge. Die Indentität der Persönlichkeit läßt sich nach
dem bekannten Verlobungsbild der Londoner National Gallery feststellen. Da Arnolfini auf demselben etwas jugendlicher erscheint, dürfte
unser Bildnis erst in der zweiten Hälfte des vierten Dezenniums gemalt sein.
      Eichenholz, h. 0,29, br. 0,20. — Erworben auf der Versteigerung
Nieuwenhuis zu London, 1886.

525 A. Jan van Eyck.

Madonna mit dem Karthäuser. Vor der rechts **523 B**
stehenden Maria, die das segnende Kind auf dem Arme trägt,
kniet der von der hl. Barbara empfohlene Karthäusermönch.
Neben der Heiligen als ihr Attribut ein gotischer Turm.
Durch die Bogenöffnungen der Halle Ausblick auf eine belebte
Stadt und eine weite Flachlandschaft.

Das Bildchen, das sich in den Typen, der etwas härteren Behandlung und den kühleren Farben der Art des Petrus Cristus nähert,
läfst sich unter den bezeichneten Bildern des Meisters schwer ein-
reihen. Am nächsten steht es der, freilich auch nicht beglaubigten,
Tafel bei Baron Gustave Rothschild in Paris, auf der überdies derselbe
Karthäuser als Donator dargestellt ist. — Ein auf der Rückseite auf-
geklebter Zettel giebt in holländischer Sprache die irrige Notiz, dafs
das Bild von Jan für den Abt von S. Martin in Ypern gemalt sei.
Dagegen ist das Bild vermutlich identisch mit der Darstellung, die in
dem von Blaise Hutter 1595 verfafsten Inventar des Kunstbesitzes von
Erzherzog Ernst erwähnt und dem „Rupert van Eyck" zugeschrieben
wird. Auch das am 17. April 1662 im Haag mit dem künstlerischen
Nachlafs des Joh. Chrisosth. de Backer unter No. 153 versteigerte
Stück: Een L. Vrouw met den Cathuyser, geschildert by Jan van Eyck,
ist wohl ebenfalls mit dem vorliegenden Bild übereinstimmend.

Eichenholz, h. 0,20, br. 0,14. — Erworben in London 1888 aus
der Sammlung des Marquis of Exeter in Burleigh House.

Maria mit dem Kinde in der Kirche. In dem **525 C**
Mittelschiff einer gotischen Kirche steht die gekrönte Maria,
das Kind auf dem rechten Arme haltend. Im Grunde hinter
dem Lettner zwei Engel in Messgewändern, aus einem offenen
Buche singend.

Eine gute Wiederholung des Bildes vom J. 1499 unter dem Namen
Memling im Museum zu Antwerpen, als Teil eines auf beiden Seiten
bemalten Diptychons, mit einigen Veränderungen; eine zweite spätere
und schwächere in der Galerie Doria zu Rom, als die eine Tafel eines
Diptychons, das schon, wie die Landschaft auf der zweiten Tafel bezeugt, dem Anfang des 16. Jhdts. angehört. Eine Wiederholung in
gröfserem Mafsstab, nach L. de Laborde ein unzweifelhaftes Werk des
Meisters und aus seiner besten Periode, befand sich früher in oder
bei Nantes, im Besitz eines Architekten Nau, nach der Beschreibung
mit dem hiesigen Bilde genau übereinstimmend; selbst der alte ur-
sprüngliche Rahmen enthält dieselbe Umschrift, welche der alte nicht
mehr erhaltene Rahmen des hiesigen Bildes aufgewiesen haben soll
(Mater . hec . est . filia . pater . hic . est . natus . quis . audivit . talia . deus .
homo . natus . etcet . flos . floriolorum . appellaris.). — Die Federzeichnung
einer ganz ähnlichen Komposition in gröfserem Format in der Sammlung von J. C. Robinson zu London.

Eichenholz, oben abgerundet, h. 0,31, br. 0,14. — Sammlung Suermondt, 1874.

Eyck. Nachahmer des Jan van Eyck. Niederländische Schule.

525B Maria mit dem Kinde im Rosenhag. Maria,, in den Armen das Kind, das einen Rosenkranz hält, vor einer Rasenbank stehend, hinter welcher sich eine Rosenhecke und südliche Bäume erheben. Links ein Brunnen aus Bronze.

Die Gruppe der Madonna mit dem Kinde findet sich ganz ähnlich noch in zwei anderen Gemälden, von denen das eine, im Museum zu Antwerpen, den Namen des Jan van Eyck nebst der Jahreszahl 1439 trägt und das andere, früher bei Mr. Beresford Hope in London (neuerdings nach Nordamerika verkauft), dem Meister wohl mit Recht zugeteilt wird. Beide Bilder sind dem Berliner in der Behandlung wie im Ausdruck weit überlegen. — Sammlung Mündler, Paris; früher im Privatbesitz zu Florenz.

Eichenholz, h. 0,57, br. 0,41. — Sammlung Suermondt, 1874.

Fabritius. Carel Fabritius. Holländische Schule. — Geb. um 1620(?), † zu Delft den 12. Oktober 1654. Schüler Rembrandt's zu Amsterdam, thätig daselbst, alsdann von 1650—1654 zu Delft.

819A Brustbild eines Mannes. Nach rechts gewendet. Mit gefalteten Händen flehend aufwärts blickend. Dunkler Grund.

Die breit gehaltene Studie wird nur mit einiger Wahrscheinlichkeit diesem Schüler Rembrandt's zugeschrieben.

Eichenholz, h. 0,22, br. 0,18 — Sammlung Suermondt, 1874.

Falconetto. Giovanni Maria Falconetto. Venetianische Schule (Verona). — Architekt und Maler, geb. zu Verona 1458, † zu Padua 1534. Schüler seines Vaters Jacopo zu Verona; bei zwölfjährigem Aufenthalte in Rom (vor 1493) unter Melozzo da Forli und als Architekt nach der Antike weiter gebildet. Thätig zu Verona (vornehmlich von 1493 bis 1516) und Padua (um 1524—1534); zeitweilig in Trient (seit 1517) und in Rom (daselbst auch in einer späteren Zeit, vor 1524).

47A Falconetto? Himmelfahrt der Maria. Maria die Hände gefaltet, wird in feuriger Glorie von vier kleinen Engeln emporgetragen. Auf der Erde, zu beiden Seiten des steinernen Grabes, zwei jugendliche Heilige, der zur Linken mit Schwert, der zur Rechten mit Szepter und Krone. Goldgrund.

Von Crowe und Cavalcaselle vermutungsweise dem Falconetto zugewiesen. Doch ist die Herkunft des Bildes von diesem Meister nicht wahrscheinlich.

Pappelholz, h. 1,50, br. 1,58. — 1862 aus dem Magazin in die Galerie eingereiht. Wahrscheinlich Sammlung Solly, 1821.

Fapresto. s. Giordano.

Farinato. Paolo Farinato. Zeichnete sich auch Farinato degli Uberti als Nachkomme der berühmten florentinischen Familie dieses Namens. Venetianische Schule (Verona). — Maler und Radirer, geb. um 1524 zu Verona, † daselbst 1606. Schüler des Niccolò Giolfino zu Verona, in Venedig nach Paolo Veronese und in Mantua nach Giulio Romano weiter ausgebildet. Thätig vornehmlich in Verona.

Darstellung Christi im Tempel. Simeon, zur Linken **305** vor dem erhöhten Altare kniend, nimmt von der auf den Stufen knieenden Maria das Kind entgegen; zwischen ihnen eine Magd, Tauben darbringend. Um den Altar und zwischen den Säulen des Tempels Zuschauer. Links von dem Altar Joseph mit Kerzen in der Hand. Durch eine Thür Ausblick in's Freie.

Der Künstler erscheint hier (wie auch in einigen Bildern im Museum von Verona), im Unterschiede von seiner späteren Kunstweise, als Nachahmer des Paolo Veronese.

Leinwand, h. 1,58, br. 2,35. — Königliche Schlösser.

Fasolo. Bernardino Fasolo (Fagiuolo, Faxolo). Zeichnet sich Bernardinus Faxolus de Papia. Lombardische Schule (Pavia). — Geb. zu Pavia. Schüler seines Vaters Lorenzo Fasolo (Lorenzo da Pavia); Nachfolger der älteren lombardischen Schule, unter dem Einflusse der Schule Lionardo's und des P. Fr. Sacchi weiter ausgebildet. Thätig zu Genua, wo er 1520 urkundlich aufgeführt wird.

Heilige Familie. Maria, nach rechts gewendet, das **209** schlafende Kind auf dem Schofse, fafst mit der Linken ein Buch in hebräischer Schrift, das ihr Joseph darreicht. Hintergrund Landschaft.

Das Bild gehört einer früheren Zeit an als die bezeichnete Madonna von 1518 im Louvre, welche Lionardeske Einflüsse aufweist.

Halbfig. unter Lebensgr. Pappelholz, h. 0,57, br. 0,50. — Sammlung Giustiniani, 1815.

Feistenberger. Joseph Feistenberger. Deutsche Schule. –
Landschaftsmaler, geb. 1684 in Kitzbühel in Tirol, † 1735 in
Wien. Schüler seines älteren Bruders Anton und Nach
ahmer des Salvator Rosa. Thätig vornehmlich in Wien.

428A   Gebirgsschlucht. Ein Waldbach, von links aus einer
Schlucht kommend, bildet im Vordergrund mehrere Strom
schnellen; von dem Felsenufer rechts stürzt ein Quellwasse
in kleinen Fällen in den Waldbach. In der Ferne Gebirge

Das Bild galt früher als ein Werk von Salvator Rosa. Es befand
sich aber noch 1845 oder 1846 nebst seinem Gegenstücke, einer „Wald
landschaft mit Ausblick in die Ferne", das die Bezeichnung „Feisten
berger" trug, im Privatbesitz zu München und ging auch als Werk
Feistenberger's in anderen Privatbesitz über.
Leinwand, h. 1,18, br. 1,67. — Erworben 1846.

Ferguson. William Gouw. Ferguson. Holländische Schule
— Stilllebenmaler, geb. 1632/1633 in Schottland, † (angeb
lich in Schottland (?)) nach 1695, da datierte Gemälde bis
1695 vorkommen. Ausgebildet in Holland, sowie auf Reisen
in Frankreich und Italien. Thätig vornehmlich im Haag, wo
er 1660 und 1668 und in Amsterdam, wo er 1681 ansässig war.

909A   Stillleben. Ein totes Rebhuhn hängt mit einem orange
farbigen Bande an einem Nagel auf hellbeleuchteter Wand.

Bez. links oben: *W. Gouw. Fergúson fec.*
Leinwand, h. 0,53, br, 0,43. — Sammlung Suermondt, 1874.

Ferramola. Floriano (oder Fioravante) Ferramola. Ve
netianische Schule (Brescia). — Geb. vor 1480, † zu Brescia
den 3. Juli 1528. Vermutlich Schüler des Vincenzo Foppa
(il vecchio). Thätig zu Brescia.

155A   Thronende Maria mit dem Kinde und Heiligen.
Maria unter einem Baldachin thronend, auf ihrem Schoße
das Kind, das eine Rose in der Rechten hält. Vor dem
Throne stehen zur Linken ein Heiliger im Karmeliterkleid
(der hl. Angelus?), zur Rechten die hl. Katharina. Auf der
unteren Stufe des Thrones sitzen zwei kleine musizierende
Engel. Hintergrund Landschaft.

Bez. in der Mitte auf der Thronstufe: *Opus Floriani Feramolae
Ci. Bx.* (d. h. Civis Brixiae) . *MDXIII.* — Das Bild zeigt das früheste
Datum auf seinen wenigen, jetzt noch vorhandenen Werken.
Pappelholz, h. 1,76, br. 1,58. — Vermutlich Sammlung Solly, 1821.

1837 an das Museum zu Königsberg abgegeben, 1884 nach Berlin zurückgenommen.

Ferrara. Schule von Ferrara (?) um 1460—1470, unter dem Einfluſs von Piero della Francesca.

Eine Verlobung. Ein junger Edelmann, dem vier **1175** Freunde folgen, steckt der ihm gegenüberstehenden Jungfrau, die von zwei Frauen begleitet ist, den Ring an den Finger. Hintergrund Landschaft, in der rechts ein weiſses Einhorn ruht.

Tempera. Pinienholz, h. 0,96, br. 1,08. — Sammlung Solly, 1821.

Ferrara. Schule von Ferrara um 1480.

Thronende Maria mit dem Kinde und Heiligen. **112A** Maria auf reich ornamentiertem Thron, das Kind anbetend, welches segnend auf ihrem Schoſse sitzt. Zur Linken der hl. Franciscus, mit dem Stabkreuz; neben ihm der hl. Hieronymus. Zur Rechten der hl. Bernhard; neben diesem der hl. Georg. Durch die Arkaden der Halle Ausblick in landschaftliche Ferne.

Pappelholz, h. 1,60, br. 1,65. — Sammlung Solly, 1821.

Ferrara. Schule von Ferrara um 1480.

Atalante im Wettlauf die Aepfel aufraffend. **113A** Atalante, mitten im Lauf sich bückend, um einen Apfel aufzunehmen wird von Meilanion überholt. Im Thor eines palastartigen Baues steht links Atalante's Vater Jasos mit Gefolge. In der bergigen Landschaft verschiedene Baulichkeiten.

Das Bildchen steht in den Typen und der Landschaft den Predellentafeln von Cossa in der vatikanischen Galerie am nächsten und dürfte vielleicht von diesem Meister herrühren.

Pappelholz, h. 0,29, br. 0,28. — Vermutlich Sammlung Solly, 1821. 1837 an das Provinzial-Museum in Breslau abgegeben, wo das Bild als Vittore Carpaccio verzeichnet war; 1884 nach Berlin zurückgenommen.

Ferraresischer Meister um 1530.

Die Heimsuchung. Elisabeth begrüſst Maria, über der **274** die Taube schwebt. Links Joseph, rechts an einem Portale ein Mädchen, das teilnahmsvoll zuschaut. Hintergrund bergige Landschaft.

Die Behandlungsweise, besonders an Ortolano sich anlehnend, steht zugleich unter der Einwirkung der groſsen Meister der Blütezeit. Somit kann das Bild vor 1525 bis 1530 kaum entstanden sein. — Es befand

sich früher unter dem Namen des Gaudenzio Ferrari zu Savona in der
Kapelle der Familie Doria in der Kirche S. Giacomo.
Pappelholz, h. 1,92, br. 1,56. — Sammlung Solly, 1821.

Ferraresischer Meister um 1539.

255   Himmelfahrt Christi. Christus mit ausgebreiteten
Armen in der Glorie auf Wolken emporschwebend. Auf der
Erde kniet Maria inmitten der Apostel, vorn links Petrus,
rechts Paulus. Im Hintergrund der Landschaft eine Stadt.

Das Bild, das (nach handschriftlicher Bemerkung von Waagen)
aus S. Antonio in Ferarra stammt, gehörte hier mit zwei anderen Gemälden, der Auferstehung Christi und der Ausgiefsung des hl. Geistes,
zu einem Altarantependium, und galt für ein Werk des Garofalo.
Die beiden zugehörigen Gemälde, von denen die Auferstehung die
Jahreszahl 1539 trägt, befinden sich heute in der Pinakothek zu Ferrara,
wo sie dem schon 1500 verstorbenen Stefano Falzagalloni zugeschrieben
werden. Sie gehören einem von Mazzolino und Dosso beeinflufsten
Meister an.

Pappelholz, h. 0,57, br. 0,48. — Sammlung Solly, 1821.

Ferrari. Gaudenzio Ferrari. Auch Gaudenzio de Vince
oder de Vincio gen., namentlich in seiner früheren Zeit, wo
er sich selber öfter Gaudentius Vincius zeichnet. Mailändische
Schule. — Maler und Thonbildner, geb. zu Valduggia (im
Sesiathal, Piemont) um 1471, † zu Mailand den 31. Januar
1546. Vermutlich zuerst Schüler des Macrino d'Alba zu
Vercelli, dann in Mailand unter Stefano Scotto und Bern.
Luini, zumeist aber durch Studien nach Lionardo da Vinci
ausgebildet. Thätig in Varallo (daselbst wohnhaft schon 1508
und nach 1524), Vercelli (1508/9; dann zwischen 1517—1521; daselbst wohnhaft 1528—1532), Mailand (vermutlich seit 1536;
dann 1539—1546), Novara (in den Jahren 1514—1518 und 1521),
Valduggia (1526) und Saronno (1535 und 1545).

213   Verkündigung. Gabriel, zur Linken kniend, die Lilie
in der Hand, verkündet der ihm zugewendeten ebenfalls
knieenden Maria die himmlische Botschaft. Dunkler Grund.

Ueber den beiden Figuren in gotischer Schrift: AVE MARIA. —
Aus der früheren Zeit des Meisters.
Pappelholz, h. 0,88, br. 0,88. — Sammlung Solly, 1821.

Feti. Domenico Feti. Römische Schule. — Geb. angeblich
1589 zu Rom, † zu Venedig um 1624. Schüler des Lodovico
Cardi da Cigoli zu Rom, in Mantua durch das Studium der
Meister des Cinquecento weiter ausgebildet; vornehmlich

Nachfolger der Venetianer und des Caravaggio. Thätig zu Rom und Mantua (1612 bis gegen 1624 als Hofmaler des Herzogs Ferdinand von Gonzaga) und kurze Zeit zu Venedig.

Elias in der Wüste. Der unter einem Baum schlafende **380B** Prophet wird von dem rechts stehenden Engel geweckt, der ihm einen Krug und Brod gebracht hat. Hintergrund Luft.

Pinienholz, h. 0,48, br. 0,33. — Sammlung Suermondt, 1874.

Fiesole. s. Angelico.

Florenzo. Fiorenzo di Lorenzo. Umbrische Schule. — Geb. zu Perugia vermutlich um 1440—1445, † daselbst um oder nach 1521. Urkundlich zuerst genannt 1472, zuletzt im Mai 1521. Vermutlich Schüler des Benedetto Buonfigli und des Niccolò da Foligno in Perugia; unter dem Einflusse des Benozzo Gozzoli, insbesondere aber in Florenz unter Verrocchio und höchst wahrscheinlich in dessen Werkstatt weiter ausgebildet. Thätig zu Perugia, einige Zeit mutmafslich zu Rom.

Maria mit dem Kinde. Maria hält sitzend das nackte **129** Kind auf dem Schofse, das einem Granatapfel einen Kern entnommen hat und ihn mit der Rechten der Mutter darreicht. Goldgrund.

Bez. am Fufse des Bildes: MARIA VGO PRIS MR 7 Gᴿᴱ (virgo purissima mater et genitrix oder gratiae) MCCCCLXXXI. — Das Bild zeigt den überwiegenden Einflufs der Schule Verrocchio's. Ganze Fig. in Lebensgr. Tempera. Pappelholz, h. 1,44, br. 0,66 (oben spitzbogig). — Sammlung Solly, 1821.

Flinck. Govert Flinck. Holländische Schule. — Geb. zu Kleve den 25. Januar 1615, † zu Amsterdam den 2. Februar 1660. Schüler des Lambert Jacobsz zu Leeuwarden, dann des Rembrandt van Rijn zu Amsterdam. Thätig vornehmlich zu Amsterdam.

Bildnis einer jungen Dame. Von vorn gesehen, mit **813A** geringer Wendung nach links. In schwarzem Kleide und schlichtem Spitzenkragen, mit Perlenschmuck. Bräunlicher Grund.

Bez. links unten: *G. Flinck. f 1641.*

Lebensgr. Brustbild. Eichenholz, h. 0,64, br. 0,51. — Sammlung Suermondt, 1874.

Verstofsung der Hagar. Abraham weist Hagar, **815**

welche zur Rechten vor ihm steht, und ihren Sohn Ismael
von sich. Im Grunde rechts eine Anhöhe mit ausgedehnter
Ruine.

> Bez. rechts unten: *G. Flinck. f.* — Das Bild, vom Meister im
> Auftrage des grofsen Kurfürsten ausgeführt, ist über ein anderes,
> vermutlich nur angefangenes Bild gemalt, dessen Farben mit der Zeit
> (namentlich rechts in der Landschaft) teilweise durchgewachsen sind.
> Halbfig. Leinwand, h. 1,07 br. 1,35. — Königliche Schlösser.

Florentinische Schule um 1480.

71A   Maria mit dem Kinde. Maria hält das nackte Kind,
das vor ihr auf einer Steinplatte steht, mit beiden Händen
nach rechts. Hinter ihr ein Rosenhag.

> Gehört zu den Bildern, die jetzt zumeist dem **Giovanni Graf-**
> **fione** (Florenz, 1455—1527), einem Schüler Baldovinetti's, zugeschrieben
> werden.
> Maria Halbfigur unter Lebensgr. Pappelholz, Tempera, h. 0,73,
> br. 0,50. — Sammlung Solly, 1821. 1837 an das Museum in Königsberg
> abgegeben, 1884 nach Berlin zurückgenommen.

Florentinische Schule um 1400.

1119   Maria mit dem Kinde und Heiligen. Maria, vor
einem aufgespannten Teppich thronend, hält das bekleidete
Kind auf dem Schofse; zu ihren Seiten je zwei anbetende
Engel. Vorn links Johannes der Täufer, rechts der hl. Nikolaus. Goldgrund.

> Datiert auf der Thronstufe: Anno domini (in unzialen Majuskeln)
> MCCC. Die seltsame Bezeichnung ist ächt, während das Bild etwa um
> 100 bis 130 Jahre später sein mufs; es läfst sich nur denken,
> dafs der Künstler eine Ziffer, vielleicht ein C oder CX, vergessen habe,
> wie denn auch räumlich noch eine oder zwei Ziffern zu fehlen scheinen,
> indem die ganze Zahl zu weit nach links gerückt ist. — Vermutlich
> ein Werk des **Jacopo di Maestro Franchi**, von welchem sich ein
> bezeichnetes und 1439 datiertes Bild bei C. Fairfax Murray befindet
> (von demselben Meister in der Akademie zu Florenz die Krönung der
> Maria mit dem Datum MCCCCXX . . . dort als „unbekannt" ver-
> zeichnet).
> Tempera, Pappelholz, oben rund, h. 0,90, br. 0,49. — Sammlung
> Solly, 1821.

Florentinische Schule nach 1500.

105   Vermählung der Maria mit Joseph. Der Hohe
Priester vereinigt die Hände Maria's und Josephs. Der
letztere hält in der Linken den grünenden Stab. Hinter

ihnen elf Jünglinge, welche die dürr gebliebenen Stäbe zerbrechen. Hintergrund Architektur.

Teil einer Predella zu einer Altartafel.
Pappelholz, h. 0,24, br. 0,75. — Sammlung Solly, 1821.

Fogolino. Marcello Fogolino. Venetianische Schule. — Maler und Kupferstecher, geb. zu S. Vito (Friaul); unter dem Einflusse von Giovanni Speranza zu Vicenza, dann unter dem des Pordenone ausgebildet. Thätig von 1520 bis 1540 vornehmlich zu Vicenza, zeitweilig in Pordenone (daselbst urkundlich 1523 und 1533) und in Trient (seit 1536).

Thronende Maria mit dem Kinde und Heiligen. 47 Zur Linken der hl. Bonaventura, Johannes der Evangelist und Franciscus; zur Rechten der hl. Antonius von Padua, Bernardino von Siena und Ludwig von Toulouse; sämtlich stehend, unter einer offenen Pilaster-Architektur, die hinter Maria eine Nische bildet. Hintergrund Landschaft.

Bez. in der Mitte auf der untersten Stufe des Thrones: *Marcellus Fogolinus p.* — Befand sich noch 1779 am Hauptaltar von S. Francesco zu Vicenza.
Leinwand, oben rund, h. 2,55, br. 2,56. — Sammlung Solly, 1821.

Fra Angelico u. s. w. S. Angelico u. s. w.

Francia. Francesco Raibolini, gen. Francia (nach dem Vater **Francesco di Marco**). Zeichnet sich häufig auf seinen Gemälden als aurifex oder aurifaber mit dem Zusatz bononiensis. Schule von Bologna. — Maler, Goldschmied, Bildner und Medailleur, geb. zu Bologna 1450, † daselbst den 5. Januar 1517. Zuerst Schüler eines Goldschmieds, dann des Francesco Cossa (der um 1470 nach Bologna übergesiedelt, dort eine Schule gründete), ausgebildet insbesondere unter dem Einflusse des Lorenzo Costa und wieder auf denselben zurückwirkend. Thätig zu Bologna (noch 1483 als Goldschmied, da er in diesem Jahre zum Obmann in der Gilde der Goldschmiede ernannt wurde).

Maria mit dem Kinde und Heiligen. Maria thront 122 in der Engelsglorie, das segnende Kind auf dem Schofs. Unten, im Vordergrund einer weiten Landschaft (von der Linken beginnend): die hh. Geminian, Schutzheiliger von Modena, Bernhard, Dorothea, Katharina, Hieronymus und

Verz. d. Gemälde

Ludwig von Toulouse, mit ihren Abzeichen und Marterwerkzeugen.

Bez. auf einem Blättchen unten links: *Francia Aurifaber Bonen.*
(Bononiensis) *1502.* — Gemalt für Sta. Cecilia in Modena, bei Aufhebung der Kirche 1737 nach Sta. Margherita überführt.

Pappelholz, h. 2,55, br. 2,01. — Sammlung Solly, 1821.

125   Heilige Familie. Maria, etwas nach links gewendet,
hält das vor ihr auf einer steinernen Brüstung stehende Kind;
ihr zur Seite links Joseph. Hintergrund bergige Landschaft.

Auf der Brüstung in goldenen Lettern: BARTHOLOMEI SVMPTV
BIANCHINI MAXIMA MATRVM HIC VIVIT MANIBVS FRANCIA
PICTA TVIS. Das Distichon, offenbar von Bianchini selbst verfafst,
dem Freunde des Meisters und Besteller des Bildes, der in der Lite-
ratur wie auch als Senator im öffentlichen Leben zu Bologna eine angesehene Stellung einnahm, bezeugt, wie sehr derselbe den Meister
schätzte („hier lebt von deinen Händen, o Francia, gemalt, die höchste
der Mütter"). — Das Bild, das in der Glätte und Schärfe der Behandlung
an die Technik des Goldschmieds erinnert, fällt in die Frühzeit des
Malers, d. h. vor 1490. — Eine etwas veränderte Wiederholung bei Lord
Elcho in London (nach der Behandlung aus Francia's späterer Zeit
und daher wohl nur eine gute Arbeit aus seiner Werkstatt).

Maria und Joseph Halbfig. Pappelholz, h. 0,54, br. 0,41. — Sammlung Solly, 1821.

Francia. Giacomo Francia. Schule von Bologna. —
Maler und Goldschmied, geb. zu Bologna vor 1487, da sein
Bruder Giulio (geb. den 20. August 1487) der Jüngere sein
soll, † daselbst 1557. Sohn des Francesco Francia und bei
Lebzeiten des Vaters vorzugsweise als dessen Gehülfe be-
schäftigt; erst von 1518 an finden sich Bilder mit dem eigenen
Namen bezeichnet. Giacomo, wie auch Giulio, nur mäfsiger
Nachfolger des Vaters. In seinen späteren Werken (von
1530—1540) zeigt Giacomo den Einflufs des Dosso.

281   Maria mit dem Kinde und Heiligen. Maria hält
das Kind an der Hand, welches sich nach rechts zu dem
kleinen Johannes wendet. Neben Maria stehen rechts die
hh. Magdalena und Agnes mit dem Lamm; auf der linken
Seite Dominicus mit der Lilie und Franciscus mit dem Kreuz.
Hintergrund bergige Landschaft.

Bez. unten im Terrain: *I. Francia.*

Pappelholz, h. 1,93, br. 1,64. — Sammlung Solly, 1821.

Francia. Giacomo Francia und Giulio Francia. Zeichneten
sich auf den gemeinsamen Bildern I. I. Francia. Schule von

Bologna. — Giulio Francia. Maler, Kupferstecher und Goldschmied, geb. zu Bologna den 20. August 1487, † daselbst
nach 1543. Es sind, mit einer einzigen Ausnahme, nur Werke
von ihm bekannt, die er gemeinsam mit seinem Bruder Giacomo ausführte.

Maria als Himmelskönigin. Maria, von Cherubim   **287**
umgeben, schwebt in der von Engeln getragenen Mandorla.
Auf der Erde links die hh. Paulus und Katharina, rechts
Franciscus und Johannes d. T.

> Bez. unten in der Mitte auf einem Blättchen, nach dem ein Specht
> pickt: *I. I. Francia aurifi.* (aurifices) *bonon.* (bononienses) *fecer.* (fecerunt)
> *M. D. XXV.* — Franciscus und Johannes d. T. wahrscheinlich von Giulio,
> während der obere Teil des Bildes vornehmlich dem Giacomo ange-
> hören mag. — Ehemals in S. Paolo in Monte zu Bologna.
> Pappelholz, h. 3,05, br. 2,01. — Sammlung Solly, 1821.

Franciabigio. Francesco (di Cristofano) Bigi, gen. **Franciabigio**, auch **Francia Bigio.** Florentinische Schule. — Geb.
1482 zu Florenz, † daselbst den 24. Januar 1525. Zunächst
Schüler des Mariotto Albertinelli, dann vermutlich des Pier
di Cosimo; unter dem Einflusse des Andrea del Sarto und
als dessen Gehülfe weiter ausgebildet. Thätig zu Florenz.

Männliches Bildnis. Fast von vorn gesehen, mit ge-   **235**
ringer Wendung nach links. Mittleren Alters, bartlos; in
schwarzer Kleidung und schwarzem Barett. Bräunlicher
Grund.

> Brustbild in Lebensgr. Nufsbaumholz, h. 0,47, br. 0,33. — Samm-
> lung Solly, 1821.

Bildnis eines jungen Mannes. Fast ganz von vorn ge-   **245**
sehen, ein wenig nach rechts gewendet. Bartlos, mit schwarzem
breitkrempigen Barett und schwarzer Kleidung; in der Rechten
die Feder haltend, den linken Arm auf ein Schreibpult gelehnt. Auf der Brüstung vorn Schreibzeug und ein Brief.
Hintergrund Landschaft im Abendlicht.

> Bez. auf einem Blättchen, das auf dem Pulte liegt: *1522 a di
> 24 d'ottobre* und das aus den Buchstaben *F, R, A, C, R* zu-
> sammengesetzte Monogramm. — Das Monogramm bedeutet Franciscus
> Cristofani. — Das Bild wird von den Herausgebern des Vasari für das
> Bildnis des Matteo Sofferroni gehalten.
> Pappelholz, h. 0,79, br. 0,59. — Erworben 1829 durch Rumohr.

Bildnis eines jungen Mannes. Nach links gewendet,   **245A**

gradaus blickend. Bartlos, mit langem braunen Haar und
schwarzem pelzgefütterten Oberkleid, die Linke in die Hüfte
gestützt. Hintergrund Thallandschaft; auf der Höhe zur
Rechten ein Eseltreiber.

Das Bild, dessen Herkunft von Franciabigio angezweifelt worden,
stimmt mit dem Bildnis eines jungen Malteser Ritters in der National
Gallery, welches das echte Monogramm des Meisters trägt, in Auffassung
und Behandlung überein.

Halbfig. Pappelholz, h. 0,80, br. 0,57. — Erworben 1876 vom
Marchese Patrizi in Rom.

Francken. Frans Franken der Jüngere (II). Bezeichnet
sich zum Unterschied von seinem gleichnamigen Vater bis
um 1630 d. j. oder den jon (der junge), seit 1630/31 aber zum
Unterschied von seinem gleichfalls Frans benannten Sohn
Do. D. o., Dõ oder ähnlich (der Alte). Vlämische Schule.
— Getauft zu Antwerpen den 6. Mai 1581, † daselbst den
6. Mai 1642. Schüler seines Vaters Frans Francken d. A.,
unter dem Einfluß von Rubens ausgebildet. Nach einer
Reise in Italien zu Antwerpen thätig.

651A   Christus am Oelberge. Zu dem links knieenden
Christus schwebt der Engel mit Kelch und Kreuz herab.
Rechts weiter zurück die drei schlafenden Apostel. In der
Ferne rechts die Gefangennahme Christi. Mondlicht.

Bez. links unten: *Dõ F Franck inv et f*. — Gegenstück zu 651 B.
Eichenholz, h. 0,65, br. 1,11. — 1878 aus dem Kupferstichkabinet
überwiesen.

651B   Die Fußwaschung der Apostel. Christus wäscht dem
sich sträubenden Petrus die Füße. Rechts hinter Christus
ein junger Diener mit einer Wasserkanne. Auf Bänken an
den Wänden des Gemachs die Apostel in lebhafter Unterhaltung. Durch den breiten Eingang zur Rechten Blick in
einen Vorraum, in welchem Christus mit den Jüngern beim
Abendmahle.

Bez. links unten: *Dõ FFranck in. et f*. — Gegenstück zu 651 A.
Eichenholz, h. 0,65, br. 1,11. — 1878 aus dem Kupferstichkabinet
überwiesen.

Francucci. Innocenzo (di Pietro) Francucci, gen. Innocenzo
da Imola. Schule von Bologna. — Geb. zu Imola um 1493/94,
† zu Bologna um 1550. Schüler des Francesco Francia (urkundlich seit 7. Mai 1508) zu Bologna und des Mariotto

Albertinelli zu Florenz, weiter ausgebildet durch das Studium Raphael's und Nachahmer des Letzteren. Thätig vornehmlich zu Bologna.

Maria mit dem Kinde und Heiligen. Maria, das **280** segnende Kind nach links neben sich haltend, in der Engelsglorie. Auf der Erde links der hl. Alò (Eligius) als Schmied, rechts der Bischof Petronius mit dem Modell der Stadt Bologna. Hintergrund Landschaft, darin Eligius, wie er dem störrischen Pferde das Bein wieder ansetzt, das er, um es beschlagen zu können, demselben abgehauen hatte.

Pappelholz, h. 1,97, br. 1,73. — Sammlung Solly, 1821.

Französischer Meister um 1700.

Bildnis eines jungen Gelehrten. Von vorn gesehen, **485B** das Haupt nach links geneigt. Bartlos, in Allongeperrücke und schwarzer Amtstracht; die Rechte auf eine anatomische Zeichnung gelegt, mit der Linken das Gewand zusammenhaltend. Dunkler Grund.

Halbfig. in Lebensgr. Leinwand, h. 1,25, br. 0,93. — Erworben 1873 in Florenz.

Friaul. Schule von Friaul nach 1530. Venetianische Schule.

Allegorische Darstellung von Krieg und Frieden. **176** Die Göttin des Friedens, auf der Erde sitzend, hält eine zerbrochene Fahne in's Feuer, in dem schon andere Kriegswerkzeuge verbrennen. Rechts der Gott des Krieges, das gezückte Schwert über einen Altar haltend, von dem eine Flamme auflodert. Hintergrund Landschaft.

Das rechts am Baum lehnende Wappen ist dasjenige der Montefeltro und bezieht sich wohl auf eine Seitenlinie, da die Hauptlinie, die der Herzöge von Urbino, schon seit 1508 ausgestorben war.

Leinwand, h. 1,08, br. 0,94. — Erworben 1841/42 in Italien.

Fyt. Jan Fyt. Vlämische Schule. — Maler und Radirer von Tierstücken und Stillleben, getauft zu Antwerpen den 15. März 1611, † daselbst den 11. September 1661. Schüler des Jan van den Berch, dann von Frans Snyders; nach einer Studienreise in Frankreich (1633 und 1634 in Paris) und in Italien thätig zu Antwerpen (urkundlich wieder 1641 nachgewiesen).

883A   Hunde bei erlegtem Wild. Zwei Schweisshunde bewachen totes Wild: einen Rehbock und eine Rohrdommel, die an einem Baumzweig befestigt auf den Boden herab- hängen, sowie einen Hasen, Rebhühner und andere Vögel, die neben Jagdgeräten liegen. Rechts Ausblick in eine Landschaft bei Abendlicht.

Bez. im Erdreich unter dem Rehbock: *Joannes Fyt. 1649.* — Sammlungen Graf Brabeck, 1814 und Graf Stolberg zu Söder, Han- nover 1859.

Leinwand, h. 1,36, br. 1,96. — Sammlung Suermondt, 1874.

883B   Stillleben. Ein Jagdhund sucht ein Rebhuhn, das mit einigen Wachteln neben einem Steckgarn liegt von einem Steinblock herabzuziehen.

Bez. rechts unten: *Joannes. Fyt.*

Leinwand, h. 0,40, br. 0,57.— Sammlung Suermondt, 1874.

967   Diana neben erlegtem Wild. Von Jagdhunden um- geben steht Diana zur Rechten neben ihrer Jagdbeute: einem Wildschwein, Rehbock, Hasen, Schwan, Pfau, Reiher und kleineren Vögeln. Rechts Ausblick in eine von Bergen ab- geschlossene Landschaft.

Die Figur der Diana ist von der Hand des Erasmus Quel- linus d. J. (Maler und Radirer, geb. zu Antwerpen den 19. Nov. 1607, † daselbst den 7. Nov. 1678; Schüler des J. B. Verhaegen, ausgebildet unter Rubens, thätig zu Antwerpen).

Leinwand, h. 0,79, br. 1,16. — Königliche Schlösser.

989   Die Rehhatz. Hunde stellen ein Reh, das durch hohes Schilfdickicht zur Rechten sich ins Wasser geflüchtet hat. Einer der Hunde hat das Reh am Ohr gepackt. Hinter- grund Landschaft.

Eine Original-Wiederholung, mit dem Namen und der Jahreszahl 1655 bezeichnet, in der Galerie Liechtenstein zu Wien.

Leinwand, h. 1,79, br. 2,48. — Königliche Schlösser.

Gaddi. Agnolo Gaddi. Florentinische Schule. — Geb. zu Florenz, † daselbst den 16. Oktober 1396. Schüler seines Vaters Taddeo, dann des Giovanni da Milano und Jacopo da Casentino. Thätig zu Florenz und einige Zeit zu Prato.

1040   Maria mit dem Kinde. Maria, das bekleidete Kind, welches die Rechte der Mutter fafst, auf dem linken Arme haltend. Goldgrund.

Halbfig. unter Lebensgr. Tempera, Pappelholz, oben im Spitzbogen abschliefsend, h. 0,80, br. 0,49. — Sammlung Solly, 1821.

Gaddi. Taddeo Gaddi. Florentinische Schule. — Geb. zu Florenz angeblich um 1300, † daselbst gegen Ende des J. 1366. Schüler und Gehülfe des Giotto; selbständiger Meister vermutlich seit 1330, urkundlich zuerst 1332. Thätig zu Florenz und einige Zeit zu Pisa (1342).

Ausgiefsung des hl. Geistes. Auf Maria und die **1073** Apostel, die in einem Gemache im Kreise sitzen, schwebt der hl. Geist, in Gestalt einer Taube herab. Goldgrund.

S. die Bemerkung zum nächsten Bilde.

Tempera. Nufsbaumholz, h. 0,35, br. 0,28. — Erworben 1828/29 durch Rumohr.

Ein Wunder aus der Legende des hl. Franciscus. **1074** Links im Grunde ein Haus, aus dessen Fenster eben ein Knabe (aus der florentinischen Familie Spini) stürzt. Vorn derselbe Knabe im Totenhemde, von den Angehörigen betrauert. Dahinter der Knabe nochmals und seine Mutter, dem herabschwebenden hl. Franciscus, welcher den Knaben durch seinen Segen wiederbelebt und geheilt hat, ihren Dank darbringend. Rechts vorn zwei knieende Franziskaner, auf deren Gebet der Heilige das Wunder vollbracht hat. Goldgrund.

Diese Bilder, früher dem Giotto selbst zugeschrieben, gehören zu einer Reihe von Darstellungen (im ganzen wahrscheinlich 26), welche, in Vielpässe eingerahmt, die Thüren zu Schränken der Sakristei von S. Croce in Florenz bildeten und schon von Vasari als eine Arbeit Giotto's erwähnt werden. Auch C. F. von Rumohr, in dessen Besitz sich früher die beiden Bilder befanden, glaubte sie dem Giotto zuteilen zu müssen. Doch neigt die neuere Forschung dahin, dafs nicht einmal die Komposition aller dieser Darstellungen — wie noch in dem früheren Katalog angenommen wurde — von Giotto selbst herrühre, sondern ebenso wie die Ausführung seinem Schüler Taddeo Gaddi zugewiesen werden müsse. — Zweiundzwanzig Tafeln befinden sich in der Akademie zu Florenz, zwölf mit dem Leben Christi, zehn mit der Legende des hl. Franciscus; es waren wohl von jeder Reihe dreizehn. Zwei Tafeln scheinen zu fehlen oder sind verschollen. — Die Darstellungen haben offenbar die Thüren zu zwei verschiedenen Schränken gebildet, da das eine der hiesigen Bilder auf Nufsbaum, das andere auf Pappelholz gemalt ist.

Tempera. Pappelholz, h. 0,30, br. 0,35. — Erworben 1828/29 durch Rumohr.

1079   Mittelbild eines Flügelaltars: Maria mit dem
Kinde und Heiligen. Maria, auf gotischem Throne sitzend,
hält das bekleidete Kind auf dem linken Arm. Am Fuße des
Thrones knleen links der Stifter, rechts die Stifterin. Auf
der Leiste eines gotischen Bogens, welcher das innere Bild
umgiebt, unten links Johannes der Täufer, rechts ein heiliger
Bischof (Antonius der Abt?); über denselben je sechs Apostel.
Goldgrund.

> Bez. unten: *Ano Dni MCCCXXXIIII mensis sectembris Tadeus
> me fecit.* — Die zu diesem Mittelbilde gehörigen Flügel s. No. 1080
> und 1081.
> Tempera. Pappelholz, oben im Spitzbogen abschliefsend, h. 0,61,
> br. 0,40. — Erworben 1823.

1080   Innenseiten der Flügel zu Nr. 1079. Linker Flügel,
untere Darstellung: Geburt Christi. In den Zwickeln
zwei Propheten mit Schreiben beschäftigt. In dem oberen
Spitzbogenfeld: Vorgang aus der Legende des hl. Nikolaus
von Bari. — Rechter Flügel, untere Darstellung: Kreuzigung. Ueber dem Kreuze das Nest des Pelikans. In den
Zwickeln zwei Propheten (wie oben). In dem oberen
Spitzbogenfeld: Vorgang aus der Legende des hl. Nikolaus
von Bari. Goldgrund.

> Von den beiden Wundern, welche im Leben des hl. Nikolaus einen
> Knaben mit einem goldenen Becher zum Mittelpunkt haben, kann hier
> nur das eine gemeint sein: der Sohn eines reichen christlichen Kauf-
> manns und besonderen Verehrers des hl. Nikolaus, von den Heiden
> geraubt, hat als Sklave bei dem König derselben den Dienst des Mund-
> schenken zu versehen; als er einmal am Festtage des Heiligen in
> schmerzlicher Erinnerung an das ehemals mit den Eltern froh gefeierte
> Fest in Thränen ausbrach, so dafs Thränen in den Becher fielen und
> ihm der erzürnte Heidenkönig (s. die Geberde desselben auf dem
> rechten Flügel) zurief: „so grofs dein hl. Nikolaus ist, aus meinen
> Händen kann er dich nicht retten", da stürmte in einem Wirbelwind
> der Heilige in den heidnischen Palast hernieder, ergriff den Knaben
> (Darstellung des rechten Flügels) und brachte ihn, der den goldenen
> Becher noch in den Händen hatte, zu der elterlichen Familie zurück,
> die eben beim Mahle safs (Darstellung des linken Flügels).
> Tempera. Pappelholz, das ganze Bild h. 0,59 (mit dem Giebelfeld),
> br. 0,39. — Sammlung Solly, 1821.

1081   Aufsenseiten der Flügel zu Nr. 1079. Linker Flügel,
unten: Christus mit Maria und Johannes. In dem
oberen Spitzbogenfeld: die hl. Margaretha mit dem

Drachen. — Rechter Flügel, unten: der hl. Christoph.
In dem oberen Spitzbogenfeld: die hl. Katharina mit
dem Rad. Silbergrund.

Diese Aufsenseiten sind geringer und wohl nur von einem Schüler
des Meisters. — Ein ganz verwandtes kleines Triptychon mit den
selben Darstellungen und der Jahreszahl 1333 befindet sich im Bigallo
zu Florenz.

Tempera. Pappelholz, das ganze Bild h. 0,59 (mit dem Giebelfeld),
br. 0,41. — Sammlung Solly, 1821.

Gaddi. Art des Taddeo Gaddi. Florentinische Schule.

Geburt Christi. Maria mit dem Kinde sitzt vor der   **1113**
Krippe hinter der Ochs und Esel lagern. Josef sitzt schlafend
rechts zur Seite. In der Ferne rechts der Engel, welcher
den Hirten erscheint. Goldgrund.

Tempera. Pappelholz, h. 0,35, br. 0,60. — Sammlung Solly, 1821.

Gaddi. Schule des Taddeo Gaddi. Florentinische Schule.

Beweinung Christi. Am Fufse des Kreuzes liegt   **1059**
Christus auf dem Schofse der Maria ausgestreckt und wird
von vier hh. Frauen betrauert. Zur Linken stehen die
Apostel Petrus und Johannes. Goldgrund.

Tempera. Pappelholz, h. 0,19, br. 0,37. — Sammlung Solly, 1821.

Gaesbeeck. Adriaan van Gaesbeeck. Holländische Schule.
— Geb. zu Leiden, † daselbst im Januar 1650. Nachfolger
des ·Gerard Dou. Thätig zu Leiden (1649 als Meister in die
Gilde aufgenommen).

Die Nähterin. Eine junge Frau, zur Rechten neben   **1021**
einem Tische sitzend und mit Wäschenähen· beschäftigt,
blickt von ihrer Arbeit auf. Im Hintergrund des Zimmers
ein Kamin, über dem eine Landkarte hängt.

Bez. am Querholz des Tisches: *A. van Gaesbeeck. f.*
Eichenholz, h. 0,39, br. 0,31. — Königliche Schlösser.

Garbo. Raffaellino del Garbo (der Zuname Garbo nach
der Strafse in der er seine Werkstatt hatte). Nach dem
Vater: Raffaellino di Bartolommeo di Giovanni gen. Zu unterscheiden von den gleichzeitig in Florenz malenden Raphael
de Capponibus und Raffaello Carli. Florentinische Schule.
— Geb. in Florenz um 1466, † daselbst 1524 (nach Vasari).
Schüler des Filippino Lippi zu Florenz und dessen Gehülfe
in Rom (um 1493, bei den Fresken in S. Maria sopra Mi-

nerva); dann auch von Domenico Ghirlandaio beeinflufst;
1498 als selbständiger Meister urkundlich nachgewiesen.
Thätig vornehmlich zu Florenz.

87   Thronende Maria mit dem Kinde und Heiligen.
Maria mit dem Kinde auf dem Thron; zu ihren Seiten zwei
Engel, die einen Vorhang emporhalten, und zwei Cherubim.
Auf den Stufen des Thrones stehen links der hl. Nikolaus,
rechts der hl. Dominicus; vor den Stufen knieen links der
hl. Vincentius, rechts Petrus Martyr. Hintergrund Landschaft.
> Tempera. Pappelholz, h. 1,54, br. 1,37. — Sammlung Solly, 1821.

90   Maria und Kind mit zwei Engeln. Vor einer nie-
deren steinernen Brüstung steht Maria, auf ihrem linken
Arme das eingeschlafene Kind und in der Rechten ein Buch
haltend. Zu ihren Seiten zwei jugendliche Engel, von denen
der eine zur Linken auf der Laute spielt, der andere rechts,
vom Spiel absetzend, die Rohrpfeife mit beiden Händen hält.
Hintergrund Landschaft.
> Das Bild steht dem Filippino noch aufserordentlich nahe.
> Tempera. Pappelholz, rund, Durchmesser: 0,84. — Sammlung
> Solly, 1821.

98   Thronende Maria mit dem Kinde und Heiligen.
Das Kind auf dem Schofse haltend, sitzt Maria auf dem
Throne; zu jeder Seite ein verehrender Engel und links. der
kleine Johannes, der sich zum Christkind vorbeugt. Vor den
mit einem persischen Teppich bedeckten Thronstufen links
der hl. Sebastian, den Pfeil in der Rechten, rechts der hl.
Andreas mit dem Kreuze.
> Tempera. Pappelholz, h. 1,62, br. 1,44. — Sammlung Solly, 1821.

Garofalo. S. Tisi.

Gelder. Aart (Arent) de Gelder. Holländische Schule. —
Geb. zu Dordrecht den 26. Oktober 1645, † ebenda im August
1727. Schüler des Samuel van Hoogstraeten, besonders aber
Rembrandt's in dessen letzter Zeit (um 1665—67) zu Amsterdam. Thätig zu Dordrecht.

806A   Landschaft mit Ruth und Boas. Im Vordergrunde
links eine Baumgruppe, unter welcher Ruth, ein Strohbündel
auf dem Schofs, vor Boas kniet, welcher weiter links steht;
hinter ihnen ein Knecht, der für Ruth zu sprechen scheint.

90. Rafaellino del Garbo.

Auf den Feldern Leute bei der Ernte und weidendes Vieh. Links eine Kette von Hügeln mit einer Burg und einer Ortschaft in der Ferne.

Früher Rembrandt zugeschrieben; aber die branstige Färbung, die vernachlässigte Zeichnung und die Art der Behandlung scheinen auf Aart de Gelder hinzuweisen. Das obige Bild zeigt mit den Darstellungen des Meisters aus der Leidensgeschichte Christi in der Galerie zu Aschaffenburg die nächste Verwandtschaft. — Sammlung James Gray, Versailles 1863.

Leinwand, h. 0,41, br. 0,67. — Sammlung Suermondt, 1874.

Gellée. Claude Gellée, oder Gillée, seltener Gelée, genannt Claude le Lorrain. Französische und römische Schule. — Landschaftsmaler und -radirer, geb. im Marktflecken Chamagne (bei Mirecourt im damaligen Lothringen, daher der Beiname des Künstlers) um 1600, † zu Rom den 21. Nov. 1682. Schüler des Agostino Tassi zu Rom, unter dem Einflusse des Paulus Bril, des Annibale Carracci und des Adam Elsheimer ausgebildet. Thätig vornehmlich zu Rom, vorübergehend in Nancy (um 1626).

Italienische Küstenlandschaft. Zur Linken die **448B** Ruinen eines korintischen Tempels, zu dem eine Bogenbrücke führt; vor der Brücke eine Schäferin und ein die Flöte blasender Schäfer. Rechts ein zwischen Bäumen aufgespanntes Zelt und in der Ferne die Meeresbucht mit Schiffen.

Bez. unten in der Mitte: *Claude. in. f. Romae 1642.* — No. 64 des Liber Veritatis. — Die Figuren (nach dem Katalog der Sammlung des Marquis de la Ganay) von Filippo Lauri (Rom, 1623—1694), der öfters Claude's Landschaften staffiert hat; doch war derselbe, als Claude das obige Bild malte, erst neunzehn Jahre alt. — Sammlung Pourtalès, Paris 1865.

Leinwand, h. 0,97, br. 1,31. — Erworben 1880 in Paris aus der Sammlung des Marquis de la Ganay.

Heroische Landschaft. Am Ausgang des Waldes, **428** neben dem sich der Ausblick in eine weite Landschaft öffnet, Diana, welche den wieder belebten Hippolyt mit der Nymphe Aricia verbindet (im Hain der Egeria, Virgil's Aeneis VII. 762 f.); rechts im Walde zwei ruhende Nymphen.

Die Bez. rechts unten stark verrieben: *Claude i ... 165 ..* — Im Liber Veritatis findet sich unter No. 163 eine ähnliche Komposition, die vielleicht für das obige Bild benutzt worden. Die Staffage ist von italienischer Hand, wahrscheinlich von **Filippo Lauri**.

Leinwand, h. 1,36, br. 1,72. — Sammlung Giustiniani, 1815.

Gentile. Gentile da Fabriano. Nach dem Vater: Gentile di Niccolò di Giovanni di Masso. Umbrische Schule. — Geb. zu Fabriano, vermutlich zwischen 1360 und 1370, 1422 in die Gilde zu Florenz aufgenommen, † um 1427 in Rom. Schüler des Alegretto Nuzi und vielleicht des Ottaviano Nelli, nach Vasari auch des Fra Giovanni da Fiesole, aber wohl nur unter dessen Einfluß weitergebildet. Thätig zu Fabriano Brescia, Venedig (vor und um 1422), Florenz (um 1422 bis 1425) und zu Rom (1426/27), kurze Zeit in Orvieto (1425) und in Siena (1425/26).

1130 Maria mit dem Kinde und Heiligen. Maria thront zwischen zwei Orangenbäumen, in deren Zweigen kleine Seraphine musizieren. Rechts die hl. Katharina, links der hl. Nikolaus, zu dessen Füßen der Stifter (in kleinem Maßstab) anbetend kniet. Goldgrund.

Bez. unten auf der Leiste des ursprünglichen Rahmens: *gentilis de fabriano pinsit*. — Gemalt für S. Niccolò zu Fabriano und daher wohl aus der frühen Zeit des Meisters, bevor er aus der Heimat in das Venetianische zog. Später befand sich das Bild in Osimo, Matellica und Rom.

Tempera. Pappelholz, h. 1,31, br. 1,13. — 1837 von S. Majestät Friedrich Wilhelm III. dem Museum überwiesen.

Gerino. Gerino da Pistoia. Nach dem Vater Gerino d'Antonio Gerini. Zeichnet sich selbst zumeist Gerinus Pistoriensis. Umbrische Schule. — Geb. zu Pistoia, Geburts- und Todesjahr sowie Lebensverhältnisse unbekannt. Unter dem Einflusse von Perugino gebildet; nach Vasari lange Zeit als dessen Gehülfe, wie auch gemeinsam mit Pinturicchio thätig. Thätig nach den Daten auf seinen erhaltenen Werken um 1500—1529; in Pistoia nachweisbar zwischen 1505 und 1509, 1514 und 1520, dann vornehmlich in Borgo S. Sepolcro und einige Zeit in Florenz thätig.

146A Gerino? Das Abendmahl. Um einen länglichen Tisch, ist Christus mit den Jüngern zum Abendmahl versammelt; an der vorderen Seite des Tisches sitzt allein Judas, ganz im Profil nach links. Dunkler Grund. — Zu beiden Seiten der Darstellung gemalte Tafeln auf hellbräunlichem Grund; auf den Tafeln die Inschrift: HOC OPVS FECIT FIERI SER BERNARDINVS S. ANGELI ANNO SALVTIS M. D.

Im Hintergrund und in einzelnen Köpfen veränderte Kopie nach dem Fresko in S. Onofrio zu Florenz, das A. Schmarsow als Arbeit des Perugino aus dem Jahre 1486 zu bestimmen versucht hat. Der grofse Stich in der Bibliothek zu Gotha, eine etwa um 1490 entstandene Nachbildung des Abendmahls in S. Onofrio, weicht in Einzelheiten ebenso von dem Fresko wie von der Berliner Predella ab.

Pappelholz h. 0,18, br. 1,21. — Erworben 1883 in Frankfurt a. M.

Ghirlandaio. Domenico di Tommaso Bigordi, mit dem Beinamen Ghirlandaio, gewöhnlich Domenico Ghirlandaio genannt. Florentinische Schule. — Geb. zu Florenz 1449, † daselbst den 11. Jan. 1494. Schüler des Alesso Baldovinetti zu Florenz, unter dem Einfluſs des Andrea del Castagno, dann des Andrea del Verrocchio, sowie durch das Studium Masaccio's und in Rom unter dem Einfluſs der Antike weiter ausgebildet. Thätig zu Florenz (auch als Mosaicist), einige Zeit in S. Gimignano (1474/75?) und in Rom (1475/76).

Judith mit ihrer Magd. In einem mit Reliefs geschmückten Gemach Judith, das Schwert in der Rechten, gefolgt von ihrer Magd, welche auf dem Kopfe einen Korb mit dem Haupte des Holofernes trägt. Durch ein Fenster links Aussicht auf steiles Meeresufer. **21**

Auf einem Relief zur Linken ein Triton mit einem Täfelchen; auf diesem die Jahreszahl: MCCCCLXXXVIIII.

Tempera. Pappelholz, h. 0,12, br. 0,29. — Sammlung Giustiniani, 1815.

Ghirlandaio? Beweinung Christi. Unter dem Kreuze sitzt Maria, über deren Schoſs von links nach rechts der Leichnam Christi liegt. Zur Linken kniet der hl. Augustinus, das Haupt Christi mit einem Tuche stützend, zur Rechten der betende Hieronymus. Ueber Maria schweben zwei trauernde Engel. Hintergrund felsige Landschaft. **1055**

Aus der Frühzeit des Meisters, nah verwandt mit den Werken des Meisters im Kloster San Settimo bei Florenz, aber roher in der Ausführung. Eine ähnliche Beweinung Christi befand sich unter dem Namen des Meisters noch kürzlich im Privatbesitz zu Florenz.

Tempera. Pappelholz, h. 1,82, br. 1,83. — Sammlung Solly, 1821.

Ghirlandaio. Domenico Ghirlandaio mit Francesco Granacci und Gehülfen. Florentinische Schule.

88   Maria und Kind mit Heiligen. Maria in der Flammen-
glorie, von fünf Cherubim umgeben, hält das rechts auf ihrem
Schofse stehende Kind. Unten stehen links Johannes der
Evangelist als Greis, rechts Johannes der Täufer; vor ihnen
knieen links Franciscus, rechts Hieronymus, hinter sich den
schlafenden Löwen. In dem landschaftlichen Hintergrunde
Tobias mit dem Engel.

Die beiden stehenden Heiligen sind von Gehülfen, die knieenden
hh. Franciscus und Hieronymus von Francesco Granacci (wohl erst
nach dem Tode Domenico's) in Oel gemalt.

Tempera. Pappelholz, h. 1,81, br. 1,79. — Sammlung Solly, 1821.

Ghirlandaio. Nach dem Entwurfe des Domenico Ghirlandaio, von Davide und Benedetto Ghirlandaio. Florentinische
Schule. — Davide Ghirlandaio, geb. zu Florenz den 14. März
1452, † daselbst den 10. April 1525. Bei Lebzeiten des Bruders
Domenico hauptsächlich als dessen Gehülfe zu Florenz und
mit demselben in den Jahren 1475/76 in Rom (urkundlich)
beschäftigt; später vornehmlich als Mosaicist thätig. — Benedetto Ghirlandaio, geb. zu Florenz 1458, † daselbst den 17. Juli
1497, ursprünglich Miniaturmaler. Bei Lebzeiten des Bruders
Domenico ebenfalls nur in dessen Werkstatt thätig, mit demselben in Rom (um 1475/76 urkundlich); nach dessen Tode
in Frankreich (zwischen 1480 und 1490), dann wieder in
Florenz (seit 1494).

75   Die Auferstehung Christi. Christus, die Siegesfahne
in der Hand, schwebt auf einer Wolke, von einem Cherub
getragen über dem offenen Grabe. Drei Wächter fliehen
entsetzt, der vierte liegt rechts noch schlafend am Boden.
Zur Linken, in der Ferne der bergigen Landschaft, die drei
Marien auf dem Wege zum Grabe. Im Hintergrunde rechts
vier Soldaten beim Wachtfeuer.

Das Gemälde bildete, mit den Seitenflügeln No. 74 und 76, die
Rückwand des Triptychons, das sich bis 1804 als Altarwerk im Chore
der Kirche S. Maria Novella zu Florenz befand; die Vorderseite ist
gegenwärtig in der Pinakothek zu München. Nach Vasari wurde das
Mittelbild von der Rückseite des Altars, der bei dem Tode Ghirlandaio's
(1494) unvollendet geblieben war, von Davide und Benedetto Ghirlandajo
ausgeführt.

Tempera. Pappelholz, h. 2,21, br. 1,99. — Sammlung Solly, 1821.

Ghirlandaio. Nach dem Entwurfe des Domenico Ghirlandaio von Francesco Granacci (s. diesen). Florentinische
Schule.

Der hl. Vincentius Ferrerius (Dominikaner, † 1419). **74**
In der Tracht des Dominikaner-Ordens, die Rechte segnend
erhoben, in der Linken ein Buch, in einer Nische von farbigem
Marmor stehend.

Auf einer Tafel über dem Heiligen die Inschrift: VINCENTIO
PRO VITE MERITIS ABSCONDITVM MANNA DATVM A DOMINO
EST. (Dem Vincentius ist für seine Verdienste vom Herrn das un-
sichtbare Manna verliehen worden.) — Flügelbild zu No. 75. Wenn
bei dem anderen Flügel (No. 76) das Zeugnis Vasari's dafür spricht,
dafs an seiner Ausführung Granacci beteiligt gewesen, so weist für
No. 74 die ganze künstlerische Behandlung noch entschiedener auf
diesen Schüler hin, Domenico's besten Gehülfen.
Tempera. Pappelholz, h. 2,06, br. 0,55. — Sammlung Solly, 1821.

Der hl. Antonin (Dominikaner und Erzbischof von **76**
Florenz, † 1459). In Dominikaner-Tracht in einer Nische von
farbigem Marmor stehend, in den Händen ein offenes Buch
haltend.

Auf einer Tafel über dem Heiligen die Inschrift: SPLENDOR
VITE ET DOCTRINE PRESTANTIA ANTONINO INTER SANCTOS
CONTVLERE SORTEM. (Der Glanz seines Lebens und die Treff-
lichkeit seiner Lehre haben dem Antonin seinen Rang unter den
Heiligen angewiesen.) — Flügelbild zu No. 75. Vergl. die Bemerkung
zum vorigen Bilde — Das Bild ist in Oel ausgeführt, während der
übrige Altar in Tempera gemalt ist; auch dies weist auf Granacci
hin, der sich zuerst in der Werkstatt des Domenico diesem neuen
Verfahren zuwandte.
Pappelholz, h. 2,06, br. 0,55. — Sammlung Solly, 1821.

Ghirlandaio. Ridolfo Ghirlandaio. Nach dem Vater: Ridolfo
di Domenico Bigordi. Florentinische Schule. — Geb. zu
Florenz den 4. Februar 1483, † daselbst den 6. Juni 1561.
Zuerst Schüler seines Vaters, dann seines Oheims Davide und
mutmafslich des Franc. Granacci; unter der Leitung des
Fra Bartolommeo und dem Einflusse Raphael's ausgebildet.
Thätig zu Florenz.

Verehrung des Christkindes. Maria, hinter der zwei **91**
Engel stehen, kniet zur Linken in Verehrung vor dem auf
der Erde liegenden Kinde; rechts sitzt Joseph. In der landschaftlichen Ferne die Hütte mit Ochs und Esel.

Aus der Zeit da Ridolfo vorwiegend unter dem Einflusse Fra
Bartolommeo's und Raphael's stand.
Pappelholz, h. 1,01, br. 0,78. — Sammlung Solly, 1821.

Giambono. Michele Giambono (eigentlich Michele di Giovanni Bono). Zeichnet sich Michael Zanbono, Gianbono oder
Michael Johannis Bono, auch mit dem Zusatze **Venetus.** Venetianische Schule. — Mosaicist und Maler, geb. zu Venedig,
thätig daselbst um 1440—1460 (urkundlich nachweisbar 1441).
Vermutlich unter dem Einfluß des Gentile da Fabriano ausgebildet.

1154   Giambono? Magdalena von Engeln emporgetragen.
Die Heilige, ganz von ihrem Haar bedeckt, wird von sechs
kleinen Engeln zum Himmel emporgetragen. Links unten
auf felsigem Erdreich in kleinem Maßstab eine knieende
Aebtissin, die Stifterin. Goldgrund.

Das Bild ist vermutlich identisch mit dem ursprünglich in
S. Maria delle Vergini (Nonnenkloster) zu Venedig befindlichen Gemälde, das schon Martinioni in seinen Zusätzen zu Sansovino (Venetia
descritta) dem Giambono zuweist.
Tempera. Pappelholz, h. 0,03, br. 0,44. — Sammlung Solly, 1821.

Giampietrino. S. Pedrini.

Gillig. Jacob Gillig (auch Gellig). Holländische Schule.
— Maler von Stillleben, insbesondere von Fischen (nach
Houbraken in späterer Zeit auch Portraitmaler), geb. 1636 (?)
zu Utrecht, † daselbst den 24. Juli 1701.

983 C   Stillleben. Auf einer Tischplatte liegen vor einem
Korbe verschiedene Flußfische zwischen Wasserpflanzen und
Geräten zum Fischfang. Dunkler Grund.

Bez. unten in der Mitte: *Jacobus gillig fecit A° 1668.*
Eichenholz, h. 0,73, br. 0,59. — Sammlung Suermondt, 1874.

Giolfino. Niccolò Giolfino. Venetianische Schule (Verona).
— Lebensverhältnisse unbekannt. Thätig zu Verona um
1486—1518.

284   Lucretia sich den Tod gebend. Lucretia, nur um
die Hüften leicht bedeckt, hat den Dolch aus der blutenden
Wunde gezogen und sinkt sterbend zurück. Dunkler Grund.

Früher dem Giuliano Bugiardini, später der lombardischen Schule
um 1500—1520 zugeschrieben. Indes findet sich nach Dr. F. Harck
in einer Kirche Verona's ein ganz ähnliches Bild von Giolfino.
Lebensgr. Fig. Pappelholz, h. 0,77, br. 0,68. — Sammlung Solly, 1821.

Giordano. Luca Giordano, gen. Fapresto. Neapolitanische Schule. — Maler und Radirer, geb. zu Neapel um 1632, † daselbst den 12. Januar 1705. Schüler des Giuseppe Ribera in Neapel, dann in Rom unter Pietro da Cortona als dessen Gehülfe und in Venedig unter dem Einflusse der Werke des Paolo Veronese ausgebildet. Thätig vornehmlich zu Neapel, zeitweilig in Florenz (um 1679 und 1682), Madrid und Toledo (1692—1702).

Das Urteil des Paris. Vor Paris, der, von seiner Herde **441** umgeben, zur Linken auf einer Steinbank sitzt und den Apfel in der Rechten hält, stehen die drei Göttinnen: Juno die Sandalen vom Fuße lösend, Minerva ihr Gewand abstreifend, weiter zurück Venus zu deren Haupte Amor schwebt. Merkur blickt links hinter einem Baume hervor.

Verrät in der leuchtenden Färbung und der Feinheit des Helldunkels den Einfluß von Paolo Veronese und namentlich von Tintoretto. — Eine Wiederholung in der Galerie der Ermitage zu St. Petersburg, bez. Luca Giordano f., der Zeit nach wohl das erste Original.

Leinwand, h. 2,44, br. 3,26. — Königliche Schlösser.

Giotto. Giotto di Bondone. Florentinische Schule. — Maler und Baumeister, geb. um 1266 in der Ortschaft del Colle bei Florenz, † zu Florenz den 8. Januar 1337. Schüler des Cimabue. Thätig vornehmlich zu Florenz, einige Zeit in Rom (um 1290—1300) und in Padua (seit 1305/6), außerdem in Assisi, Verona, Ferrara, Ravenna und Neapel (daselbst um 1330—1333).

Kreuzigung. Christus am Kreuz von schwebenden **1074A** Engeln umgeben, von denen drei das Blut aus seinen Wunden auffangen. Am Fuße des Kreuzes die knieende Magdalena. Zur Linken die trauernde Maria, von Johannes gehalten; rechts der gläubige Hauptmann und Pharisäer. Weiter zurück Kriegsleute zu Fuß und zu Pferde.

Die Komposition geht ohne Zweifel auf Giotto selbst zurück, aber auch die Ausführung darf ihm mutmaßlich zugeschrieben werden. Eine ganz ähnliche kleine Darstellung in der Galerie zu Straßburg.

Tempera. Pappelholz, oben im Dreieck abschließend, h. 0,58, br. 0,33. — Wahrscheinlich Sammlung Solly, 1821; 1837 an das Museum zu Königsberg abgegeben, 1884 nach Berlin zurückgenommen.

Giotto. Nachfolger des Giotto di Bondone. Italienische Schule (Ravenna?).

Verz. d. Gemälde.

• **1110**   **Fünf Darstellungen aus dem Leben Christi.**
a) Christus vor Pilatus geführt. Rechts oben Pilatus auf
einem Balkon des Palastes. b) Rechts der auferstandene
Christus mit der Siegesfahne; links kommen die drei Marien
zum Grabe, auf dem der Engel Wache hält. c) Christus mit
der Siegesfahne zur Vorhölle niederfahrend und einen
Heiligen (Adam?) an der Hand emporziehend; links hinter
ihm zwei hh. Könige. d) Christi Himmelfahrt. Unten in zwei
symmetrischen Gruppen Maria und die Apostel. e) Ausgiefsung des hl. Geistes. Maria auf hohem Throne, von den
Aposteln umringt, von denen sechs vorn auf einer Bank
sitzen. Goldgrund.

> Vermutlich von einem jener Nachfolger des Giotto in der Romagna
> oder in den Marken um 1320—1350, denen zugleich noch byzantische
> Einflüsse anhaften, in der Art des Pietro und Giuliano da Rimini.
> Pappelholz, h. je 0,16, br. je 0,15. — Sammlung Solly, 1821.

Giovanni. S. Angelico.

Giovanni. Giovanni di Paolo (der volle Name: Giovanni
di Paolo di Grazia, gen. del Poggio). Schule von Siena. —
Urkundlich schon 1423 zu Siena thätig, zuletzt 1482 erwähnt
und wahrscheinlich in diesem Jahre gestorben. Nach älterer
Nachricht unter dem Einfluf des Gentile da Fabriano gebildet und vielleicht Schüler desselben.

1112B   **Christus am Kreuz.** Maria steht wehklagend zur
Linken des Kreuzes, Johannes zur Rechten. Goldgrund.

> Rechts unten das Wappen der Sieneser Familie Piccolomini.
> Tempera. Pappelholz, h. 0,32, br. 0,23. — Sammlung Solly, 1821.

Goijen. Jan van Goijen. Holländische Schule. — Landschaftsmaler und Radirer, geb. zu Leiden den 13. Januar 1596,
† im Haag Ende April 1656. Schüler des Coenraet van
Schilperoort und des Isack van Swanenburg in Leiden, dann
des Willem Gerritsz in Hoorn; auch von Pieter Molyn d. A.
beeinflufst (um 1630), vornehmlich aber im Haag nach Esaias
van de Velde ausgebildet. Thätig zu Leiden (bis 1631), alsdann im Haag.

865   **Dünenlandschaft.** An einem zur Rechten liegenden
Dünenhügel vorüber, an dessen Fuf einige Bauern, führt
eine Strafse nach einem Dorfe im Mittelgrund.

> Bez. rechts unten: *v G 1629.*

Eichenholz, h. 0,27, br. 0,51. (das Bild ist oben um ein Stück verkleinert). — Sammlung Solly, 1821.

Der Sommer. Auf einer Strafse, die an einem Bauern- **865A**
gehöft vorüberführt, ein Reiter und mehrere Fufsgänger.
Rechts in der Ferne ein Schlofs.

Bez. links: *I. v. Goien.* — Aus der Jugendzeit des Künstlers, wie
auch das nachfolgende noch in der Art des Esaias van de Velde.
Eichenholz, rund, Durchmesser: 0,10. — Sammlung Suermondt, 1874.

Der Winter. Vor dem Thore eines Ortes bewegen **865B**
sich auf der Eisfläche eines Kanals, über den im Mittelgrunde eine Brücke führt, Schlittschuhläufer und Schlitten.

Bez. links: *I. v. Goien.* — Gegenstück von No. 865 A.
Eichenholz, rund, Durchmesser: 0,10. — Sammlung Suermondt, 1874.

Winterlandschaft. Neben einem Wirtshause, das **865C**
links zurück zwischen hohen kahlen Weiden liegt, bewegen
sich Schlitten und Schlittschuhläufer auf der Eisfläche eines
Flusses. Vorn zur Linken Kalfspieler.

Bez. links unten: *v G 1650* und *v G 1651.*
Eichenholz, h. 0,34, br. 0,48 — Sammlung Suermondt, 1874.

Ansicht der Stadt Arnheim. Von der Heerstrafse **865D**
blickt man über die am Flusse gelegene Stadt den Flufslauf
entlang in weite flache Ferne. Auf der Strafse vorn ein
Reiter, ein Karren und einige Bauern.

Bez. rechts unten: *vGoyen 1646.*
Eichenholz, h. 0,90, br. 1,05. — Sammlung Suermondt, 1874.

Ansicht von Nimwegen. Jenseits des Flusses Waal, **865E**
der sich von rechts vorn nach links hinzieht, die mit ihren
Türmen und Festungsmauern malerisch sich aufbauende
Stadt. Vorn eine mit einer Karosse beladene Führe.

Bez. an der Fähre: *vGoyen 1649.* — Sammlung Heemskerk van Beest.
Eichenholz, h. 0,66, br. 0,95. — Sammlung Suermondt, 1874.

Flufsufer. An einem Wasser zieht sich zur Rechten **901**
ein flacher Streifen Land hin. In dem Schatten der über-
hängenden Weiden verschiedene Kähne.

Bez. rechts an einem Kahne: *v G.*
Eichenholz, h. 0,13, br. 0,20. — Sammlung Solly, 1821.

Gossart. Jan Gossart od. Gossaert, gen. Jan van Mabuse.
Zeichnet sich selbst **Malbodius.** Niederländische Schule. — Geb.
um 1470 zu Maubeuge (Mabuse), 1503 als Meister in die Gilde

8*

zu Antwerpen aufgenommen, † daselbst 1541. Ausgebildet unter dem Einflusse von Quinten Massys und Gerard David, während eines elfjährigen Aufenthaltes in Italien (seit 1508) unter dem der dortigen Meister, insbesondere des Lionardo und Michelangelo. Thätig zu Antwerpen, vorübergehend zu Middelburg (1528), Utrecht und auf den Schlössern Philipp's von Burgund, Bischofs von Utrecht.

551A **Christus am Oelberge.** In felsiger, mondbeschienener Landschaft betet Christus, von den schlafenden Jüngern umgeben, zu dem auf einer Felskante stehenden Kelch auf den ein schwebender Engel hinweist. Im Hintergrund rechts die Stadt, aus dessen Thor sich ein langer von Judas geführter Zug bewegt.

Bisher nur allgemein einem Schüler des Gerard David zugeschrieben, indes nach der Uebereinstimmung mit dem bez. Bild bei Lord Carlisle ein zweifelloses Werk aus der Jugendzeit des Mabuse.

Eichenholz, h. 0,84, br. 0,63. — Erworben 1848.

586A **Bildnis eines jungen Mannes.** Sitzend nach links gewendet, gradaus blickend. Bartlos; über dem schwarzen Seidengewand ein Mantel von gemustertem weifsen Damast. Am schwarzen Barett eine Agraffe, worauf Venus mit Cupido dargestellt ist; reiche Waffen und Schmuck. Auf der Dolchscheide der burgundische Wahlspruch: Autre que vous (je n'aime). Grüner Grund.

Früher vermutungsweise Holbein d. J. zugeschrieben, aber sicher ein Werk des Mabuse, nach Vergleichung mit den unzweifelhaften Bildnissen von der Hand des Meisters im Louvre und in der National-Gallery, und wahrscheinlich, worauf die Devise deutet, das Portrait des Philipp von Burgund (1465—1524).

Halbe Fig. unter Lebensgr. Eichenholz, h. 0,54, br. 0,39. — Sammlung Suermondt, 1874.

648 **Neptun und Amphitrite.** In einem von toskanischen Säulen getragenen Kuppelbau stehen, sich umschlungen haltend, links Neptun mit dem Dreizack und rechts Amphitrite auf einem rings von Wasser umgebenen niedrigen Sockel. Hinter ihnen ein grüner Vorhang.

Bez. auf dem Sockel: *Joannes. Malbodius. pingebat. 1516.* — Rechts oben eine nicht entzifferte Devise, welche sich jedoch auf den Gönner des Meisters, Philipp von Burgund (vergl. No. 586 A) zu beziehen scheint. Daher vermutlich für diesen gemalt.

Eichenholz, 1,88, br. 1,24. — Sammlung Solly, 1821.

Maria mit dem Kinde. Maria, die rechte Brust ent- **650**
blößt, hält das Kind, das sie eben genährt hat, auf einem
Tische vor sich und reicht ihm mit der Linken eine Traube
dar. Das Kind hält in der Rechten einen Apfel.

Grund dunkelrot, von einem gemalten Rahmen umgeben, auf welchem
wie aus Metall geschnitten die umlaufende auf Christus und Maria be-
zügliche Inschrift angebracht ist: VERVS DEVS ET HOMO CASTA
MATER ET VIRGO.

Eichenholz, h. 0,46, br. 0,37. — Sammlung Solly, 1821.

Adam und Eva im Paradiese. Eva reicht den Apfel, **661**
den sie eben gepflückt hat, dem links stehenden Adam, der
sie mit der Linken an das göttliche Gebot zu erinnern scheint.
In der Ferne der Landschaft die verschiedenen Vorgänge
aus der Geschichte des Sündenfalls. In einer Höhlung des
Baumstammes, um den sich die Schlange windet, eine Eule.

Charakteristisches Werk des Meisters aus seiner letzten Zeit.
Eine ähnliche Darstellung von der Hand des Meisters, gleichfalls Original, in der Sammlung zu Hampton Court.

Eichenholz, h. 1,70, br. 1,14. — Erworben 1830 durch Tausch von Solly.

Gossart. Nachfolger des Jan Gossart, gen. Mabuse.
Niederländische Schule.

Die Goldwägerin. Ein Mädchen, rechts neben einem **656A**
Tisch sitzend, ist im Begriff, ein Gewicht aus einem Kästchen
zu nehmen; in der Rechten hält sie die Waage, in deren
einer Schale ein Goldstück liegt. Auf dem Tische ein goldener
Pokal. Links ein halbgeöffneter Fensterladen.

Ein zweites Bild von der gleichen Hand, ein Mädchen am Spinett,
befand sich bis vor kurzem in der Sammlung Molinari zu Mailand.

Halbfig. unter Lebensgr. Eichenholz, h. 0,43, br. 0,31. — Erworben 1874.

Granacci. Francesco Granacci. Nach seinem Vater Francesco d'Andrea genannt. Florentinische Schule. — Geb. zu
Florenz den 23. Juli 1477, † daselbst den 30. November 1543.
Schüler und Gehülfe des Domenico Ghirlandaio (im Jahre
1488 gleichzeitig mit Michelangelo), nach dessen Tode an der
Vollendung von unfertig zurückgelassenen Werken des
Meisters beteiligt (s. unter Ghirlandaio No. 74 und 76); weiter
ausgebildet unter dem Einflusse Michelangelo's, Fra Bartolommeo's und Raphael's. Thätig vornehmlich zu Florenz,
kurze Zeit in Pisa (1495) und Rom (um 1508).

97   Thronende Maria mit dem Kinde und Heiligen.
Maria hält, nach rechts gewendet und aus einem Buche
lesend, das segnende Kind auf dèm Schofse. Vor dem Throne
stehen links Johannes der Täufer, rechts der Erzengel Michael.
Hintergrund Landschaft.

> Das Bild, noch in Tempera gemalt, fällt in die frühere Zeit des
> Meisters, der sich später ganz der Oelmalerei zuwendete.
> Tempera. Pappelholz, h. 1,51, br. 1,44. — Sammlung Solly, 1821.

229   Die Dreinigkeit. Inmitten eines Kranzes von Cherubim
hält Gott Vater mit der Linken den gekreuzigten Christus,
die Rechte segnend erhoben. Zu Häupten des Sohnes der
hl. Geist in Gestalt der Taube. Am Fufse des Kreuzes zwei
Engel. Hintergrund Himmel.

> Vermutlich identisch mit dem nach Vasari für den Pierfrancesco
> Borgherini gemalten Tondo. — Eine ganz ähnliche Darstellung von
> Mariotto Albertinelli in der Akademie zu Florenz.
> Tempera. Pappelholz, rund, Durchm. 1,03. — Sammlung Solly, 1821.
> Vergl. auch unter Domenico Ghirlandaio No. 74, 76 u. 88.

Greuze. Jean-Baptiste Greuze. Französische Schule. —
Geb. zu Tournus (bei Mâcon) den 21. August 1725, † zu Paris
den 21. März 1805. Schüler eines kaum noch gekannten Malers
Gromdon (Charles Grandon?) zu Lyon, in Paris ausgebildet.
Nach einer italienischen Reise (1755/1756) thätig zu Paris.

494 C   Kleines Mädchen. Nach rechts gewendet und verzückt
nach oben blickend, das Haar über die nackten Schultern
fallend. Grauer Grund. .

> Bez. rechts oben: *J. B. Greuze*. — Auf der Rückseite:
> J. B. GREUZE. Ce 16. Juilliet 1787.
> Brustbild in Lebensgr. Leinwand, h. 0,38, br. 0,30. — 1873 geschenkt
> von I. Kais. Königl. Hoheit der Frau Kronprinzessin des Deutschen
> Reiches und von Preufsen.

Greuze. Anne Greuze. Französische Schule. — Wahrscheinlich die Gattin des Malers Jean Baptiste Greuze, Anne
Gabriele, geb. Babuty, thätig zu Paris in der zweiten Hälfte
des 18. Jahrhunderts; doch war auch die eine von den beiden
Töchtern des Meisters Malerin.

494 A   Kleines Mädchen. Nach rechts gewendet. In blauem
Kleid; auf dem Arm ein Hündchen tragend. Dunkler Grund.

> Brustb. in Lebensgr. Leinwand, h. 0,39, br. 0,32. — Erworben 1852.

Grien. S. Baldung.

Guardi. Francesco Guardi. Venetianische Schule. — Architektur- und Prospektmaler, geb. zu Venedig 1712, † daselbst 1793. Schüler und Nachfolger des Antonio da Canale, thätig vornehmlich zu Venedig.

Ansicht des grofsen Kanals in Venedig. Blick **501A** auf den Kanal und die Kirche S. Simeone piccolo mit den anliegenden Gebäuden.

> Gegenstück des folgenden Bildes. — Sammlung Simonet.
> Leinwand, h. 0,18, br. 0,25. — Sammlung Suermondt, 1874.

Lagunen-Ansicht. Aussicht auf die Lagunen und die **501B** Isola del Lazzeretto Nuovo.

> Gegenstück des vorigen Bildes. — Sammlung Simonet.
> Leinwand, h. 0,18, br. 0,25. — Sammlung Suermondt, 1874.

Ansicht von S. Michele zu Venedig. Blick auf die **501C** Gräberinsel mit der Kirche S. Michele, den Friedhof Venedigs.

> Gegenstück des folgenden Bildes.
> Leinwand, h. 0,12, br. 0,21. — Sammlung Suermondt, 1874.

Ansicht von S. Michele zu Venedig. Blick auf die **501D** Gräberinsel mit der Kirche S. Michele in den Lagunen.

> Gegenstück des vorigen Bildes.
> Leinwand, h. 0,12, br. 0,21. — Sammlung Suermondt, 1874.

Hackaert. Jan Hackaert. Holländische Schule. — Landschaftsmaler und Radirer, geb. 1629 zu Amsterdam, † daselbst 1699 (?). Lebensverhältnisse unbekannt. Thätig zu Amsterdam, nach Reisen in Italien, Tirol und in der Schweiz (1653—1658).

Italienische Landschaft mit Heerden. Auf einem **892** Wege, der sich um einen Teich und an einem links gelegenen Hügel hinanzieht, fährt ein Lastwagen und werden Heerden getrieben. Jenseits des Teiches eine Ebene von einem Bergzug begrenzt.

> Die Staffage ist, wie häufig in seinen Gemälden, von der Hand des Adriaan van de Velde. — Bez. rechts unten: *I. Hackaert.*
> Leinwand, h. 0,77, br. 0,98. — Königliche Schlösser.

Hagen. Joris van der Hagen oder Verhagen. Holländische Schule. — Landschaftsmaler, begraben im Haag den 23. Mai 1669. Thätig im Haag, wo er urkundlich 1640 seinen Aufenthalt nahm und im Jahre 1656 die Malergilde mit begründete.

916   Ansicht des Rheinthors und des Hafens von Ar-
heim. ImVordergrund auf dem flachen südlichen Rheinufer
Buschwerk durchzogene Triften mit weidendem Vieh.
jenseitigen Ufer rechts ein Hügelzug, der in eine weite Eb
ausläuft. In der Mitte wohl der Turm des Dorfes Oosterb
rechts Driel, in der Ferne Heelsum oder Renkum. · · ·

Dieselbe Gegend, von etwas verändertem Standpunkte aus genö
ist von der Hand des Meisters in einem Gemälde des Louvre wi
gegeben und ebenso, nur mit beschränkterer Fernsicht, im Mauri
im Haag.

Eichenholz, h. 0,58, br. 0,82. — Königliche Schlösser.

996   Bergige Landschaft. Zur Linken eine bewaldete
partie, vor derselben zwei Ochsen, eine Heerde Ziegen
auf einem Wege ein Eseltreiber. In der Ferne ein
und eine von Höhenzügen abgeschlossene Ebene.

Leinwand, h. 0,60, br. 0,73. — Königliche Schlösser.

Hals. Dirk Hals. Holländische Schule. — Geb
Haarlem vor 1600, begraben daselbst den 17. Mai 1656. So
seines älteren Bruders Frans Hals. Thätig zu Haarlem.

816 A   Die Zechbrüder. Vor einem Kamin in der Mit
Gemachs sitzen drei junge Kavaliere; mehr rechts ein V
an einem Stuhle stehend.

Bez. am Tischbein: *D Hals 1627.*

Eichenholz, h. 0,33, br. 0,33. — Erworben 1877.

S. auch Frans Hals unter No. 801 D.

Hals. Frans Hals d. Ä. Holländische Schule. — Ge
Antwerpen um 1580 oder 1581, begraben zu Haarlem
7. September 1666. Schüler des Karel van Mander zu Haar
(vor 1602). Thätig zu Haarlem, vorübergehend zu Amsterdam
(1637).

766   Bildnis eines jungen Mannes. Gradaus blickend
Mit Knebelbart; mit hohem Kragen, dunkelviolettem Kleid
den schwarzen Mantel um Leib und Arm geschlungen. Di
Linke mit sprechendem Ausdrucke aus der ovalen Umrahmung
hinausstreckend. Hellgrauer Grund.

Rechts oben die Jahreszahl 1627.

Kleine Halbfigur. Kupfer, h. 0,19, br. 0,14 — Erworben 1843 a
der Sammlung Reimer zu Berlin.

767   Bildnis des Predigers Joannes Acronius. Nach

766. Frans Hals d. A.

rechts gewendet. In schwarzer geistlicher Tracht, schwarzem
Käppchen und niedrigem breiten Steinkragen, einen aufgeschlagenen Folianten vor sich haltend. In ovaler Umrahmung. Hellgrauer Grund.

Bez. rechts: AETATIS. SVAE. 62. A̱o̱ 1627. — Auf der Rückseite
des Bildes ist in einer Handschrift aus dem vorigen Jahrhundert das
Leben des Acronius († 29. Septemper 1627) ausführlich erzählt.

Kleine Halbfig. Eichenholz, h. 0,19, br. 0,17. — Erworben 1843 aus
der Sammlung Reimer zu Berlin.

Bildnis eines jungen Mannes. Nach rechts ge- **800**
wendet. Mit breitkrämpigem Hut, in schwarzer Kleidung
und breitem schlaffen Halskragen, die Linke auf die Brust
gelegt. Hellgrauer Grund.

Halbfig. in Lebensgr. Leinwand, h. 0,75, br. 0,58. — Erworben 1840.

Bildnis einer jungen Frau. Nach links gewendet, **801**
den Beschauer anblickend. In schwarzem Kleid, mit goldener
Kette auf dem flachen Spitzenkragen und Armbändern; am
Hinterkopfe eine kleine Spitzenhaube. Hellgrauer Grund.

Gegenstück von No. 800. — Aus der mittleren Zeit des Künstlers
(um 1625).

Halbfig. in Lebensgr. Leinwand, h. 0,75, br. 0,58. — Erworben 1841.

Singender Knabe. Nach links gewendet. Im Feder- **801A**
barett, mit der Linken den Takt zu seinem Gesange an-
gebend, in der Rechten eine Flöte haltend. Hellgrauer Grund.

Bez. rechts unten mit dem Monogramm. — Aus der mittleren Zeit
des Meisters (um 1625).

Lebensgr. Brustb. Leinwand, h. 0,64, br. 0,53. — Sammlung
Suermondt, 1874.

Hille Bobbe, die Hexe von Haarlem. Sie sitzt neben **801C**
einem Tisch und hält mit der Rechten einen Zinnkrug vor
sich; grinsend wendet sie sich zu einer Eule, die ihr auf der
linken Schulter sitzt. Dunkler Grund.

Auf der Rückseite (auf dem Blendrahmen) von des Malers eigener
Hand die Bezeichnung: *fr. ns Hals. f. Hille Bobbe* (beide Worte undeutlich sind vielleicht Mille Babbe zu lesen) *van Harlem.* — Sammlung Stockbro zu Hoorn.

Lebensgr. Halbfig. Leinwand, h. 0,76, br. 0,64. — Sammlung Suermondt, 1874.

Bildnis eines ältlichen Mannes. Nach rechts ge- **801E**
wendet. In schwarzem Sammetrock und Mantel, mit kleinem

Klappkragen; die Handschuhe in den Händen. Schwärzlicher
Grund.

> Bez. rechts unten mit dem Monogramm. — Gemalt um 1660, in der
> grauen Tonart der späten Zeit.
> Lebensgr. Kniestück. Leinwand, h. 1,02, br. 0,82. — Sammlung
> Suermondt, 1874.

801F   Bildnis eines Edelmannes. Nach links gewendet,
gradaus blickend. Mit Spitzbart; in reicher schwarzer Tracht
mit breitem Filzhut und grofser Krause. Um die linke, zu hohe
Schulter zu verdecken, ist der dunkle Tuchmantel über den
seidenen Rock künstlich zurechtgelegt. An den Händen
Handschuhe. Hellgrauer Grund.

> Auf der Rückseite die Jahreszahl 1625.
> Kleine Halbfig. Eichenholz, h. 0,25, br. 0,20. — Sammlung Suer-
> mondt, 1874.

801G   Die Amme mit dem Kinde. Bildnis eines kleinen
Mädchens aus dem Hause Ilpenstein. Nach links gewendet
und gradaus blickend. In reichem Kleide, Spitzenkragen und
Schmuck; in der Linken eine Klapper; auf dem Schofse der
Amme stehend, welche dem Kinde eine Birne reicht. Dunkel-
grauer Grund.

> Aus der Blütezeit des Künstlers (um 1630—1635). — Sammlung
> von Schlofs Ilpenstein, Amsterdam 1873.
> Das Kind in ganzer Figur, lebensgr. Leinwand, h. 0,89, br. 0,65. —
> Sammlung Suermondt, 1874.

801H   Bildnis des Tyman Oosdorp. Nach rechts gewendet,
gradaus blickend. Bartlos; das straffe blonde Haar in
die Stirne hängend; in schwarzem Mantel, aus dem die
Linke den Schlapphut haltend hervorsieht. Graubrauner
Grund.

> Auf der Rückseite ein Zettel aus dem vorigen Jahrhundert mit
> der Bezeichnung: F. Hals p. 1656. Tyman Oosdorp. — Aus der späten
> Zeit des Künstlers.
> Lebensgr. Brustbild. Leinwand, h. 0,80, br. 0,71. — Erworben 1877.

Hals. Kopie nach Frans Hals, vielleicht von **Dirk Hals**
(s. diesen). Holländische Schule.

801D   Das lustige Kleeblatt. Ein beleibter Kriegsmann
schäckert mit einem jungen Mädchen, das lächelnd auf seinem
linken Beine sitzt. Eine zweite Dirne hält einen Kranz von
Würsten über den Kopf des Mannes. Grauer Grund.

Das Original mit dem Monogramm des Frans Hals und der Jahreszahl 1616 (jetzt in Nordamerika), hat an Stelle der zweiten Dirne einen jungen Mann in gleicher Haltung. Die treffliche freie Wiederholung hat zumeist gleichfalls für Original gegolten, erinnert aber bei zahmerer Behandlung und härterem Kolorit an Dirk Hals, mit dessen Malweise namentlich die zweite weibliche Figur übereinstimmt. — Eine zweite geringere und etwas veränderte Wiederholung befand sich in der Sammlung Beurnonville zu Paris (versteigert 1881).

Kniestück in halblebensgr. Fig. Leinwand, h. 0,81, br. 0,62. — Sammlung Suermondt, 1874.

Hals. Frans Hals d. J. Holländische Schule. — Geb. zwischen 1617 und 1623 zu Haarlem, wo er nach den Daten auf seinen Bildern seit 1637 thätig war. Daselbst 1669 noch am Leben. Schüler seines Vaters Frans Hals.

Sillleben. Auf einem Tische stehen silberne und vergoldete Prachtgefäfse neben venezianischen Gläsern, Büchern, Münzen und einigen Früchten. Dunkelgrauer Grund.   **905A**

Bez. rechts unten mit dem aus den Buchstaben des Namens FRANS HALS gebildeten Monogramm und der Jahreszahl *1640.* — Ein ganz ähnliches Bild in der Galerie zu Budapest.

Eichenholz, h. 0,64, br. 0,98. — Sammlung Suermondt, 1874.

Heem. Cornelis de Heem. Holländische und (vorwiegend) Vlämische Schule. — Stilllebenmaler, getauft zu Leiden den 8. April 1631, begraben zu Antwerpen den 17. Mai 1695. Schüler seines Vaters Jan Davidszoon. Thätig zu Antwerpen (1660/61 in die Gilde eingeschrieben) und vorübergehend im Haag (urkundlich 1676 und 1678).

Stillleben. Auf einem Tische steht eine japanische **874A** Schüssel mit Pflaumen und Nüssen. Davor Pfirsiche, Trauben, eine Citrone und eine Mandarine. Dunkler Grund.

Bez. auf der Tischplatte: *C. de Heem f.* — Sammlung Pastor zu Burtscheid, 1800.

Leinwand, h. 0,36, br. 0,50. — Sammlung Suermondt, 1874.

Heem. Jan Davidsz de Heem. Holländische und Vlämische Schule. — Stilllebenmaler, geb. zu Utrecht 1606, † daselbst zwischen dem 14. Okt. 1683 und dem 26. April 1684. Schüler seines Vaters David (?), später wahrscheinlich des D. Bailly zu Leiden (um 1629). Thätig in Leiden (1626—1631), dann in Utrecht (1631—1635) und vornehmlich in Antwerpen (von 1635 bis Ende 1667, aber von 1658 an öfters abwesend, und

wieder von 1672 bis zu seinem Tode), später nochmals in
Utrecht (1669—1672).

906   **Frucht- und Blumengehänge.** Auf die Brüstung
einer steinernen Nische fällt, mit blauseidenen Bändern befestigt, zur Rechten ein Gehänge von Früchten, zur Linken
ein solches von Blumen herab. In der Mitte der Nische ein
Fenster mit Aussicht auf eine abendlich beleuchtete Landschaft.

Bez. rechts unten: *I. D. De Heem f.*
Eichenholz, h. 0,37, br. 0,68. — Erworben 1843 aus der Sammlung
Reimer zu Berlin.

906A   **Stillleben.** Vor einem zurückgerafften grauen Vorhang
steht auf einem Tische, neben einigen Früchten, ein Glas
mit einem kleinen Strauß von gefüllten Nelken, Mohn,
Winden, Kirschen und Schoten. Im Grunde links ein Fenster.

Bez. links unten: *I. D. De Heem f.* — Sammlung Osteaux,
Lüttich 1857.
Eichenholz, h. 0,47, br. 0,36. — Sammlung Suermondt, 1874.

906B   **Gehänge von Früchten und Blumen.** Auf einem
grau in grau gemalten ornamentierten Rahmen von Stein
sind drei Gehänge von Früchten und Blumen gruppiert. In
der Nische des Rahmens ein halb gefülltes Römerglas, über
dem „das Auge der Vorsehung" in einer Strahlenglorie
schwebt. Unten vorn ein Beeren pickender Sperling.
Dunkler Grund.

Bez. unten links der Mitte zu: *I. De Heem f. A⁰ 1651.* —
Stammt aus der Sammlung Kardinal Fesch (Katalog von 1844, II.
No. 98), wo das Bild den Namen „L'oeil de la Providence" führte.
Später Sammlung Reiset in Paris.
Leinwand, h. 1,20, br. 0,84. — Erworben 1878 in Paris.

Heemskerck. Maerten (Jacobsz) van Heemskerck, oder bloß
Maerten Heemskerck. Niederländische Schule. — Maler (auch
Glasmaler), Radirer und Zeichner für den Holzschnitt, geb.
zu Heemskerck bei Alkmaar 1498, † zu Haarlem den 1. Okt.
1574. Nach Unterricht bei Cornelis Willemsz zu Haarlem
und Jan Lucasz zu Delft ausgebildet durch Jan Scorel zu
Haarlem (um 1527), dann während eines Aufenthaltes in
Italien (seit 1532) unter dem Einflusse des Michelangelo.
Thätig zu Haarlem.

Bildnis eines jungen Mädchens. Von vorn ge- **570**
sehen. In weifser Haube und schwarzem Kleide mit roten
Aermeln; in der Linken einen Apfel, die Rechte an den
Gürtel haltend. Dunkler Grund.

Ein verwandtes Bildnis im German. Museum zu Nürnberg (dort
Scorel genannt), ein anderes im Wallraf-Richartz Museum in Köln;
indes sind beide im Fleisch wesentlich heller.

Halbfig. unter Lebensgr. Eichenholz, h. 0,52, br. 0,38. — Königliche
Schlösser.

Momus tadelt die Werke der Götter. Momus, ein **655**
Sohn der Nacht, eine weibliche Herme im Arme tragend,
die an Stelle der linken Brust eine vergitterte Oeffnung zeigt,
tritt als Schiedsrichter vor die Götter. Er tadelt an dem
den Hintergrund einnehmenden Prachtbau der Minerva, dafs
sich derselbe nicht von der Stelle rücken lasse, — an dem
Weibe, der Schöpfung des Vulkan, dafs es kein Fenster in
der Brust habe, — endlich am Pferde des Neptun, dafs es
sich, ohne den Gegner zu sehen, mit den Hinterfüfsen ver-
teidigen müsse.

Bez. rechts unten: *Martynus . van . Heemskerck . Inventor. 1561.*
Eichenholz, h. 1,20, br. 1,74. — Königliche Schlösser.

Heerschop. Hendrik Heerschop. Holländische Schule. —
Maler und Radirer, geb. 1620 oder 1621 zu Haarlem, 1672
noch thätig. Schüler des Willem Klaasz Heda zu Haarlem,
in der Werkstatt Rembrandt's weiter ausgebildet. Thätig zu
Haarlem, wo er 1648 als Meister in die Gilde aufgenommen
wurde, und in Amsterdam.

Der Mohrenkönig. Fast ganz von vorn gesehen. In **825**
gelbem Untergewande über dem ein reicher Mantel hängt;
in den Händen ein Gefäfs haltend. Grünlich-grauer Grund.

Bez. links an der Schulter: *G. Heerschop 1659.*
Lebensgr. Brustbild. Eichenholz, h. 0,72, br. 0,58. — Erworben 1843
aus der Sammlung Reimer zu Berlin.

Helst. Bartholomeus van der Helst. Holländische Schule.
— Bildnismaler, geb. zu Haarlem 1611 oder 1612, begraben
zu Amsterdam den 16. Dezember 1670. Frühzeitig nach
Amsterdam übergesiedelt, wo er sich unter dem Einflusse
des Nicolaes Elias ausbildete und 1653 zu den Begründern
der Lukasgilde gehörte.

802A   Bildnis einer 'alten Frau. Fast ganz von vorn gesehen, etwas nach links geneigt. In schwarzer Kleidung,
mit weifsem Steinkragen und weifser Haube. Dunkler Grund.

Aus der frühen Zeit des Meisters.

Lebensgr. Brustb. ohne Hände. Leinwand, h. 0,48, br. 0,39. — Erworben 1869.

825A   Bildnis einer jungen Frau. Nach links gewendet
und gradaus blickend. Mit kurzem offenen Haar, in schwarzem Sammetkleid und flachem Spitzenkragen; um den Hals
eine doppelte Perlenschnur; Brosche und Ohrringe von
Diamanten. Grauer Grund.

Bez. links oben: *B. van der Helst 1643*. — Ohne Grund wurde
eine Zeitlang an der Aechtheit dieser Bezeichnung gezweifelt und das
Bild dem Wyckersloot zugeschrieben.

Lebensgr. Brustb. Eichenholz, h. 0,73. br. 0,61. — Sammlung Suermondt, 1874.

Hemessen. Jan Sanders gen. Jan van Hemessen oder He-
mishem. Niederländische Schule. — Geb. um 1500 in dem
Dorfe Hemixem bei Antwerpen, gest. zu Haarlem zwischen
1555 und 1566. Seit 1519 Schüler des Hendrik van Cleve,
1524 Meister. Thätig in Antwerpen, später (seit 1551) in
Haarlem.

558   Ausgelassene Gesellschaft. In einem grofsen Gemache ist eine Gesellschaft junger Männer und Dirnen beim
Mahle versammelt; auf dem Vorplatz rechts zwei sich bal-
gende Weiber. Im Hintergrund links ein Krämer, der seine
Ware anpreist; darüber ein Hängeboden, von welchem
ein Paar die Stiege herabsteigt. Die Wände mit Inschriften
bedeckt.

Wurde früher mit einer Gruppe verwandter sittenbildlicher Darstellungen, denen sich einige biblische Gemälde anschliefsen, dem sog.
Braunschweiger Monogrammisten zugeschrieben, ehe dessen Identität
mit dem Jan van Hemefsen erkannt war. Ganz ähnlich behandelte
kleinfigurige Bilder sind die beiden Stücke in Frankfurt (Städel'sches
Institut und Archiv) und eine Spielhölle bei Graf K. Lanckoronski
in Wien.

Eichenholz, h. 0,29, br. 0,45. — Erworben 1832.

Hobbema. Meindert Hobbema. Holländische Schule. —
Landschaftsmaler, geb. 1638 zu Amsterdam, beerdigt daselbst
den 7. Dezember 1709. Ausgebildet unter dem Einflusse des

Jacob van Ruisdael. Thätig (seit 1668 nur noch ausnahmsweise) zu Amsterdam.

Waldige Landschaft. Niedriger Eichenwald, zur **886**
Rechten von einem Wege durchzogen, auf welchem einige
Fuísgänger. Durch eine Lichtung Ausblick auf eine Kirche
und eine Windmühle. Vorn rechts im Schatten eines Baumes ein Mann, welcher zeichnet.

Bez. rechts unten: *M Hobbema.*
Eichenholz, h. 0,60, br. 0,82. — Königliche Schlösser.

Holbein. Hans Holbein d. J. Deutsche Schule. — Maler und
Zeichner für den Holzschnitt, geb. zu Augsburg 1497, † zu
London zwischen dem 7. Oktober und dem 29. November 1543.
Schüler seines Vaters Hans zu Augsburg. Thätig zu Basel
(seit 1515 und daselbst 1519 in die Zunft aufgenommen), einige
Zeit zu Luzern (um 1516 oder 1519; 1518 vermutlich in Ober-
italien), seit 1526 zu London (um 1536 zum Peintre du Roi
ernannt), mit Unterbrechung der J. von 1528—1531, sowie des
J. 1538, die er wieder in Basel zubrachte.'

Bildnis des Kaufmanns Georg Gisze. Etwas nach **586**
rechts gewendet, den Beschauer anblickend. Bartlos, mit
schwarzem Barett; über dem rotseidenen Rock eine schwarze
mit ebensolchem Pelz gefütterte Schaube. Im Begriff einen
an ihn adressierten Brief zu öffnen, steht Gisze zur Linken
hinter einem mit persischem Teppich bedeckten Tische; auf
diesem links ein venetianisches Glas mit Nelken und anderen
Blumen, eine Uhr und Schreibgeräte. An der Wand Briefe
mit seiner Adresse in hochdeutscher Mundart (Gisze, Gisse
oder Ghisse te Lunden). An den Bücherborten hängen
Schlüssel, goldene Ringe, Petschaft, eine kunstreiche Kapsel
mit einer Bindfadenrolle und Goldwage.

Links an der Wand der Name: G. Gisze und darüber der Wahlspruch: Nulla sine merore voluptas. — Oben ein weifser Zettel
mit der Inschrift:

Διαυχιον (sic) ï Jmaginē Georgii Gysenii
Jsta refert vultus, qua cernis Jmago Georgi
Sic oculos viuos, sic habet ille Genas.
Anno aetatis suae XXXIIII.
Anno dom. 1532.

D. h. Distichon auf das Bild des Georg Gisze:
Das du hier siehst, dies Bild, zeigt Georg's Züge und Aussehn:
So ist lebendig sein Aug', so sind die Wangen geformt.

Inschrift auf dem Briefe: Dem erszamen Jergen Gisze to lund in engelaut mynem broder to handen.

Lebensgr. Halbfig. Eichenholz, h. 0,96, br. 0,84. — Sammlung Solly 1821.

586B Bildnis eines jungen Mannes. Nach rechts gewendt Mit dunkelblondem Vollbart; in schwarzem Barett und braui schwarzer seidengefütterter Schaube. In den zusammei gelegten Händen die Handschuhe haltend. Blauer Grund.

Bez. auf dem Grunde in Gold: ANNO 1541. ETATIS SUAE 3 — Am Zeigefinger der linken Hand ein Ring mit dem Wappen d Familie de Vos van Steenwijk in Holland. — Aus der letzten Zeit d Meisters. — Sammlungen von Sybel, Elberfeld, und Merlo, Köln.

Brustb. unter Lebensgr. Eichenholz, h. 0,47, br. 0,36. — Sammlun Suermondt, 1874.

586C Bildnis eines jungen Mannes. Von vorn gesehei Mit vollem dunkelblonden Barte; in schwarzem Barett ug schwarzem über die linke Schulter übergeschlagenen Mant In der Linken die ledernen Handschuhe haltend. Blaue Grund.

Bez. auf dem Grunde in Gold: ANNO 1533. ÆTATIS SUAE } — Das Wappen des Siegelringes (an dem Zeigefinger der linken Han das sich auch auf dem Gegenstück, dem männlichen Bildnis der Galeri Schönborn zu Wien befindet, ist das Wappen der Familie Trelawna welche in der ersten Hälfte des 16. Jahrh. in der landed gentry Englan eine angesehene Stellung einnahm. Dagegen sollen nach Woltma beide Bildnisse deutsche Kaufherren vom Stahlhof in London darstelle — Sammlung Schönborn, Wien 1866.

Brustbild in halber Lebensgr. Eichenholz, h. 0,39, br. 0,31. Sammlung Suermondt, 1874.

Holländischer Meister um 1590.

683 Männliches Bildnis. Etwas nach rechts gewend und gradaus blickend. Mit spitzem Vollbart; in schwarze Kleidung und schmaler Fraise. Dunkler Grund.

Früher dem Frans Pourbus d. A. zugeschrieben, aber mehr u Charakter eines der Amsterdamer Porträtisten vom Ende des 16. Jahr hunderts. — Gegenstück zu No. 686.

Lebensgr. Brustbild. Eichenholz, oval, h. 0,43, br. 0,31. — Königliche Schlösser.

686 Weibliches Bildnis. Nach links gewendet, gradau

blickend. In schwarzem Gewand, mit weilser Haube und schmaler Fraise. Dunkler Grund.

Gegenstück zu No. 683.

Lebensgr. Brustb. Eichenholz, oval, h. 0,44, br. 0,32. — Königliche Schlösser.

Hondecoeter. **Gillis (Claasz) d'Hondecoeter, seltener Hondecoutre. Holländische Schule. — Landschaftsmaler (zuerst Maler von Bildnissen), geb. zu Antwerpen, † daselbst im September 1638. Unter dem Einflusse des Gillis van Conincxloo gebildet. Thätig schon vor 1610 zu Amsterdam.**

Im Hochgebirge. Durch getürmte Felsmassen bricht sich ein Gebirgsbach Bahn. Links am Ufer desselben wilde Gänse, auf die ein Jäger anlegt. Auf einem Wege rechts noch zwei Jäger.   **985**

Bez. unten links im Terrain neben dem Flusse, undeutlich: *G. D. Hond . . .*

Eichenholz, h. 0,51, br. 1,69. — Königliche Schlösser.

Hondecoeter. **Melchior d'Hondecoeter. Holländische Schule. — Maler und Radirer von Federvieh, geb. zu Utrecht 1636, † zu Amsterdam den 3. April 1695. Schüler seines Vaters Gijsbert (1604—1653) und seines Onkels J. B. Weenix. Nach den Lehrjahren zu Utrecht thätig im Haag (daselbst 1659 in die Gilde aufgenommen) und vornehmlich in Amsterdam (seit 1663).**

Ausländische Wasservögel. An einem Weiher in einem Parke steht links vorn ein Pelikan neben fünf ausländischen Enten und ebenso vielen Küchlein. Links ein Postament, worauf eine Taube. Im Grunde des Parks ein Springbrunnen und ein Schlofs.   **876A.**

Bez. rechts unten im Terrain: *M D Hondecoeter.* — Aus dem Schlofs von Bensberg bei Köln.

Leinwand, h. 1,30 br. 1,57. — Sammlung Suermondt, 1874.

Honthorst. **Willem (Guilliam) van Honthorst. Zeichnet sich gleich seinem älteren Bruder Gerard, G. Honthorst. Holländische Schule. — Bildnismaler, geb. zu Utrecht 1604, † daselbst den 19. Februar 1666. Schüler des Abraham Bloemaert und unter dem Einflusse seines Bruders Gerard weiter ausgebildet. Thätig im Haag und in Utrecht, einige Zeit auch in Berlin (1646 zum Hofmaler ernannt, bis 1664).**

Verz. d. Gemälde.   9

1008   Bildnis Wilhelm's II. von Nassau, Prinzen von Oranien (1626—1650; Statthalter der Niederlande). Nach rechts gewendet, gradaus blickend. Mit langem Haar, im Brustpanzer. In ovaler Umrahmung. Grauer Grund.

> Bez. links unten: *G Honthorst 1647.* — Gegenstück zu No. 1009. — Andere Bildnisse des Prinzen von der Hand des Meisters in den Galerien zu Amsterdam und Schwerin.
> Lebensgr. Brustb. Eichenholz, h. 0,72, br. 0,57. — Königliche Schlösser.

1009   ˙ Bildnis der Prinzessin Maria Stuart, Gemahlin Wilhelm's II. von Oranien (1631—1660, Tochter Karl's I. von England, vermählt 1644). Nach links gewendet, gradaus blickend. In rotem ausgeschnittenen Kleide; um den Nacken ein Perlenhalsband. In ovaler Umrahmung. Grauer Grund.

> Gegenstück zu No. 1008.
> Lebensgr. Brustb. Eichenholz, h. 0,72, br. 0,57. — Königliche Schlösser.

1017   Bildnis der Amalie von Solms, Gemahlin des Prinzen Friedrich Heinrich von Oranien (1602—1670, vermählt 1625). Nach links gewendet und gradaus blickend. In Witwentracht, eine Perlenschnur um den Hals und Perlen als Ohrringe. Auf die Brüstung, hinter welcher sie steht, stützt sie mit der Rechten ein kleines ovales Porträt ihres verstorbenen Gemahls († 1647). Graubrauner Grund.

> Lebensgr. Brustbild. Eichenholz, achteckig, h. 0,83, br. 0,81. — Königliche Schlösser.

Hooch. Pieter de Hooch, seltener de Hoogh oder Hooge. Holländische Schule. — Geboren 1630 zu Utrecht als Sohn des Malers Charles de Hooch, † bald nach 1677 vermutlich zu Amsterdam. Unter dem Einflusse Rembrandt's ausgebildet. Thätig 1653 vorübergehend im Haag, alsdann ein paar Jahre in Delft (seit dem 20. September 1655 Mitglied der Lukasgilde), später in Amsterdam, wo er sich zwischen 1657 und 1668 niederliefs.

820B   Holländischer Wohnraum. Neben einer vorn zur Linken stehenden Wiege sitzt eine junge Frau, welche ihr Kind eben gestillt hat und im Begriff ist ihr Mieder wieder zuzuschnüren. Vorn ein Hund, der sich müde von den bunten Fliesen erhoben hat. Ganz rechts unter dem hohen,

unten mit Laden geschlossenen Fenster ein Tisch; darauf
ein Leuchter und Krug. In dem Vorzimmer zur Rechten
steht ein kleines Mädchen vor der halboffenen Hausthüre,
durch die sich das volle Sonnenlicht nach innen ergiefst.

Leinwand, h. 0,92, br. 1,00, — Erworben 1876 in Paris aus der
Sammlung Schneider.

Hoogstraeten. Samuel van Hoogstraeten (auch **Hoogstraten**).
Holländische Schule. — Maler und Radirer, auch Dichter,
geb. in Dordrecht am 2. August 1627, † daselbst den 19. Oktober
1678 (nach Houbraken). Schüler seines Vaters Dirck und
später Rembrandt's (zwischen 1641 und 1648) zu Amsterdam.
Nach längerem Aufenthalte in Wien und Rom (1651—1653)
thätig in Dordrecht (bis 1663, und wieder nach 1668 als Direktor der Münze daselbst), in London (1663—1666) und im
Haag (vorübergehend 1668).

Männliches Bildnis. Fast ganz von vorn gesehen,   **824A**
etwas nach rechts gewendet. Mit vollem schwarzen auf die
Schultern fallenden Haar; in schwarzem Rock mit kleinem
Klappkragen. Brauner Grund.

Bez. rechts: *S v Ho . . st . . . . 1651.*
Brustb. Leinwand, oval, h. 0,70, br. 0,56. — 1858 aus dem Kupferstichkabinet überwiesen.

Horst. Gerrit Willemsz Horst. Holländische Schule. —
Geboren um 1612 zu Muiden. Schüler des Anthony Henricksz,
ausgebildet unter dem Einflusse Rembrandt's. Thätig nach
den Daten seiner Gemälde bis um 1660. 1677 wird in den
Amsterdamer Archiven seine Witwe erwähnt.

Der Segen Jakob's. Der blinde Isaak, zur Rechten   **807**
aufgerichtet in den Kissen seines Bettes liegend, erteilt
seinem Sohne Jakob, der in den Kleidern Esau's vor dem
Bette kniet, den Segen als Erstgeborenem. Im Hintergrunde
Rebekka, das für Isaak bereitete Gericht in den Händen.

Ein Bild desselben Gegenstandes, aber kleiner und von etwas anderer
Komposition, befand sich 1888 unter der richtigen Bezeichnung: Horst
im Kunsthandel in Berlin.
Fig. bis zu den Knieen. Leinwand, h. 1,55, br. 2,18. — Königliche
Schlösser.

Die Grofsmut des Scipio. Inmitten seiner Haupt-   **824**
leute stehend giebt Scipio, in phantastischer orientalischer

9*

Tracht, ein gefangenes Mädchen ihrem Bräutigam, dem
Häuptling der Celtiberer, Allucius, zurück und überläfst ihm
das Lösegeld, welches die Eltern der Braut vor den Füfsen
des Scipio ausgebreitet haben. Der Bräutigam, rechts neben
der Braut stehend, wendet sich zu Scipio mit der Geberde
des Dankes.

Bez. links unten: *G. horst. f.*
Leinwand, h. 2,47, br. 3,26. — Sammlung Solly, 1821.

Huijsum. Jan van Huijsum. Holländische Schule. —
Blumenmaler und Landschafter, geb. zu Amsterdam den
15. April 1682, † daselbst den 7. Februar 1749. Schüler seines
Vaters Justus, thätig zu Amsterdam. Zu seiner Zeit „der
Phönix" der Blumen- und Früchtemaler genannt.

972A Blumenstraufs. Auf einer Marmorplatte steht links,
neben einigen Trauben und Pfirsichen, in einer Vase ein
Straufs von Tulpen, Hyazinthen und anderen Gartenblumen.
Dunkelgrauer Grund.

Bez. links an der Tischplatte: *Jan van Huysum fecit.* — Gegenstück zu No. 972 B. — Sammlung Schönborn, Wien 1866.
Mahagoniholz, h. 0,78, br. 0,60. — Sammlung Suermondt, 1874.

972B Blumenstraufs. Auf einer Marmorplatte steht eine
mit Tuberosen, Iris, Rosen, Mohn, Nelken, Tulpen und anderen Blumen gefüllte Vase. Davor liegen einige Aurikeln.
Dunkelgrauer Grund.

Bez. rechts an der Tischplatte: *Jan van Huysum fecit.* — Gegenstück zu No. 972 A. — Sammlung Schönborn, Wien 1866.
Mahagoniholz, h. 0,78, br. 0,60. — Sammlung Suermondt, 1874.

998 Blumenstraufs. Auf einer Marmorplatte steht in einer
Vase ein reicher Straufs mannigfaltiger Blumen. Neben der
Vase rechts ein kleines Vogelnest mit Eiern. Dunkelgrauer
Grund.

Bez. links an der Tischplatte: *Jan van Huysn . . .*
Leinwand, h. 0,78, br. 0,61. — Erworben 1849.

Huysmans. Cornelis Huysmans, auch **Huysmans van
Mecheln** gen. Vlämische Schule. — Landschaftsmaler, getauft
zu Antwerpen den 2. April 1648, † zu Mecheln den 1. Juni 1727.
Schüler des Gaspar de Witte zu Antwerpen und des Jacques
d'Arthois zu Brüssel. Thätig vornehmlich zu Mecheln, zeitweilig zu Brüssel (um 1681) und Antwerpen (1702—1716).

Der Hohlweg. Waldige Berglandschaft. Links treibt **870**
ein Maultiertreiber zwei Packtiere durch einen engen Weg
vor sich her. Im Mittelgrunde ein Wasser, darauf ein Mann
in einem Kahn.

Ein ganz ähnliches Bild in der Galerie zu Schwerin.
Leinwand, h. 0,54, br. 0,39. — Sammlung Solly, 1821.

Jacobsz. S. Leyden.

Janssens. Abraham Janssens. Vlämische Schule. — Geb.
zu Antwerpen um 1575, daselbst 1601 als Meister in die Gilde
aufgenommen und begraben den 25. Januar 1632. Schüler
des Jan Snellinck (seit 1585). Thätig zu Antwerpen.

Vertumnus und Pomona. Pomona, einen Frucht- **775**
kranz im Haar, in der Linken eine Traube, stützt sich mit
dem rechten Arme auf ein Füllhorn, aus dem vor ihr auf
einem Tische die verschiedenen Früchte des Herbstes aus-
geschüttet sind. Hinter Pomona zur Rechten Vertumnus, eine
Traube zum Munde führend. Dunkler Grund.

Gegenstück zu No. 777. — Die Vögel und Früchte von Frans
Snyders.
Lebensgr. Halbfig. Eichenholz, h. 1,24, br. 0,93. — Sammlung
Solly, 1821.

Meleager und Atalante. Atalante empfängt von dem **777**
zur Linken weiter zurückstehenden Meleager den Kopf des
kalydonischen Ebers, den zwei Hunde beschnobern. Auf
einem Tische zwei erlegte Hasen und ein Köcher mit Pfeilen.
Dunkler Grund.

Gegenstück zu No. 775. — Die Tiere von Frans Snyders.
Lebensgr. Halbfig. Eichenholz, h. 1,18, br. 0,93. — Sammlung
Solly, 1821.

Janssens. Cornelis Janssens (Janson oder Jonson) van
Ceulen. Holländische Schule. — Bildnismaler, geb. zu London (?)
1594, † zu Amsterdam oder Utrecht um 1664. Thätig in England von 1618—1643 und daselbst von A. van Dyck beeinflußt;
alsdann in Middelburg (1643) und längere Zeit in Amsterdam
(1646 und noch 1662), vorübergehend im Haag (1647).

Bildnis eines ältlichen Mannes. Nach rechts ge- **750A**
wendet, gradaus blickend. In schwarzer Tracht und schlaffem
weißen Kragen. Dunkler Grund.

Lebensgr. Brustb. Leinwand, h. 0,70, br. 0,58. — Erworben 1846.

Jardin. Karel du Jardin oder Dujardin (du Jardijn). Holländische Schule. — Maler und Radirer, geb. 1622 zu Amsterdam, † zu Venedig den 20. Nov. 1678. Schüler des Claas Berchem, im Haag (1656—1659) unter dem Einflusse Potter's weiter ausgebildet. Nach längerem Aufenthalte in Italien thätig im Haag und in Amsterdam (seit 1659); von dort um 1675 nach Italien zurückgekehrt.

848A   Bildnis eines jungen Mannes. Nach rechts gewendet. Mit langem Haar; in schwarzer Kleidung mit offenen Aermeln, aus denen das bauschige Weißzeug hervorsieht. Die Linke auf die Brust gelegt. Dunkler Grund.

> Bez. rechts in der Mitte: *K du. J. fe 1652.*
> Lebensgr. Brustb. Leinwand, h. 0,60, br. 0,48. — Erworben 1848.

848D   Bildnis eines jungen Mannes bei der Weinprobe. Sitzend, nach rechts gewendet. In schwarzem Gewand und seidengefüttertem Mantel. In der Linken den gefüllten Römer, in der Rechten einen Weinheber haltend. Dunkler Grund.

> Bez. rechts oben: *K. du. Jardin. fe 1664.* — Ein ähnliches Bildnis des Meisters, als Selbstporträt bezeichnet und 1660 datiert, im Rijksmuseum zu Amsterdam.
> Kleine Halbfig. Kupfer, h. 0,28, br. 0,22. — Erworben 1873 aus der Sammlung Mesteru in Hamburg.

848E   Italienische Landschaft bei Morgenbeleuchtung. Durch ein Gewässer, über das sich im Mittelgrunde ein steinerner Brückenbogen spannt, waten ein Mädchen und zwei Burschen in Begleitung eines Reiters auf einem Maultiere. Im Mittelgrunde eine Gruppe immergrüner Eichen.

> Bez. links unten: *K. Du. Jardin. fe.* — Gegenstück zu No. 848 F.
> Leinwand, h. 0,61, br. 0,54. — Erworben 1878 in Paris.

848F   Italienische Landschaft bei Abendbeleuchtung. Ein Bote auf weißem Maultiere spricht im Vorbeireiten mit zwei jungen Hirten, die im Begriffe sind zu seiner Rechten mit ihrer Herde ein kleines Wasser zu durchschreiten. Im Mittelgrunde rechts eine Villa hinter dichtem Gebüsch.

> Bez. links unten: *K. Du. Jardin. fe.* — Gegenstück zu No. 848 E.
> Leinwand, h. 0,62, br. 0,55. — Erworben 1878 in Paris.

Inganatis. S. Bissolo.

Innocenzo. S. Francucci.

Joos. S. Cleve.

Jordaens. Jacob Jordaens. Vlämische Schule. — Maler
und Radirer, geb. zu Antwerpen den 19. Mai 1593, † daselbst
den 18. Oktober 1678. Schüler seines Schwiegervaters, des
Adam van Noort (seit 1607/8) zu Antwerpen und unter dem
Einfluſs des Rubens ausgebildet. Thätig zu Antwerpen.

Lustige Gesellschaft. Darstellung des niederländischen   **879**
Sprichworts: „Zo de ouden zongen, zo pypen de jongen."
An einem mit Speise und Getränk besetzten Tische ergötzt
sich eine Gesellschaft von Alten und Kindern am Gesange
zu dem Spiel eines Dudelsackpfeifers. Im Vordergrunde
rechts eine Katze auf einem Sessel und links ein Hund. Auf
dem geöffneten Fensterladen sitzt ein Papagei.

Verschiedene Darstellungen desselben Gegenstandes von der Hand
des Meisters, im Louvre, in der Pinakothek zu München, der Galerie
zu Dresden, im Privatbesitz zu Amsterdam u. a. a. O.

Lebensgroſse Figuren bis zu den Knieen. Leinwand, h. 1,63,
br. 2,35. — Königliche Schlösser.

Isaaksz. Peeter Isaaksz (Isacsz, Isacksen; auch Ysaacx).
Niederländische Schule. — Geb. 1569 zu Helsingör in Dänemark, † daselbst den 14. September 1625. Sohn eines Haarlemer Bürgers, Schüler des Cornelis Ketel zu Amsterdam
und des Hans van Aken in München. Nach Reisen in
Deutschland und Italien abwechselnd thätig zu Amsterdam
und in Kopenhagen als Hofmaler des Königs von Dänemark
(1618—1623).

Bildnis des Königs Christian IV. von Dänemark   **717**
(1577—1648). Nach rechts gewendet, gradaus blickend. Ueber
der schwarzen Tracht die weiſse Feldherrnbinde; die
Rechte den Kommandostab haltend, die Linke am Schwert-
griff. Rechts auf einem Postament liegen Krone, Szepter
und Helm; an dem Postament ein Relief, den Triumphzug
des Königs derstellend.

Kniestück in Lebensgr. Eichenholz, h. 1,39, br. 1,06. — Sammlung
Solly, 1821.

Italienische Schule um 1450.

Der hl. Antonius von Padua. In der Rechten einen   **1141**
Lilienstengel, mit der Linken ein Buch haltend. Oben, in

kleinerem Maſsstabe, links die auf Wolken thronende Maria,
ihr gegenüber der segnende Christus. Goldgrund.

Das schwer unterzubringende Bild wurde früher der Schule von
Siena, dann derjenigen von Florenz zugeschrieben, während manche
Anzeichen auf venetianisch-paduanischen Ursprung hindeuten.
Tempera. Pappelholz, h. 0,99, br. 0,49. — Sammlung Solly, 1821.

Kalf. Willem Kalf oder Kalff. Holländische Schule. —
Geb. zu Amsterdam 1621 oder 1622, † daselbst den 31. Juli
1693. Schüler des Hendrik Pot. Thätig zu Amsterdam.

948B   Stillleben. Auf runder Marmorplatte liegt ein per-
sischer nach rechts zurückgeschobener Teppich; auf demselben steht eine Delfter Schale mit einer Orange und zwei
Citronen. Links neben der Schale einige Pfirsiche, ein
Nautilusbecher und mehrere Gläser. Dunkelgrauer Grund.

Leinwand, h. 0,68, br. 0,57. — Erworben 1881 in Paris.

Keijser. Thomas de Keijser. Holländische Schule. —
Bildnismaler, geb. zu Amsterdam 1596/97, begraben daselbst
den 7. Juni 1667. Herangebildet unter dem Einflusse des
Aert Pietersz und Corn. van der Voort. Thätig zu
Amsterdam.

750   Familienbildnis. In einem holzgetäfelten Zimmer
sitzt zur Linken der Hausherr an einem mit grünem Sammet-
teppich bedeckten Tische. Hinter seinem Stuhle links der
älteste Sohn. Rechts vorn die Gattin in einem Lehnsessel,
rechts hinter derselben die älteste Tochter, einen Apfel in
der Rechten; zwischen beiden steht der jüngste Sohn. Hinter
dem Tische die beiden jüngeren Töchter, Weintrauben in
den Händen. Sämtlich in schwarzer Tracht mit Steinkragen.

Die Zahlen, welche das Alter bei jedem Gliede der Familie angeben,
sind jetzt schwer lesbar. Neben dem Vater 48; neben dem ältesten
Sohne 22; neben der Gattin 40; neben der ältesten Tochter 19; neben
dem jüngsten Sohne 8; endlich über den beiden jüngeren Töchtern
14 und 10.
Kleine ganze Fig. Eichenholz, h. 0,94, br. 1,25. — Erworben 1832
von Kommissionsrat Reichert in Berlin.

750B   Bildnis eines älteren Mannes und seines Sohnes.
In verehrender Stellung, als Donatoren dargestellt, nach
rechts gewendet. Der Vater kniend, in geblümte schwarze

821A.   Ph. de Koningk.

Seide gekleidet. Hinter ihm steht der Sohn in schwarzem
Rock, der durch die Schlitze das hell geblümte Untergewand
erkennen läfst. Grund düsterer Wolkenhimmel.

Gegenstück zu No. 750 C. — Wahrscheinlich bildeten diese beiden
Bilder die Flügel eines Altars und zwar — wie die schwarzen
Wolken des Grundes annehmen lassen — einer Darstellung des ge-
kreuzigten Christus, welche vermutlich von älterer Hand herrührte.

Ganze Fig. in etwa Drittel-Lebensgr. Eichenholz, h. 0,66, br. 0,29.
— Sammlung Suermondt, 1874.

Bildnis einer ältlichen Dame und ihrer Tochter. 750C
In verehrender Stellung, als Donatoren dargestellt, nach links
gewendet. Die Mutter stehend in schwarzseidener pelzbesetzter Tracht und breitem Steinkragen. Vor ihr die Tochter,
knieend, in grünem Unterkleide und schwarzem Ueberwurf
mit breitem Spitzenkragen, in den Händen einen Rosenkranz
haltend. Grund düsterer Wolkenhimmel.

Bez. links auf einem Steine mit dem Monogramm und der Jahreszahl *1628*. — Gegenstück zu No. 750B.

Ganze Fig. in etwa Drittel-Lebensgr. Eichenholz, h. 0,66, br. 0,29.
— Sammlung Suermondt, 1874.

Kölnische Schule um 1450—1500.

Die Verkündigung. Gemälde in zwei Abtei- 1199
lungen. Zur Rechten: Vor einem Fenster, welches Ausblick in eine Landschaft gewährt, kniet Maria, in den
Händen das Gebetbuch, und wendet sich nach dem Engel
um. Zur Linken: Der Engel, der sich auf ein Knie niedergelassen hat, hält in der Linken einen Rittersporn. Auf
einem Spruchband die Worte: gratia plena dominus tecum
(in gotischen Lettern).

In der Art des Meisters des Marienlebens.

Leinwand auf Eichenholz; jede Abteilung h. 1,30, br. 0,70. — Sammlung Solly, 1821.

Koninck. Philips Koninck oder Koning. Holländische
Schule. — Landschafter, sowie Bildnis- und Sittenbildmaler. Geb. den 5. November 1619 zu Amsterdam, begraben
ebenda den 4. Oktober 1688. Schüler Rembrandt's. Thätig
zu Amsterdam.

Landschaft. Weite holländische Flachlandschaft, von 821A
Wasserläufen durchzogen und von ziehenden Wolken-

schatten belebt. Im Vordergrund zwischen Buschwerk ein Schlösschen und die Häuser eines Dorfes.

Bez. rechts unten: *P. Koning.*

Leinwand, h. 0,91, br. 1,65. — Erworben 1888 in London.

Koninck. **Salomon Koninck.** Holländische Schule. — Maler und Radirer, geb. zu Amsterdam 1609, begraben daselbst den 8. August 1656. Schüler des David Colijn, François Venant und Claas Moeijaert zu Amsterdam; 1630 daselbst in die Malergilde aufgenommen. Bildete sich nach Rembrandt aus. Thätig zu Amsterdam.

821   Bildnis eines Rabbiners. Nach rechts gewendet, das Haupt von vorn gesehen. In weifsem Turban und weitem mit goldener Spange auf der Brust zusammengehaltenen Mantel; die Hände in einander gelegt. Im Grunde ein durch ein ·hohes Fenster erleuchtetes Gemach mit Tisch und Arbeitsstuhl; in einer Nische die von der ehernen Schlange umwundene Säule.

Kopie nach einem Originale von Rembrandt, das sich, mit dem Namen desselben und der Jahreszahl 1635 bezeichnet, beim Herzog von Devonshire in Chatsworth befindet. Verschiedene andere alte Kopieen kommen in mehreren Sammlungen vor (u. a. in Dresden, Turin, Emden, Galerie Liechtenstein zu Wien, Kingston Lacy u. s. w.).

Halbfig. in Lebensgr. Eichenholz, h. 0,96, br. 0,76. — Königliche Schlösser.

Kulmbaoh. **Hans von Kulmbach.** Nach seinem Familiennamen: **Hans Süss.** Deutsche Schule. — Maler und Zeichner für den Holzschnitt, geb. zu Kulmbach in Franken, † zu Nürnberg zwischen dem 29. September und dem 3. Dezember 1522. Schüler des Jakob Walch (Jacopo de' Barbarj), unter dem Einflusse und wahrscheinlich in der Werkstatt Dürer's zu Nürnberg ausgebildet. Thätig zu Nürnberg.

596A   Anbetung der Könige. In der Ruine eines antiken Bauwerkes sitzt links Maria mit dem Kinde, dem zwei knieende Könige ihre Gaben darbringen. Der dritte König nimmt sein Geschenk aus den Händen eines Gefolgsmannes in Empfang. Links Josef von zwei Männern begrüfst. Zwischen dem Gefolge ein ältlicher Mann mit Haarnetz, der Stifter. Hintergrund Landschaft.

Bez. links an dem Balkenwerk mit der Jahreszahl *1511* und dem

596.\. **Hans von Kulmbach.**

aus H K gebildeten Monogramm. — Nach dem Tucher'schen Altare der Sebalduskirche in Nürnberg das Hauptwerk des Künstlers, in dem sich (neben niederländischem) venetianischer Einfluß kundgiebt (insbesondere der des Jacopo de' Barbari). — Sammlung Rosthorn, Klagenfurt 1872.

Lindenholz, h. 1,53, br. 1,10. — Erworben 1876 aus der Sammlung von F. Lippmann.

Laen. Dirk Jan van der Laen. Holländische Schule. — Landschafts- und Genremaler. Geb. den 16. April 1759 zu Zwolle, † ebenda 1828/29. Schüler des Hendrik Meijer zu Leiden. Thätig in Zwolle.

Das Landhaus. Im Mittelgrunde die voll von der **796 C** Sonne beleuchtete Giebelseite eines weißgetünchten Hauses mit dem Schlagschatten zweier links zur Seite stehender Linden. Daneben rechts die mit Wein berankte Mauer eines höheren Gebäudes mit rotem Ziegeldach; vor derselben ein Ziehbrunnen.

Galt früher als Werk des Delfter Vermeer. Indes hat Bredius dasselbe mit Erfolg für den Maler D. J. van der Laen in Anspruch genommen. Der Umstand, daß das Bild auf sehr alter Leinwand gemalt ist, beweist nichts gegen diese Bestimmung, da sich v. d. L., der für französische und englische Kunsthändler malte, häufig solcher bedient haben soll. — Sammlung Osteaux, Lüttich 1856.

Leinwand, h. 0,47, br. 0,39. — Sammlung Suermondt, 1874.

Lairesse. Gerard Lairesse (oder de Lairesse). Holländische Schule. — Maler und Radirer, geb. zu Lüttich 1641 (Helbig; nach anderer Angabe 1640), begraben zu Amsterdam den 21. Juli 1711. Schüler seines Vaters Reinier und des Bertholet Flémalle (Flemal) zu Lüttich; unter dem Einfluß von Nicolas Poussin weiter ausgebildet. Thätig zu Lüttich, dann zu Herzogenbusch und Utrecht, im Haag (1684 als Mitglied der Gilde genannt) und vornehmlich zu Amsterdam.

Die Taufe des Achilles. Vor der Terrasse eines zur **481** Rechten liegenden Barockhauses ist Thetis im Begriff, ihren Sohn Achill in ein goldenes Gefäß zu tauchen, um ihn im Styxwasser unverwundbar zu machen. Daneben der ruhende Flußgott und vier Hilfe leistende Nymphen; zur Rechten bringen zwei Dienerinnen ein Gefäß mit Kohlen zu einem Rauchopfer aus dem Palaste. In der Ferne Gebirgslandschaft.

Leinwand, h 0,55, br. 0,76. — Königliche Schlösser.

Lancret. Nicolas Lancret. Französische Schule. — Geb.
zu Paris den 22. Jan. 1690, † daselbst den 14. September 1743.
Schüler des Pierre Dulin und Claude Gillot zu Paris, Nachfolger Watteau's. Thätig zu Paris.

473   Schäferszene. Unter einer Baumgruppe im Vordergrund einer hügeligen Landschaft tanzt ein Paar ein Menuett,
zu dem mit Flöte und Hackebrett ein rechts stehender
junger Mann aufspielt. An einem Kornfelde mehr dem
Grunde zu eine zweite Gruppe. Rechts vorn ein Mann auf
der Erde gelagert und mit einem Hunde beschäftigt.

> Leinwand, h. 0,54, br. 0,69. — Königliche Schlösser.

Lansinck. J. W. Lansinck. Holländische Schule. —
Lebensverhältnisse unbekannt. Vermutlich unter dem Einfluss des J. M. Molenaer ausgebildet. Thätig wahrscheinlich
in Amsterdam.

970   Das geschlachtete Schwein. In einem Bauern-
zimmer hängt rechts ein geschlachtetes Schwein. Daneben
ein Junge mit der Schweinsblase. Links am Fenster ein
Bauer mit Krug und eine Alte einen Fisch ausweidend. Im
Mittelgrunde am Boden Körbe und Tonnen mit Zwiebeln,
Kohl u. dgl. Im Grunde um den Kamin vier Bauern.

> Bez. am Kaminmantel: *J. W. Lansinck.*
> Eichenholz, h. 0,47, br. 0,62. — Königl. Schlösser.

Largillière. Nicolas Largillière oder de Largillière.
Französische Schule. — Geb. zu Paris den 9. Oktober 1656,
† daselbst den 20. März 1746. Schüler des Antonius Goubau
zu Antwerpen. Thätig zunächst in Antwerpen, dann einige
Zeit in London und vornehmlich zu Paris (seit 1678).

484A   Bildnis seines Schwiegervaters, des Landschaftsmalers Jean Forest (1636—1712). Nach links gewendet,
den Blick nach rechts gerichtet. Vor der Staffelei sitzend,
auf der eine angefangene Landschaft steht. Mit schwarzer
hoher Sammetmütze, in rotsammtnem pelzgefütterten Schlaf-
rock, offenem Hemd und Weste; in der Linken Palette,
Pinsel und Malstock.

> Eine Originalwiederholung im Museum zu Lille. — Largillière
> hatte sich mit der Tochter von Jean Forest am 14. Sept. 1699 vermählt.
> Lebensgr. Figur bis zu den Knieen. Leinwand, h. 1,17, br. 0,88.
> — Erworben 1875 in Paris.

Largillière? Bildnis eines jungen Edelmannes. **484 B**
Nach links gewendet, gradaus blickend. Mit schwarzer
Allongeperrücke; über dem roten goldgestickten Kleide ein
Brustharnisch, darüber eine blaue Schärpe; die Linke in die
Hüfte gestemmt, in der Rechten einen Brief haltend. Hinter-
grund dunkle Wand.

<small>Lebensgr. Halbfig. Leinwand, h. 0,85, br 0,65. — Erworben 1863.</small>

Lebrun. **Charles Lebrun** oder **le Brun.** Französische
Schule. — Maler und Radirer, geb. zu Paris den 24. Februar
1619, † daselbst den 12. Februar 1690. Schüler des François
Perrier und des Simon Vouet zu Paris, in Rom unter Nic.
Poussin und dem Einflusse von Annibale Carracci weiter
ausgebildet. Thätig zu Paris.

Bildnis des Bankiers Eberhard Jabach von Köln **471**
mit seiner Familie. Jabach, zur Linken in einem Lehn-
stuhl sitzend, weist auf die Bronzebüste der Minerva. Neben
ihm zur Rechten seine Gattin, Anne Marie d'Egrotte oder
de Groot mit vier Kindern. Links neben Jabach unter
einem aufgerafften Vorhange in einem Spiegel das Bild des
Malers Lebrun an der Staffelei.

<small>Der Bankier Jabach († 1695), von Köln nach Paris übergesiedelt,
daselbst Direktor der Ostindischen Gesellschaft und Vertrauter Mazarin's,
ist namentlich bekannt durch seine ausgezeichnete Sammlung von
Gemälden und Zeichnungen, die in den Jahren 1670—1672 durch Colbert
an Ludwig XIV. überging und heute noch einen hervorragenden Be-
standteil der Galerie des Louvre bildet. Jabach ist hier in seinem
Pariser Hôtel in der Rue Saint-Merry dargestellt. Vergl. Goethe
(Dichtung und Wahrheit, Hempelsche Ausg. XXII. 166, und Kunstschätze
am Rhein, Main und Neckar, Hempelsche Ausg. XXVI. 268), der das
Bild in Köln in Jabach's Hause sah, wo es bis 1835 blieb.</small>

<small>Lebensgr. ganze Fig. Leinwand, h. 2,76, br. 3,25. — Erworben 1837.</small>

Lelienbergh. Cornelis Lelienbergh oder Lelienburch. Holländische Schule. — Stilllebenmaler, 1646 in die Lukasgilde
im Haag als Meister aufgenommen und 1656 Mitbegründer
der neuen Malergilde daselbst. Nach den Daten auf seinen
bekannten Gemälden thätig um 1650—1672 (im Haag bis 1665).

Stillleben. Auf einer Tischplatte steht ein Blecheimer **990**
mit Artischocken und einem toten Vogel; vor demselben
Quitten, eine Schnepfe und mehrere kleine Vögel. Dunkelgrauer Grund.

Bez. an der Tischplatte rechts mit dem aus C und L gebildeten
Monogramm und der Jahreszahl *1652*.
Eichenholz, h. 0,78, br. 0,62. — Sammlung Solly, 1821.

Leonbruno. Lorenzo Leonbruno. Lombardische Schule.
— Getauft zu Mantua den 10. März 1489, † 1537 wahrscheinlich
zu Mantua. Unter dem Einflusse des Lorenzo Costa und
der lombardischen Schule, dann des Giulio Romano ausgebildet. Thätig am Hofe der Gonzaga zu Mantua und
einige Zeit (seit 1532) in Mailand.

264A   Das Urteil und die Bestrafung des Midas. Auf
dem Gipfel des Tmolus steht unter einer Baumgruppe zur
Linken Apollo, die Geige spielend; ihm gegenüber sitzt Pan,
der sein Spiel auf der Rohrflöte soeben beendet hat. Hinter Pan
steht zur Rechten der König Midas, welchem, zur Strafe
dafür, daß er dem Spiele des Pan den Preis zuerkannt hat, die
Eselsohren schon gewachsen sind. Vor Midas sitzt Tmolus,
der jugendliche Gott des Gebirges. (Vergl. Ovid's Ver-
wandlungen XI. 146f).

Das Bild trug nach Prandi unterhalb der aufgestützten Hand des
Tmolus die, jetzt nicht mehr sichtbare, Bez. LAV. LEONB. MAN.
Pappelholz, h. 1,89, br. 1,28. — Erworben 1873 in Florenz.

Lesueur. Eustache Lesueur oder le Sueur. Französische
Schule. — Maler und Radirer, getauft zu Paris den 19. November 1616, † daselbst den 30. April 1655. Schüler des Simon
Vouet, ausgebildet durch das Studium der Werke Raphael's
und N. Poussin's. Thätig zu Paris.

466   Der hl. Bruno in seiner Zelle. Zur Linken der
Heilige, in der Tracht des Karthäuser-Ordens, auf einem
Betschemel vor dem Kreuze kniend und im Gebet vertieft.
Durch die offene Thüre Ausblick auf den Klostergarten und
Landschaft.

Leinwand, h. 1,93, br. 1,41. — Königliche Schlösser.

Leyden. Lucas Jacobsz, gen. Lucas van Leyden. Niederländische Schule. — Maler, Kupferstecher und Zeichner für
den Holzschnitt, geb. zu Leiden 1494, † daselbst 1533. Schüler
seines Vaters Huig Jacobsz und des Cornelis Engelbrechtsen.
Thätig zu Leiden, einige Zeit auch zu Antwerpen (1522 als
Meister in die Lucasgilde aufgenommen).

Die Schach'partie. An einem Tisch sitzt, von ver- **574A**
schiedenen Zuschauern umgeben, ein Paar beim Schachspiel.
Ein Herr giebt der zur Rechten sitzenden Dame, die eben
im Begriff ist zu ziehen, einen Ratschlag. Dunkler Grund.

Galt schon in der Sammlung des Kgl. preufs. Gesandten Baron
Werther in Wien als Lucas van Leyden. In der That zeigt sich diesem
Meister das Bild, wie der Vergleich mit der von ihm bezeichneten
Schachpartie in Wiltonhouse beweist, so nahe verwandt, dafs es ihm
selbst zugeschrieben werden mufs; die weniger helle und flüssige
Färbung, als sie sich meist bei dem Künstler findet, bezeugt wohl nur,
dafs es zu seinen frühen, von Engelbrechtsen beeinflufsten, Werken
gehört.

Kleine Halbfig. Eichenholz, h. 0,27, br. 0,35. — Sammlung Suermondt, 1874.

Der hl. Hieronymus in Bufsübung. Der Heilige, im **584A**
Profil nach links, kasteit sich vor dem an einem Baum be-
festigten Kruzifix. Rechts weiter zurück der Löwe. In der
Ferne rechts ein Kloster.

Kleine Fig. bis zu den Knieen. Leinwand, h. 0,27, br. 0,31. — Erworben 1872 von den S. G. Liesching'schen Erben in Stuttgart.

Liberale. Liberale da Verona. Nach dem Vater Liberale
di Jacomo gen. Venetianische Schule (Verona). — Geb. 1451
zu Verona, † daselbst 1536 (nach Vasari am Tage der hl.
Clara, also am 12. August). Als Miniaturmaler mutmalslich
Schüler des Stefano dai Libri. Zuerst als Miniator thätig,
urkundlich schon 1469 bis 1476 bei und in Siena; alsdann
vornehmlich in Verona mit Fresken und Tafelgemälden beschäftigt.

Der hl. Sebastian. Der Heilige, an einen Orangenbaum **46A**
gefesselt und von fünf Pfeilen durchbohrt, blickt begeistert
zum Himmel empor. Zur Linken mehr zurück die Ruine
eines Baues mit korintischen Säulen; rechts im Grunde auf
der Ruine eines Triumphbogens verschiedene Zuschauer.
Unten davor einige Soldaten.

Ein ganz ähnliches Bild des Meisters in der Brera zu Mailand.
Pappelholz, h. 2,11, br. 0,92. — Sammlung Solly, 1821.

Libri. Girolamo dai Libri. Schule von Verona. — Geb.
zu Verona 1474, † daselbst den 2. Juli 1556. Sohn und
Schüler des Miniaturmalers Francesco di Stefano, gen. (als
Illuminator von Büchern) dai Libri (a libris). Zuerst gleich-

falls Miniator; unter dem Einflusse des Liberale da Verona, dann in gemeinsamer Arbeit mit Francesco Morone unter dessen Einfluſs weiter ausgebildet. Thätig zu Verona.

30 Thronende Maria mit dem Kinde. Maria auf dem Throne hält das stehende Kind auf dem Schoſse. Vor den Stufen des Thrones links der Apostel Bartholomäus, rechts der hl. Zeno, Bischof von Verona, mit dem Krummstab. Vorn auf der Brüstung sitzen drei musizierende Engel. Hintergrund Landschaft.

Aus der späteren Zeit, da der Künstler unter dem Einflusse des Francesco Morone stand. — Für die Kapelle der Buonalivi in Santa Maria in Organo in Verona gemalt.
Leinwand, h. 2,09, br. 1,43. — Sammlung Solly, 1821.

Lionardo. Lionardo da Pistoia, gen. il Pistoia. Familienname: Malatesta. Nach dem Vater: Lionardo di Francesco di Lazzero. Zu unterscheiden von dem Schüler des Penni, Leonardus Grazia aus Pistoja, der um die Mitte des 16. Jahrhunderts thätig war. Florentinische Schule. — Geb. 1483 zu Pistoia, aus dem Geschlechte der Malatesta; Todesjahr unbekannt. Datierte Bilder von 1516 und 1518. Thätig vermutlich vornehmlich zu Pistoia. Schüler Raphael's oder nach demselben ausgebildet.

286 Maria mit dem Kinde. Maria hält das Kind auf dem Schoſse und reicht ihm einen auf ihrer Linken sitzenden Stieglitz hin. Durch das Fenster links Ausblick in eine Landschaft.

Bez. an der Wand: *Opus. Leon*(ardi) *Pist*(oiensis) *M. D. XVI.*
Maria Halbfig. in Lebensgr. Pappelholz, h. 0,73, br. 0,55. — Erworben 1829 durch Rumohr.

Lionardo. Lionardo da Vinci. Florentinische und Mailändische Schule. — Baumeister, Bildhauer und Maler, geb. 1452 auf der Villa Vinci bei Empoli, † den 2. Mai 1519 auf Schloss Cloux bei Amboise. Schüler des Andrea del Verrocchio in Florenz. Thätig zu Florenz (bis um 1484, dann wieder um 1500—1514; der zweite Florentiner Aufenthalt durch verschiedene Reisen häufig unterbrochen) und Mailand (um 1484—1499), kurze Zeit in Rom und seit 1516 in Frankreich, am Hofe Franz' I.

90B. Lionardo da Vinci.

Der auferstandene Christus von Heiligen verehrt. 90A
Christus, die Siegesfahne in der Linken, die Rechte erhoben,
vom Bahrtuche umhüllt, aus dem Grabe emporschwebend;
vorn zur Linken der hl. Lionardo, zur Rechten die hl. Lucia,
beide knieend. Hintergrund Landschaft mit steilen Fels-
gebilden, von einem Fluſs durchzogen.

In den älteren Katalogen „Mailändische Schule unter Einfluſs des
Leonardo da Vinci" benannt. Ueber die Gründe, welche die Veranlassung
gegeben haben, das Bild, als es neuerdings wieder zur Aufstellung
gelangte, dem Meister selbst zuzuteilen, s. Jahrbuch der k. preuſs.
Kunsts. V. 293 ff. — Befand sich früher (nachweisbar im 17. Jahrhundert)
in der Kirche Sta. Liberata zu Mailand und trug damals, wie Torre
(Ritratto di Milano, 1714, S. 199) berichtet, den Namen des Bramantino,
mit dem indes das Bild keine Verwandtschaft hat.
Pappelholz, h. 2,30, br. 1,83. — Sammlung Solly, 1821. 1884 wieder
in die Galerie aufgenommen.

Lippi. Filippino Lippi. Nach dem Vater: Filippo di Fra
Filippo. Zeichnet sich meist Filippinus Florentinus. Florentinische Schule. — Geb. zu Prato um 1457 oder 1458, † zu
Florenz den 18. April 1504. Schüler des Fra Diamante;
unter dem Einflusse Botticelli's und der Werke des Fra
Filippo ausgebildet. Thätig vornehmlich zu Florenz, zeitweilig in Prato und Rom.

Allegorie der Musik. Am Meeresufer, neben einem 78A
Lorbeerbaum, steht die Figur der Musik, in beiden Händen
ihren langen Gürtel haltend, mit welchem zwei Amoretten
einen Schwan anzuschirren eben beschäftigt sind. Links
vorn in einem stillen Wasser drei kleine Schwäne. Auf
einem Felsen eine aus einem Hirschgeweih geformte Leier,
eine Pansflöte und eine einrohrige Flöte.

Tempera. Pappelholz, h. 0,61, br. 0,51. — Erworben 1883 von Maler
Landsinger in Florenz.

Maria mit dem Kinde. Maria hält mit der Rechten 82
das in einem Buche blätternde Kind auf ihrem Schoſse. Auf
der Brüstung der links offenen Loggie eine Blumenvase;
über der Brüstung Ausblick in eine Landschaft.

Halbfig. in Lebensgr. Tempera. Pappelholz, h. 0,77, br. 0,51. —
Sammlung Solly, 1821.

Christus am Kreuze von Maria und Franciscus 96
verehrt. Drei schwebende Engel fangen in Kelchen das

aus den Händen und der Seite des Gekreuzigten fliefsend(
Blut auf. Auf der Schädelstätte knieen links Maria, recht(
Franciscus. Goldgrund.

> Tempera. Pappelholz, h. 1,86, br. 1,79. — Sammlung Solly, 18o(

101   Maria mit dem Kinde. Maria, auf einer Steinban(
sitzend, hält das Kind, welches liebkosend das Gesicht a(
das ihrige schmiegt, auf den Armen. Zur Linken Ausblic(
auf die Stadt Florenz.

> Maria Halbfig. Tempera. Pappelholz, h. 0,96, br. 0,72. — Erworb(
> 1829 durch Rumohr.

Lippi. Fra Filippo Lippi. Nach dem Vater: Filippo (
Tommaso Lippi. Florentinische Schule. — Geb. zu Flore(
um 1406, † zu Spoleto den 9. Oktober 1469. Unter dem Ei(
flusse von Masaccio, Masolino und Fra Angelico da Fie(
gebildet. Thätig vornehmlich zu Florenz, einige Zei(
Padua (um 1434), Prato (um 1452—1465) und Spoleto.

58   Maria mit dem Kinde. In einer Nische stehend, h(
Maria das rechts vor ihr auf der Brüstung sitzende Kin(

> Maria Halbfig. unter Lebensgr. *Tempera. Pappelholz, h. 0(
> br. 0,48. — Sammlung Solly, 1821.

69   . Maria, das Kind verehrend. Maria kniet in Anbetu(
vor dem auf blumigem Waldboden links vor ihr liegende(
Kinde. Links der kleine Johannes, das Kreuz mit de(
Spruchband (ECCE ANCNVS DEI ECCE M . . .) in de(
Hand; weiter zurück der hl. Bernhard in Verehrung. Obe(
Gott-Vater und unter ihm die Taube, ihre Strahlen auf da(
Kind niedersendend. Hintergrund dichter Wald.

> Bez. auf dem Stiele der vorn links in einen Baumstumpf eing(
> hauenen Axt: *Frater . Philippus . P.* — Aus der früheren Zei(
> Meisters, als er noch unter dem Einflusse von Fra Angelico stan(
> — Das Bild ist übereinstimmend mit der im mediceischen Kun(
> inventar aufgeführten Altartafel in der Kapelle des Pal. Riccar(
> (s. Ulmann, Fra Filippo Lippi und Fra Diamante, Dissertation(
> Eine gute Schulkopie mit gemalter Laubbordüre im Vorrat der Uffizie(
> (unter dem Namen Alesso Baldovinetti).
> Tempera. Pappelholz, h. 1,27, br. 1,16. — Sammlung Solly, 1821(

95   Maria als Mutter des Erbarmens. Unter ihrem weit
ausgebreiteten Mantel, den zuäufserst an beiden Seiten zwei
Engel empor halten, birgt Maria die dicht gedrängt um sie
herum knieende Gemeinde. Der Maria zunächst drei Geist(

69. Fra Filippo Lippi.

liche, von denen der Eine rechts wahrscheinlich der Stifter. Goldgrund.

Tempera. Pappelholz, h. 1,00, br. 2,28. — Sammlung Solly, 1821.

Lippi. Schule des Fra Filippo Lippi. Florentinische Schule.

Schule des Fra Filippo? Christus und der kleine Johannes. Auf der Rückkehr aus Aegypten wird in einem Walde Christus als Knabe von dem rechts herantretenden jugendlichen Johannes als der Heiland begrüfst. Von der Linken kommen Joseph und Maria herzu. **94**

Von einem dem Boticelli verwandten Meister, der sich aber durch die tiefe Färbung der Landschaft auszeichnet.

Tempera. Pappelholz, h. 0,30, br. 0,48. — 1842 von S. Majestät dem König Friedrich Wilhelm IV. der Galerie überwiesen.

Lippo. Lippo Memmi. Zeichnet sich zumeist **Lippus Memmi.** Schule von Siena. — Geb. zu Siena, † daselbst 1356. Als Gehülfe seines Schwagers, des Simone Martini, wesentlich unter dessen Einflufs gebildet. Thätig vornehmlich in Siena, einige Zeit in S. Gimignano (1317).

Maria mit dem Kinde. Maria hält das Kind auf dem linken Arme, mit der Rechten seine Füfse stützend. Goldgrund. **1067**

Maria Halbfigur unter Lebensgr. Tempera. Pappelholz, oben im Rundbogen abschliefsend, h. 0,77, br. 0,55. — Erworben 1843.

Maria mit dem Kinde. Maria, auf einem Kissen sitzend, reicht dem bekleideten Kinde die Brust. Goldgrund. **1072**

Tempera. Pappelholz, h. 0,28, br. 0,19. — Sammlung Solly, 1821.

Maria mit dem Kinde. Maria trägt das Kind, welches mit der Linken ein Schriftband hält, auf dem linken Arme. Oben in einem kleinen Rundfelde ein schwebender Engel. Goldgrund mit feinen eingepunzten Randverzierungen. **1081A**

Bez. am unteren Rande: *Lippus + Memmi + de Senis.* — Auf der Rückseite ein Siegel mit den Worten: Insigne Campo Santo di Pisa. — Die Tafel, auf der das Bild gemalt ist, und der Rahmen sind aus einem Stück. Die feine Ornamentation der Einfassung ist wohl vom Meister selbst, wie uns auch urkundlich eine Zahlung der Dom-Bauverwaltung an den Künstler für solche Arbeit erhalten ist. Maria Halbfig. in ein Viertel-Lebensgr. Tempera. Pappelholz, h. 0,77, br. 0,28. — Erworben 1863 aus Hofrat Fr. Försters Besitz in Berlin.

10*

Livens. Jan Livens, Lievens oder Lievensz. Holländische
Schule. — Maler und Radirer, geb. zu Leiden den 24. Oktobe
1607, † im Juni 1674 in Amsterdam. Schüler des Joris va
Schooten zu Leiden und des Pieter Lastman zu Amster
dam, ausgebildet unter dem Einflusse Rembrandt's. Thäti
zu Leiden und nach einem Aufenthalte in England (1631]
zu Antwerpen (1634/35 als Meister in die Gilde aufgenommer
und noch 1642/43 anwesend), später in Amsterdam, zeitweis
im Haag (1661 in die Gilde eingeschrieben), und wieder i
Leiden (nachweisbar 1639, 1672).

839   Bildnis eines Knaben. Stehend, nach links gewende
und gradaus blickend; in braunem Sammtkostüm, in de
Rechten den Hut. Zur Linken ein Tisch mit einigen Büchern
Dunkelbrauner Grund.

> Ganze Fig. in Lebensgr. Leinwand, h. 1,41, br. 1,04. — Königliche
> Schlösser.

816   Abendlandschaft. Im Vordergrunde ein kleines Gewässer, in dem sich das Abendlicht spiegelt, das durch eine
Gruppe alter Eichen fällt. Rechts ein Weg, auf dem ein
Eseltreiber und andere Figuren und weiter zurück eine Hütte
unter Bäumen.

> Auf der Rückseite in gleichzeitiger Schrift: Jan lieuens und I. L.
> Eichenholz, h. 0,28, br. 0,48. — Königliche Schlösser.

Lombard. Lambert Lombard. Niederländische Schule. —
Geb. zu Lüttich 1505, † daselbst im August 1566. Ausgebildet
unter dem Einflusse des Jan Gossart zu Middelburg und
während eines Aufenthalts in Italien unter dem der klassischen italienischen Meister, namentlich Raphael's. Thätig
zu Lüttich.

653   Maria mit dem Kinde. Maria sitzend über das schlafende Kind gebeugt, welches nackt in ihren Armen ruht.
Dunkler Grund.

> Maria lebensgr. Fig. bis zu den Knieen. Eichenholz, h. 0,80, br. 0,64.
> — Sammlung Solly, 1821.

30A   **Lombardische Schule um 1480—1500.**

Maria mit dem Kinde. Maria sitzt auf einem Throne
von reicher Renaissance-Architektur und reicht dem Kinde
auf ihrem Schofse eine Blume. Hinter dem Thron ein turmartiger Bau und bergige Landschaft.

Die künstlerische Herkunft des Bildes ist schwer zu bestimmen. Manches, wie die oben am Throne angebrachten Fruchtgehänge, deutet auf die Schule von Padua. Doch zeigt die Architektur bramanteske Züge in der Art mancher lombardischer Bauten; ebenso scheinen die vollen etwas schweren Formen der Madonna und des Kindes, wie auch ihre malerische Behandlung (insbesondere der kühle helle Fleischton und das Helldunkel) auf lombardischen Ursprung hinzuweisen.

Ganze Fig., unter Lebensgr. Pappelholz, h. 1,25, br. 0,67. — 1880 aus dem Magazin in die Galerie aufgenommen; vermutlich zur Sammlung Solly gehörig.

Lombardische Schule um 1510—1525.

Maria mit dem Kinde. Maria kniet auf blumigem **90 A**
Rasen und legt ihre Hände um das auf einem Kissen stehende Kind, welches in der Linken einen Stieglitz hält. Hinter Maria eine Säulenarkade mit schmalem Vorhang und Durchblick auf eine bergige Landschaft.

Ganze Fig. Pappelholz, h. 0,98, br. 0,58. — Erworben 1863.

Maria mit dem Kinde und Engeln. Auf einer **1181**
Rasenbank sitzend reicht Maria dem Kinde die Brust. Zu Häupten der Maria zwei musizierende Engel. Dunkler Grund.

Pappelholz, h. 1,02, br. 0,66. — Sammlung Solly, 1821.

Lombardischer Meister um 1500; aus der Schule des Bernardino Conti und unter Lionardo's Einfluß.

Maria mit dem Kinde. Maria, auf steinernem Thron **284 A**
sitzend, hält das Kind auf ihrem Schofse. Hintergrund blauer Himmel.

Beinahe ganze Figur, unter Lebensgr. Pappelholz, h. 0,91, br. 0,53. — Sammlung Solly, 1821. 1884 aus dem Magazin in die Galerie aufgenommen.

Longhi. Luca Longhi. Schule der Romagna. — Geb. zu Ravenna den 14. Januar 1507, † daselbst den 12. August 1580. Vermutlich Schüler des Niccolò Rondinelli, dann wahrscheinlich nach Innocenzo Francucci und Giacomo Francia (in Bologna?) weiter ausgebildet. Später Nachahmer des Parmeggianino. Thätig zu Ravenna.

Thronende Maria mit dem Kinde und Heiligen. **117**
Auf hohem Throne in einer musivisch ornamentierten Nische sitzt Maria, auf ihrem Schofse das segnende Kind. Links vor dem Throne der hl. Sebastian an der Säule; zur Rechten der hl. Franciscus. Hintergrund Landschaft.

Bez. unten auf einem Papierblatte rechts (in Folge von Be-
schädigung undeutlich und zum Teil ausgelöscht): *Luchas de lo . .*
de Rna pingebat millmo . . . gesimo secundo pridie kl ottobris, was
wohl zu lesen sein wird: Luchas de Longhis de Ravenna pingebat
millesimo quingentesimo(?) quadragesimo(?) secundo pridie kalendas
octobris (also vollendet den 30. Sept. 1542?).

Pappelholz, h. 2,52, br. 1,62. — Sammlung Solly, 1821.

Loo. Jacob van Loo. Holländische Schule. — Geb. zu
Sluis 1614, † zu Paris den 26. November 1670. Schüler seines
Vaters Jan van Loo. Thätig zu Amsterdam (erwarb 1652 das
Bürgerrecht) und Paris (daselbst 1663 in die Akademie auf-
genommen).

765A   Diana mit ihren Nymphen. An dem Ufer eines
Waldsees sitzt Diana, reich gekleidet, von ihren Nymphen
umgeben und bereitet sich zum Baden vor. Neben ihr der
Köcher und ein paar erlegte Rebhühner.

Bez. rechts unten: *J. v. Loo In. 1648.* — Von demselben Meister
eine Darstellung des gleichen Gegenstandes in der Galerie zu Braunschweig, wahrscheinlich aus späterer Zeit.

Leinwand, h. 1,34, br. 1,67. — Erworben 1872 in St. Petersburg.

Lorenzetti. Kopie nach Ambruogio Lorenzetti (thätig um
1324—1345). Schule von Siena.

1097   Aus der Legende einer Heiligen. Die Heilige
(Helena?) steht links in Begleitung mehrerer Männer am
Ufer des Meeres; auf diesem wird rechts aus einem grofsen
Schiffe Getreide in ein Boot verladen. Zwei in einem Ruder-
boote stehende Männer sind eben von dem Ufer abgestofsen.

Freie Kopie (mit Veränderungen) nach einem Bilde des Ambruogio
L. in der Akademie zu Florenz, das zu einer Folge von Darstellungen
aus dem Leben des hl. Nikolaus zu gehören scheint, die Ambruogio
nach Vasari in einer Kapelle von S. Procolo zu Florenz gemalt hat
(vermutlich im J. 1332). Denn das Bild, nach welchem das hiesige
Gemälde kopiert ist, stellt unzweifelhaft einen bekannten Vorgang aus der
Legende des hl. Nikolaus von Bari dar: als in der Stadt Myra, deren
Bischof Nikolaus soeben geworden, eine Hungersnot ausgebrochen war
und gerade in den Hafen mehrere Schiffe einliefen, welche Weizen-
ladungen von Alexandria nach Konstantinopel überzuführen hatten,
bewog der Heilige die Schiffsführer, ihm von jeder Ladung hundert
Fässer für das hungernde Volk zu überlassen (unter der Versicherung,
dafs bei ihrer Landung in Konstantinopel die Fracht der Schiffe un-
vermindert sein würde). Eben die Ausladung des Getreides und seine
Ueberführung in Booten an das Ufer zu Myra, wo es der Heilige nebst
seinem Gefolge entgegennimmt, ist in dem Bildchen geschildert. Wie

der Vorgang auf der Berliner Kopie, welche an der Stelle des Heiligen eine Heilige setzt, zu deuten ist, bleibt unsicher (nach einer älteren handschriftlichen Notiz von Waagen: die hl. Helena hilft einer Hungers-not ab). — Das hiesige Bild übertrifft in der feinen Färbung das Original, und rührt wohl von einem Sienesen um 1420 her, der Verwandtschaft mit Giovanni di Paolo, aber namentlich im Kolorit höhere Begabung zeigt.

Pappelholz, h. 0,25, br. 0,32. — Erworben 1823.

Lorenzetti. Schule des Ambruogio Lorenzetti. Schule von Siena.

Der hl. Dominicus. Der Heilige verehrt, in seiner **1094** Zelle knieend, ein links an der Wand erscheinendes Kreuz; hinter ihm zwei Engel. In der Thür eine Frau mit dem Ausdruck des Erstaunens.

Pappelholz, br. 0,37, br. 0,30. — Erworben 1829 durch Rumohr.

Lorenzetti. Pietro Lorenzetti (in Urkunden: Petruccio di Lorenzo). Zeichnet sich Petrus Laurentii. Schule von Siena. — Der ältere Bruder des Ambruogio Lorenzetti, Schüler des Duccio oder doch vornehmlich unter dessen Einfluſs, z. T. auch unter dem des Simone Martini ausgebildet. Urkundlich zuerst 1305 als Meister nachgewiesen. Thätig zumeist in Siena bis 1348, zeitweilig in Florenz, Pisa und Arezzo.

Die hl. Humilitas heilt eine kranke Nonne. Im **1077** 'Inneren eines Frauenklosters heilt Humilitas, nach griechi-schem Ritus segnend, die zu Bett liegende Nonne. In einem Nebengemach der Arzt, ein mit Blut gefülltes Gefäſs, das ihm zwei Nonnen zeigen, mit der Geberde der Ratlosigkeit betrachtend.

Dieses und das folgende Bild gehören zu einem mehrteiligen Ge-mälde, das jetzt — bis auf die beiden in Berlin befindlichen Stücke — unter der Bezeichnung „dem Buonamico Buffalmacco zuge-schrieben", in der Akademie zu Florenz aufbewahrt wird. Dies Bild, in seinem Mittelstück die hl. Humilitas in ganzer Figur und ringsum in elf Abteilungen Vorgänge aus ihrem Leben darstellend, muſs zu den Werken des Pietro Lorenzetti gerechnet werden und gewinnt so ein erhöhtes Interesse. Unter dem Mittelbilde findet sich die (jeden-falls erneute) Inschrift: A. MCCCXVI. hec sunt miracula beate Humi-litatis prime abbatisse et fundatricis hujus venerabilis monasterii et in isto altari est corpus ejus. Das Bild kam aus dem Kloster S. Servi bei Florenz in die Akademie, war aber ursprünglich gemalt für das Nonnenkloster Vallombrosa (unweit Florenz), dessen Gründerin und erste Aebtissin eben die hl. Humilitas war (d. i. Rosana, die Gemahlin' des Ugolotto de' Caccianemici von Faenza, als Heilige Sta. Umiltà

genannt). Ueber die Entstehung des Bildes berichtet eine Biographi
der Heiligen vom J. 1632: „Stabilirono (nach dem Tode der Heiliger
† 1310) alzare un altar ad honor suo e in breve tempo fù fatti
postavi l'imagine in un quadro ricco e ben ornato dipinta dell' istessi
Qual pittura era circondata da 14 altri quadretti piccoli, ne quali i
rimiravano l'opere più signalate che nella sua angelica vita fece
Questa stette in detto Altare tutto il tempo che in detto monasten
dimorarono le Monache; ma hoggidi come preziosa Reliquia vie
conservata in S. Salvi devotamente dalle medisime Monache su
dilette Figliuole." Von den oben erwähnten umgebenden 14 quadreti
finden sich jetzt nur 13, mit den Berliner Bildern. Da aber nun kein
Darstellung mehr zu fehlen scheint, so waren wohl der umgebende
Bilder ursprünglich blos 13.

> Tempera. Pappelholz, h. 0,46, br. 0,56. — Sammlung Solly, 1821.

1077A   Der Tod der hl. Humilitas. Der auf ihrem Bette auf
recht sitzenden Heiligen wird von einer Dienerin eine Schale
überbracht. Dieselbe Schale wird im Vorhof von einer
Nonne mit einem Eimer aus dem Ziehbrunnen emporgeholt.
Goldgrund.

> Gehört zu einer Folge mit No. 1077.
> Pappelholz, h. 0,42, br. 0,31. — Erworben 1888 in Berlin.

Lorenzo. Don Lorenzo Monaco, auch Don Lorenzo Ca-
maldolense gen. und nach dem Vater Lorenzo di Giovanni.
Florentinische Schule. — Geb. zu Florenz (das Geburtsjahr
1370 ist nicht beglaubigt, aber wahrscheinlich), 1390 in den
Orden eingetreten, urkundlich zuerst 1400 thätig, zuletzt 1422,
† zu Florenz, angeblich im Alter von 55 Jahren (1425). Vermutlich Schüler des Agnolo Gaddi. Thätig zu Florenz und
kurze Zeit zu Rom (1422?).

1123   Gemälde in drei Abteilungen. Mittelbild: die hh.
Magdalena und Laurentius und der knieende Stifter, ein
Kardinal. Rechter Flügel: der hl. Laurentius mit dem
Rost. Linker Flügel: der hl. Hieronymus, zu dessen Füfsen
der Kardinalshut und der Löwe. Goldgrund.

> Das Bild ist aus Teilen von zwei verschiedenen grofsen Altar-
> tafeln zusammengesetzt: das Mittelbild gehört zu einem anderen Altar-
> werk als die Flügel.
> Tempera. Pappelholz, Mittelbild, h. 0,98, br. 0,70; Flügel je (oben
> im Bogen abschliefsend) h. 0,98, br. 0,38. — Sammlung Solly, 1821.

Lorme. Antonis de Lorme oder Delorme. Holländische
Schule. — Architekturmaler aus Rotterdam; ebenda Schüler

des Jan van Vucht. Thätig zu Rotterdam, nach den Daten auf seinen Gemälden um 1640—1666.

Inneres einer gotischen Kirche. Verschiedene **830B** Familienwappen hängen an den Pfeilern; rechts an einem der Pfeiler eine Kanzel von Holz. Von einigen Figuren belebt.

Eichenholz, h. 0,17, br. 0,12. — Sammlung Suermondt, 1874.

Lotto. Lorenzo Lotto. Venetianische Schule. — Geb. um 1476 zu Venedig, † zu Loretto 1555 oder 1556. Mutmaßlich Schüler des Gio. Bellini als Arbeitsgenosse des Palma Vecchio; dann unter dem Einfluß von Giorgione weiter ausgebildet. Thätig vornehmlich zu Bergamo und Venedig (von 1515 bis 1524 und nach 1526); zeitweilig in Rom (zwischen 1506 und 1512), Treviso (1505 und 1544) und in den Marken (zwischen 1506 und 1512 und von 1550 ab).

Bildnis eines Architekten. Von vorn gesehen, den **153** Körper nach rechts gewendet. Mit schwarzem Vollbart; in dunklem Barett und schwarzem, lose auf den Schultern liegenden Mantel. In der Linken eine Papierrolle, in der Rechten einen Zirkel. Bräunlicher Grund.

Bez. auf der Papierrolle (undeutlich): *LL* — Angeblich Porträt des Bildhauers Jacopo Sansovino (1477—1570), wofür es schon in der Sammlung Giustiniani galt. Allein die beglaubigten Porträts Sansovino's, ein Gemälde Tintoretto's und eine Büste des A. Vittoria stellen eine andere Persönlichkeit dar. — Aus der mittleren Zeit (um 1520—1530).

Lebensgr. Figur bis zu den Knieen. Leinwand, h. 1,05, br. 0,82. — Sammlung Giustiniani, 1815.

Bildnis eines jungen Mannes. Mit geneigtem Kopfe **182** nach rechts gewendet, gradaus blickend. In schwarzem Barett und in ebensolchem Wamms und Mantel. Hintergrund grüner Vorhang.

Brustb. unter Lebensgr. Leinwand, h. 0,47, br. 0,38. — Sammlung Giustiniani, 1815.

Bildnis eines jungen Mannes. Nach rechts gewendet, **320** gradaus blickend. In schwarzem Barett und Wamms, den Mantel über die rechte Schulter geworfen. Hintergrund roter Vorhang, rechts das Meer und ein Stück des Molo von Venedig.

Bez. rechts auf der Steinwehr: *L Lotus pict.*

Brustbild unter Lebensgröße. Leinwand, h. 0,47, br. 0,39. — Sammlung Giustiniani, 1815.

323 Doppelbild: Die hh. Sebastian und Christoph.
Links: Sebastian von Pfeilen durchbohrt, an einen Baumstamm und die linke Hand an einen Ast oberhalb des Kopfes
gebunden. Hintergrund bergiges Meeresufer. — Rechts:
Christophorus das Meer durchschreitend, auf der Schulter
das Christkind. Hintergrund das Meer.

Bez. auf dem Bilde des Sebastian links unten am Baumstamm:
L Loto. Auf dem Bilde des Christoph am unteren Ende des Pfahls:
L. Loto 1531. — Zeichnung zur Figur des Sebastian bei Herrn A. von
Beckerath in Berlin.

Leinwand, jedes Bild h. 1,39, br. 0,55. — Sammlung Solly, 1821.

325 Christi Abschied von seiner Mutter. Christus kniet
zur Linken, die Arme über der Brust gekreuzt und den Segen
der Mutter erflehend; ihm gegenüber Maria in Ohnmacht
sinkend, von Johannes und einer hl. Frau unterstützt. Links
hinter Christus Petrus und ein anderer Apostel. Vorn rechts
kniet die Stifterin. Im Hintergrund der Halle Durchblick
auf den Klostergarten.

Bez. unten in der Mitte auf einem gefalteten Blatt: *M̊ laurenttjo
Lotto pictor 1521.* — Die Stifterin Elisabetta Rota ist die Gemahlin
des Domenico Tassi von Bergamo, für welchen das Bild gemalt war
(s. F. M. Tassi, Pittori etc. Bergamaschi) — Eine alte Kopie 1875
beim Kunsthändler Baslini in Mailand. — Sammlung Tosi (nach Crowe
und Cavalcaselle).

Leinwand, h. 1,26, br. 0,99. — Sammlung Solly, 1821.

Lucidel. S. Neufchatel.

Luini. Bernardino Luini. Mailändische Schule. — Geb. zu
Luino am Lago Maggiore zwischen 1475 und 1480, als der
Sohn eines Giovanni Lutero, † mutmaßlich bald nach 1533.
Schüler des Ambrogio Borgognone und unter dem Einflusse
des Bramantino weiter ausgebildet, dann Nachfolger des
Lionardo. Thätig in Mailand, zeitweilig (von 1523—1533) in
Legnano, Saronno (1525), Como und Lugano (1529 und 1533).

219 Geburt Christi. Maria legt kniend das Kind in die
Krippe; zur Linken vorn ein Engel, das Stroh in der Krippe
zum Lager richtend. Hinter Maria zur Rechten steht Joseph.
In der Landschaft der Engel mit den Hirten.

Wohl nur alte Kopie nach dem Original bei Mr. Butler-London;
ähnliche Darstellungen in der städtischen Sammlung zu Bergamo u. s. f.

Pappelholz, h. 0,47, br. 0,37. — Erworben 1841/42 in Italien.

Maria mit dem Kinde. Maria hält das leicht verhüllte **217**
Kind, das mit der Linken einen Apfel zu ihr emporreicht,
auf ihrem Schofse. Dunkler Grund.

Maria Halbfig. in halber Lebensgr. Pappelholz, h. 0,53, br. 0,42.
— Königliche Schlösser.

Luzzi. Lorenzo Luzzi. Venetianische Schule (Friaul). —
Lebensverhältnisse unbekannt. Thätig zu Feltre um 1511.
Nicht derselbe Meister wie Pietro Luzzi, gen. Morto da
Feltre, wie neuere Forscher annehmen wollen.

Thronende Maria mit dem Kinde und Heiligen. **154**
Neben Maria, welche das stehende Kind auf dem Schofse
hält, zur Rechten der hl. Victor, der Stadt-Patron von Feltre,
in der Rechten die Fahne, auf welcher eine Burg, das Wahrzeichen der Stadt Feltre, zu sehen ist; zur Linken der hl.
Stephanus in reicher Diakonentracht. Hintergrund ein mit
Buschwerk bestandener Hügel und Landschaft.

Bez. rechts unten: *1511 Lavrencivs Lucivs Feltren*(sis) *Ping*(ebat).
— Das Bild stammt aus Sto. Stefano zu Feltre, wo es Lanzi noch im
vorigen Jahrhundert sah.
Pappelholz, h. 2,51, br. 1,57. — Sammlung Solly, 1821.

Mabuse. S. Gossart.

Maes. Nicolaas Maes oder Maas. Holländische Schule. —
Geb. zu Dordrecht 1632, begraben zu Amsterdam den 24. Dezember 1693. Schüler Rembrandt's zu Amsterdam (um
1648—1652); stand in seiner späteren Zeit, nach einem
kurzen Aufenthalte in Antwerpen (zwischen 1662—1665?),
unter der Einwirkung der vlämischen Malerei. Thätig zu
Dordrecht (seit 1652/53) und Amsterdam (seit 1673).

Schweineschlachten im Hause. In einem keller- **819 B**
artigen Raum hängt das ausgeweidete Schwein am Querholz
auf einer Leiter. Rechts etwas zurück an der Mauer ein
kleines Mädchen, in der Rechten eine Schweinsblase. Links
das jüngere Schwesterchen. Im Hintergrunde die Mutter, an
einem Tische mit Herrichtung der Därme beschäftigt; rechts
hinter ihr ein Mann, die Pfeife im Munde.

Aus der früheren Zeit des Meisters, etwa um 1656—1658 und vermutlich angeregt durch das im Louvre befindliche Bild Rembrandt's:
der geschlachtete Ochse (datiert 1655).
Leinwand, h. 0,79, br. 0,65. — Erworben 1879 in Paris.

Mahu. **Cornelis Mahu.** Vlämische Schule. — Stillleben
maler, geb. 1613 zu Antwerpen, † daselbst den 15. Novemb
1689. Thätig zu Antwerpen (1638 in die Gilde aufgenommei

944   Stillleben. Auf einer mit grüner Decke belegten Tisc
platte ein Römer auf hohem Untersatz von Metall, ein ur
gefallener silberner Becher, eine Thonpfeife und eine Plan
worauf ein Krebs; rechts ein Krug, links Trauben, Citrone
Austern und Crevetten. Hellgrauer Grund.

> Bez. links unten: *C Mahu. 1648.*
> Eichenholz, h. 0,57, br. 0,78. — Königliche Schlösser.

Mailändische Schule um 1510.

208   Bildnis der Margherita Colleone, erste Gemahli
des Gian Giacomo Trivulzio. Im Profil nach links. I
hellgrauem anliegenden Kleide mit weiten Aermeln un
weißem über die Haarflechten gelegten Schleier. Die rech
Hand ist über die linke gelegt. Dunkler Grund.

> Bez. unten rechts (die älteste Inschrift): m a r g a r i t a c o l e o n e
> n i c o l i n i; oben rechts (später hinzugefügt): MARGARITA COLEONE4
> dann nochmals zu beiden Seiten des Kopfes in ursprünglich goldene
> später schwarz übergangener Schrift: MARGARITA COLEONEA N
> COLINI FILIA ET MAGNI TRIVVLT. PRIMA UXOR. — Margherii
> (1455—1483), die Tochter des Nicolino Colleone, eines Verwandten de
> berühmten Condottiere, und der Cia Visconti, wurde 1467 mit G. G. Tri
> vulzio (1441—1518, mailändischer Feldherr, später französischer Mat
> schall) vermählt. Das Bildnis ist, wie schon aus der Inschrift hervoι
> geht, lange nach ihrem Tode gemalt; für dasselbe hat die Statue at
> ihrem Denkmale in der Grabkapelle der Trivulzi bei der Kirch
> S. Nazaro Maggiore in Mailand mit zum Vorbilde gedient.
> Lebensgr. Halbfig. Pappelholz, h. 0,75, br. 0,55. — Sammlun
> Solly, 1821.

Mailändische Schule nach 1600.

207A   Das Schweißtuch der Veronika. Auf einem übe
dunklem Grunde aufgehängten Tuch das dornengekrönt
Antlitz Christi.

> Von Mündler dem Daniele Crespi (Mailand, 1592—1630) zugeschriebe‹
> — Aus einem Kloster in der Nähe von Mailand stammend; früher vo‹
> Friedrich Wilhelm III. (unter dem Namen Correggio) in seiner Haus
> kapelle aufgestellt.
> Ueberlebensgroß. Seide, auf Leinwand übertragen, h. 0,43, br. 0,5‹
> — Königliche Schlösser.

Mainardi. **Bastiano (Sebastiano di Bartolo) Mainardi.** Flo‹
rentinische Schule. — Geb. zu San Gimignano, daher ih‹

Vasari Bastiano da San Gimignano nennt; thätig seit 1482,
† im September 1513, wahrscheinlich in Florenz. Schüler
und Gehülfe seines Schwagers Domenico Ghirlandaio. Thätig
vornehmlich zu Florenz und San Gimignano, zeitweilig in
Pisa und Siena.

Thronende Maria mit dem Kinde und Heiligen. 68
Maria, in einer Nische thronend, hält das segnende Kind
nach rechts auf dem Schofse. Links steht der hl. Franciscus
in der Linken ein Buch, in der Rechten das Kreuz haltend;
rechts ein jugendlicher Bischof mit Buch und Krummstab.

Nach dem Entwurfe Ghirlandaio's und wohl noch in dessen Werkstatt ausgeführt.
Tempera. Pappelholz, h. 2,02, br. 1,51. — Sammlung Solly, 1821.

Maria mit dem Kinde. Maria stehend, mit der Linken 77
das Kind liebkosend, das zur Rechten auf einem verzierten
Postamente sitzt. Hintergrund bergige von einem Flusse
durchzogene Landschaft mit einer Stadt.

Ganze Fig. Tempera. Pappelholz, h. 0,83, br. 0,46. — Sammlung
Solly, 1821.

Bildnis einer jungen Frau. Im Profil nach links. 83
Das hellblonde Haar durch ein rotes Band gehalten; in
weifsem Brusttuch und Halsgeschmeide. Links zwischen
den Säulen der Loggia Ausblick in die Landschaft; rechts
in offenem Wandschrank eine Flasche, Gebetbuch und
Schmuck.

Angeblich Bildnis einer Tornabuoni (nach Vergleichuug mit den
Frauenporträts auf dem Fresko-Bilde der Geburt Mariä in Sta. Maria
Novella). Ein ganz ähnliches Bildnis befand sich mit seinem männ-
lichen Gegenstück auf der Ausstellung in Manchester im J. 1857 (aus
dem Besitze von William Drury Lowe).
Brustbild, nahezu lebensgrofs. Tempera. Pappelholz, h. 0,43, br. 0,33.
— Erworben 1829 durch Rumohr.

Bildnis eines Kardinals. Fast ganz im Profil nach 85
rechts. In dunkelrotem Unter- und hellrotem Oberkleide, mit
violetter Mütze. Dunkelgrüner Grund.

Lebensgr. Brustb. Tempera. Pappelholz, h. 0,54, br. 0,42. — Erworben 1829 durch Rumohr.

Bildnis eines jungen Mannes. Nach rechts gewendet, 86
gradaus blickend. Bartlos, mit langem blonden Haar. Mit
roter Mütze, in schwarzem Unter- und rotem Oberkleide.

Hintergrund bergige Landschaft mit Ortschaften an einem Flusse.

Lebensgr. Brustb. Tempera. Pappelholz, h. 0,43, br. 0,33. — Erworben 1829 durch Rumohr.

Mansueti. S. unter Giovanni Bellini.

Mantegna. Andrea Mantegna. Schule von Padua. — Maler und Kupferstecher, geb. in Vicenza 1431, † zu Mantua den 13. September 1506. Schüler und Adoptivsohn des Francesco Squarcione zu Padua (schon 1441 und als solcher in die Malergilde zu Padua eingeschrieben), ausgebildet daselbst durch den Einfluss der Werke Donatello's und Jacopo Bellini's, sowie durch das Studium der Antike. Thätig vornehmlich zu Padua und Mantua (seit 1460), kurze Zeit in Verona (1463), Florenz (1466) und Rom (1488—1490).

9   Bildnis des Kardinals Luigi Scarampi. Etwas nach links gewendet. Bartlos, mit grauem Haar. In feinem Chorhemde über dem roten Messgewande; mit rotseidenem Ueberwurf. Dunkelgrüner Grund.

Gemalt um 1458—1460. — Eine freie Wiederholung oder Kopie des Bildes, früher in der Sammlung Davenport Bromley zu London, trug auf der Rückseite nebst dem Wappen des Kardinals seinen Namen und die Titel seiner sämtlichen Würden. Auch bemerkt Jac. Phil. Tomasinus in seinen Elogia virorum illustrium von 1645, dafs Mantegna das Bildnis des Kardinals gemalt habe. — Lodovico Mezzarota Scarampi, geb. zu Padua um 1402, † zu Rom 1465, gehörte zu den hervorragenden Männern seiner Zeit, sowohl durch seine Kriegsthaten als durch die hohen geistlichen Aemter, die er bekleidete. Nicht blofs zu den Künstlern, auch zu den Humanisten seiner Zeit stand er in naher Beziehung; doch war er aufserdem berüchtigt durch den Erwerb sowohl als durch die Vergeudung seiner unermefslichen Reichtümer.

Lebensgr. Brustb. Tempera. Pappelholz, h. 0,44, br. 0,33. — Erworben durch Tausch von Solly.

29   Darstellung Christi im Tempel. Maria reicht das eingewickelte Kind dem zur Rechten stehenden Simeon dar; zwischen beiden, etwas weiter zurück, Joseph. Links die Prophetin Hanna; rechts wird der Kopf eines jungen Mannes sichtbar. Dunkler Grund.

Eine Original-Wiederholung auf Holz in der Sammlung Querini-Stampalia zu Venedig, jedoch mit zwei Figuren mehr (im Anfang des 16. Jahrhunderts im Hause des Pietro Bembo zu Padua). Das

29.   Andrea Mantegna.

Berliner Bild ist, wie dies öfters bei Mantegna und namentlich in seiner späteren Zeit vorkömmt, auf feiner ungrundierter Leinwand mit Leimfarben gemalt.

Halbfig. etwas unter Lebensgr. Leimfarbe. Leinwand, h. 0,69, br. 0,86. — Sammlung Solly, 1821.

Mantegna? Maria mit dem Kinde. Maria hält mit der **27** Linken das vor ihr auf der Brüstung sitzende Kind. Ueber ihr ein Fruchtgehänge. Blauer Grund. — Ringsum auf dem gemalten Rahmen, zwischen Gruppen von Cherubim, elf kleine Engel mit den Leidenswerkzeugen. Gleichfalls blauer Grund.

Die Aechtheit des hiesigen Bildes ist nicht unbestritten (benannt im Katalog von 1830: Schule des Francesco Squarcione); doch zeigt das Bild entschieden Mantegneske Züge, wenn auch zum Teil durch Schülerhand vergröbert, und wird daher als eine Arbeit der Werkstatt unter Beteiligung des Meisters, die sich insbesondere in den Engelgruppen kundgiebt, anzusehen sein. Möglich indes auch, daſs das Bild eine Jugendarbeit des Giov. Bellini ist, aus der paduanischen Lehrzeit, entstanden unter dem Einfluſs Mantegna's einerseits und der Bildwerke Donatello's andererseits. — Vielleicht identisch mit dem Madonnenbild, das sich 1493 in der Sammlung des Hauses Este zu Ferrara befand. — Eine Wiederholung der Madonna mit dem Kinde, ohne die gemalte Umrahmung, stark beschädigt, ebenfalls unter dem Namen Mantegna, bei Dr. Fusaro in Padua.

Maria in Halbfig., halbe Lebensgr. Tempera. Pappelholz, h. 0,79, br. 0,67. — Sammlung Solly, 1821.

Maratti. Carlo Maratti (Maratta). Römische Schule. — Maler und Radirer, geb. zu Camerano in der Mark Ancona den 13. Mai 1625, † zu Rom den 15. Dez. 1713. Schüler des Andrea Sacchi zu Rom, durch das Studium Raphael's und der Carracci weiter ausgebildet. Thätig zu Rom.

Brustbild eines jungen Mannes. Nach rechts ge- **426A** wendet und blickend. Mit langem lockigen, dunkelbraunen Haar; in schwarzer Kleidung mit reichem Spitzenkragen. Brauner Grund.

Bez. auf der Rückseite: AETATIS SUAE XXIV ET III MENS. IN ROMA 1663. C. M. F. — Eine alte Kopie bei Herrn Gumprecht in Berlin. — Sammlung Merlo, Köln 1868.

Lebensgr. Brustb. Leinwand, h. 0,63, br. 0,52. — Sammlung Suermondt, 1874.

Marchesi. Girolamo Marchesi, gen. Girolamo da Cotignola. Bolognesische und Römische Schule. — Geb. zu Cotignola

um 1481, † um 1550, wahrscheinlich in Rom. Schüler de
Francesco und des Bernardino Zaganelli, gleichfalls au
Cotignola, dann des Francesco Francia (nach Baruffaldi); i
Rom unter dem Einflusse Raphael's ausgebildet. Thätig i
Bologna, Rom und Neapel, kurze Zeit in Rimini und i
Ravenna.

268   Erteilung der Ordensregel an die Bernhardine:
Der hl. Bernhard, als Abt von Clairvaux thronend, wende
sich lehrend zu sechs vorn zu beiden Seiten des Thron
knieenden Ordensbrüdern herab. Zu den Seiten des Heilige
halten zwei Engelknaben den grünen Vorhang des Thron
empor; vorn unten zwei andere Engel, der eine aufrecht m
einer Laute, der andere am Boden sitzend und singen
Hintergrund Landschaft.

Bez. auf der untersten Thronstufe: *Hieronymus Cottignolis I
MDXXVI.*

Pappelholz, h. 2,02, br. 1,54. — Sammlung Solly, 1821.

Marconi. Rocco Marconi. Venetianische Schule. — Geb
zu Treviso, thätig daselbst und vornehmlich in Venedig un
1505 bis nach 1520. Schüler des Giovanni Bellini, insbesonder
nach Giorgione und Palma Vecchio weiter ausgebildet.

196   Die Ehebrecherin vor Christus. In der Mit
Christus zu einem beleibten Pharisäer sprechend, der vor
zur Linken steht; rechts die jugendliche Ehebrecheria
Neben Christus rechts und links zwei weitere Pharisäer u
orientalischem Kostüm, mehr zurück zu beiden Seiten zwe
jugendliche Männerköpfe (anscheinend Bildnisse). Zu
äufserst links der Maler selbst an einer Säule. Im *Grund*
gewölbte Halle mit Ausblick auf den Himmel.

Aus der späteren Zeit des Meisters.

Lebensgrofse Halbfiguren. Leinwand, h. 1,00, br. 1,40. — Sammlu
Giustiniani, 1815.

Marinas. Henrique (Enrique) de las Marinas. Spanische
Schule. — Marinemaler, geb. 1620 zu Cadix, † 1680 zu Rom
Unter dem Einflusse des Nic. Poussin und der Werke de
Annibale Carracci zu Rom gebildet. Thätig vornehmlich
zu Rom.

418   Befrachtung eines Seeschiffes im Hafen. Zu
Linken ein reicher Renaissancebau mit einer Terrasse, deren

Balustrade mit Statuen geschmückt, sich weit in den Hafen
erstreckt. Zur Rechten eine große Galeere, die eben be-
laden wird. In der Säulenhalle des Baues ein Edelmann, einer
armen Familie Almosen gebend. Hintergrund bergige Ferne.

Leinwand, h. 0,98, br. 1,50. — Königliche Schlösser.

Marziale. Marco Marziale. Venetianische Schule. — Geb.
zu Venedig. Thätig daselbst nach urkundlicher Nachricht
seit 1492 und, nach Daten auf seinen Bildern, noch 1507.
Vermutlich Schüler des Vittore Carpaccio; anscheinend von
Dürer beeinflußt. Thätig zu Venedig, kurze Zeit zu Cremona.

Christus mit den beiden Jüngern zu Emmaus. **1**
Unter einer Weinlaube sitzt Christus in der Mitte hinter
dem Tische; zu beiden Seiten des Tisches die Jünger, alle
im Pilgeranzug. Zur Linken neben Christus ein Knabe (anscheinend der Sohn des Stifters), zur Rechten der Stifter.
In der Landschaft links Christus mit den beiden Jüngern
auf dem Wege nach Emmaus.

Bez. unten rechts auf einem Blättchen: *Marckvs Marzial Venetvs.*
P. M. D. VII. — Eine ähnliche Darstellung des Meisters, bez. und
dat. 1506, in der Akademie zu Venedig.

Pappelholz, h. 1,19, br. 1,43. — Sammlung Solly, 1821.

Masaccio. Tommaso di Ser Giovanni di Simone Guidi,
gen. **Masaccio.** Florentinische Schule. — Geb. im Castello
S. Giovanni im Arnothal den 21. Dezember 1401, † zu Rom
1428 (wahrscheinlich gegen Ende des Jahres). Angeblich
Schüler des Masolino. Thätig vornehmlich zu Florenz (1421,
1424 und 1427 urkundlich erwähnt), einige Zeit in Pisa und
Rom.

Die Anbetung der Könige. Vor der Hütte zur **58A**
Linken sitzt Maria, das Kind auf dem Schoße haltend; da-
hinter steht Joseph. Vor dem Kinde kniet der älteste König;
weiter rechts die beiden anderen Könige in Verehrung.
Noch mehr rechts zwei Begleiter (vermutlich Bildnisse der
Stifter). Zuäußerst rechts das Gefolge der Könige mit den
Pferden (die Begleiter und Diener im florentinischen Kostüm
der Zeit des Künstlers). Hintergrund hügelige Landschaft.

S. die Bemerkung zum folgenden Bilde.

Tempera. Pappelholz, h. 0,21, br. 0,61. — Erworben 1880 aus der
Sammlung des Marchese Gino Capponi zu Florenz.

Verz. d. Gemälde. 11

58 B Bild in zwei Abteilungen. Links: Das Martyrium des hl. Petrus. Der Apostel wird, den Kopf nach
unten, mit den Händen von zwei Knechten an das Kreuz
genagelt. Zur Linken und zur Rechten Gruppen von Kriegsknechten. Rechts: Das Martyrium Johannes des
Täufers. Neben dem knieenden Täufer steht zur Linken
der Scharfrichter, zum Schlage ausholend; weiter links der
Richter. Rechts ein Kriegsknecht, den Täufer an den Haaren
fassend; hinter beiden zwei Diener mit grofsen Schilden
— Im Grunde beider Bilder Häuserfronten und Felsen.

Gehört nebst dem vorigen Bilde höchst wahrscheinlich zu der
Predella einer Altartafel, welche Masaccio nach Vasari's Bericht 1426
für die Kirche del Carmine zu Pisa malte. Das Hauptbild stellte Maria
mit dem Kinde zwischen den hh. Petrus, Johannes d. T., Julianus und
Nikolaus dar. Die Predella enthielt nach Vasari fünf Darstellungen
in drei Bildern: in der Mitte die Anbetung der Könige, einerseits die
Martyrien des Petrus und des Johannes, andererseits die Martyrien des
Julianus und des Nikolaus, jedesmal in zwei Abteilungen. Die letztere
Doppeldarstellung sowie das Hauptbild sind bis jetzt nicht nachweisbar. Das ganze Altarwerk war schon um 1750 aus der Kirche ver-
schwunden.

Tempera. Pappelholz, h. 0,31, br. 0,61. — Erworben 1880 aus der
Sammlung des Marchese Gino Capponi zu Florenz.

58 C Darstellung der Wochenstube einer vornehmen
Florentinerin. In einem Gemach zur Rechten die Wöchnerin auf ihrem Lager, umgeben von mehreren Dienerinnen,
von denen eine, vorn vor dem Bette sitzend, das Neugeborene
auf dem Schofse hält. Zur Linken ein Arkadenhof im Stil
der Frührenaissance, durch dessen in der Mitte gelegenen
Gang mehrere Frauen zum Besuch der Wöchnerin herbei-
kommen. In dem Seitengang links schreiten zwei jugendliche Herolde heran, der vordere eine Tuba blasend, an
welcher das Banner mit dem florentinischen Stadtwappen
hängt; ihnen folgen zwei Jünglinge Geschenke tragend. —
Auf der Rückseite ein nacktes Kind, mit einem Hunde
spielend, wappenartig behandelt.

Das Bild ist ein sog. „Desco da parto", deren mehrere in dem
Inventar der medizeischen Kunstschätze — darunter auch einer von
Masaccio selbst — erwähnt werden: bemalte Platten, auf denen den
Wöchnerinnen Geschenke überbracht und Efswaren dargereicht
wurden. Unsere Darstellung zeigt den innigsten Bezug zum Zweck

dieser Tafeln und erscheint mit dem, einen solchen Desco da parto
vor sich hertragenden Jüngling wie eine Illustration zu deren Ver-
wendung.

Pappelholz, rund, Durchmesser: 0,56. — Erworben 1883 in Florenz.

Massys. Cornelis Massys (auch **Matsys** oder **Metsys**).
Niederländische Schule. — Maler und Kupferstecher, geb.
um 1511 zu Antwerpen, daselbst 1531 als Meister in die Gilde
aufgenommen und 1580 noch am Leben. Schüler seines
Vaters Quinten. Thätig zu Antwerpen, später namentlich
als Kupferstecher in Italien (zumeist in Rom).

Landschaft. Im Vordergrunde eine Dorfstrafse; rechts **675**
ein gedeckter Karren, aus welchem hinten drei Frauen
heimlich aussteigen, während vorn eine vierte Dirne den
Fuhrmann liebkost. Links ein Bach, an welchem ein
Kutscher seine Pferde tränkt. Im Mittelgrunde links schreiten
Maria und Josef vom Esel gefolgt einer Hütte zu (Flucht
nach Aegypten?); im Hintergrund ein durch dunkle Wolken
brechender Lichtstrahl.

Bez. rechts unten mit dem Monogramm (aus CME gebildet) und
mit der Jahreszahl *1543.*
Eichenholz, h. 0,27, br. 0,38. — Sammlung Solly, 1821.

Massys. Jan Massys (auch **Matsys** oder **Metsys**). Niederländische Schule. — Geb. zu Antwerpen 1509, † vor dem
8. Oktober 1575. Schüler seines Vaters Quinten; während eines
Aufenthaltes in Italien (vermutlich von 1543—1558) unter dem
Einflusse der römischen Meister ausgebildet. Thätig zu
Antwerpen (1531 als Meister in die Gilde aufgenommen, 1543
wegen Ketzerei aus der Stadt verwiesen und erst um 1558
dorthin zurückgekehrt).

Jan Massys? Die beiden Steuereinnehmer. In **671**
einem getäfelten Zimmer sitzt links hinter einem Tische ein
ältlicher Mann, das Augenglas auf der Nase, in einem Buche
schreibend, während er in der Linken eine Münze hält.
Neben ihm rechts ein jüngerer Mann, in der Linken einen
Geldbeutel haltend. Auf dem Tische Münzen, Geldbeutel,
Schmuck und Schreibzeug. Links auf einem Borte an der
Wand verschiedene Geräte.

Dem Bilde, von welchem verschiedene mehr oder weniger treue
Wiederholungen (in Windsor Castle, in der Pinakothek zu München,

11*

Museum zu Antwerpen, Ermitage zu St. Petersburg u. s. w.) vorhanden sind, liegt ein nicht mehr erhaltenes Original des Quinten Massys zu Grunde. Doch findet sich eine verwandte Darstellung von der Hand dieses Meisters im Louvre zu Paris. — Ob die verschiedenen Exemplare dieser Darstellung, welche dem Jan Massys zugeschrieben werden, diesem wirklich angehören, muſs vorerst zweifelhaft bleiben. Beglaubigte d. h. bezeichnete Gemälde des Jan Massys kennen wir erst aus seiner späteren Zeit, von 1558 an (nach der Rückkehr aus Italien), da er sich der italisierenden Richtung zugewandt hatte.

Lebensgroſse Halbfigur. Eichenholz, h. 1,15, br. 0,93. — Königliche Schlösser.

Massys. Quinten Massys. In den Urkunden und in einzelnen Bezeichnungen seiner Bilder auch Matsys und Metsys. Niederländische Schule. — Maler und Kunstschmied, geb. um 1466 zu Löwen, † 1530 (zwischen dem 13. Juli und 16. September). Thätig zu Löwen und vornehmlich zu Antwerpen (1491 als Meister in die Gilde aufgenommen).

561 Thronende Maria mit dem Kinde. Maria in einer gotischen Nische thronend, drückt das Christkind mit der Rechten an sich. Das Kind, zur Linken, umhalst die Mutter mit beiden Händen und küſst sie auf den Mund. Links vorn ein kleiner Tisch, worauf Früchte und Backwerk. Hinter der Nische ein Garten, worin zur Rechten ein gotischer Brunnen. Weiter zurück eine Stadt und Hügelland.

Eine Schulkopie mit Veränderungen (Kniestück mit schwarzem Grund) in der Kirche S. Jacques zu Antwerpen, dem Jan Massys zugeschrieben. Aehnliche Darstellungen von der Hand des Meisters früher bei Rev. Mr. Russel in London und in der ehemaligen Sammlung Rattier in Paris. Im Museum zu Amsterdam eine Schulkopie.

Eichenholz, h. 1,35, br. 0,90. — Erworben 1823.

574B Der hl. Hieronymus in der Zelle. In Kardinalstracht, vor einem Schreibtische sitzend, den Hut auf dem Rücken; auf den vor ihm liegenden Todtenkopf blickend und die Rechte über denselben haltend; das kahle Haupt mit langem greisen Bart auf die Linke gestützt. Auf dem Tische rechts ein Kruzifix, davor ein kleines Lesepult; auf diesem ein offenes Buch mit einer Miniatur des jüngsten Gerichts. Grund holzgetäfeltes Zimmer.

Von einigen Forschern dem Marinus van Roymerswale, einem Schüler und Nachahmer des Quinten (nach den Daten auf seinen

561. Quintin Massijs.

Bildern thätig von 1521—1558), zugeschrieben. — Sammlung Haſkenscheid, Amsterdam 1873.

Lebensgroſse Halbfigur. Eichenholz, h. 0,94, br. 0,91. — Sammlung Suermondt, 1874.

Matteo. Matteo di Giovanni (di Bartolo), gen. **Matteo da Siena.** Schule von Siena. — Geb. um 1435 (in Borgo S. Sepolcro?), zuerst 1453 in Siena urkundlich erwähnt, † daselbst im Juni 1495. Thätig zu Siena.

Matteo di Giovanni? Maria mit dem Kinde und **1127** Heiligen. Maria hält das mit einer Korallenschnur spielende Kind auf dem Schoſse. Zur Linken der hl. Hieronymus, zur Rechten der hl. Franciscus, hinter denselben je ein verehrender Engel. Hintergrund Himmel.

Das Bild ist für den Meister selbst zu gering und wohl nur eine Arbeit seiner Werkstatt. Von Crowe und Cavalcaselle vermutungsweise dem Guidoccio Cozzarelli (thätig zu Siena um 1480—1495 unter dem Einfluſs des Matteo da Siena) zugeschrieben.

Halbfig. in mehr als halber Lebensgr. Tempera. Pappelholz, h. 0,58, br. 0,32. — Sammlung Solly, 1821.

Mazzola. Filippo Mazzola oder **Mazzuola.** Zeichnete sich Philippus (Filipus) Mazola oder **Mazolus Parmensis.** Schule von Parma. — Geb. zu Parma, † daselbst 1505. Thätig zu Parma, nach den auf noch erhaltenen Bildern verzeichneten Daten seit 1491.

Maria mit dem Kinde und Heiligen. Maria unter **1109** einem hohen Baldachin thronend, dessen Vorhang in der Höhe von zwei schwebenden Engeln zurückgehalten wird, hält das Kind auf dem Schoſse. Links die hl. Katharina. rechts Clara, beide knieend. Auf einer Stufe des Throns ein Stieglitz auf ein paar Kirschen zulaufend.

Bez. anf einer Thronstufe in der Mitte: *D. MCƆCƆCZ* (1502) *Philipus . Mazola . Parmensis . P .*

Tempera. Pappelholz, h, 2,40, br. 1,14. — Sammlung Solly, 1821.

Mazzolini. Lodovico Mazzolini. Schule von Ferrara. — Geb. mutmaſslich um 1478 zu Ferrara, † daselbst gegen Ende 1528. Schüler des Lorenzo Costa, wahrscheinlich unter dem Einfluſs des Ercole Roberti weiter ausgebildet. Thätig vornehmlich zu Ferrara.

Christus im Tempel lehrend. Christus als zwölf- **266** jähriger Knabe, umgeben von Schriftgelehrten und Pharisäern;

unter ihnen zur Rechten Maria und Joseph. Andere Gruppen
von Pharisäern auf einer Galerie. An der Brüstung der
Galerie zwei Marmorreliefs: links Judith mit dem Haupte
des Holofernes und die Israeliten im siegreichen Kampfe
gegen die Assyrer; rechts David mit dem Haupte des Goliath
und die Philister, von den Iraeliten in die Flucht geschlagen.
An einem grofsen Bogen über der Galerie zwei vergoldete
Bronzereliefs: links Moses, den Israeliten die Gesetzestafeln
mitteilend, rechts Moses, die Arme erhebend und den Sieg
der Israeliten fördernd.

Bez. auf der untersten Stufe des Sitzes: *MDXXIIII Zenar* (d. h.
Januarii) *Ludovicus Mazzolinus Ferrariensis.* — Von Vasari als
das beste Werk des Meisters erwähnt und, wie Lamo (Graticola
di Bologna von 1560) berichtet, von Baldassare Peruzzi derart
gepriesen, „dafs auch Raphael mit solchem Fleifs es nicht
vollendet haben würde". Die Altartafel von Francesco Caprara für
eine Capelle in S. Francesco zu Bologna gestiftet, hatte als oberen
Abschlufs eine Lunette mit Gott-Vater und eine Predella mit der Geburt Christi (die Lunette und ein Teil der Predella in der Pinakothek
zu Bologna). — Das Bild wurde schon um 1600 von Bartolommeo Cesi
restauriert.

Pappelholz, h. 2,59, br. 2,84 — Sammlung Solly, 1821.

273   Christus im Tempel lehrend. In der Tempelhalle
spricht der zwölfjährige Christus zu den vor ihm sitzenden
Pharisäern und Schriftgelehrten. Auf einer Galerie im Hintergrunde einige andere Figuren. Von der Linken kommen
Maria und Joseph herzu. Vorn rechts ein nacktes Knäblein
mit einer Eule, das sich vor einem nahenden Aflen fürchtet.
Im Grunde der Altar mit dem Relief eines Reiterkampfes.

Eine Original-Wiederholung bei Earl of Northbrook in London.
Pappelholz, oben abgerundet, h. 0,46, br. 0,30. — Einzelner Ankauf
aus der Sammlung Giustiniani vor 1815.

275   Flügelaltar. Mittelbild: Thronende Maria mi
dem Kinde. Maria auf plastisch verziertem Marmorthrone
sitzend, hält das Kind mit der Linken auf dem Schofse.
Oben in der Architektur des Thrones die Darstellung eines
Reiterkampfes. Rechts Ausblick in bergige Landschaft. —
Linker Flügel: Der hl. Antonius Eremita. Stehend,
in der Rechten den Krückstock, an dem die Glocke hängt;
zu seinen Füfsen das Schwein. Hintergrund Abendhimmel.

912 B. Jan van der Meer.

— Rechter Flügel: Maria Magdalena. Stehend, in der Rechten das Salbgefäfs. Hintergrund Abendhimmel.

Bez. links am Fufse des Thrones: MDVIIII.

Pappelholz. Mittelbild h. 0,90, br. 0,60; Flügel je h. 0,90, br. 0,42. — Sammlung Solly, 1821.

Meer. Jan van der Meer oder Delft'sche Vermeer. Holländische Schule. — Getauft zu Delft den 31. Oktober 1632, daselbst begraben den 15. Dezember 1675. Schüler des Karel Fabritius und unter Rembrandt's Einflufs weiter ausgebildet. Thätig zu Delft.

Die junge Dame mit dem Perlenhalsbande. Ein junges Mädchen, das rechts vor einem Tische steht, ist damit beschäftigt vor einem an der Wand hängenden Spiegel ein Perlenhalsband umzulegen. Vorn zur Rechten ein hoher Stuhl. Links neben dem Spiegel, weiter zurück, ein hohes Fenster, durch welches das volle Tageslicht einfällt. Grund die hellbeleuchtete Wand des Zimmers. **912 B**

Bez. an der Tischplatte: *I V Meer.* — Aus der späteren Zeit des Künstlers. — Auktion zu Amsterdam 1691; Sammlungen Crevedon und W. Bürger, 1869.

Leinwand, h. 0,54, br. 0,45. — Sammlung Suermondt, 1874.

S. auch Bourfse und Laen.

Meer. Jan (Johannes) van der Meer oder Vermeer van Haarlem d. Aelt. Holländische Schule. — Landschaftsmaler, getauft zu Haarlem den 22. Oktober 1628, begraben daselbst den 25. August 1691. Schüler des Jacob de Wet. Thätig zu Haarlem.

Flachlandschaft. Durch weite Landschaft führt ein breiter Weg nach links zu einer in der Ferne sichtbaren kleinen Stadt. Vorn rechts eine niedrige Höhe, auf der ein Hirt zu Pferde eine Kuh und zwei Schafe vor sich hertreibt. **810 A**

Eichenholz, h. 0,36, br. 0,51. — Erworben 1867.

Dünenlandschaft. An einem sandigen Wege, der links neben hohen Dünen herläuft, liegen im Mittelgrunde ein paar Hütten vor dichtem Weidengebüsch. Darüber hinaus flache Ferne. Vorn auf dem Wege einige Fufsgänger und ein Reiter. **810 D**

Bez. links unten: *I v Meer.* — Der Reiter auf dem Schimmel

ist von der Hand des modernen Malers Ladislaus Bakalowicz. —
Sammlung Weyer, Köln 1862.

Eichenholz, h. 0,36, br. 0,44. — Sammlung Suermondt, 1874.

810 C   **J. v. d. Meer?** Ansicht von Haarlem. Den Lauf des
mit Booten bedeckten Flusses Sparen entlang blickt man in
die Stadt Haarlem. Vorn zu beiden Seiten des Flusses Wind-
mühlen und Schuppen.

Leinwand, h. 0,38, br. 0,64. — Sammlung Suermondt, 1874.

Meert. **Peeter Meert.** Vlämische Schule. — Bildnismaler,
geb. zu Brüssel 1619 (nach Cornelis de Bie), † daselbst 1669.
Thätig zu Brüssel (1640 als Meister in die Gilde aufgenommen).

844   Der Rheder und seine Gattin. Unfern des Strandes
sitzt der Mann mit hohem breitkrämpigen Hut und in schwarzem Kostüm, mit der Rechten auf ein am Strande liegendes
Schiff deutend. Rechts neben ihm die Gattin, deren Hand er
hält, in schwarzseidenem Kleide. Links Blick auf das Meer.

Ganze lebensgr. Fig. Leinwand, h. 1,56, br. 2,14. — Königliche
Schlösser.

844 A   Männliches Bildnis. Von vorn gesehen, mit geringer
Wendung nach rechts; in schwarzem Gewand, mit der
Linken den Mantel fassend, in der Rechten den Hut. Hinter
ihm ein zurückgeraffter Vorhang und rechts Ausblick auf
eine Terasse.

Sammlung Merlo, Köln 1868.

Lebensgr. Kniestück. Leinwand, h. 1,16, br. 0,93. — Sammlung
Suermondt, 1874.

Meire. S. Niederländischer Meister um 1460.

Meister. Der Meister der hl. Familien oder der hl. Sippe.
So benannt nach seinem Hauptbild in dem Museum Wallraf-
Richartz in Köln. Niederländische Schule. — Thätig zu
Köln um 1486—1520, unter dem Einfluss von Quinten Massys
ausgebildet.

578 A B C   Flügelaltar. Thronende Maria mit Heiligen.

578 A   Mittelbild. In der Mitte Maria mit dem Kinde,
unter einem mit Goldbrokat ausgeschlagenen Baldachin
thronend. Zur Linken die hl. Dorothea, welche dem Kinde
knieend ein Körbchen mit Rosen überreicht; neben Dorothea
die hh. Elisabeth, Landgräfin von Thüringen, Petrus und
Andreas, sämtlich stehend. Zur Rechten die hl. Martha

knieend und den Drachen neben sich mit Weihwasser be-
sprengend; neben Martha die hh. Helena mit dem Kreuze,
Jacobus der Jüngere und Severin mit dem Modell der
Severinskirche, sämtlich stehend. Hintergrund Landschaft.

Linker Flügel. Die hh. Georg, Mauritius, Gerion,   **578B**
mit Fahnen in den Händen, und der hl. Gregorius mit dem
Schwert, sämtlich stehend. Hintergrund Landschaft.

Rechter Flügel. Zwei heilige Bischöfe, jeder mit   **578C**
einem Kirchenmodell, die hh. Hanno und Gottfried von
Bouillon mit der Kreuzesfahne, sämtlich stehend. Hintergrund Landschaft.

Wohl aus der späteren Zeit des Meisters und vermutlich unter
Beihülfe von Schülern ausgeführt.
Eichenholz, Mittelbild h. 1,03, br. 1,76; jeder Flügel h. 1,03, br. 0,82.
— Sammlung Solly, 1821.

Meister. Der Meister der Himmelfahrt Mariä. So benannt nach zwei grofsen Tafeln im Museum zu Brüssel.
Niederländische Schule. — Thätig gegen Ende des 15. Jahrhunderts, Schüler oder Nachfolger des Hugo von der Goes.

Verkündigung Mariä. Maria, zur Linken vor einem   **530**
Hausaltar stehend, wendet sich dem Engel Gabriel zu, der,
ein Szepter in der Linken, ihr die himmlische Botschaft verkündet. Zimmer mit gewölbter Holzdecke; im Grund ein
gotisches Fenster; rechts und links Ausblick in Seitenräume.

Eine ganz verwandte Darstellung, aber mit umgesetzten Figuren
und von anderer Hand (mehr in der Art des Bouts) in der Pinakothek
zu München. — Eine geringere aber genauere Schulkopie desselben
Bildes ehemals in der Sammlung v. Kramm-Sierstorpff zu Driburg.
Eichenholz, h. 0,93, br. 0,62. — Sammlung Solly, 1821.

Der hl. Augustinus und Johannes der Täufer   **540**
mit dem Stifter. Augustinus im bischöflichen Ornat, in
der Rechten ein Herz haltend, hat sich von seinem Throne
erhoben, um den vor ihm knieenden geistlichen Stifter zu
segnen; rechts hinter dem letzteren, ihn empfehlend, Johannes der Täufer. Durch eine offene Arkade Ausblick in
eine hügelige Landschaft.

Früher, wie die beiden Himmelfahrten in Brüssel, Goswin van
der Weyden benannt. Allein von diesem Meister (geb. um 1465 in
Brüssel, 1535 noch am Leben) hat sich kein beglaubigtes Bild erhalten.
Eichenholz, h. 0,61, br. 0,44. — Sammlung Solly, 1821.

Meister. Der Meister des Marienlebens. So benannt nach einer Folge von Darstellungen in der Pinakothek zu München. Die frühere Bezeichnung: Meister der Lyversberger Passion läfst sich nicht aufrecht erhalten, da die Passionsbilder einem anderen und schwächeren Künstler angehören. Niederrheinische Schule. — Nach den Daten auf seinen bekannten Bildern thätig um 1463—1480, sehr wahrscheinlich zu Köln. Unter dem Einflusse von Stephan Lochner und insbesondere von Dirk Bouts und Roger v. d. Weyden ausgebildet.

1235   Maria mit dem Kinde und Heiligen. Maria sitzt, das Kind auf dem Schofse, inmitten der hh. Katharina, Barbara und Magdalena, unter einer spärlichen Laube. Vorn links kniet der Stifter mit seinen beiden Söhnen, rechts seine Gemahlin mit vier Töchtern. Goldgrund.

Auf zwei Tafeln des Meisters aus der Sammlung Dormagen (Köln) scheinen sich dieselben Stifter aber mit zahlreicherer Familie zu finden. Eichenholz, h. 1,07, br. 0,98. — Sammlung Solly, 1821.

Meister. Der Meister des Todes Mariä. So benannt nach zwei Darstellungen des Todes Mariä (im Museum zu Köln und in der Pinakothek zu München). Niederrheinische Schule. — Vermutlich aus den Niederlanden stammend. Ausgebildet unter dem Einfluss des Jan Joest, des Quinten Massys und des Patinir (in der Landschaft). Thätig um 1510—1530, hauptsächlich in Köln, vielleicht auch in Italien (Genua).

578   Altarbild. Mittelbild: Anbetung der Könige. Vor den Ruinen eines Renaissance-Palastes sitzt zur Linken Maria, das Kind auf dem Schofs; hinter dem Kinde steht Joseph. Zur Rechten die drei Könige, von denen der älteste vor dem Kinde kniet. In der bergigen Landschaft der Zug der Könige. — Linker Flügel: Die hl. Katharina. Mit Schwert und Buch, neben sich das Rad; in reicher Landschaft. — Rückseite: Der hl. Christophorus. Der Heilige das Christkind durch's Wasser tragend. Grau in Grau. — Rechter Flügel: Die hl. Barbara. In einem Buche lesend; neben ihr der Turm. Links Ausblick in flache Flufslandschaft. — Rückseite: Der hl. Sebastian. An einen Baum gebunden und von Pfeilen durchbohrt. Grau in grau.

Aus der Frühzeit des Meisters (um 1515).

Eichenholz, Mittelbild, h. 0,72, br. 0,52; jeder Flügel h. 0,69, br. 0,22.
— Erworben 1843 aus der Sammlung Reimer zu Berlin.

Bildnis eines jungen Mannes. Etwas nach rechts   615
gewendet, gradaus blickend. Bartlos, mit schwarzem Barett,
in hellrotem Wamms und pelzgefütterter Schaube; die behandschuhte Linke auf dem Degengriff. Dunkelgrüner Grund.

Früher dem Quinten Massys zugeschrieben, aber wohl eher aus
der Spätzeit des Meisters vom Tode Mariä. — Das Wappen auf dem
Siegelring der Linken scheint das der vlämischen Familie van der
Straeten zu sein.

Lebensgr. Brustb. Eichenholz, h. 0,62, br. 0,47. — Erworben 1843
aus der Sammlung Reimer zu Berlin.

Meister. Art des Meisters des Todes Mariä. Niederrheinische Schule.

Männliches Bildnis. Nach rechts gewendet. In   574
schwarzem Barett, rotem Wamms und schwarzer Schaube
mit Pelzkragen. In der Rechten ein Brief. Grüner Grund.

Früher Art des Quinten Massys benannt.

Brustb. in zwei Drittel Lebensgr. Eichenholz, h. 0,51, br. 0,37. —
Sammlung Solly, 1821.

Maria mit dem Kinde. Maria sitzt, nach rechts ge-   616
wendet, neben einem reichen Renaissancebau, auf einer
Steinbank. Sie hält auf ihrem Schofs das nackte Kind, das mit
Kirschen spielt. Rechts Ausblick in eine weite Landschaft.

Von diesem Bilde finden sich eine Anzahl freier Original-Wieder-
holungen und alter Kopieen (auch von Italienern), denen allen ein wahrscheinlich verschollenes Gemälde eines lombardischen Meisters zu Grunde
liegt, in den verschiedensten Sammlungen (Pinakothek zu München,
Galerie zu Oldenburg, Kölner Museum, Galerie zu Vicenza; Sammlungen Hainauer in Berlin, André in Paris u. a. m.).

Maria unter Lebensgröfse, bis zu den Knieen. Eichenholz, h. 0,70,
br. 0,58. — Sammlung Solly, 1821.

Meister. Der Meister von Cappenberg. So benannt nach
dem Altarbild mit der Kreuzigung in der Kirche zu Gappen-
berg (bei Lünen in Westfalen). Westfälische Schule. —
Thätig um 1500—1525. Wohl unter dem Einfluss der Ge-
brüder Dünwegge ausgebildet.

Doppelbild: Verkündigung und Geburt Christi.   1193
In zwei Abteilungen getrennt. **Links:** Verkündigung. Rechts
vorn Maria am Betpult knieend; sie hört auf die Botschaft des

Engels, der, ein Szepter tragend, hinter ihr steht. — Rechts: Geburt Christi. In einer Ruine romanischer Bauart knieen Maria und Joseph das Kind verehrend. Vorn rechts die Stifterin, gleichfalls knieend (in kleiner Figur). In der Luft zwei schwebende Engel mit einem Schriftband. Links zwei Hirten durch ein Bogenfenster hineinschauend. Im Hintergrund Landschaft, in welcher der Engel den Hirten erscheint.

Eichenholz, h. 0,50, br. 0,72. — Sammlung Solly, 1821.

Meister. Der Meister von Frankfurt. So benannt nach dem Ort seiner Thätigkeit. Niederrheinische Schule. — Wahrscheinlich gebildet unter dem Einflusse niederrheinischer, insbesondere Kölner Meister. Thätig zu Frankfurt a. M. um 1500—1520.

575—575B Flügelaltar.

575   Mittelbild. Die hh. Anna und Maria mit dem Kinde. Maria sitzt zur Rechten auf einer Bank, in den Händen ein Buch haltend. Links Anna, welche dem zwischen ihr und Maria sitzenden Christkinde eine Birne reicht. Ueber ihnen die Taube, oben Gottvater. Hintergrund bergige Landschaft.

Föhrenholz, oben abgerundet, h. 0,88, br. 0,55. — Sammlung Solly, 1821.

575A   Innenseiten der Flügel. Rechter Flügel: Die hl. Barbara. Stehend, ein offenes Buch und eine Feder haltend; hinter ihr rechts der Turm. Hintergrund: Landschaft. — Linker Flügel: Die hl. Katharina. Stehend, mit dem Buch und Schwert. Neben ihr das Rad. Hintergrund Landschaft.

Die Aufsenseiten der Flügel, No. 575B, die Verkündigung darstellend, befinden sich im Vorrat der Galerie.

Föhrenholz, jede Seite oben abgerundet, h. 0,87, br. 0,23. — Erworben 1874.

Meister. Meister aus den Marken um 1500. Umbrisch-Florentinische Schule.

116A   Maria das Kind verehrend. Maria zur Rechten vor dem am Boden liegenden Kinde knieend; hinter ihr Joseph.

ganz zur Linken ein knieender Hirte, anbetend dem Kinde
zugewendet. In gebirgiger Landschaft.

War früher dem Marco Palmezzano zugeschrieben, mit dem das
Bild einige Verwandtschaft hat. Doch zeigt es in wesentlichen Zügen
einen abweichenden Charakter und scheint uns auf einen anderen Meister
aus den Marken unter venetianischem Einfluſs hinzuweisen.

Pappelholz, h. 0,36, br. 0,28. — 1884 der Galerie von Herrn Adolf
von Beckerath als Geschenk überwiesen.

Meister. Meister IVR. Nach einem Bilde in der Pinakothek zu München das diese Bezeichnung trägt, dort aber
vermutungsweise dem Isack van Ruijsdael zugeschrieben wird,
für dessen künstlerische Thätigkeit indes keinerlei Anzeichen
vorliegen. Holländische Schule. — Thätig um die Mitte des
17. Jahrhunderts, wohl in Haarlem.

Waldlandschaft. Im Vordergrund zwei Bauern auf   **901D**
einem Weg, der zur Linken an Bäumen und Buschwerk vorüber zu einigen Hütten führt.

Früher wie das Münchener Bild dem Isack van Ruijsdael, dem Vater
des Jacob, der indes nur als Rahmenmacher erwähnt wird, zugeschrieben
Eichenholz, h. 0,23, br. 0,30. — Sammlung Suermondt, 1874.

Meldolla. Andrea Meldolla (auch Meldola, Medola und
Medula), gen. Schiavone. Venetianische Schule. — Maler und
Radirer, geb. zu Sebenico in Dalmatien wohl vor 1522, † zu
Venedig 1582. Unter dem Einflusse Tizian's (wahrscheinlich
eine Zeitlang dessen Schüler) und der Werke des Par-
migianino ausgebildet. Thätig zu Venedig.

Die Parabel vom ungerechten Haushalter. Vor   **170A**
einem Tische sitzend wendet sich der Herr, die Linke auf
das offene Rechnungsbuch gelegt, mahnend zu dem von
links herantretenden Haushalter, der verlegen die Mütze in
den Händen hält. Durch die Thüre links sieht man den
Haushalter im Gespräch mit zwei Schuldnern des Herrn.

Gegenstück zu No. 170B.

Leinwand, h. 0,25, br. 0,79. — Erworben 1845 von Direktor Schorn
in Berlin.

Die Parabel vom Weinberge des Herrn. Der   **170B**
Herr des Weinberges spricht zu zwei Arbeitern, die von
links an ihn herantreten. Neben ihm sein Hund. Zuäuſserst
links an einem Tische eine Gruppe von Arbeitern, denen

der Herr des Weinbergs ihren Lohn auszahlt. Landschaftliche Ferne mit einer Stadt.

> Gegenstück zu No. 170A.
> Leinwand, h. 0,25, br. 0,79. — Erworben 1845 von Direktor Schorn
> in Berlin.

182A   Berglandschaft. Zerklüftete Landschaft mit schroffen
Abhängen und Felspartien von abenteuerlicher Bildung, mit
Baumgruppen bestanden. Pan und sein Gefolge, Satyrn und
Nymphen, ergötzen sich in mannigfachen Gruppen bei Spiel
und Gelage. In der Mitte sitzt Marsyas auf einem Felsen,
die Rohrflöte spielend; hinter ihm in einer Höhle der König
Midas, seinem Spiele lauschend.

> Gegenstück zu No. 182B.
> Leinwand, h. 1,05, br. 1,88. — Erworben 1873 in Florenz.

182B   Waldlandschaft. Dichte Baumgruppen auf bewegtem
Terrain; zur Linken ein fliefsendes Wasser, rechts eine
Waldschlucht. Links wird Diana zur Jagd geschmückt;
rechts in der Mitte und im Grunde verschiedene Nymphen
auf der Jagd begriffen und erlegtes Wild herbeischaffend.

> Gegenstück zu No. 182A.
> Leinwand, h. 1,05, br. 1,88. — Erworben 1873 in Florenz.

Melozzo. Melozzo da Forli. Nach seinem Familiennamen:
Melozzo degli Ambrosi. Umbrisch-florentinische Schule. —
Geb. zu Forli 1438 (wahrscheinlich den 8. Juni), † daselbst
den 8. November 1494. Schüler des Piero della Francesca
oder doch unter dessen Einfluss gebildet; auch unter
Einwirkung der Niederländischen Schule durch Justus von
Gent zu Urbino. Thätig zu Forli, Rom (um 1461—1472, dann
wieder von 1476—1481) und in Urbino (um 1473 bis 1475/76).

54   Allegorische Darstellung der Pflege der Wissenschaft am Hofe von Urbino. Auf hohem in Renaissance-
Formen reich verzierten Throne sitzt die in Goldbrokat gekleidete allegorische Figur der Dialektik; rechts vor ihr kniet
auf der untersten Thronstufe blofsen Hauptes der Herzog
Federigo von Urbino und nimmt ein Buch in Empfang, das
ihm von der thronenden Frau dargereicht wird. Rechts oben
an der Wand ein schwarzer Adler mit dem Wappen der
Montefeltro von Urbino.

Oben in dem Fries des Wandgesimses die Inschrift: DVRANTIS COMES SER. — Gehört nebst dem folgendem (No. 54A) zu einer Reihenfolge von sieben Gemälden, welche Federigo Montefeltro in einem zu seiner berühmten Bibliothek gehörigen Gemach des von ihm neu erbauten Palastes zu Urbino durch Melozzo ausführen ließ. — Von den vier noch erhaltenen Bildern jener Folge befinden sich die beiden anderen, welche die Musik und die Rhetorik darstellen, in der National Gallery zu London; die drei übrigen, welche wohl die Grammatik, die Geometrie und die Arithmetik zum Gegenstande hatten, sind verschollen. In dem Fries des, sämtliche Bilder oben abschließenden, Wandgesimses nennt eine fortlaufende Inschrift den Herzog mit allen seinen Titeln und Würden als den Besteller, und zwar in der Reihenfolge, welche die sieben Wissenschaften des Triviums und des Quadriviums hergebrachter Weise einnehmen. Demnach enthielt die erste jetzt verschollene Tafel, die der Grammatik, den Namen *Federicus*; es folgt die Rhetorik (in London) mit den Worten *dux urbini montis feretri ac*; hierauf die Dialektik (die obige Berliner Tafel) mit *durantis comes ser*; die beiden nächsten Tafeln mit Geometrie und Arithmetik (zum Quadrivium gehörig) enthielten vermutlich die Worte *regis ferdinandi capitaneus* oder *legae italicae imperator* (weitere Titel des Herzogs); alsdann im Anschluß an diese die Musik (in London) mit *ecclesie gonfalonerius*, wozu die noch dazu gehörigen vorangehenden Worte *santae romanae* (abgekürzt) auf dem Bilde der Arithmetik standen; und endlich die letzte in Berlin befindliche Tafel mit der Astronomie (s. unten), welche mit den Worten *fieri fecit* oder dergleichen und mit der Jahreszahl die ganze Reihe abschloß. Leider war auf dieser Tafel welche erst 1880 in sehr beschädigtem Zustande aus dem Magazin in die Galerie gebracht wurde, das obere Wandgesims mit der Inschrift nicht mehr erhalten. — Jene Jahreszahl, welche das letztere Bild vermutlich aufwies, muß 1474 oder 1475 gelautet haben. Erst im August 1474 war Frederigo von Sixtus IV. zum Herzog ernannt worden; im Herbst 1476 aber verließ der Fürst für längere Zeit Urbino, während Melozzo um dieselbe Zeit wieder nach Rom zog, nachdem er im Herbst 1473 nach Urbino gekommen war. Die Vollendung jener Gemälde, deren Beginn Ende 1473 oder Anfang 1474 anzusetzen ist, muß daher zwischen Herbst 1474 und Herbst 1476 fallen.

Pappelholz, h. 1,50, br. 1,10. — Sammlung Solly, 1821.

Allegorische Darstellung der Pflege der Wissenschaft am Hofe von Urbino. Zur Rechten sitzt auf hohem Throne eine Matrone in ernster nonnenartiger Tracht, die allegorische Figur der Astronomie. Vor ihr kniet links auf der untersten Thronstufe ein Mann in fürstlichem Mantel, die Hand nach einer astronomischen Sphäre ausstreckend, welche ihm die Frau darreicht. Im Grunde die Wände des Gemachs; links durch ein Fenster Ausblick in das Freie. **54A**

Der dargestellte Fürst ist wahrscheinlich Graf Ottaviano Ubaldini,

der „brüderliche" Freund des Herzogs Federigo, der sich vorzugsweise
mit astronomischen Studien beschäftigte. — Unten und oben ist je ein
Stück von 13 Centimeter Breite, an der linken Seite eines von 11 Centimeter Breite neuerdings angesetzt, da dem Bilde der obere Abschluſs
mit Wandgesims und Inschrift fehlte und ebenso die Tafel in der
Breite beschnitten war (s. die Bemerkung zum vorigen Bilde).

Pappelholz, h. 1,50, br. 1,10. — 1880 aus dem Magazin der vor 1830
ausgeschossenen Bilder in die Galerie gebracht. Zur Sammlung Solly
gehörig.

Melzi. Francesco Melzi. Mailändische Schule. — Aus
einer vornehmen mailändischen Familie, geb. zu Mailand
1491 oder 1492, daselbst 1566 noch am Leben. Schüler und
Freund des Lionardo da Vinci, den er nach Rom und Frankreich begleitete. Thätig vornehmlich zu Mailand.

222   Pomona und Vertumnus. Unter einer Ulme, um die
sich eine Rebe schlingt, sitzt Pomona auf felsigem Erdreich,
in den Händen ein Körbchen mit Früchten. Sie hört auf
Vertumnus, der, in Gestalt einer alten Frau rechts neben ihr
stehend, sie mit dem Gleichnisse der die Ulme umschlingen-
den Rebe zur Liebe zu bereden sucht. Hintergrund reiche
bergige Landschaft. (Ovid's Metamorphosen XIV. 623 f.)

Ohne Zweifel ist das Gemälde mit einem Bilde der „Flora" identisch, das sich in der ersten Hälfte des 18. Jahrhunderts zu Paris bei
dem Herzog von Saint-Simon befand und nach dem Zeugniſs des zu-
verlässigen Mariette (1694—1774) mit dem Namen des Meisters und dem
Zusatz „mailändischer Edelmann" in griechischer Schrift bezeichnet war.
Mariette hat danach das Bild selbst gesehen, das, bevor die Inschrift
beachtet worden, immer für Lionardo gegolten; er beschreibt dasselbe
als Vertumnus und Pomona und fügt hinzu, dafs es damals im
Besitz eines Händlers war, der, um es wieder für ein Werk Lionardo's
auszugeben, die Bezeichnung ausgelöscht hatte. In der That taucht
dann das Werk in der zweiten Hälfte des 18. Jahrhunderts als Lionardo
in der K. Sammlung zu Sanssouci auf (No. 44 der Galerie, nach dem
Verzeichnis des M. Oesterreich von 1776); doch ist es, nach seiner
Ueberführung in das K. Museum, schon im Katalog von 1830 als
Francesco Melzi verzeichnet. — Demselben Meister gehört ohne Zweifel
auch die sog. Colombine in der Ermitage zu Petersburg an. — Die
Originalzeichnung zu unserem Bilde soll sich in der Sammlung zu
Windsor befinden (Rio).

Pappelholz, h. 1,85, br. 1,34. — Königliche Schlösser.

Memling. Hans Memling, Memlinc oder Memlinck. Niederländische Schule. — Geb. vor 1430 (?) zu Mainz, zuerst 1478
urkundlich erwähnt und damals schon seit längerer Zeit in

Brügge, † zu Brügge den 11. August 1495. Schüler des Roger van der Weyden (wahrscheinlich zu Brüssel). Thätig zu Brügge und vermutlich einige Zeit am Niederrhein.

Maria mit dem Kinde. Maria hält das nackte Kind, **528B** das vor ihr auf einer Brüstung sitzt und nach einem Apfel greift, den ihm Maria darreicht. Hintergrund baumreiche Landschaft.

Ringsum angestückt (daher auch die beiden Säulen auf den Seiten neuere Zuthat). — Das Bild ist eine freie Wiederholung (mit Veränderungen) des Madonnenbildes im Johannes-Hospital zu Brügge, das die eine Tafel des von Martin von Newenhoven im J. 1487 gestifteten Diptychons bildet. Eine zweite, noch freiere Wiederholung (ohne das Motiv des Apfels) in der National Gallery zu London.

Maria Halbfig. unter Lebensgr. Eichenholz, h. 0,53, br. 0,41. — Erworben 1862.

Thronende Maria mit dem Kinde. Maria sitzt auf **529** einer Holzbank, das sitzende Kind, welches nach griechischem Ritus segnet, auf dem Schofse haltend. Auf dem Boden vorn zur Rechten ein Caffagiolo-Gefäfs mit Lilien. Durch die vier Bogenöffnungen des Gemachs Ausblick in eine flache Landschaft.

Das Bild zeigt sich zumeist verwandt dem Altarbild des Meisters im Dom zu Lübeck um 1491.

Eichenholz, h. 0,81, br. 0,55. — Geschenkt 1836 von Friedrich Wilhelm IV. (aus der Sammlung des Generals Rühle von Lilienstern).

Memling. Schule des Hans Memling. Niederländische Schule.

Das jüngste Gericht. Christus, als Weltenrichter auf **600** dem Regenbogen thronend, zwischen Maria und Johannes und zwei Engeln mit den Marterwerkzeugen. Auf der Erde im Vordergrunde links fünf kluge Jungfrauen mit ihren brennenden Lampen; rechts die thörichten Jungfrauen mit den erloschenen Lampen. Weiter zurück zerklüftete Felsen, in deren Feuerschlünde Teufel die Verdammten hineinstürzen, während zur Linken ein Engel die auferstandenen Gerechten aufwärts leitet. Goldgrund.

Zeigt die gröfste Verwandtschaft mit dem jüngsten Gericht in Danzig, während der schwächere untere Teil, mit der Darstellung der klugen und thörichten Jungfrauen, in den Typen dem Ursulaschrein, namentlich dessen Seitenbildern sehr nahe kömmt.

Eichenholz, h. 0,65, br. 0,35. — Sammlung Solly, 1821.

Verz. d. Gemälde. 12

Merck. Jacobus Fransz van der Merck. Holländische
Schule. — Bildnismaler, gebürtig aus 's Gravendeel (kleine
Ortschaft), urkundlich schon 1631, dann 1636 als Meister im
Haag erwähnt, † zu Leiden Anfang September 1664. Thätig
im Haag bis um 1656 und in Leiden seit 1657, einige Zeit
in Dordrecht (1640 in die Gilde eingeschrieben).

799A   Bildnis eines jungen Mannes. Nach rechts gewendet, gradaus blickend. Mit Schnurr- und Knebelbart. In
schwarzem Gewand und pelzgefütterter Schaube; flacher
liegender Kragen. Grauer Grund.

Bez. rechts unten: *I v Merck 1640.*

Lebensgr. Brustb. Eichenholz, h. 0,59, br. 0,47. — Erworben
um 1850.

Messina. S. Antonello.

Metsu. Gabriel Metsu, seltener Metsue. Holländische
Schule. — Geb. zu Leiden 1630, begraben zu Amsterdam den
24. Oktober 1667. Schüler (angeblich) des Gerard Dou zu
Leiden. Anfangs zwischen verschiedenartigen Einflüssen
schwankend, dann insbesondere durch Rembrandt's Einwirkung weiter ausgebildet. Thätig zu Leiden (schon 1646
in der Gilde) und zu Amsterdam (seit 1650).

792   Familie des Kaufmanns Geelvink. In einem
reich ausgestatteten Gemach sitzt zur Linken Geelvink
an einem Tische. Rechts die Gemahlin, einem kleinen vor
ihr auf dem Tische sitzenden Mädchen eine Kinderklapper
reichend. Hinter ihrem Stuhle die Wärterin, das jüngste
Kind auf dem Arme; vor ihr am Boden ein älteres Kind,
das mit einem Hunde spielt. Links durch eine offene Thür
ist ein Knabe eingetreten, auf der Linken einen Papagei
hochhaltend. Vor ihm ein Windhund mit einer Katze spielend.

Bez. links am Thürpfosten: *G. Metsu.* — Ein Angehöriger der
Berner Patrizierfamilie Tschiffeli, der in holländischen Diensten stand
und die älteste Tochter der im Bilde dargestellten Familie Geelvink
heiratete, hatte s. Z. das Bild nach Bern gebracht, wo es sich in der
Familie forterbte.

Kleine Fig. Leinwand, h. 0,72, br. 0,79. — Erworben 1832 in Bern
von einem Nachkommen der Familie Tschiffeli.

792A   Die Köchin. Rechts vor einem Tische steht eine junge
Magd, den Bratenwender in den Händen. Vorn rechts eine
Katze; an der Wand im Grunde verschiedene Küchengeräte.

792.   Gabriel Metsu.

Bez. links oben: *G. Metsüc.*
Leinwand, h. 0,54, br. 0,42. — Erworben 1861.

Bildnis einer Frau (angeblich die Mutter des Künst- **792B**
lers). Nach rechts gewendet. In mittleren Jahren; die Rechte
auf die Brust gelegt. In schwarzem Kleid und schwarzer
weiter Haube über kleiner Spitzenmütze. In gemalter ovaler
Steinumrahmung. Dunkler Grund.

Nach A. Bredius ein Werk des Pieter van Anraadt (geb. in Deventer, gest. ebenda 1681; 1672 bis nach 1675 in Amsterdam). — Sammlungen Lord Radstock, London 1826, und Nieuwenhuis, Brüssel 1855.
Lebensgr. Halbfig. Leinwand, oval, h. 0,73, br. 0,61. — Sammlung
Suermondt, 1874.

Mierevelt. Michiel Jansz Mierevelt (später van Miereveld).
Zeichnet sich zumeist Mierevelt. Holländische Schule. —
Geb. zu Delft den 1. Mai 1567, † daselbst den 27. Juli 1641.
Schüler des Willem Willemsz und Augustijn zu Delft, dann
des A. van Montfoort zu Utrecht (bis 1583). Thätig zu Delft,
zeitweilig am Hofe im Haag (1625 in die Gilde eingetreten;
der eigentliche Hofmaler der Oranischen Fürsten).

Bildnis des Jan Uijtenbogaert, holländischen **748A**
Theologen von der Sekte der Remonstranten (1577
bis 1644). Nach rechts gewendet, gradaus blickend. In
schwarzem Käppchen, schwarzem Unter- und Oberkleide
mit Pelzbesatz. Dunkler Grund.

Bez. oben links: 1632. AETA, 75. — Gestochen von W. Delff mit
dem Namen des Malers. — Sammlung Blockhuizen (Rotterdam), Paris 1870.
Lebensgr. Brustb. Eichenholz, h. 0,63, br. 0,55. — Sammlung Suermondt, 1874.

Männliches Bildnis. Fast ganz von vorn gesehen, **748B**
etwas nach links gewendet. Mit Vollbart, in schwarzer
Tracht, mit hohem Steinkragen. Graulicher Grund.

Bez. rechts oben: *Ao. 1624 M. f.* — Sammlung Merlo, Köln 1868.
Kleines Brustb. Eichenholz, oval, h. 0,11. br. 0,09. — Sammlung
Suermondt, 1874.

Mieris. Frans van Mieris d. A. Holländische Schule. —
Geb. zu Leiden den 12. April 1635, † daselbst den 12. März
1681. Schüler des Glasmalers Abraham Torenvliet und des
Gerard Dou. Thätig zu Leiden.

Bildnis eines jungen Mannes. (Selbstbildnis?) **834**
Nach rechts gewendet, den Beschauer anblickend. Langes,

12*

lockiges Haar, rote Mütze mit Pfauenfeder und liegender
Spitzenkragen. Dunkler Grund.

Bez. rechts: *F. van Mieris 1657*.
Kleines Brustb. Eichenholz, oval, h. 0,11, br. 0,09. — Erworben 1834
aus dem Besitz eines Grafen Rechberg in München.

838 Junge Dame vor dem Spiegel. Eine Dame steht vor
einem links an der Wand hängenden Spiegel und legt sich eine
Schleife um den Hals. Links hinter ihr steht ihre Zofe,
eine Mohrin, das Schmuckkästchen in der Hand. Rechts im
Nebengemach mehr zurück ein junger Mann an einem Tische
sitzend und im Lesen vertieft.

Eichenholz, h. 0,30, br. 0,24. — Erworben 1843 aus der Sammlung
Reimer zu Berlin.

Mignard. Pierre Mignard, gen. le Romain. Französische
Schule. — Maler und Radirer, getauft zu Troyes den 17. November 1612, † zu Paris den 30. Mai 1695. Schüler eines
jetzt verschollenen Malers Boucher zu Bourges, des Bild-
hauers François Gentil zu Troyes und des Simon Vouet |zu
Paris; zu Rom durch das Studium des Annibale Carracci
weiter ausgebildet. Thätig zu Rom und Paris (seit 1657).

465 Bildnis der Maria Mancini, Nichte des Kardinals
Mazarin (1639—1715; 1661 mit dem Fürsten Colonna vermählt). Nach links gewendet, gradaus blickend. Mit schwarzem lockigen Haar, die Brust zur Hälfte entblöſst; Perlenhalsband und Perlenohrringe; blaues Gewand lose über
spitzenbesetztes Hemd gelegt. Mit der Rechten eine Perle
an rotem Bändchen haltend. Grünlichbrauner Grund.

Leinwand, h. 0,75, br. 0,62. — Königliche Schlösser.

Millet. François Millet (Millé, vlämisch Frans Mille), gen.
Francisque. Vlämische und Französische Schule. — Landschaftsmaler, getauft zu Antwerpen den 27. April 1642, begraben zu Paris den 3. Juni 1679. Schüler des Laurens
Francken in Antwerpen und mit diesem schon vor seinem
18. Jahre nach Paris übergesiedelt. In Paris durch das Studium des Nicolas Poussin weiter ausgebildet und daselbst,
nach verschiedenen Reisen, bis zu seinem Tode thätig.

478B Italienische Landschaft. Reich gegliedertes Terrain
mit Baumgruppen in einem Fluſsthal zur Linken, darüber

ferne Bergzüge. In der Mitte, etwas zurück, ein Hügel,
darauf zur Linken ein Kastell, zur Rechten ein antikes
Grabmal. Im Vordergrunde eine Schafherde mit ihrem
Hirten.

Leinwand, h. 0,82, br. 1,03. — Erworben 1882 in London.

Modenesischer Meister um 1520.

Darstellung des Kindes im Tempel. Auf dem mit **114**
Reliefs gezierten runden Altar steht das von Maria gehaltene
Kind; neben Maria Joseph und eine junge Magd, einen Korb
tragend. Auf der anderen Seite des Altars der verehrende
Simeon, neben ihm Johannes der Täufer und Hanna.
Hintergrund die Architektur des Tempels.

Früher dem Lorenzo Costa zugeschrieben, indes gehört das Bild
wohl einem von Costa und Ercole Grandi beeinflußten modenesischen
Meister an. — Das am Altar angebrachte Wappen ist das der alten
Patrizierfamilie Pio aus Modena und zwar des älteren Zweiges, der 1450 dem
Hause Savoyen aggregiert wurde. Das Bild geht wahrscheinlich auf
Albert Pio di Savoya (1475—1531) zurück, der ein großer Beschützer
von Kunst und Wissenschaft in Carpi war.

Pappelholz, h. 1,40, br. 0,94. — Sammlung Solly, 1821.

Mol. Peeter van Mol. Vlämische Schule. — Getauft zu
Antwerpen den 17. November 1599, † zu Paris den 8. April
1650. Schüler des Seger van de Grave (seit 1611), unter Rubens ausgebildet. Thätig zu Antwerpen und zu Paris (nachweisbar seit 1631, 1640 als Hofmaler der Königin genannt,
1648 Mitbegründer der K. Akademie).

Isaak segnet seinen Sohn Jacob. Der alte Isaak, **994**
aufrecht auf seinem Lager sitzend, legt segnend die Hand
auf den links vor ihm knieenden Jakob. Rechts an einem
Tische lehnt Rebekka. Links Ausblick auf den Abendhimmel.

Eine Zeichnung zu dem Bilde im Kupferstich-Kabinet zu Dresden.

Leinwand, h. 1,59, br. 2,26. — Königliche Schlösser.

Molenaer. Jan Miense Molenaer oder Molenaar. Holländische Schule. — Geb. zu Haarlem um 1600, begraben daselbst
den 19. Sept. 1668. Unter dem Einflusse von Frans Hals gebildet; später von Rembrandt und A. van Ostade beeinflußt.
Thätig zu Haarlem und zu Amsterdam (1636 bis nach 1646).

873   Die Werkstatt des Malers. Vorn tanzt ein Zwerg
mit einem Hunde nach der Musik eines im Grunde sitzenden
Leiermanns; zur Linken der Maler mit seiner Palette beschäftigt. Vorn rechts auf einer Staffelei ein Bild, das einen
ähnlichen Vorgang darstellt; mehr zurück eine junge Frau
und ein jüngerer Maier mit der Palette in der Linken.

> Bez. oben an der Landkarte (jetzt ganz undeutlich geworden):
> JMROLENAER (das J M und R verbunden) pinxit 1631. — Das Bild
> gehört zu den frühen Werken des Meisters, welche den Einfluß des
> Frans Hals bezeugen.
> Leinwand, h. 0,91, br. 1,27. — Erworben 1837.

946   Der Bänkelsänger. Zur Linken hat sich auf der
Brüstung einer steinernen Brücke ein Bänkelsänger postiert,
der den um ihn versammelten Bauern und Kindern eine
Schnurre vorträgt, während seine Frau Abdrücke des Liedes
ausbietet. Rechts auf einer Dorfstrafse Bauern beim Schweineschlachten.

> Bez. in der Mitte an der Brückenrampe: *J Molenaer.* — Aus der
> mittleren Zeit des Meisters.
> Eichenholz, h. 0,44, br. 0,68. — Königliche Schlösser.

949   Die Dorfschänke. In der Tenne eines Bauernhauses ist
eine Gesellschaft in ausgelassener Heiterkeit beim Hochzeits-
schmause versammelt. Links vorn ein junges tanzendes Paar;
rechts oben zwei Spielleute.

> Bez. rechts an einer Bank: *J. Molenaer. 1659.* — Eine Wieder-
> holung von gröfserem Format und mit Veränderungen befand sich in
> der Sammlung J. A. Berg auf Heleneborg bei Stockholm.
> Eichenholz, h. 0,44, br. 0,68. — Königliche Schlösser.

Mommers. Hendrik Mommers. Holländische Schule. —
Geb. angeblich 1623 zu Haarlem, woselbst er 1697 gestorben
sein soll; 1647 als Meister in die Gilde daselbst aufgenommen.
Thätig zu Haarlem (nach einem Aufenthalte in Rom).

845   Landschaft mit Hirten. Eine Magd mit Eimern
kommt von einer Anhöhe den Weg entlang, auf dem vorn
zur Rechten zwei Hirtenknaben neben einigen Schafen und
einer Kuh rasten. Zur Linken Blick auf ferne Hügel.

> Bez. unten in der Mitte: *Mommers* (undeutlich).
> Eichenholz, h. 0,51, br. 0,71. — Erworben 1843 aus der Sammlung
> Reimer zu Berlin.

Momper. Frans de Momper. Vlämische Schule. — Landschaftsmaler, geb. zu Antwerpen, daselbst 1629/3o in die
Gilde aufgenommen, † ebenda 1660/61. Mutmafslich Sohn
und Schüler des Jodocus de Momper, später unter dem Einflusse der holländischen Landschaftsmaler, wie van Goijen
und Roghman, fortgebildet. Thätig zu Antwerpen, Haarlem
und im Haag.

Blick auf Amsterdam. An einem stillen Wasser, über **772**
welches links eine Brücke führt, liegen am jenseitigen Ufer
rechts einige Häuser. Weiter zurück die Stadt Amsterdam.

Bez. rechts unten: *F d momper.*
Eichenholz, h. 0,60, br. 0,85. — Erworben 1843 aus der Sammlung
Reimer zu Berlin.

Montagna. Bartolommeo Montagna. Venetianische Schule.
— Geb. vermutlich zu Orzinuovi (der Heimat seines Vaters
Antonio) im Gebiete von Brescia um 1440—1445, Bürger von
Vicenza, urkundlich daselbst zuerst 1480 erwähnt, † daselbst
den 11. Oktober 1523. Unter dem Einflusse von Mantegna,
Gio. Bellini und Carpaccio wahrscheinlich in Venedig ge-
bildet. Thätig zu Vicenza, kurze Zeit in Bassano, Padua
und Verona.

Thronende Maria mit dem Kinde und Heiligen. **44**
Auf hohem Throne sitzend hält Maria das auf ihrem Schofse
stehende Kind. Vor dem Throne links der hl. Homobonus,
einem Armen, der hinter ihm kniet, ein Almosen reichend;
rechts der hl. Franciscus mit Kreuz und Buch. Hinter Franciscus, in kleinerem Mafsstabe, der knieende Stifter in Fran-
ziskaner-Tracht, Bernardino da Feitre; über seinen gefalteten
Händen schwebt ein kleiner grüner Hügel mit Münzen über-
deckt und einem Kreuze auf der Spitze, das Wahrzeichen
der Pfandhäuser. Vorn ganz klein die hl. Katharina. Hintergrund bergige Landschaft.

Bez. auf dem Thronsockel: M. D, ganz unten auf der gemalten
Leiste (der Vorname ist durch eine alte Retouche ausgelöscht):
Opus .... Montagna. — Das Bild, das aus der besten Zeit des Meisters
stammt, wurde für S. Marco in Lonigo gemalt. Die Predella zu dem-
selben befindet sich im Museo civico zu Vicenza. — Bernardino da
Feltre war der erste Gründer von Pfandhäusern in Italien.
Leinwand, h. 2,03, br. 1,57. — Sammlung Solly, 1821.

Mor. Antonis Mor, Moor oder Moro (nach einem Gute, das er besafs, auch van Dashorst). Niederländische Schule. — Vornehmlich Bildnismaler, geb. zu Utrecht angeblich 1512, † zwischen 1576 und 1578. Schüler des Jan Scorel zu Utrecht, unter dem Einflusse italienischer Meister ausgebildet (urkundlich in Rom anwesend 1550). Thätig zumeist zu Utrecht und Antwerpen (1547 in die Gilde aufgenommen); zeitweilig an den Höfen von Madrid (als Hofmaler Philipp's II.), Lissabon (1553), London (1554) und Brüssel.

585A Bildnis der Utrechter Domherren Cornelis van Horn und Antonis Taets. Beide nach rechts gewendet; van Horn im Profil, Taets gradaus blickend. Bartlos und barhaupt in weißer Ordenstracht, jeder einen Palmenzweig in den gefalteten Händen. Hellgrauer Grund.

Bez. am oberen Rande einer Inschrifttafel, auf welcher auch die Wappen angebracht sind: *Anthonis mor fecit.* — Auf dieser Tafel in der Mitte das Kreuz von Jerusalem, zu beiden Seiten die Namen und Titel der Dargestellten, die als Brüder vom Orden des hl. Grabes ihre Reise (Bittfahrt) nach Jerusalem gemacht hatten, sowie das Jahr der Reise van Horn's (1521). Unter dem Bildnis zur Linken:
Meister cornelis van born Doctor wt weest vrieslant gheboren
Canonick in den dom thutrecht was the iherusalem in de heilichge stee
Domen screef dusent vyfhondert en tuyntich so gip [sic, anstatt gy]
mocht horen
hy hebbe daervoor hier naemaels den euichghen vree;
unter dem Bildnis zur Rechten:
heer Anthonis taets van Ameronghen wel becant
gheboren van vtrecht canonick in den Dom
is gheweest the iherusalem in dat heylich lant
the romen sant iacops ende al om end om.
— Frühestes datiertes Werk des Meisters, noch im Anschluß an Scorel (s. dessen Bild der Jerusalemsfahrer im städt. Museum zu Haarlem) und vor seiner Beeinflussung durch italienische Künstler.
Lebensgr. Halbfig. Eichenholz, h. 0,74, br. 0,96. — Erworben 1859.

730 Ant. Mor? Männliches Bildnis. Fast von vorn gesehen, mit geringer Wendung nach rechts. Barhaupt, in rotblondem Vollbart und dunklerem krausen Haar. Schwarzes Gewand. Dunkler Grund.

Bez. rechts oben: 1553. ÆTA. SVÆ. 45.
Fast lebensgr. Kopf. Eichenholz, h. 0,26, br. 0,20. — Königliche Schlösser.

Morales. Luis de Morales, gen. el Divino. Spanische Schule. — Geb. zu Badajoz um 1509, † daselbst 1586. Thätig zu Toledo, Sevilla, Madrid und Badajoz.

Maria mit dem Kinde. Das Kind, auf dem Schofse der **412** Mutter sitzend, blickt zu einer Garnweife auf, die es mit der Rechten in Form eines Kreuzes aufgestellt hat; in der Linken hält es die Garnrolle. Dunkler Grund.

Maria Halbfig. unter Lebensgröfse. Eichenholz, h. 0,49, br. 0,33 — Erworben 1841/42 in Italien.

Moreelse. Paulus Moreelse. Holländische Schule. — Vornehmlich Bildnismaler, auch Zeichner für den Holzschnitt, geb. zu Utrecht 1571, † den 19. März 1638. Schüler des Michiel Mierevelt zu Delft. Thätig zu Utrecht (1596 in die Gilde aufgenommen).

Bildnis einer jungen Frau. Nach links gewendet, **753** gradaus blickend. In schwarzer geblümter Seide, weifsem breiten Steinkragen, Spitzenmütze und Manschetten; in der an der Seite herabhängenden Rechten einen schwarzen Federfächer. Dunkler Grund.

Bez. rechts oben mit dem Monogramm und *1628.*

Lebensgr. Kniestück. Eichenholz, h. 1,20, br. 0,88. — Sammlung Solly, 1821.

Moretto. S. Bonvicino.

Morone. Francesco (di Domenico) Morone. Venetianische Schule (Verona). — Geb. zu Verona 1473 oder 1474, † daselbst den 16. Mai 1529. Schüler und Gehülfe seines Vaters Domenico. Thätig zu Verona.

Maria mit dem Kinde. Maria trägt auf ihren Armen **46** das nackte Kind, das mit der Rechten den Segen erteilt und auf seiner Linken einen Stieglitz hält. Hintergrund bergige Landschaft.

Bez. auf dem Halssaum des Kleides der Maria: *Franciscus Moronus. p.* — Im Nimbus des Kindes die Umschrift: UNUS VERONEN FT VERON.

Maria Halbfig. unter Lebensgr. Leinwand, h. 0,48, br. 0,40. — Erworben 1830 durch Tausch von Solly.

Thronende Maria mit Heiligen. Maria, auf erhöhtem **46B** Throne sitzend, hält das Kind auf dem Schofse. Zur Rechten der hl. Hieronymus, links der hl. Antonius der Einsiedler. Hintergrund Landschaft.

Bez. rechts unten: *Franciscus Moronus p.*
Leinwand, h. 1,56, br. 1,37. — Sammlung Solly, 1821.

Moroni. Giovanni Battista Moroni oder Morone. Venetianische Schule (Bergamo). — Geb. in einem kleinem Dorfe Bondo bei Albino (Provinz Bergamo) um 1520—1525, † zu Bergamo den 5. Februar 1578. Schüler des Aless. Bonvicino, gen. Moretto. Thätig in Bergamo und Umgegend.

167　　Bildnis eines jungen Mannes. Nach rechts gewendet und gradaus blickend, vor einem mit grünem Teppich bedeckten Tische sitzend. Mit kurz geschorenem Haar und Knebelbart; in schwarzseidenem Wamms. In der Linken, welche auf dem Tische ruht, einen Brief haltend. Grünlich grauer Grund.

Auf dem auf dem Tische liegenden Briefe das Datum: Settembre XX. MDLIII.
Lebensgr. Halbfig. Leinwand, h 1,01, br. 0,81. — Sammlung Solly, 1821.

193　　Bildnis des Künstlers (angeblich und unbezeugt). Nach links gewendet und gradaus blickend. Mit Vollbart; in grauem pelzgefütterten Gewand. Grauer Grund.

Lebensgr. Brustb. Leinwand, h. 0,65, br. 0,48. — Erworben 1842 in Rom vom Maler Ximenez.

193 A　　Bildnis eines Gelehrten. Nach links gewendet und gradaus blickend. Mit kurz geschorenem Haar; in schwarzer Kleidung. Der linke Arm ruht auf einem Folianten; in der Rechten ein Blumenzweig. Grauer Grund.

Lebensgr. Halbfig. Leinwand, h. 0,97, br. 0,80. — Erworben 1873 in Florenz.

Mostaert. Jan Mostaert oder Mostart. Niederländische Schule. — Geb. zu Haarlem um 1470, gest. (nach van Mander) 1555 oder 1556. Schüler des Jacob Janszen van Haarlem; unter dem Einflusse des Gerard David ausgebildet. Thätig zu Haarlem (wo er noch 1551 lebte).

554　　Maria mit dem Kinde. Vor einem grünen Vorhange sitzend hält Maria das nackte Kind auf dem Schofse; in ihrer Linken ein Gebetbuch, in welchem das Kind blättert.

Ueber ihrem Haupte halten zwei schwebende Engel eine Krone.

Das Bild stimmt in den Typen und der Behandlungsweise im wesentlichen mit der Darstellung der Schmerzensmutter in Notre-Dame zu Brügge überein und kann somit dem sog. Waagen'schen Mostaert, für den diese Tafel eben als Ausgangspunkt diente, zugeschrieben werden. Dafs indes diese unter dem Namen des Mostaert gehenden Bilder ihren Namen mit Recht tragen, scheint sehr zweifelhaft, da ein autentisches Werk des Meisters bisher nicht nachgewiesen werden konnte. Eichenholz, h. 0,31, br. 0,19. — Sammlung Solly, 1821.

Mostaert? Ruhe auf der Flucht nach Aegypten. **621** Maria sitzt unter einem Kastanienbaum und reicht dem Kinde die Brust. Im Mittelgrund der weiten Landschaft reitet Josef auf seinem Esel.

Stimmt, namentlich in der Landschaft, nicht durchaus mit den dem Mostaert zugeschriebenen Bildern überein. Eichenholz, h. 0,16, br. 0,13. — Sammlung Solly, 1821.

Minari. S. Pellegrino.

Murano. Schule von Murano um 1450. Venetianische Schule.

Der Erzengel Michael. In goldener Rüstung steht **1155** Michael auf dem Drachen (Luzifer), dessen Kopf er mit der Lanze durchbohrt; in der Linken hält er die Seelenwage, in deren Schalen zwei nackte Gestalten stehen, als Sinnbilder der Seligkeit und der Verdammnis. Dunkler Grund.

Pappelholz, h. 1,16, br. 0,49. — Sammlung Solly, 1821.

Murillo. Bartolomé Estéban Murillo. Spanische Schule (Sevilla). — Getauft zu Sevilla den 1. Januar 1618, † daselbst den 3. April 1682. Schüler des Juan de Castillo zu Sevilla; zu Madrid (1642—1645) unter dem Einflusse von Velazquez sowie der Werke von Ribera, Rubens, van Dyck und Tizian weiter ausgebildet. Thätig vornehmlich zu Sevilla.

Der hl. Antonius von Padua mit dem Christus- **414** kinde. Der Heilige, nach links gewendet, hält das Kind, welches das Gesicht liebkosend an das seinige schmiegt, knieend auf den Armen. Von oben links schweben drei Engel herab, zwei andere über dem Haupte des Heiligen. Zu seinen Füfsen ein Engel mit einem Buche, hinter diesem ein zweiter mit einer Lilie (die Attribute des Antonius). Im Hintergrund Landschaft.

Der Meister hat dieses Motiv öfters behandelt. In der Kathedrale zu Sevilla stellt ein berühmtes Bild des Künstlers das Christuskind vor, wie es im lichten Schein einer Engelsglorie zum knieenden Antonius herabschwebt: der Moment also, der obiger Darstellung vorangeht.

Leinwand, h. 1,65, br. 2,00. — Erworben 1835 zu Paris aus der Sammlung des Barons Mathieu Favier, der seine Bilder unter Marschall Soult in Spanien zusammengebracht hatte.

Musscher. **Michiel van Musscher.** Holländische Schule. — Maler (insbesondere von Bildnissen) und Radirer, geb. zu Rotterdam den 27. Januar 1645, † den 20. Juni 1705, wahrscheinlich zu Amsterdam. Schüler des Martijn Saegmeulen (1660), des A. van den Tempel (1661), des Gabriel Metsu (1665) und des Adriaan van Ostade (1667). Thätig vornehmlich zu Amsterdam, wo er im Jahre 1688 das Bürgerrecht erwarb.

850A   Männliches Bildnis. Der Körper nach rechts, der Kopf mehr dem Beschauer zugewendet. Mit langer Allongeperrücke; in grünlichem Untergewand unter schwarzem Rock, über diesem ein braunroter Mantel. An ein Säulenpostament gelehnt. Dunkler Grund.

Bez. auf dem Postament der Säule: *M. Musscher.*

Kniestück in ein Drittel Lebensgr. Leinwand, h. 0,49, br. 0,40. — Erworben 1878 in Berlin von Restaurator Schmidt.

Nason. **Pieter Nason.** Holländische Schule. — Bildnis- und Stilllebenmaler, geb. 1612 in Amsterdam, 1639 im Haag als Meister in die alte Lukasgilde aufgenommen, 1656 Mitbegründer der neuen Malergilde, † zwischen Dezember 1681 und 1691. Angeblich Schüler des Jan van Ravesteijn. Thätig im Haag und mutmafslich eine Zeitlang am kurfürstlichen Hofe zu Berlin.

977   Stillleben. Auf der teilweise mit einem grünen Teppich bedeckten Marmorplatte eines Tisches stehen ein Pokal, ein venetianisches Weinglas und ein Champagnerglas; daneben eine silberne Schale mit Früchten und eine Platte mit Austern und einem Brödchen. Dunkler Grund.

Bez. rechts unten: *P. Nason. f.*

Leinwand, h. 0,84, br. 0,70. — Königliche Schlösser.

1007A   Bildnis eines jungen Mannes. Fast von vorn gesehen, mit geringer Wendung nach rechts und gradaus blickend. Bartlos, mit Allongeperrücke; in einen weiten schwarzen Mantel gehüllt, mit schlaffem Spitzenkragen. Den rechten Arm auf ein Postament gelehnt, die Linke in die Seite gestemmt. Hintergrund Landschaft.

Bez. links unten am Postament: *P Nason. f. 1668.*
Lebensgr. Halbfig. Leinwand, h. 0,83, br. 0,67. — Erworben 1847 von Frau Prof. Kretschmar in Berlin.

Neer. Aart (Aernout) van der Neer. Holländische Schule. — Landschaftsmaler, geb. 1603 zu Amsterdam, † den 9. November 1677. Thätig zu Amsterdam seit etwa 1640.

Brand einer holländischen Stadt. In der Nähe **840** eines hohen Brückenthores wütet vor einer Kirche eine Feuersbrunst. Eine dichte Menschenmenge mit Löschen und Retten beschäftigt. Am Horizont erhebt sich über dem Meeresarm die Mondscheibe.

Bez. vorn an einem Boote mit dem aus den Buchstaben A V und D N bestehenden Monogramm.
Leinwand, h. 0,75, br. 1,03. — Erworben 1844 in Rotterdam.

Feuersbrunst in einer holländischen Stadt. Ueber **840A** einen breiten Flufsarm, auf dem Flösse und Boote liegen, blickt man in den grellen Schein einer starken Feuersbrunst. Vorn zur Linken fünf Figuren.

Bez. unten rechts auf einem Baumstamm mit dem Monogramm.
— Sammlungen Brabeck zu Soeder, Stolberg zu Hannover 1859, und Hudtwalker zu Hamburg.
Leinwand, h. 0,52, br. 0,72. — Sammlung Suermondt, 1874.

Winterlandschaft. Auf dem gefrorenen Spiegel eines **840C** Flusses bewegen sich Schlittschuhläufer und Spaziergänger. Vorn Kalfspieler. Am Ufer zur Rechten eine Dorfstrafse. Links in der Ferne eine Stadt mit hohem abgestumpften Kirchturm.

Bez. links unten mit dem Monogramm. — Sammlung Pastor, Burtscheid 1820.
Eichenholz, h. 0,59, br. 0,82. — Sammlung Suermondt, 1874.

Mondscheinlandschaft. Am Ufer eines breiten Flufs- **842** armes zur Rechten einzelne Häuser zwischen Bäumen, zur Linken eine kleine Stadt. Auf dem Flusse einzelne Boote; vorn Fischer in einem Kahn, mit dem Aufhängen ihrer Netze beschäftigt.

Bez. rechts unten mit dem Monogramm.
Eichenholz, h. 0,33, br. 0,46. — Erworben 1843 aus der Sammlung Reimer zu Berlin.

842A   Mondscheinlandschaft. Breiter Kanal, an dessen
linkem Ufer eine Dorfstrafse mit Bäumen. Am Ufer zur
Rechten ein Weg, auf dem ein Pferd einen Kahn zieht;
weiter zurück eine Windmühle und eine Ortschaft.

Sammlung Mecklenburg, Paris 1854.

Leinwand, h. 0,53, br. 0,73. — Sammlung Suermondt, 1874.

842B   Mondscheinlandschaft. An den Ufern eines breiten
Kanals liegen links verschiedene Gehöfte, rechts ein altes
Kastell zwischen Bäumen. Im Mittelgrunde ein landender
Fischerkahn.

Bez. im Terrain links mit dem Monogramm. — Sammlung Graf
Schönborn, Wien 1866.

Leinwand, h. 0,33, br. 0,42. — Sammlung Suermondt, 1874.

Neer. Eglon Hendrik van der Neer. Holländische Schule.
— Geb. zu Amsterdam 1643, † zu Düsseldorf den 3. Mai 1703
(nach Houbraken). Sohn und Schüler des Aart van der
Neer; später in der Lehre bei Jacob van Loo. Bildete sich
in seinen Landschaften nach Adam Elsheimer. Nach einem
mehrjährigen Aufenthalte in Frankreich abwechselnd thätig
in Rotterdam (nachweisbar von 1663—1679), im Haag (urkundlich 1670), in Amsterdam, Brüssel und Düsseldorf (als
Hofmaler des Kurfürsten Johann Wilhelm von der Pfalz).

846A   Tobias mit dem Engel. Tobias, der sich unter einem
Baume zur Rast niedergelassen, spricht zu dem in seidene
Gewänder gekleideten Erzengel Raphael, der links vor ihm
steht. Auf dem Wege der tote Fisch und ein Hündchen.
Hintergrund Landschaft.

Bez. links im Terrain unter den Baumstämmen: *E. v. Neer. fe. 1685.*
— Sammlung Simonet, 1873.

Eichenholz, h. 0,29, br. 0,22. — Sammlung Suermondt, 1874.

Neroccio. Neroccio di Bartolommeo (mit vollem Namen:
Neroccio di Bartolommeo di Benedetto de'Landi). Schule von
Siena. — Bildhauer und Maler, geb. zu Siena 1447, † daselbst
1500. Unter dem Einflufs des Vecchietta und des Francesco
di Giorgio gebildet. Thätig zu Siena.

63A   Maria mit dem Kinde und Heiligen. Maria das
Kind auf dem rechten Arme haltend; weiter zurück rechts
die hl. Katharina von Siena, links der hl. Hieronymus. Goldgrund.

Halbfig. in halber Lebensgr. Tempera. Pappelholz, h. 0,41, br. 0,30.
— 1884 von Dr. W. Bode der Galerie überwiesen.

Neroni. **Bartolommeo Neroni, gen. Riccio.** Nach dem
Vater: **Bartolommeo di Bastiano.** Schule von Siena. — Maler,
Bildhauer und Architekt, geb. zu Siena oder zu Florenz nach
1500, in Siena urkundlich zuerst 1534 genannt, † daselbst im
Juni 1571. Schüler seines Schwiegervaters Gio. Ant. Bazzi,
gen. Sodoma.   Thätig zu Siena, einige Zeit auch in Lucca.

Maria mit dem Kinde und Heiligen. Maria hält **332**
das Kind mit der Linken auf dem Schofse; links der hl.
Ludwig von Frankreich, die Krone auf dem Haupte, rechts
die hl. Clara mit dem Lilienstengel. Dunkler Grund.

Lebensgr. Halbfig. Pappelholz, rund, Durchmesser 0,64. — Erworben 1829 durch Rumohr.

Netscher. **Caspar Netscher.** Holländische Schule. — Geb.
zu Heidelberg 1636 oder 1639, † im Haag den 15. Januar 1684.
Kam schon als Kind nach Holland; zu Arnheim Schüler von
H. Coster und später zu Deventer Schüler des Gerard Ter-
Borch (um 1655). Thätig im Haag (seit 1662; 1659—1662 in
Bordeaux.

Die Küche. Eine alte Köchin, die links neben einem **848**
Tische sitzt, rupft kleine Vögel, deren Federn sie vor sich
in einen Kübel wirft. Auf dem Tische rechts eine gerupfte
Ente, einige kleine Vögel und ein Korb mit Kohl. Vorn vor
dem Tische ein Fafs und Küchengerät.

Bez. an der Tischplatte: *CNetscher*.
Leinwand, h. 0,69, br. 0,58 — Königliche Schlösser.

Vertumnus und Pomona. In ihrem Fruchtgarten sitzt **850**
vor einer im Weinlaub versteckten Satyrherme Pomona, ein
Gartenmesser in der Hand. Vertumnus ist in Gestalt einer
alten Frau, auf einen Krückstock gestützt, an sie herangetreten und legt seine rechte Hand auf ihren Arm. (Ovid's
Metamorphosen XIV. 623 f.)

Bez. am Stein unter dem Fufse der Pomona: *CNetscher 1681*.
Leinwand, h. 0,50, br. 0,41. — Königliche Schlösser.

Bildnis des jungen Markgrafen Ludwig von **1024**
Brandenburg. Nach rechts gewendet, gradaus blickend.
Mit blonder Allongeperrücke und Spitzenhalstuch; in voller
Rüstung. Die Linke auf den Helm gestützt, der nebst Her-

melinmantel auf einem Tische liegt; in der Rechten den
Kommandostab. Im Hintergrunde Abendhimmel.

Kleine Fig. bis zu den Knieen. Leinwand, h. 0,46, br. 0,38 —
Königliche Schlösser.

Netscher. Constantijn Netscher. Holländische Schule. —
Getauft im Haag den 16. Dezember 1668, begraben daselbst
den 27. März 1721. Schüler seines Vaters Caspar. Thätig im Haag.

1018   Bildnis eines Feldherrn. In mittleren Jahren; nach
rechts gewendet, gradaus blickend. In dunkler Allongeperrücke und Harnisch; mit der Rechten den Kommandostab
in die Seite stemmend, die Linke auf dem Helm, der auf
einem Tische liegt. Im Grunde Architektur mit Reliefbild-
werk, links Landschaft.

Kleine Halbfig. Leinwand, h. 0,49, br. 0,38. — Sammlung Giustiniani, 1815.

Neufchatel. Nicolas Neufchatel, gen. Lucidel. Im Antwerpener Gildebuche Colyn van Nieucasteel gen.; zeichnete
sich Nicolaus de Novocastello. Niederländische Schule. —
Geb. mutmafslich 1527 in der Grafschaft Bergen im Hennegau,
† wahrscheinlich nach 1590. 1539 Schüler des Peeter Coecke
van Aelst in Antwerpen. Seit 1590 thätig zu Nürnberg.

632   Bildnis eines jungen Mannes aus der Familie
Tucher. Von vorn gesehen. Mit schwarzem Barett, in
schwarzem geblümten Seidenkleide. In der Linken die
Handschuhe, die Rechte in sprechender Bewegung vorge-
streckt. Dunkelgrüner Grund.

Auf dem Ringe an der linken Hand das Wappen der Nürnberger
Familie Tucher von Simmelsdorf.

Lebensgr. Halbfig. Eichenholz, h. 0,79, br. 0,51. — Erworben vor
1820 von Frauenholz.

Niccolò. Art des Niccolò Semitecolo (thätig zu Venedig
um 1351 bis nach 1400). Venetianische Schule.

1140 A   Christus rettet den im Wasser versinkenden
Petrus. Christus auf dem Wasser schreitend fafst den
sinkenden Petrus an der Hand; hinter ihm auf dem bewegten See das Schiff mit den Aposteln. Am felsigen Ufer
ein angelnder Fischer. Goldgrund.

Der byzantinische Einfluss, der sich in Venedig besonders lange
erhalten hat, ist auch in dem hiesigen Bilde noch sichtbar. — Die

zugehörigen Bilder, No. III 80 und No. 1140, mit Darstellungen aus der Legende des hl. Petrus, gegenwärtig in den Vorratsräumen.

Tempera.   Pappelholz, h. 0,24, br. 0,61. — Sammlung Solly, 1821.

Niederländische Schule um 1480.

Maria mit dem Kinde und Stiftern. Vor einem **526** reich gemusterten Teppich steht Maria mit dem Kinde. Ihr zur Linken kniet Arnold von Löwen († 1287), rechts dessen Gattin Elisabeth von Breda († 1280), welcher das Kind den Segen erteilt; beide halten Bäumchen in den Händen. Zuäufserst links der Stifter in rotem Gewande. An den Bäumen hängen rechts und links die Wappen von Breda und Löwen. Hintergrund Landschaft.

Wahrscheinlich Wiederholung eines älteren von Arnold von Löwen und seiner Gattin gestifteten Gemäldes oder späte Ausführung einer von denselben hinterlassenen Stiftung durch den auf dem Bilde mit dargestellten Nachkommen. — In der Art des Roger van der Weyden.

Eichenholz, h. 1,53, br. 1,53. — Sammlung Solly, 1821.

Niederländische Schule um 1480—1500.

Joseph wird an die Ismaeliten verkauft. Joseph **539A** wird von zweien seiner Brüder aus der Grube hervorgezogen; daneben ein Ismaelit. Ein anderer Ismaelit zählt einem vom Rücken gesehenen Bruder Joseph's Geld in die Hand. Im Mittelgrunde rechts auf einer Anhöhe vier Brüder Joseph's mit ihrer Mahlzeit beschäftigt. Zur Linken fünf andere welche dem Vater Jakob den blutigen Rock Joseph's bringen. Hintergrund Landschaft. (I. Buch Mose XXXVII, 25—36.)

Mit No. 539 B, 539 C und 539 D (?) zu einer Folge gehörig. — Mit dem folgenden Bilde unter dem Namen Dirk Bouts erworben. Die Bilder weisen in Auffassung, Formgebung und Behandlung auf einen Nachfolger von Dirk Bouts und Gerard David hin.

Eichenholz, rund, Durchmesser: 1,48. — Erworben 1863 aus der Sammlung des Staatsprokurators Abel in Stuttgart.

Joseph von Potiphar zum Verwalter eingesetzt. **539B** Joseph kniet mit erhobenen Armen vor Potiphar, der mit der Rechten auf seine Besitztümer weist um die Verwaltung derselben in Joseph's Hände zu legen. Rechts steht Potiphar's Frau, mit begehrlichem Blick Joseph anschauend; hinter ihr eine Begleiterin. In der Landschaft Potiphar den Joseph von den Ismaeliten erhandelnd. (I. Buch Mose XXXIX, 1—6.)

Mit No. 539 A, 539 C und 539 D (?) zu einer Folge gehörig.

Verz. d. Gemälde.   13

Eichenholz, rund, Durchmesser: 1,48. — Erworben 1863 wie das vorige.

539C   · Joseph wird in die Grube gestofsen. Zwei Brüder Joseph's stofsen denselben in die Grube; zwei andere sind damit beschäftigt seinen Rock mit dem Blut eines frisch geschlachteten Ziegenbockes zu besudeln. Hintergrund Landschaft. (I. Buch Mose XXXVII, 23, 24, 31.)

Mit No. 539 A, 539 B und 539 D (?) zu einer Folge gehörig. — Sammlung Demidoff, San Donato.

Eichenholz, rund, Durchmesser: 1,53. — Erworben 1889 in London als Geschenk von Herrn J. Wernher.

539D   Esthers Fürbitte bei Ahasver (?). Unter der Vorhalle eines Palastes sitzt vom Rücken gesehen Ahasver, der seine beiden Hände abwehrend der von links herantretenden Esther entgegenhält. Rechts neben ihm Haman, hinter Esther zwei Frauen. Im Mittelgrund rechts ein Rundturm aus dessen einem Fenster Esther herausblickt, während sie von dem anderen zwei bronzene Götzenbilder herabstürzt. Links im Hintergrund vier Männer im Gespräch, und Blick in die Landschaft.

Scheint nach den Mafsen zu derselben Folge wie No. 539 A, 539 B und 539 C zu gehören. — Sammlung Demidoff, San Donato.

Eichenholz, rund, Durchmesser: 1,53. — Erworben 1889 in London als Geschenk von Herrn J. Wernher.

Niederländische Schule um 1470.

590A   Maria mit dem Kinde, Heiligen und Stifterfamilie. Vor einem aufgespannten Teppich sitzt Maria auf einer Rasenbank, das Kind an sich drückend. Vorn stehen zur Linken der hl. Hieronymus, zur Rechten eine weibliche Heilige, welche auf einem Buche eine dreifache Krone trägt beide die vor ihnen knieende Stifterfamilie empfehlend: links Graf Jacob von Hornes mit fünf Söhnen, rechts seine Gemahlin Johanna mit drei Töchtern. Ganz vorn acht Wappen und vier in den Ecken des alten Rahmens. Hintergrund Landschaft.

Umschrift des Rahmens: Int iair ons heren MCCCCLXI des anderen daighs inden aprill starff toe woiriehem die hoigebaren vrouwe Johanna dochter grevē-frederycks van moirse irste greuynne toi hoirne vrouwe toe altena toe montegys toe torterlhem ende toe erguendoncl hier begrave wes siele moet ruhen in vreden ame. — Darnach liegt hie

ein Gedenkbild auf den Tod der Gräfin Johanna von Hornes, geb.,
Gräfin von Moers-Saarwerden, † 1461, vor. Da der jüngste Sohn
Johann, der letzte zur Linken, 1482 zum Bischof von Lüttich ernannt,
hier noch in ganz jugendlichem Alter und vor dieser Ernennung dargestellt ist, so muß das Bild zwischen den J. 1461 und 1482 gemalt
sein. Und zwar wahrscheinlich bald nach 1461, wie neben anderen
Anzeichen auch aus der Beschaffenheit der Wappen erhellt. Dieselben,
zum größeren Teil Allianz-Wappen, sind erst später aufgemalt worden,
allein, wie sich aus dem Allianz-Wappen des einen der Söhne in
Rüstung ergiebt, nicht später als 1479. — Seinem Stilcharakter nach
gehört das Bild der niederländischen Schule und zwar einem Nachfolger des Roger van der Weyden an.

Eichenholz, h. 0,87, br. 0,94. — Erworben 1861 in Leipzig aus der
Sammlung Minutoli.

Niederländische Schule um 1510—1520.

Männliches Bildnis. In mittleren Jahren, etwas nach   **605**
rechts gewendet. In schwarzer pelzgefütterter Schaube und
schwarzer Mütze; die rechte Hand an die Brust gelegt; die
Linke einen Brief mit einer niederländischen Aufschrift
haltend. Grüner Grund.

Halbfig. unter Lebensgr. Eichenholz, h. 0,48, br. 0,31. — Sammlung Solly, 1821.

Niederländischer Meister um 1500—1520.

Männliches Bildnis. Nach links gewendet. Mit   **206**
braunem Vollbart, in schwarzem Barett und Wamms von
dunkelvioletter Seide. In der Rechten einen Brief haltend,
in der Linken die Handschuhe. Dunkelgrüner Grund.

Früher nach Lermolieff dem Marco d'Oggionno zugeschrieben,
während Crowe und Cavalcaselle eine Verwandtschaft mit Bernardino
Conti finden. Andererseits aber deuten die Technik wie auch das
Eichenholz, worauf das Bild gemalt ist, auf niederländischen Ursprung.

Lebensgr. Halbfigur. Eichenholz, h. 0,67, br. 0,53. — Erworben 1829.

Niederländischer Meister um 1460.

Anbetung der Könige. In einer Hütte, über welcher   **527**
der Stern der Verheißung steht, sitzt zur Linken Maria auf
ihrem Lager. Sie hält das Kind einem der Könige entgegen,
der demselben kniend die Hand küßt, während er Joseph
mit der Linken einen goldenen Pokal darreicht. Rechts die
beiden anderen Könige, goldene Gefäße haltend. In der
Landschaft das heranziehende Gefolge der Könige.

Früher, wie das Gegenstück No. 542, vermutungsweise dem Gerard van der Meire (nach alter Ueberlieferung) zugeschrieben. Allein von diesem Meister, der in Gent zwischen den Jahren 1452 und 1474 thätig war, läfst sich mit Sicherheit kein erhaltenes Gemälde nachweisen. Der Künstler dieser beiden Bilder, von welchem sich ein drittes wahrscheinlich zu den hier genannten zugehöriges Gemälde, eine Darstellung im Tempel, in der Sammlung Hainauer in Berlin befindet, zeigt sich sowohl von Roger van der Weyden, wie von den Werken des Jan van Eyck beeinflufst und steht dem sog. Meister des Merode'schen Altares am nächsten.

Eichenholz, h. 0,57, br. 0,52. — Sammlung Solly, 1821.

542   **Heimsuchung der Maria.** Elisabeth und Maria begrüfsen sich, indem sie sich gegenseitig die Hände auf den Leib legen. Links im Vordergrunde als Stifter ein Abt, knieend, den Krummstab in den Händen, vor sich am Boden die Bischofsmütze. Hinter ihm an einem Baume sein Wappen (verbunden mit der Krone, dem Zeichen seiner Abtei). In der flachen Landschaft links die ausgedehnte Abtei; rechts ein Dorf.

Gegenstück von No. 527. — Der Abt stammt seinem Wappen zufolge aus der vlämischen Familie van den Beckere. Das Wappen der Abtei ist kein brabantisches.

Eichenholz, h. 0,57, br. 0,52. — Sammlung Solly, 1821.

Niederländischer Meister um 1490—1510.

538   **Anbetung der Könige.** Maria, zur Rechten in einer Hütte auf ihrem Lager sitzend, hält das Kind auf dem Schofse. Der älteste König küfst knieend dem Kinde das Händchen; der zweite reicht mit der Rechten dem Joseph ein goldenes Gefäfs dar; zuäufserst links der Mohrenkönig, stehend, einen goldenen Becher in der Rechten. Hintergrund Landschaft.

Das Bild gehört einem Meister aus den holländischen Provinzen an, der sich als Vorgänger des ihm verwandten Jacob Cornelisz van Oostsanen bezeichnen läfst und von dem sich noch zwei andere Darstellungen der Anbetung der Könige nachweisen lassen: die eine von gröfserem Format und sein Hauptbild, im Erzbischöflichen Museum zu Utrecht, die andere, welche in der Anordnung der Figuren mit dem Berliner Bilde übereinstimmt, im Städtischen Museum zu Verona. Eine alte etwas veränderte Kopie bei Herrn René de la Faille in Antwerpen.

Eichenholz, h. 0,49, br. 0,41. — Sammlung Solly, 1821

Niederländischer Meister um 1500.

548   **Verkündigung der Maria. Doppelbild. Links:** Der Erzengel Gabriel. In goldener Glorie nach rechts

herabschwebend; in der Linken das Szepter. Ueber dem
Haupte die Taube. — Rechts Maria. Vor einer Truhe
knieend wendet sie sich dem Engel zu. Auf dem Schemel
neben der Truhe ein Schmuckkästchen; links ein Gefäfs mit
Lilien. Im Hintergrund ein zweites Gemach und ein Gang.

Wahrscheinlich von einem Niederländer, der in Spanien gearbeitet
hat und von dessen Hand sich dort noch Werke vorfinden.

Eichenholz, jedes Bild h. 0,16, br. 0,09. — Erworben 1830 durch
Tausch von Solly.

Niederländischer Meister um 1480.

Martyrium des hl. Sebastian. Dem zur Linken an **548A**
einen Baum gebundenen, von Pfeilen durchbohrten Heiligen
stehen der Richter mit Gefolge zu Pferde und die drei das
Urteil ausführenden Bogenschützen gegenüber. Ganz vorn
das Gewand des Heiligen und ein weifses Hündchen. Hintergrund Landschaft.

Das schwer unterzubringende Bildchen, das in seiner hellen Färbung
selbst an niederrheinische Künstler erinnert, gehört doch wohl eher
einem Nachfolger des Goes, etwa in der Art des Meisters der Himmelfahrt an. (s. S. 169).

Eichenholz, h. 0,37, br. 0,26. — Erworben 1851 in Berlin von Prof.
Dr. L. von Henning.

Niederländischer Meister um 1510—1520.

Bildnis eines Mannes. In mittleren Jahren, nach **591**
rechts gewendet. Mit rotem genestelten Barett, worauf eine
Schaumünze, die Verkündigung Mariä darstellend; in rotem
ausgeschnittenen Unterkleide, und bräunlicher pelzgefütterter
Schaube. Die behandschuhte Rechte ruht auf der Brüstung.
Dunkelgrüner Grund.

Vermutlich von einem holländischen Künstler, dem noch folgende,
allerdings stets mit landschaftlichem Hintergrund ausgestattete Bildnisse
angehören: in dem Museum zu Brüssel das Porträt eines jungen
Mannes und zwei Flügel mit Stiftern; in der Royal Institution
zu Liverpool das Bildnis eines jungen Mannes; und ein ebensolches
(bez. de heer Joost van Bronkhorst, heer te Blyswyck) in der Sammlung
Hainauer zu Berlin (Versteigerung Rothan, Paris 1890).

Brustb. unter Lebensgr. Eichenholz, h. 0,42, br. 0,29. — Königliche
Schlösser.

Niederländischer Meister um 1520.

Der hl. Hieronymus in Bufsübung. In einem reich- **626**
verzierten Renaissancegemach sitzt rechts hinter einem Schreib-

tische der Heilige, sich kasteiend und dem Kruzifix zugewendet, das links auf einem Postament steht. An der Wand
der Kardinalshut. Vorn rechts der Löwe, aus einem Messing-
becken saufend, daneben ein Blumentopf. Durch den Thür-
bogen blickt man in eine Thallandschaft, worin die Karawane
welche ; den Klosteresel gestohlen hat. Auf den Pilastern,
welche das Bild zu beiden Seiten abschliefsen, rechts eine
Lybelle, links eine Fliege in natürlicher Gröfse.

Früher dem Hans Burckmair zugeschrieben, aber vielmehr von einem
niederländischen, vermutlich aus den holländischen Provinzen stammenden Meister.

Eichenholz, h. 0,81, br. 0,55. — Sammlung Solly, 1821.

Niederländischer Meister um 1520.

630   Ruhe auf der Flucht nach Aegypten. Maria hält,
auf dem Boden sitzend, das Kind auf dem Schofse. Im
Mittelgrund ein Dorf, von dem Joseph herkömmt. Links
oben in einem Felsenpafs die nahenden Verfolger.

Zeigt Verwandtschaft mit Bildern aus der Frühzeit des Bles und
des Mabuse, ohne indes einem dieser Meister zugeschrieben werden zu
können.

Eichenholz, h. 0,33, br. 0,21. — Sammlung Solly, 1821.

Niederländischer Meister um 1520.

630A   Kreuzabnahme. Josef von Arimathia und Nikodemus
halten den Leichnam, den sie eben vom Kreuze herabgeholt
haben. Links die ohnmächtige Maria von Johannes und
Maria Salome unterstützt. Rechts Magdalena wehklagend am
Boden knieend und Maria Kleophas. Hintergrund Landschaft,

Von demselben Meister vermutlich eine kleine Auferstehung Christi
in der Sammlung von Prof. v. Kaufmann in Berlin und das kleine
Triptychon (No. 1056) im Belvedere.

Eichenholz, h. 0,30, br. 0,22. — Erworben 1890 durch letztwillige
Verfügung von Dr. C. Lampe in Leipzig.

Niederrheinischer Meister um 1480—1500.

552   Tod der Maria. Die entschlafene Maria liegt ausgestreckt auf dem Sterbebette, das die Apostel betend und lesend
umgeben; Petrus, als Geistlicher, zur Linken, die Tote nach
dem Ritus der katholischen Kirche einweihend. Oben Maria auf
der Mondsichel stehend und, von vier Engeln emporgetragen,
von Gott-Vater empfangen. Durch die offene Thür Ausblick

in eine Landschaft, in welcher ein Engel dem ungläubigen
Thomas den Gürtel der Maria herabreicht.

Früher Schule von Calcar benannt, die der niederrheinischen
Schule angehört. Die Bestimmung des Bildes ist schwierig, da sich
Gemälde von ähnlichem Stilcharakter noch nicht nachweisen liefsen.
Vielleicht auch niederländisch.

Eichenholz, h. 0,63, br. 0,41. — Sammlung Solly, 1821.

Nooms. S. Zeeman.

Oberitalienische Schule des 17. Jahrhunderts.

Maria Magdalena. Ein mattgrünes Gewand lose um   **408**
den Leib geworfen; mit aufgelöstem blonden Haar, den
Blick reuevoll zum Himmel erhoben. Dunkler Grund.

Früher Murillo, dann nach Bürgers Vorgang Cerezo benannt, aber
offenbar italienisch und wohl einem oberitalienischen Meister angehörig.

Halbfig. Leinwand, h. 0,73, br. 1,62. — Erworben 1842 in Italien.

Orcagna. Nachfolger des Orcagna (um 1308—1368). Florentinische Schule.

Dreiteiliger gotischer Altar. Mittleres Bild: **1039**
Maria hält das bekleidete Kind, das eben die Brust nimmt,
auf dem Schofse. Am Fufse des Thrones je drei knieende
Engel, singend und musizierend. — Linker Flügel: Johannes der Evangelist und Johannes der Täufer. — Rechter
Flügel: Jacobus d. Aelt. und Bartholomäus. — Oben über
dem Mittelbild zwei schwebende Engel und der hl. Geist;
zu beiden Seiten in Vierpässen je ein mit Schreiben be-
schäftigter hl. Bischof. Goldgrund.

Tempera. Pappelholz, Mittelbild: h. 1,17, br. 0,69; Flügel (jeder
oben in zwei Spitzbogen abschliefsend) je h. 1,18, br. 0,69; die beiden
Vierpässe Durchmesser je 0,27. — Sammlung Solly, 1821.

Ostade. Adriaan van Ostade. Zeichnet sich in seiner
frühesten Zeit zuweilen auch Ostaden. Holländische Schule.
— Maler und Radirer, getauft zu Haarlem den 10. Dezember
1610, begraben daselbst den 2. Mai 1685. Schüler des Frans
Hals; unter dem Einflusse Rembrandt's (seit etwa 1640) weiter
ausgebildet. Thätig zu Haarlem.

Bildnis einer alten Frau. Nach links gewendet. Mit   **841**
schwarzem Kopftuche und in gefüttertem schwarzen Ueber-

wurfe. Vor einem Hause sitzend, das von Weinlaub berankt ist, auf den linken Arm gestützt. Links ein Fenster.

Bez. rechts unten: *A v Ostade.*
Kleine Fig. bis zu den Knieen. Eichenholz, h. 0,26, br. 0,20. — Königliche Schlösser.

855   Der Leiermann vor dem Bauernhause. Vor der Thür eines Bauernhauses, aus welcher ein Bauer mit seinem Weibe herausschaut, spielt ein von Kindern umringter Leiermann. Weiter rechts sitzt auf einem umgestürzten Korbe ein Bauer.

Bez. unten in der Mitte: *A v Ostade 1640.* — Ein ganz ähnliches Bild des Meisters, in kleinerem Mafsstab, im Fitzwilliam Museum zu Cambridge, bez. 1637; ein zweites, sehr grofses in der Sammlung Wesendonck in Berlin.
Eichenholz, h. 0,44, br. 0,36. — Erworben 1843 aus der Sammlung Reimer zu Berlin.

855A   Der Raucher. Vor einem Kamine sitzt, vom Rücken gesehen, ein rauchender Bauer. Neben ihm rechts ein Hund.

Bez. rechts unten: *A v. Ostade 1667.*
Eichenholz, h. 0,17, br. 0,11. — Sammlung Suermondt, 1874.

855B   Bauerngesellschaft. In einer Hütte, deren Dachgebälke sichtbar ist, sitzen zur Linken Bauern um einen Tisch und hören einem Flötenspieler zu. Im Hintergrund vor einem Kamin zwei Bauern, von denen einer seine Pfeife mit einer Kohle anzündet. Ein dritter Bauer steigt die Treppe zu dem links befindlichen Verschlag empor.

Bez. rechts unten auf einem Brett: *A v. Ostade.* — Aus der Mitte oder vom Ende der vierziger Jahre, unter dem Einflusse Rembrandt's.
Eichenholz, h, 0,35, br. 0,43. — Erworben in Berlin 1879 aus dem Besitz des Freiherrn von Mecklenburg.

855C   Der Arzt in seinem Studierzimmer. Ein Mann im langen Hausrock und Hauskäppchen, seitwärts auf einem Stuhl sitzend, betrachtet aufmerksam die Flüssigkeit in einem Glasgefäs, das er in der erhobenen Rechten hält. Auf dem mit persischem Teppich bedeckten Tische ein aufgeschlagenes botanisches Buch und ein Porzellantopf mit Arznei. Im Grunde links die Bibliothek; durch eine halbgeöffnete Thür rechts Ausblick in ein anderes Gemach.

Bez. auf der Stuhllehne: *A v. Ostade. 1665.*
Kleine Fig. bis zu den Knieen. Eichenholz, h. 0,28, br. 0,22 — Erworben 1879 in Frankfurt a. M.

Ostade. **Isack van Ostade.** Holländische Schule. — Getauft zu Haarlem den 2. Juni 1621, begraben daselbst den 16. Oktober 1649. Schüler seines Bruders Adriaan. Thätig zu Haarlem.

Halt vor der Dorfschenke. Zur Rechten steht vor **845B** der Thüre eines Wirtshauses, von Kindern umringt, ein Spielmann mit seiner Geige und spricht, in der Rechten ein Bierglas, zu einem Bauer, der vor ihm auf einer Bank sitzt. Ein gesattelter Schimmel vor dem Futtertrog; dahinter ein Wagen, der eben an das Wirtshaus angefahren ist. Weiter zurück ein zur Abreise gerüsteter Reiter von einem Buben angebettelt. Im Hintergrund das Dorf mit hohem Kirchturm.

Bez. rechts unten: *I v Ostade.*
Eichenholz, h. 0,39, br. 0,55. — Erworben 1852 von H. Henry Cousin aus Paris.

Padua. Schule von Padua um 1470—1480.

Beweinung Christi. Der Leichnam Christi, der mit **1144** zurückgelehntem Oberkörper auf dem steinernen Grabmal ruht, wird von der wehklagenden Maria und Johannes unterstützt. Vorn auf dem Grabmal die Inschrift: HVMANI GENERIS REDEMPTORI. Grund dunkelblauer Himmel.

Tempera. Pappelholz, h. 1,37, br. 0,76. — Sammlung Solly, 1821.

Padua. Schule von Padua um 1360—1370.

Zehn Einzelgestalten von Heiligen und Engeln **1168** in zehn Abteilungen. Von links beginnend: 1. Ein geharnischter Engel mit Fahne und Schild. 2. Martha. 3. Unbekannte Heilige. 4. Apollonia. 5. Paulus. 6. Michael. 7. Clara (?). 8. Dorothea. 9. Antonius von Padua. 10. Ursula (?). — Sämtlich stehend. Goldgrund.

Gehört mit dem folgenden Bilde zu derselben Reihenfolge.
Tempera. Pappelholz, h. 0,29, br. 0,83; jede Abteilung br. 0,08 — Sammlung Solly, 1821.

Neun Einzelgestalten von Heiligen in neun Ab- **1169** teilungen. Von links beginnend: 1. Der Kirchenvater Augustinus. 2. Dominicus. 3. Johannes der Täufer. 4. Der Kirchenvater Ambrosius. 5. Barbara. 6. Christophorus. 7. Bernhard von Clairvaux (oder Benedikt?). 8. Heilige

Frau, mit Krückstock. 9. Der Erzengel Raphael mit dem
kleinen Tobias. — Sämtlich stehend. Goldgrund.

Gehört mit dem vorhergehenden Bild zu derselben Reihenfolge.
Pappelholz, h. 0,26, br. 0,77; jede Abteilung br. 0,08. — Sammlung
Solly, 1821.

Palamedesz. Anthonij Palamedesz, gen. Stevaerts. Zeichnet
sich regelmäfsig A. Palamedes. Holländische Schule. — Geb.
zu Delft um 1601, begraben in Amsterdam am 1. Dezember 1673.
Bildete sich unter dem Einflusse von Michiel Mierevelt und
Frans Hals. Thätig zu Delft (1621 in die Gilde aufgenommen).

741　　Bildnis eines jungen Mädchens. Nach rechts gewendet, gradaus blickend. In schwarzer Kleidung und weifser
Haube, mit weifsem Kragen und Manschetten; in der Rechten
ein Buch, in der Linken die rot besetzten Handschuhe.
Bräunlicher Grund.

Bez. rechts im Grunde: *Aet: ... Ae 16 .. A. Palam...* — Die
Bildtafel ist an der rechten Kante beschnitten; es fehlt daher der letzte
Teil der Bezeichnung.
Lebensgr. Halbfig. Eichenholz, h. 0,67, br. 0,49. — Sammlung
Solly, 1821.

758A　　Gesellschaft beim Mahle. Reich besetzte Tafel in
einem Parke. Vor dem Tisch ein Herr und eine Dame in
Schwarz. Die Dame hält eine Uhr in der Hand. Um den
Tisch gruppieren sich drei Paare, während ein viertes links
im Gespräch steht. Rechts neben einem Weinkühler ein
Page ein Glas anfüllend.

Bez. an dem Kühler: *Palamedes. f:* — Aus der früheren Zeit des
Meisters (den Kostümen nach um 1630—1635). Die beiden Hauptfiguren,
der junge Herr mit seiner Dame, sind offenbar Porträts.
Eichenholz, h. 0,57, br. 0,77. — Erworben 1847 aus Privatbesitz
in Cleve.

758B　　Bildnis eines Knaben. Nach links gewendet, den
Blick auf den Beschauer gerichtet. Mit blondem Haar; in
grauem Wamms mit gelben Knöpfen und ebensolchem Mantel.
Graulicher Grund.

Lebensgr. Halbfigur ohne Hände. Eichenholz, h. 0,74, br. 0,59. —
Sammlung Suermondt, 1874.

Palma. Giacomo Palma d. A., gen. Palma Vecchio. Nach
dem Vater: Giacomo d'Antonio, sein Familienname lautet
angeblich Negretti. Venetianische Schule. — Geb. zu Serina

(oder Serinalta) bei Bergamo um 1480, † in Venedig zwischen
dem 28. Juli und dem 8. August 1528. In Venedig unter
dem Einflusse von Gio. Bellini, Carpaccio und Cima, später
unter dem von Giorgione und Tizian ausgebildet. Thätig zu
Venedig.

Maria mit dem Kinde. Maria, in einem Gemach zur **31**
Rechten sitzend, liest in einem Gebetbuche, das sie mit
beiden Händen hält. Links vor ihr, auf einer steinernen
Brüstung liegt das schlafende Kind. Durch ein Bogenfenster
zur Linken Ausblick in eine Flufslandschaft.

Bez. auf einem Blättchen unten links: *Jacobus Palma.* — Die
Bezeichnung hat sich als alt erwiesen und ist als echt anzusehen, obwohl sich Palma auf seinen späteren Bildern fast niemals gezeichnet
hat. Als eine Jugendarbeit stimmt das Bild ganz wohl zu dem Charakter
des Meisters; noch ist der Einfluß von Gio. Bellini und Carpaccio
deutlich zu erkennen, während sich doch schon in dem Schmelz der
Färbung und der Weichheit der Modellierung, sowie in der Landschaft
seine spätere Eigenart ankündet.

Maria bis zu den Knieen. Fig. unter Lebensgröfse. Pappelholz,
h. 0,66, br. 0,51. — Sammlung Solly, 1821.

Männliches Bildnis. Etwas nach links gewendet, **174**
gradaus blickend. Mit langem braunen Haar und kurz ge-
haltenem Vollbart, in schwarzem Unterkleid und hermelin-
gefütterter Schaube. In der Rechten die Handschuhe. Dunkelgrauer Grund.

Lebensgrofse Halbfig. Pappelholz, h. 0,74, br. 0,61. — Königliche
Schlösser.

Bildnis einer jungen Frau. Nach links gewendet. **197A**
Mit lichtblondem gewellten Haar; das Haupt auf den rechten
Arm gelehnt, der auf einem Postamente aufliegt; In offenem
roten Mieder, welches das gefältelte Hemd sehen läfst.
Hintergrund dunkles Laub mit durchblickendem Himmel.

Bez. unten links in der Ecke: *P.* — Aus der späteren Zeit des
Meisters (um 1515—1520). — Eine Abbildung in Andrea Vendramin's
Katalog „de picturis in Museis" im Brit. Museum zu London.

Halbfig. etwas unter Lebensgr. Leinwand, h. 0,65, br. 0,54. — Erworben 1862 in Stuttgart.

Weibliches Bildnis. Junge Frau, sitzend, von vorn **197B**
gesehen, den Oberteil des purpurroten Gewandes, das ihre
Hüften umgiebt, mit beiden Händen vor der durch das her-

abgleitende Hemd entblöfsten Brust haltend. Grund Architektur.

Nicht eigentlich Bildnis, sondern eine jener mehr idealen Darstellungen weiblicher Schönheit, in denen Palma sich auszeichnete. Halbfigur in Lebensgr. Pappelholz, h. 0,73, br. 0,58. — Erworben 1884 in London.

Palmezzano. Marco Palmezzano (eigentlich: Marco di Antonio Palmezzano), zeichnet sich in seinen früheren Werken öfters Marchus de Melotius, später Marchus oder Marcus Palmezzanus. Umbrisch-Florentinische Schule. — Geb. zu Forli mutmafslich 1456, urkundlich zuerst 1497 genannt. Schüler des Melozzo da Forli. Thätig nach den Daten auf seinen noch erhaltenen Bildern bis 1537.

131   Geburt Christi. Maria kniet in Verehrung vor dem Kinde; zur Linken zwei das Kind anbetende Hirten und zur Rechten der sitzende Joseph. Im Hintergrund die Ruinen eines palastartigen Baues und bergige Landschaft, in der sich der Zug der Könige heranbewegt.

Auf einem Blättchen in der Mitte unten eine ganz undeutlich gewordene Bezeichnung, welche nach dem alten Kataloge Rocco Zoppo gelesen wurde. Indes ist von diesem Maler, der nach dem Vasari ein Perugino-Schüler war, kein einziges Bild bekannt, so dafs die Zuschreibung ganz willkürlich erscheint. Pappelholz, h. 1,55, br. 0,97. — Sammlung Solly, 1821.

1087   Thronende Maria mit dem Kinde und Heiligen. Auf einem von einem Sockel getragenen Thron Maria, das Kind auf ihrem Schofs; dieses hält in der Linken einige Aehren, während es mit der Rechten segnet. Vor dem Thron steht links der hl. Hieronymus, rechts die hl. Barbara. Durch die Arkaden Ausblick auf eine Landschaft.

Bez. auf einem an den Sockel gehefteten Blättchen (nach dem Waagen'schen Katalog, jetzt sehr undeutlich): Marcus Palmezzanus Pictor Foroliviensis M . . . . Pappelholz, h. 1,74, br. 1,42. — Sammlung Solly, 1821.

1129   Christus das Kreuz tragend. Christus, fast im Profil nach links gewendet, auf dem gesenkten Haupte die Dornenkrone, trägt das Kreuz. Dunkler Grund.

Bez. auf einem unten an's Kreuz gehefteten Blättchen: *Marchus palmezanus pictor foroliviensis faciebat MCCCCCIII.* Lebensgr. Halbfig. Pappelholz, h. 0,59, br. 0,48. — Sammlung Giustiniani, 1815.

Der auferstandene Christus. Christus, nur um die **1129A**
Hüften bekleidet, vor seinem Kreuze stehend. Hintergrund
bergige Landschaft; in derselben zwei Apostel und zwei
hh. Frauen.

Bez. am Felsen links auf einem Blättchen: *Marchus palmezzanus*
victor foroliviensis faciebat An MCCCCCXV.
Pappelholz, h. 0,88, br. 0,52. — Sammlung Solly, 1821.

Panetti. Domenico Panetti. Nach dem Vater: Domenico
di Gasparre. Schule von Ferrara. — Geb. zu Ferrara, mutmafslich zwischen 1450 und 1460, † daselbst Ende 1511 oder
im Jahre 1512. Vermutlich Schüler des Cosma Tura, unter
dem Einflusse Lorenzo Costa's weiter ausgebildet. Thätig
zu Ferrara.

Klage um den Leichnam Christi. Christus, der auf **113**
einem weifsen Linnen liegt, wird von Joseph von Arimathia
an den Schultern emporgehalten; hinter dem Herrn kniet
Maria, unterstützt von dem gleichfalls knieenden Johannes.
Zu den Füfsen Christi Magdalena, vor ihr am Boden das
Salbgefäfs, hinter ihr eine heilige Frau. Hinter Joseph von
Arimathia zuäufserst rechts der Stifter in schwarzem Mantel.
In der Landschaft als Episoden Christophorus, das Christ-
kind auf den Schultern, den Flufs durchschreitend, Christus
der Magdalena erscheinend und Christus mit den Jüngern
auf dem Wege nach Emmaus; rechts auf der Höhe die
Schächer am Kreuze.

Bez. rechts unten auf einem Blättchen: *dominicus panett opus.*
— Ursprünglich in der Sakristei von S. Niccoló in Ferrara.
Pappelholz, h. 1,95, br. 1,43. — Sammlung Solly, 1821.

Panini. Giovanni Paolo Panini. Römische Schule. —
Architekturmaler, geb. zu Piacenza 1695, † zu Rom den
21. Oktober 1768. Schüler des Andrea Lucatelli und Benedetto Luti zu Rom. Thätig zu Rom und einige Zeit zu
Paris (wird 1732 Mitglied der Akademie).

Ansicht von antiken Bauten Roms. Zur Linken **454A**
vor dem Colosseum die Trajanssäule, der Herkules Farnese
und der sterbende Fechter, rechts die drei Säulen des Castor-

tempels, der Triumphbogen des Konstantin, der Vestatempe
die Ruinen des Palatin und in der Ferne die Cestiuspyramid

Bez. auf dem Steine links vorn: *P. Panini Roma 1735.*
Leinwand, h. 0,98, br. 1,34. — Erworben 1882 in London.

Patinir. Joachim de Patinir oder Patenier. Niederländisch
Schule. — Geb. zu Dinant, 1515 in die Gilde zu Antwerpe
aufgenommen, 1521 bei Dürer's Anwesenheit angeseheno
Mitglied derselben und 1524 daselbst bereits verstorbe
Thätig zu Antwerpen.

608   Ruhe auf der Flucht nach Aegypten. Inmitte
einer reichen Landschaft sitzt neben einer Quelle Maria, da
Kind auf dem Schofse; links neben ihr das Reisegepäck un
ein eiserner Topf auf dem Feuer. Links eine Dorfstraf
auf der Joseph mit seinem Esel einherzieht. Im Mittelgrund
ein hoher, mit dem Gipfel in die Wolken ragender Felsber
in den ein Kloster phantastisch hineingebaut ist. Recht
eine Ortschaft, in welcher der Bethlehemitische Kindermor
dargestellt ist.

Maria und das Kind zeigen, wie das bei der Staffage von Bilde
Patinir's öfters der Fall, die Hand eines anderen Meisters.
Eichenholz, h. 0,62, br. 0,78. — Sammlung Solly, 1821.

Pedrini. Giovanni Pedrini. Auch Giampietrino und Gia
pedrino genannt. Sein eigentlicher Name Giov. Pietro Rizzo (?
Mailändische Schule. — Lebensverhältnisse unbekannt. Ve
mutlich Schüler des Lionardo da Vinci. Thätig zu Mailan
etwa um 1510—1530.

205   Büfsende Magdalena. Magdalena, nach links g
wendet, nackt in einer Felshöhle stehend, den Blick flehen
aufwärts gerichtet und die Hände zum Gebet gefaltet.

Gegenstück zu No. 215.
Halbfig. etwas unter Lebensgr. Pappelholz, h. 0,62, br. 0,46.
Sammlung Solly, 1821.

215   Die hl. Katharina. Die Heilige, nach links gewende
steht halb entblöfst zwischen den beiden zackigen Räder
auf die das himmlische Feuer herabfährt.

Gegenstück zu No. 205.
Halbfigur etwas unter Lebensgr. Pappelholz, h. 0,65, br. 0,47.
Sammlung Solly, 1821.

Peeters. Bonaventura Peeters. Vlämische Schule. — Marine-
und Landschaftsmaler, sowie Radirer, getauft den 23. Juli 1614
zu Antwerpen, † in dem Dorfe Hoboken bei Antwerpen den
25. Juli 1652. Nach weiten Seereisen thätig zu Antwerpen.

Kriegsschiffe auf leichtbewegter See. Vorn ankert **939**
ein französisches Kriegsschiff, dessen Segel die Matrosen
aufzuhissen im Begriff sind. Links weiter zurück ein anderer
Dreimaster in voller Fahrt. In der Ferne einige Boote und
die Häuser eines Hafenplatzes.

Bez. rechts an einem Pfahl: *B. P. 1636* (die beiden ersten Ziffern
teilweise ausgelöscht).
Eichenholz, h. 0,48, br. 0,71. — Königliche Schlösser.

Pellegrino. Pellegrino Aretusi, auch Pellegrino da Modena,
oder nach dem Zunamen seines Vaters, der die Mühle von
Panzanello gepachtet hatte, Pellegrino Munari. Modenesische
Schule. — Geb. um 1460 zu Modena, gest. ebenda 1523.
Thätig in Modena und angeblich unter Raphael in den
vatikanischen Loggien.

Thronende Maria mit dem Kinde und Heiligen. **1182**
Unter einer mit Mosaiken verzierten Bogenlaibung thront
Maria, das segnende Kind auf dem Schofse. Vor dem Throne
stehen zur Linken die hh. Franciscus und Johannes der
Täufer, zur Rechten die hh. Ambrosius und Hieronymus.
Hintergrund Landschaft.

Früher Schule von Padua benannt aber nach dem dokumenta-
risch sicher gestellten Bild in der Ferraresischen Galerie ein Werk
des Pellegrino, vermutlich vor 1500 entstanden.
Pappelholz, h. 1,61, br. 0,96. — Sammlung Solly, 1821.

Pencz. Georg Pencz oder Penz. Deutsche Schule. —
Maler und Kupferstecher, geb. zu Nürnberg mutmafslich um
1500, zuerst 1523 im Verzeichnis der Nürnberger Maler genannt, † zu Nürnberg 1550. Bildete sich unter dem Einflusse
Dürer's (wahrscheinlich als Gehülfe in dessen Werkstatt),
sowie während einer Studienreise in Italien unter dem der
klassischen italienischen Meister. Thätig zu Nürnberg.

Bildnis des Malers Erhard Schwetzer von Nürn- **582**
berg. Von vorn gesehen, leicht nach links gewendet und
nach rechts blickend. Auf einer Bank sitzend; mit Vollbart
und kurzgeschorenem Haar. In geschlitztem schwarzen

Wamms, die Linke auf die Hüfte gestützt, die Rechte am
Dolchgriff.   Auf der Bank ein Wasserglas.   Grund Architektur.

Bez. rechts oben: ERHART. SVETZER. PICTOR. NORINBERG.
Links: *Eadatis XXXIX. 1544* und das Monogramm (zwischen den
mittleren Ziffern der Jahreszahl). — Gegenstück zu No. 587.
Lebensgr. Halbfig. Lindenholz, h. 0,82, br. 0,63. — Sammlung
Solly, 1821.

585   Bildnis eines jungen Mannes. Von vorn, das Haupt
nach rechts gewendet. In schwarzem Barett und schwarzer
Schaube, vor einem mit gemustertem grünen Teppich bedeckten Tische sitzend, in der Linken die Handschuhe. Grund
eine Nische.

Bez. links oben: *1534.* und das Monogramm.
Halbfig. etwas über Lebensgr. Lindenholz, h. 1,06, br. 0,82. — Erworben vor 1820 von Frauenholz.

587   Bildnis der Gattin des Erhard Schwetzer.   Von
vorn gesehen, nach links blickend. Auf einer Bank sitzend,
die Hände über einander gelegt. In Pelzmütze und schwarzem
Kleid mit braunen Pelzaufschlägen; an der Seite eine Tasche.
Hintergrund eine Nische.

Bez. links oben: *1545* und das Monogramm sowie die Inschrift:
ELISABETA. VXOR. ERHARDI. — Gegenstück zu No. 582.
Lebensgr, Halbfig. Lindenholz, h. 0,82, br. 0,63. — Sammlung
Solly, 1821.

Pennacchi. Pier (Pietro) Maria Pennacchi. Venetianische
Schule. — Geb. zu Treviso 1464, gest. daselbst 1528. Erhielt
seine erste Unterweisung in Treviso (wahrscheinlich von
einem unter Squarcione gebildeten Meister); dann in Venedig
Schüler des Gio. Bellini und unter dem Einflusse von Carpaccio und Palma Vecchio weiter ausgebildet. Thätig zu
Treviso und Venedig.

1166   Christus im Grabe von Engeln gehalten. Der tote
Christus mit der Dornenkrone, auf dem Rande seines steinernen
Grabes sitzend, wird von zwei kleinen Engeln gehalten.
Hintergrund rechts Felsen, links Landschaft.

Bez. auf der Brüstung des Grabes: *Petrus Maria Tarvisio. P.*
— Aus der frühesten Zeit des Meisters. — Fast das gleiche Bild mit
wenigen Veränderungen im Museo civico zu Venedig, dort Scuola

489. Antoine Pesne.

Veronese benannt, aber wohl eine Jugendarbeit Gio. Bellini's — Früher in der Sammlung Avogaro in Treviso.

Pappelholz, h. 0,57, br. 0,64. — Sammlung Solly, 1821.

Perugia. Schule von Perugia um 1500.

Maria das Kind verehrend, nebst dem kleinen 138 Johannes. Maria, vor einer Brüstung stehend, verehrt das Kind, das von einem zur Linken knieenden Engel emporgehalten wird. Zur Rechten der kleine Johannes der Täufer, welcher von einem zweiten Engel gehalten wird. Im Grunde Landschaft.

Das Bild kommt der Kunstweise des Pinturicchio sehr nahe und könnte wohl diesem Meister selbst angehören, wenn nicht die harte und etwas handwerksmäfsige Behandlung gegen diesen selbst spräche. — Von demselben Meister drei, dem Pinturicchio zugeschriebene Cassoneteile in der Galerie Torrigiani in Florenz. — Eine Kopie unter dem Namen des Perugino im Museum von Verona.

Pappelholz, rund, Durchmesser: 0,80. — Erworben 1829 durch Rumohr.

Pesne. Antoine Pesne. Französische Schule. — Geb. zu Paris den 23. Mai 1683, † zu Berlin den 5. August 1757. Schüler seines Vaters Thomas und des Charles de la Fosse zu Paris. Nach einer italienischen Reise (mit Aufenthalt in Rom und Venedig) thätig vornehmlich zu Berlin (Hofmaler seit 1711).

Bildnis Friedrich's des Grofsen. Nach links ge- 489 wendet, gradaus blickend. In jugendlichem Alter, mit gepudertem Haar. Ueber dem Harnisch das Orangeband des Schwarzen Adler-Ordens und der rote mit Hermelin besetzte Sammetmantel. Grund grauer Wolkenhimmel.

Gemalt im Jahre 1739, mithin ein Jahr vor der Thronbesteigung Friedrich's (1712—1786), und zwar zu Rheinsberg, wie sich auf der Rückseite vermerkt findet. Lebensgr. Brustb. Leinwand, h. 0,78, br. 0,63. — Erworben 1841 von Schulrat Eggers in Neustrelitz.

Bildnis einer jungen Frau. Nach links gewendet 489B und nach links blickend. In stark ausgeschnittenem Kleide. In den gepuderten Locken eine dunkle Schleife, im Ohr ein Schmuck von Saphiren und um den Hals ein blaues Band. Brauner Grund. — Studie.

Lebensgr. Brustbild. Leinwand, h. 0,60, br. 0,47. — Aus dem Vorrat 1890 wieder zur Aufstellung gebracht.

Verz. d. Gemälde. 14

494   Bildnis des Kupferstechers G. F. Schmidt und
seiner Gattin. Der Künstler in Sammetrock und Hausmütze,
nach rechts vor einem runden Tische sitzend und den Beschauer heiter anblickend; er hält in der Linken ein offenes
Buch (die Contes von Lafontaine; aufgeschlagen ist La Chose
impossible) und hat den Arm auf die Kupferplatte gestützt
die auf dem Tische liegt. Ihm gegenüber sitzt zur Linken
die Gattin, in ausgeschnittenem Kleide, den Kopf auf die
rechte Hand gestützt. Auf dem Tische vorn verschiedenes
Stecher-Werkzeug. Hinter Schmidt eine graue Katze. Grund
die Wand des Zimmers.

> Bez. rechts oben: *Ant. Pesne pinxit 1748.* — Georg Friedrich
> Schmidt, einer der vorzüglichsten Stecher des 18. Jahrhunderts, 1712 zu
> Berlin geboren, war vermählt mit Dorothea Louise Videbant, der
> Tochter eines Berliner Kaufmanns, und starb 1775.
> Lebensgr. Halbfig. Leinwand, h. 1,10, br. 1,26. — Erworben 1845
> aus dem Besitze von Hofrat Ternite in Berlin.

496   Herr von Erlach, Hauptmann der hundert
Schweizer unter König Friedrich I., mit seiner
Familie. Erlach in weifser mit Goldborten besetzter Gala-
tracht steht zur Linken neben seiner auf dem Sopha sitzenden
Gattin, an die sich ihr Knabe schmiegt, der einen Apfel in
der Rechten, den Hut in der Linken hält. Rechts im Vorder-
grunde ein Erdglobus, Geige und Noten. Grund die graue
Wand des Zimmers.

> Skizze zu einem frühen Hauptbilde des Meisters, dessen Verbleib
> uns unbekannt ist.
> Kleine ganze Figuren. Leinwand, h. 0,42, br. 0,49. — Erworben 1843.

Piero. Piero (Pietro oder Pier) di Cosimo (nach seinem
Lehrer Cosimo Rosselli). Nach dem Vater gen. Pietro di
Lorenzo. Florentinische Schule. — Geb. 1462 zu Florenz,
† daselbst 1521. Schüler und Gehülfe des Cosimo Rosselli,
unter dem Einflusse des Filippino Lippi und der Mailändischen Schule weiter ausgebildet. Thätig zu Florenz, kurze
Zeit als Gehülfe Rosselli's zu Rom (um 1482—1484).

107   Venus, Amor und Mars. Auf blumiger Wiese ruht
zur Linken Venus, nur leicht verhüllt; in ihrem Arme liegt
Amor, der zur Mutter gewendet auf den schlafenden Mars
deutet. Mars, die Lenden mit einer Schärpe umschlungen,

liegt der Venus gegenüber. Vor Mars zwei sich schnäbelnde Tauben und eine Armschiene; hinter ihm fünf Genien, welche mit Stücken seiner Rüstung spielen.

Bei Vasari beschrieben, in dessen Besitz sich das Bild befand. Kam später angeblich mit der Erbschaft Gaddi in die Casa Nerli im Borgo San Niccoló zu Florenz.
Pappelholz, h. 0,72, br. 1,82. — Erworben 1829 durch Rumohr.

Anbetung der Hirten. Unter einem auf Balken **204** ruhenden Strohdache knien Maria und Joseph in Verehrung und Staunen vor dem Kinde, welches an einen Getreidesack angelehnt auf der Erde liegt. Hinter Joseph ein Hirt und der stehende Stifter. In der bergigen Landschaft auf einer Anhöhe rechts Ochs und Esel; links in der Ferne der Erzengel Raphael mit Tobias und auf einem Hügel die Verkündigung an die Hirten.

Pappelholz, h. 1,34, br. 1,47. — Sammlung Solly, 1821.

Pijnacker. Adam Pijnacker. Zeichnet sich auf seinen frühen Bildern zuweilen Pinacker. Holländische Schule. — Landschaftsmaler, geb. zu Pijnacker bei Delft 1621, begraben zu Amsterdam den 28. März 1673. Bildete sich unter dem Einflusse des Jan Both. Um 1649 scheint er in Delft gearbeitet zu haben. Nach einem zweijährigen Aufenthalt in Italien liefs er sich um 1658 in Schiedam nieder, siedelte dann aber bald nach Amsterdam über.

Italienische Landschaft mit Herde. Am Fufse **894** eines Wasserfalles Hirten mit ihrer Herde; vorn auf dem Wege zwei Wanderer. Im Mittelgrunde auf dem steil abfallenden Meeresufer ein Kastell.

Bez. links unten auf einem Steine: *A Pynacker.*
Leinwand, h. 1,01, br. 1,32. — Königliche Schlösser.

Pinturicchio. Bernardino Pinturicchio. Nach dem Vater Bernardino di Betto Biagio. Umbrische Schule. — Geb. wahrscheinlich zu Perugia um 1454, † zu Siena den 11. Dezember 1513. Unter dem Einflusse von Fiorenzo di Lorenzo (vielleicht als dessen Schüler) in Perugia und als Arbeitsgenosse des Pietro Perugino (in Rom) ausgebildet. Thätig in Perugia, Rom (mit Unterbrechungen von 1482—1502), Orvieto (1492/94 und 1496), Spello (1501) und längere Zeit zu Siena (seit 1502 mit kurzen Unterbrechungen).

14*

132A   Reliquiarium. Der Kirchenvater Augustinus nebst
den hh. Benedikt und Bernhard. Oben in der von
zwei Engeln getragenen Mandorla schwebt der hl. Augustinus
(oder Donatus), in bischöflichem Ornat. Unten links der
hl. Benedikt, den Weihwedel (älterer Form) in der Rechten;
rechts Bernhard von Clairvaux mit dem Krummstab. Grund
blauer Himmel mit leichten Wolken.

> Aus der Frühzeit des Meisters, noch unter dem Einflusse des
> Fiorenzo di Lorenzo. Eine ganz ähnliche Darstellung als grofses
> Altarbild im Stadthause zu San Gimignano, ebenfalls von Pinturicchio
> (s. auch das Freskobild, „die Glorie des hl. Bernhardin", in der Kapelle
> Bufalini in Sta. Maria in Aracoeli zu Rom). — Die Holztafel, auf der
> das Bild gemalt ist, bildet mit dem Rahmen und Untersatz ein Ganzes
> aus einem Stück. Rahmen und Untersatz enthalten in verglasten kleinen
> Behältern noch die alten Reliquien. — Ehemals in einem Nonnenkloster
> S. Donato in Polverosa bei Florenz.
> Wasserfarbe. Lindenholz, oben abgerundet, h. 0,43, br. 0,23. —
> Erworben 1875 in Florenz von Bankier Brini.

143   Maria mit dem Kinde. Maria hält das auf ihrem
Schofse stehende Kind, das mit beiden Händen ihren Schleier
erfafst; in der Linken hält sie einen Apfel. Dunkler Grund.

> Maria Halbfigur in Drittel Lebensgr. Tempera. Pappelholz, h. 0,46,
> br. 0,33. — Erworben 1829 durch Rumohr.

Piombo. Sebastiano del Piombo. Zeichnete sich Sebastianus
Venetus (auch von Vasari Sebastian Viniziano gen.). Nach
dem Vater: Sebastiano di Francesco Luciani. Venetianische
und Römische Schule. — Geb. zu Venedig um 1485, † zu
Rom den 21. Juni 1547. Schüler des Gio. Bellini, unter dem
Einflusse und im Anschlufs an Giorgione in Venedig, dann
an Michelangelo in Rom weiter ausgebildet. Thätig zu
Venedig und Rom (vermutlich seit 1510).

234   Männliches Bildnis. Etwas nach links gewendet.
Mit langem braunen Vollbart, in schwarzem Gewand und
Barett. Grünlichgrauer Grund.

> Lebensgr. Brustb. Schieferstein, h. 0,70, br. 0,52. — Erworben 1829
> durch Rumohr.

237   Beweinung Christi. Der Leichnam Christi wird zur
Linken von Joseph von Arimathia gehalten, während zur
Rechten Magdalena die linke Hand Christi in schmerzlicher
Andacht zum Munde führt. Dunkler Grund.

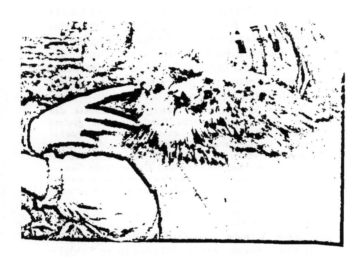

9B.   Sebastiano del Piombo.

Das Seitenstück zu diesem Gemälde, der kreuztragende Christus, befindet sich noch im Besitze der Familie Zir zu Neapel, von deren Vorfahren auch das Berliner Bild erworben wurde.

Ueberlebensgr. halbe Figuren. Schieferstein, h. 1,55, br. 1,13. — Erworben 1842 in Neapel.

Bildnis eines Edelmannes in der Rittertracht 259A des Calatrava-Ordens. Etwas nach links gewendet und gradaus blickend. Mit braunem Vollbart: in dunkelgrauem Wamms; Barett mit Agraffe und weißer Feder; auf Wamms und Mantel das rote Kreuz des Calatrava-Ordens. Die Linke über dem Schwertgriffe in die Hüfte gestützt, in der Rechten die Handschuhe. Grüner Grund.

Vielleicht eines der von Vasari erwähnten Bildnisse des Meisters (Marcantonio Colonna?).

Lebensgr. Halbfig. Leinwand, h. 1,11, br. 0,90. — Erworben 1875 von Marchese Patrizi in Rom.

Bildnis einer jungen Römerin. Nach links gewendet, 259B den Blick auf den Beschauer gerichtet. In reicher Kleidung. Das volle Haupthaar mit einem römischen Kopftuch bedeckt; den pelzgefütterten roten Sammetmantel, der über die linke Schulter fällt, mit der Rechten auf der Brust haltend; in der Linken ein Körbchen mit Früchten. Durch das Fenster Ausblick in venezianische Hügellandschaft.

In der Sammlung zu Blenheim Raphael benannt und für das Bildnis der Fornarina, der Geliebten des Künstlers, ausgegeben. Allein schon 1835 von Waagen als Sebastian del Piombo erkannt, ebenso von Passavant. — Eine Wiederholung des Bildes, früher und vielleicht jetzt noch in Verona befindlich, — alte Kopie? — ist schon 1657 in dem Microcosmo della Pittura von Scanelli als hl. Dorothea beschrieben. Das Veroneser Bild befand sich noch 1829 zu Verona, im Bezitz der Signora Cavallini-Brenzoni (jetzt in Casa Persico Cittadella?) und kann also nicht das Bild der Sammlung Blenheim sein, das schon 1779 derselben angehörte (damals in einer von John Boydell herausgegebenen Sammlung von Stichen „nach den hervorragendsten Gemälden in England" veröffentlicht). — Wohl aus der ersten römischen Zeit des Meisters (um oder bald nach 1510). Auch das Kopftuch weist auf eine Römerin hin, und wir haben hier wohl das Bildnis einer schönen Frau vor uns, welche der Meister mit Bezug auf ihren Vornamen durch das beigegebene Körbchen als Dorothea charakterisiert hat, ohne die Heilige als solche darstellen zu wollen.

Halbfig. in Lebensgr. Pappelholz, h. 0,75, br. 0,59. — Erworben 1885 aus der Sammlung des Herzogs von Marlborough zu Blenheim (s. Scharf, A List of the Pictures in Blenheim Palace, S. 43).

Pisa. Schule von Pisa (?). Um 1400.

1118   Maria mit dem Kinde und Engeln. Maria, vor einem
aufgespannten Teppich auf einem Polster sitzend, reicht dem
Kinde die Brust. Rechts und links je zwei anbetende Engel,
zu den Füßen der Maria zwei musizierende Engel. Oben,
von kleinen Cherubim und Seraphim umgeben, der segnende
Gottvater (oder Christus?), unter ihm die Taube. Zu seinen
Seiten je zwei schwebende Engel mit den Marterwerkzeugen.
Goldgrund.

Tempera. Pappelholz, oben abgerundet, h. 0,90, br, 0,52. — Sammlung Solly, 1821.

Pisa. Schule von Pisa um 1350.

1085   Die Einsiedler Paulus und Antonius. In der felsigen
Landschaft links Antonius vom Teufel im Mönchsgewand
versucht. In der Mitte Antonius den Paulus als ältesten Einsiedler begrüßend. Rechts die beiden Einsiedler einander
gegenüber sitzend; über ihnen der schwebende Rabe, ein
Brod im Schnabel haltend.

Das Gegenstück No. 1086 in den Vorratsräumen.

Tempera. Pappelholz, h. 0,30, br. 0,86. — Erworben 1843.

Pisano. Vittore Pisano, gen. **Pisanello.** Zeichnet sich
zumeist **Pisanus** Pictor, seltener bloß **Pisanus.** Schule von
Verona. — Maler und Medailleur, geb. vermutlich zu S. Vigilio
am Gardasee (Gebiet von Verona) um 1380, † im März
1451, vielleicht zu Rom. Thätig vornehmlich zu Verona
(daselbst ansässig bis um 1435), zeitweilig in Venedig (um
1420—1424), in Pavia (wahrscheinlich um 1430), in Rom (um
1431/32 und wohl noch später), in Ferrara (um 1435 und um
1441—1444), in Rimini (1445), in Mailand (vor 1447), in Mantua
(um 1439 und 1447) und in Neapel (1448/49).

95A   Anbetung der Könige. Vor der Hütte sitzt zur
Rechten Maria, das Kind auf dem Schoße haltend. Der
älteste König ist in die Kniee gesunken und küßt dem
Knäblein die Füße; neben ihm stehen die beiden anderen
Könige, mit goldenen Gefäßen in den Händen. Dicht ge-
drängt die Männer des Gefolges, zum Teil reich gekleidet
in Kostümen aus der Zeit des Künstlers. Mehr links die
Pagen auf den reichgeschirrten Pferden ihrer Herren. Hinter

der Hütte rechts zwei Kameele mit einem Mohren; auf dem Dachfirst derselben ein Pfau. In der Luft zwei Falken einen Reiher schlagend. Hintergrund Landschaft.

Die Könige und ihre Begleiter scheinen zum Teil Porträtfiguren zu sein; es sind an einzelnen Gewandstücken und an einem Pferdegeschirr Devisen in goldenen Lettern angebracht, die vielleicht einen Anhalt abgeben können, die dargestellten historischen Persönlichkeiten näher zu bestimmen. An dem Mantel eines neben dem vom Rücken gesehenen Jüngling stehenden Mannes: **ainsi va le** (monde = Zeichen des Orbis terrarum, globus cruciger); an dem Oberkleid eines neben dem knieenden König stehenden Mannes: **grace fal die** (wahrscheinlich: grâce fait Dieu); an der Kopfbedeckung eines Reiters zur Linken: **tenpo** (tempo); an dem Riemenzeug des Schimmels vorn zur Linken: HONIA BOA IN TENPOR (omnia bona in tempore). — Sammlung Barker in London, 1874 (als Fra Filippo Lippi bezeichnet).

Pappelholz, rund, Durchmesser 0,84. — Erworben 1880 in Paris.

Pistoia. S. Lionardo.

Pollaiuolo. Piero Pollaiuolo. Eigentlich del Pollaiuolo, wie sich auch der Künstler selbst zeichnet. Nach dem Vater: Piero di Jacopo (mit dem Zunamen Benci). Florentinische Schule. — Goldschmied, Maler und Bildhauer, geb. zu Florenz 1443, † vermutlich zu Rom; 1496 als verstorben angeführt († nach Zani 1489, nach Vasari im Alter von 65 Jahren). Schüler des Andrea del Castagno, unter dem Einflusse seines Bruders Antonio weiter ausgebildet. Thätig vornehmlich in Florenz, einige Zeit in San Gimignano und wahrscheinlich auch in Rom.

Verkündigung. In einem weiten Prunkgemach, das **73** sich im Mittelgrunde in zwei Räume teilt, sitzt zur Rechten auf prächtigem mit Edelsteinen verzierten Sessel Maria und nimmt mit über der Brust gekreuzten Händen die Botschaft des vor ihr knieenden Engels entgegen. In dem Gemache rechts ein reich verziertes Bett; im Grunde ein anderes kleines Gemach, in welchem knieend drei musizierende Engel, mit Geige, Orgel und Laute. Durch die beiden Bogenfenster Blick auf die Stadt Florenz und das Arnothal.

Pappelholz, h. 1,50, br. 1,74. — Sammlung Solly, 1821.

Der jugendliche David. Barhaupt, in der Rechten **73A** die Schleuder, steht er siegesstolz mit gespreitzten Beinen

über dem vom Rumpf getrennten Haupte des Goliath.   Hinter
grund Architektur.

Pappelholz, h. 0,46, br. 0,34. — Erworben 1890.

Ponte. Francesco da Ponte, gen. Bassano. Venetianische
Schule (Bassano). — Geb. zu Bassano den 26. Januar 1549,
† zu Venedig den 4. Juli 1592. Schüler und Gehülfe seines
Vaters Giacomo. Thätig zu Bassano und vornehmlich zu
Venedig (seit etwa 1580).

314   Der barmherzige Samariter. Der Samariter ist im
Begriff das Bein des verwundet vor ihm liegenden Israeliten
zu verbinden. Rechts ein Esel und ein Hund. In der
Ferne der seines Weges ziehende Levit. Waldige Berglandschaft.

Eine bei den Bassani häufig vorkommende Darstellung, der wohl
ein Orignal von der Hand des Giacomo zu Grunde liegt; wahrscheinlich das im Belvedere zu Wien befindliche Gemälde.

Leinwand, h. 0,60, br. 0,89. — Königliche Schlösser.

Pontormo. S. Carrucci.

Poorter. Willem de Poorter. Holländische Schule. —
Geb. zu Haarlem (?) und daselbst noch nach 1645 thätig. Schüler
Rembrandt's mutmafslich schon in Leiden (also in der Zeit
zwischen 1627 und 1630). Thätig zu Haarlem (zuerst 1635
erwähnt).

820A   Gefangennahme Simson's. Zur Linken Simson, im
Schofse der Delila eingeschlafen. Ein Philister ist im Begriff
ihm das Haar abzuschneiden; ein anderer kniet vorn mit
Ketten, die er Simson anlegen will. Hinter dieser Gruppe
ein vornehmer Philister in orientalischer Tracht, verschiedene
Krieger und ein junger Neger mit einem Hunde. Rechts im
Grunde des weiten Raumes eine Gruppe anderer Krieger.
Links hinter Delila ein Tisch mit den Resten eines Mahles.

Bez. am Thürsturz: *W. D. P.*

Eichenholz, h. 0,50, br. 0,63. — Erworben 1873 in Berlin aus dem
Besitz des Restaurators Schmidt.

Porcellis. Jan Porcellis. Holländische Schule. — Maler
und Radirer von Seestücken, geb. zu Rotterdam (um 1580?),
† am 29. Januar 1632 in Soeterwoude bei Leiden. Von Adam
Willaerts vermutlich beeinflufst, heiratet 1605 zu Rotterdam,

1615 zu Antwerpen thätig, woselbst er 1617 als Meister in die
Lucasgilde aufgenommen wurde, alsdann in Haarlem (nachweisbar von 1622—1628) und in Soeterwoude.

Schiffe auf der See. Auf leicht bewegter See vorn
zur Linken ein kleines Segelschiff, weiter zurück ein zweites;
rechts vorn ein Segelboot. In der Ferne wird der Strand sichtbar. **832A**

Bez. auf einer Planke vorn rechts: *J. P.*
Eichenholz, h. 0,22, br. 0,19. — Erworben 1846.

Porta. S. Bartolommeo.

Porta. Guiseppe Porta, gen. Salviati (nach seinem Lehrer
Francesco Salviati). Florentinische Schule. — Geb. um 1520
zu Castel nuovo bei Garfagnana, † um 1575 zu Venedig.
Thätig in Rom und Venedig.

Bildnis eines jungen Edelmannes. Etwa im Alter **339A**
von zwölf Jahren; von vorn gesehen, mit geringer Wendung
nach rechts. In rotem geschlitzten Wamms, darüber ein
schwarzseidener Ueberrock mit dem Kreuz des Maltheser-
ordens. Grauer Grund.

Früher irrtümlich dem Francesco Rossi de' Salviati zugeschrieben.
— Auf der Rückseite findet sich zweimal der Name Salviati; einmal
auf einem aufgeklebten Papierblatt in der Schrift des 16. und ein zweites
Mal auf dem Holz in der des 17. Jahrhunderts.
Kleine Fig. bis zu den Knieen. Nußbaumholz, h. 0,20, br. 0,14. —
Erworben 1880 in Mailand.

Potter. Paulus Potter. Holländische Schule. — Maler
und Radirer von Landschaften mit Staffage von Tieren,
getauft den 20. November 1625 zu Enkhuizen, begraben zu
Amsterdam den 17. Januar 1654. Schüler seines Vaters
Pieter in Amsterdam und des Jacob de Wet zu Haarlem.
Thätig zu Delft (1646 in die Gilde aufgenommen), im Haag
(1649 in die Gilde eingetreten) und in Amsterdam (seit 1653).

Aufbruch zur Jagd im „Bosch" beim Haag. Auf **872A**
der vom Haag zum Huis im Bosch führenden Allee fährt
im Mittelgrunde links eine fürstliche Equipage, von sechs
Schimmeln gezogen. Im Vordergrunde, von der Meute der
Jagdhunde umgeben, zwei Männer mit Jagdfalken und Jäger
zu Pferde. Ihnen begegnen einige Kühe, welche ein Hirt
von rechts herantreibt.

Bez. links unten: *Paulus Potter. f. 1652.* — Eine alte nicht

eigenhändige Wiederholung in der Galerie zu Dresden. — Sammlungen
Prinz Conti, Herzog von Choiseul, Fürst Radziwil, Wombwell, Stevens.
Leinwand, h. 0,60, br. 0,76. — Sammlung Suermondt, 1874.

Potter. Pieter Potter. Holländische Schule. — Geb. zu
Enkhuizen 1597, begraben den 4. Oktober 1652 zu Amsterdam.
Als Maler von Sittenbildern und Stillleben unter dem Einflusse
der Schule des Frans Hals ausgebildet, als Landschafter mehr
den italienisierenden Meistern wie Uijtenbroek, Lastman u. A.
folgend. Thätig zu Enkhuizen, zu Leiden (1627—1630) und zu
Amsterdam (seit 1630); einige Zeit auch im Haag (1647).

921A   Stillleben (sogen. Vanitas). Auf einem Tische ein
grofser Globus; davor durch- und übereinander liegend ver-
schiedene Bücher, Urkunden, ein Totenkopf, Stundenglas,
Schlapphut, umgestürzter Krug und Glas. Links auf der
Tischecke ein Kohlenbecken und ein paar Thonpfeifen.
Grauer Grund.
  Bez. auf einem Blatt Papier: *P Potter f 1636.*
  Eichenholz, h. 0,27, br. 0,35, — Sammlung Suermondt, 1874.

Pourbus. Frans Pourbus d. Ä. Niederländische Schule. —
Geb. zu Brügge 1545, † zu Antwerpen den 19. September 1581.
Schüler seines Vaters Peeter und seit 1562 des Frans Floris.
Thätig zu Brügge und vornehmlich zu Antwerpen (wohl seit
1562; 1569 in die Lukasgilde aufgenommen; in demselben
Jahre auch Meister zu Brügge).

738   Weibliches Bildnis. In mittleren Jahren, von vorn
gesehen und gradaus blickend. In schwarzer Haube und pelzgefüttertem schwarzen Anzug, mit hohem schmalen Halskragen. Dunkler Grund.
  Lebensgr. Brustbild. Eichenholz, h. 0,56, br. 0,48. — Königliche
Schlösser.

Poussin. Nicolas Poussin. Französische Schule. — Geb.
in Villers bei Les Andelys (Normandie) im Juni 1594, † zu
Rom den 19. November 1665. Schüler des Quinten Varin, zu
Paris des Ferdinand Elle und George Lallemand, in Rom
unter Domenichino und durch Studien nach Raphael und
nach der Antike ausgebildet. Thätig zu Paris (von 1618 bis
Ende 1623 und wieder von 1640—1642 als „Peintre du Roi")
und vornehmlich zu Rom.

Juno und der getötete Argus in italienischer **463**
Landschaft. Juno, zur Rechten knieend, hält einen Pfau
in ihrem Schofse und überträgt auf den Schweif desselben
die hundert Augen des getöteten Argus, der mit abge-
schlagenem Haupte vor ihr liegt. Auf dem Rande von
Juno's Wagen ein zweiter Pfau. Mehr links Io als weifse
Kuh. Oben in der Luft der nach vollbrachter That ent-
eilende Merkur. Zur Linken zwei ruhende Nymphen, deren
einer ein kleiner Genius ein Füllhorn mit Feldblumen darbringt.

Leinwand, h. 1,20, br. 1,95. — Sammlung Giustiniani, 1815.

Jupiter als Kind von der Ziege Amalthea genährt. **467**
Eine Nymphe, links am Boden kauernd, läfst den in ihrem
Arme ruhenden kleinen Jupiter aus einem Gefäfse trinken;
ein knieender Satyr melkt die vor ihm stehende Ziege
Amalthea. Eine zweite auf einem Felsen sitzende Nymphe
entnimmt einem Bienenstock eine Honigwabe. Hintergrund
Landschaft.

Nach der antiken Sage nährten die Nymphen Adrastea und Ida
auf der Insel Creta den kleinen Jupiter mit der Milch der Ziege
Amalthea und mit Honig. — Eine andere Darstellung desselben Gegenstandes von der Hand des Meisters im Dulwich College bei London.
Leinwand, h. 0,98, br. 1,33. — Königliche Schlösser.

Helios und Phaethon mit Saturnus und den vier **478**
Jahreszeiten. Zur Rechten Helios, vom Tierkreise umgeben, auf Wolken thronend, mit der Linken auf die Lyra
gestützt. Vor ihm kniet bittend sein Sohn Phaethon, auf
den von zwei Horen begleiteten Sonnenwagen deutend,
dessen Lenkung er auf einen Tag zu übernehmen begehrt.
Neben Helios der Frühling, Blumen streuend, von drei
Genien umschwebt; mehr links der Sommer, eine Frau, die
in den Händen einen Spiegel hält. Unterhalb zur Linken
der Winter, ein kauernder Greis, zwischen zwei Kohlenbecken; ihm gegenüber der Herbst als trunken schlafender
Satyr. In der Mitte, die Zeit vorstellend, der graubärtige
geflügelte Saturnus, den Stein, den er verschlingen will, zum
Munde führend.

Leinwand, h. 1,22, br. 1,53. — Königliche Schlösser.

478A   Landschaft aus der römischen Campagna, staf-
firt mit Matthaeus und dem Engel. Am Tiberufer sitzt
unter antiken Trümmern Matthaeus im Begriff, sein Evangelium auf einem Blatte niederzuschreiben; der Engel steht
neben ihm, das Blatt haltend und mit der Rechten darauf
deutend.

Freie Darstellung des Tiberthals bei Acqua acetosa; die Stelle, die
der Künstler seinem Bilde zu Grunde gelegt hat, ist noch heute zu
erkennen (aufserhalb des Bildes vorn rechts das Brunnenhaus Bernini's
links hinter der Baumgruppe der Monte Mario).

Leinwand, h. 0,96, br. 1,32. — Erworben 1873 aus dem Palazzo
Sciarra zu Rom.

486   Poussin? Armida entführt den eingeschläferten
Rinaldo. Rinaldo, durch den Zaubergesang der Nymphe
eingeschläfert und von einer Blumenkette umwunden, wird
von Armida und vier Liebesgöttern nach links fortgetragen;
ein fünfter Liebesgott fliegt ihnen voran. Zur Rechten am
Boden liegend der Flufsgott Orontes, auf seine Urne gestützt;
vor ihm sitzend eine mit Lorbeer bekränzte Nymphe; etwas
weiter zurück eine Quellnymphe an einen Felsen gelehnt.
Im Mittelgrunde der bergigen Landschaft jenseits des Flusses
zwei Kreuzfahrer neben einer Säule. (Vergl. Tasso, Befreites Jerusalem, XIV, 59—68).

Wohl nur alte Kopie nach dem Original, welches Poussin für seinen
Freund, den Maler Jacques Stella (der sich 1623—1634 in Rom aufhielt)
malte. Ob das Original noch erhalten, ist uns unbekannt.

Leinwand, h. 1,16, br. 1,46. — Königliche Schlösser.

Previtali. Andrea Previtali. Zeichnet sich **Andreas Bergo-
mensis** und **Andreas Previtalus;** wohl auch derselbe Künstler,
der sich **Andreas Cordelle agi** zeichnet. Venetianische Schule
(Bergamo). — Geb. zu Bergamo um 1470/80, † daselbst angeblich den 7. November 1528 (?). Schüler des Gio. Bellini;
später namentlich von Carpaccio, Cima und Lorenzo Lotto
beeinflufst. Thätig zu Venedig und Bergamo (vornehmlich
von 1511 bis zu seinem Ende).

39   Maria mit dem Kinde und Heiligen. Maria legt,
das segnende Kind auf dem Schofse haltend, die Rechte auf
das Haupt des Donators; rechts von Maria die hl. Katharina.
Hinter dem Stifter der Apostel Paulus und die hl. Magdalena.

Vor den Figuren eine Brüstung. Hintergrund bergige Landschaft.

Früher dem Vincenzo Catena zugeschrieben, aber obgleich eine unverkennbare Uebereinstimmung mit dessen bezeichnetem Bilde in der Nationalgalerie zu Budapest vorhanden ist, scheint sich die neuere Forschung doch mehr für Previtali zu entscheiden.

Halbfig. Pappelholz, h. 0,68, br. 0,84. — Sammlung Solly, 1821.

Verlobung des Christkindes mit der hl. Katharina. Das Christkind, auf dem Schofse der Maria sitzend, steckt mit der Rechten den Ring an Katharina's linke Hand. Zur Linken neben Maria der Apostel Petrus. Hintergrund bergige Landschaft. **45**

Früher Andrea Cordelle Agi benannt. Das Bild zeigt mit den „Previtalus" bezeichneten Bildern die nächste Verwandtschaft und stimmt andererseits mit einer Verlobung der hl. Katharina überein, welche sich, mit dem Namen Andreas Cordelleagi bezeichnet, in der Sammlung Eastlake zu London befindet.

Halbfig. Pappelholz, h. 0,57, br. 0,79. — Sammlung Solly, 1821.

Procaccini. Giulio Cesare Procaccini. Schule von Bologna und Mailand. — Maler und Radirer, geb. 1548 (?) zu Bologna, † zu Mailand um 1626. Schüler seines Vaters Ercole; angeblich eine Zeitlang in der Akademie der Carracci zu Bologna, dann durch Studien nach Correggio, in Rom nach Raphael, in Venedig nach Tintoretto weiter ausgebildet. Thätig in Bologna und Mailand, einige Zeit in Genua.

Der Traum Joseph's. Den schlafend zur Rechten sitzenden Joseph weist der herabschwebende Engel zur Flucht nach Aegypten an. Im Hintergrund links Maria, das in der Wiege sich aufrichtende Kind nährend. **355**

Der Meister erscheint hier namentlich von Correggio beeinflufst. — Eine alte Kopie in der Galerie zu Nimes.

Pappelholz, h. 0,40, br. 0,29. — Königliche Schlösser.

Raffaellino. S. Garbo.

Raffaello. S. Santi.

Raibolini. S. Francia.

Ramenghi. Bartolommeo Ramenghi, gen. Bartolommeo da Bagnacavallo oder il Bagnacavallo. Schule von Bologna und Römische Schule. — Geb. zu Bagnacavallo 1484, † zu Bologna im August 1542. Schüler des Francesco Francia zu Bologna, später Nachahmer des Dosso Dossi. Nach Vasari

in Rom eine Zeitlang Gehülfe Raphael's (in den Loggien des
Vatikan). Thätig zu Bologna, einige Zeit in Rom.

238   Die hh. Petronius, Agnes und Ludwig IX. von
Frankreich. Zur Linken Petronius in bischöflichem Ornat
auf einem Buch das Modell der Stadt Bologna haltend. In
der Mitte Agnes, in der Rechten ein Buch haltend, auf dem
das Lamm liegt. Rechts der hl. Ludwig im Königsmantel,
in der Linken das auf den Boden gestützte Szepter. Auf
Wolken stehend. Zwischen dem zurückgerafften Vorhang
Blick in die Landschaft.

Aus des Meisters späterer Zeit, unter Dosso's Einfluſs.
Leinwand, h. 1,72, br. 2,29. — Sammlung Solly, 1821.

Raoux. Jean Raoux. Französische Schule. — Geb. zu
Montpellier 1677, † zu Paris 1734. Schüler des Jean Ranc
in Montpellier, dann des Louis de Boullogne zu Paris.
Thätig nach einem längeren Aufenthalte in Italien zu Paris.

498A   Cephalus und Procris. Der unter Bäumen verwundet
zusammengebrochenen Procris sucht Cephalus, der sich über
sie beugt, mit einem Linnen das Blut zu stillen. Vor ihnen
der verhängnisvolle Speer, mehr zurück ein ruhender Hund.
Waldige Landschaft.

Leinwand, h. 0,36, br. 0,28. — Erworben 1865.

Ravesteijn. Jan Antonisz van Ravesteijn oder Ravestijn.
Holländische Schule. — Bildnismaler, geb. angeblich 1572 (?)
im Haag, begraben daselbst den 21. Juni 1657. Thätig im
Haag (seit 17. Februar 1598 Mitglied der dortigen Lukasgilde).

757A   Bildnis eines Herrn van Niwerkerk. Nach rechts
gewendet und gradaus blickend. In mittleren Jahren, mit
blonden Locken; in schwarzseidenem Rock mit aufge-
schlitzten Aermeln und flach anliegendem Spitzenkragen.
Dunkelgrauer Grund.

Auf einem Zettel an der Rückseite in der Schrift des vorigen
Jahrhunderts: Heer van niwerkerk getrout met Maria Jonghey, und:
Ravestyn Pinx. 1633.
Lebensgr. Brustb. Eichenh., h. 0,64, br. 0,48 — Samml. Suermondt, 1874.

757B   Männliches Bildnis. Etwas nach rechts gewendet,
gradaus blickend. In älteren Jahren. Ein schwarzes Käppchen
bedeckt das lange dunkle Haar; in schwarzem Gewand und
Mantel; die Rechte auf die Brust gelegt. Grauer Grund.

Bez. rechts im Grunde: *J. A. Ravestein. fecit Ao. 1653.* — Auf der Rückseite in alter Schrift der Name Sweerts de Landas (noch jetzt existierende freiherrliche Familie in Holland), wohl der Name des Dargestellten.

Halbfig. in Lebensgr. Eichenholz, h. 0,73, br. 0,57. — Mit der Sammlung Mossner 1875 durch Vermächtnis der Galerie überwiesen.

Rembrandt. Rembrandt Harmensz van Rijn. Holländische Schule. — Geb. zu Leiden den 15. Juli 1606, begraben zu Amsterdam den 8. Oktober 1669. Schüler des Jacob van Swanenburgh zu Leiden, dann des Pieter Lastman, zu Amsterdam. Thätig zu Leiden und vornehmlich zu Amsterdam (seit Ende 1631).

Simson bedroht seinen Schwiegervater, der ihm **802** **seine Frau vorenthält.** Vor seinem Hause steht Simson in reicher orientalischer Tracht, das wallende Haar von einem Diadem zusammengehalten. Mit der geballten Rechten droht er seinem aus einem Fenster schauenden Schwiegervater. Hinter ihm zwei Mohrenknaben, die eine kleine Truhe tragen. (Buch der Richter, 15.)

Bez. rechts am Pfeiler: *Rembrandt ft. 1635.* — Die letzte Ziffer, die durch eine alte Rentoilage beschädigt ist, wird im alten Kataloge als 7 angegeben, ist aber vielmehr als 5 zu lesen. Letztere Zahl steht im Einklang mit dem Charakter und der Behandlung des Bildes. — Eine Wiederholung von einem Nachahmer befand sich in der Sammlung des Herzogs Hamilton zu Hamilton Palace in Schottland.

Lebensgr. Fig. bis zu den Knieen. Leinwand, h. 1,56, br. 1,29. — Königliche Schlösser (Oranische Erbschaft, 1676).

Die Frau des Tobias mit der Ziege. Inmitten einer **805** Hütte, in welche durch ein grofses Fenster das Tageslicht einfällt, sitzt der alte Tobias an einem offenen Feuer und verweist seiner Frau den Diebstahl der Ziege, die sich durch ihr Mäckern verraten hat.

Bez. rechts unten: *Rembrandt. f. 1645.* — Gegenstück zu No. 806. Unbekanntes ausländisches Holz, h. 0,20, br. 0,27. — Königliche Schlösser.

Der Traum Joseph's. Den schlafend dasitzenden Josef **806** fordert eine lichtumflossene Engelsgestalt zur Flucht nach Aegypten auf. Weiter vorn rechts auf einem Strohbündel lagert Maria mit dem Kinde; daneben der Kopf eines Rindes.

Bez. unten auf einem Brette: *Rembrandt f. 1645.* — Gegenstück zu No. 805. — Eine Zeichnung dazu im kgl. Kupferstichkabinet zu Berlin.

Unbekanntes ausländisches Holz, h. 0,20, br. 0,27. — Königliche
Schlösser.

808   Selbstbildnis. Nach rechts gewendet, gradaus blickend.
Mit langem Haar; in flachem Hut mit grüner Feder. Um den
Hals ein eiserner Halskragen; eine goldene Kette über dem
grauen Mantel. Grauer Grund.

Aus dem Anfang der dreifsiger Jahre.
Lebensgr. Brustb. Eichenholz, h. 0,55, br. 0,46. — Königliche
Schlösser.

810   Selbstbildnis. Nach rechts gewendet, der Kopf von
vorn und gradaus blickend. Mit starkem lockigen Haar und
keimendem Schnurrbart. In kleinem Barett, Mantel mit
Pelzkragen und grünlichem Halstuche. Grauer Grund.

Bez. rechts unten: *Rembrandt f 1634.*
Lebensgr. Brustb. Eichenholz, h. 0,57, br. 0,47. — Königliche
Schlösser.

811   Moses zerschmettert die Gesetzestafeln. Moses,
in langem weifsen Rock und wallendem Mantel, im Begriff
die hoch erhobenen ehernen Tafeln, in welche in goldener
Schrift die zehn Gebote eingegraben sind, an einem Felsen
zu zertrümmern. Hintergrund die Felsen des Sinai.

Bez. rechts unten: *Rembrandt f. 1659.*
Lebensgr. Fig. bis zu den Knieen. Leinwand, h. 1,67, br. 1,35. —
Königliche Schlösser.

812   Rembrandt's Gattin Saskia. Etwas nach links gewendet, gradaus blickend. In hoher Pelzmütze, die mit einer
von Agraffen gehaltenen Perlenschnur verziert ist, und offenem
auf die Schultern fallenden Haar; um den Hals ein Perlen-
band; über den Schultern eine breite gedrehte Goldkette.
Mit der Linken den Mantel zusammenhaltend. Dunkler Grund.

Bez. rechts über der Schulter: *Rembrandt f 1643.* — Saskia van
Ulenburgh, Tochter des Predigers Rombertus van Ulenburgh, mit welcher
sich der junge Rembrandt am 22. Juni 1634 vermählte, starb bereits im
Jahre 1642. Wahrscheinlich hatte also der Künstler dieses Bildnis, das
ihre aus Gemälden, Zeichnungen und Radierungen bekannten Züge
unverkennbar wiedergiebt, bei ihrem Tode noch nicht vollendet, und
führte er dasselbe erst im folgenden Jahre, 1643, vollends aus.
Lebensgr. Brustb. Mahagoniholz, h. 0,72, br. 0,58. — Königliche
Schlösser.

823   Raub der Proserpina. Pluto im Begriff mit der ge-
raubten Proserpina, die er in beiden Armen gepackt hält,

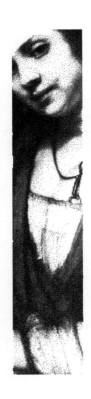

f seinem von feurigen Rappen gezogenen Wagen in die
ut zu tauchen. Die Gespielinnen, bemüht Proserpina an
em langen Mantel zurückzuhalten, werden durch die
mige Wiese neben dem Wagen hergeschleift.

Früher dem Jan Joris van Vliet, einem Schüler Rembrandt's, zu-
chrieben; allein durch die neuere Forschung (auch schon durch
Waagen) mit Recht dem Meister selbst zurückgegeben, für dessen
Jugendzeit (um 1632) das Bild durchaus charakteristisch ist. — Ein
ganz ähnliches, bezeichnetes und 1632 datiertes Werk, der Raub der
Europa, vielleicht Gegenstück dieses Bildes, wurde mit der Sammlung
des Herzogs von Morny 1865 versteigert.

Eichenholz, h. 0,83, br. 0,78. — Königliche Schlösser.

Jakob ringt mit dem Engel. Der Engel in langem **828**
weifsen Gewande, mit ausgebreiteten Eulenflügeln, stemmt
sein rechtes Bein und die linke Hand in die Seiten des
vor ihm stehenden Jakob, um ihm die Hüfte auszurenken,
während er mild auf ihn herabblickt. Dunkler Grund.

Bez. rechts unten: *Rembrandt f.* — Die Bezeichnung, wahrscheinlich aus dem früher gröfseren Bilde ausgeschnitten, ist eingesetzt. —
Aus der späteren Zeit des Meisters.

Lebensgr. Fig. bis zu den Knieen. Leinwand, h. 1,37, br. 1,16. —
Sammlung Solly, 1821.

Bildnis eines Rabbiners. Von vorn gesehen und **828A**
gradaus blickend. Mit grauem Vollbart. In breitem schwarzen
Barett und dunklem pelzgefütterten Mantel, um den Hals
eine goldene Kette; in einem Lehnsessel sitzend, mit der
Linken den Mantel zusammen haltend. Graubrauner Grund.

Bez. links unten: *Rembrandt. f. 1645.* — Sammlungen W. Beck-
ford zu Fonthill Abbey, 1820; Durand-Duclos, Paris 1847; I. Nieuwenhuis,
1854; Théodore Patureau, Paris 1857.

Lebensgr. Fig. bis zu den Knieen. Leinwand, h. 1,10, br. 0,82. —
Sammlung Suermondt, 1874.

Bildnis der Hendrickje Stoffels (der Haushälterin **828B**
Rembrandt's). Nach links gewendet und den Beschauer anblickend; auf der Fensterbrüstung lehnend und mit der
Rechten den Griff des geöffneten Flügels haltend. In rotem
verbrämten Mantel, Häubchen von goldbesetzten Bändern,
mit Perlohrringen und Perlarmband. Dunkler Grund.

Charakteristisches Werk aus der letzten Zeit des Meisters (um
1662—1664).

Leinwand, h. 0,87, br. 0,65. — Erworben in Paris 1879.

Verz. d. Gemälde 15

828C   Junge Frau in ihrem Gemache (Minerva oder Judith?).
Die junge Frau sitzt, im Profil nach links, in reicher phantastischer Tracht auf einem Stuhl, das Haupt von Oelblättern
umkränzt. Auf dem Tisch verschiedene Folianten, Laute
und Harnisch; an der Wand eine Trophäe bestehend aus
Helm, Schild mit Medusenhaupt und Schwert. Grund: die
dunkle Wand des Gemachs.

Bezeichnet ganz rechts in der Mitte (einige noch zur Bezeichnung
gehörenden Striche scheinen zerstört): *R.* — Jugendwerk des Meisters,
um 1631 oder 1632 gemalt.

Eichenholz, h. 0,59, br. 0,48. — 1880 aus dem Magazin wieder aufgenommen. Im Verzeichnis der aus den Königlichen Schlössern ausge-
wählten Bilder als „Minerva von Rembrandt" angeführt; nach Eröffnung
der Galerie, unter dem Namen Ferdinand Bol, kurze Zeit ausgestellt.

828D   Der Geldwechsler. Hinter einem Tische sitzt ein alter
Geldwechsler mit Brille, zwischen den Fingern der Rechten
eine Münze haltend, die er an der Flamme eines Leuchters
aufmerksam betrachtet. Auf dem Tische Bücher, Dokumente,
eine Goldwaage und Münzen. Im Grunde ein geöffneter
Schrank und ein Ofen.

Bez. links auf einem Buche: *R H* (verbunden). *1627.* — Von besonderem kunstgeschichtlichen Interesse, da das Bild das früheste
bezeichnete Gemälde des Meisters mit dem „Paulus" der Stuttgarter
Galerie ist.

Eichenholz, h. 0,32, br. 0,42. — Als Geschenk von Mr. J. C. Robinson
in London 1881 durch die Güte Ihrer kaiserl. und königl. Hoheit der
damaligen Frau Kronprinzessin der Gemälde-Galerie überwiesen.

828E   Susanna und die beiden Alten. Der Jüngere der
beiden Richter sucht der Susanna, die nackt die Stufen zum
Bassin herabsteigt, das Linnen, mit dem sie ihren Schofs verhüllt, abzureifsen. Weiter zurück der zweite Richter, eben
aus dem Eingang der Grotte hervortretend, mit der Linken
auf einen Stock gestützt mühsam heranhinkend. Auf einer
Steinbrüstung das reiche Gewand der Susanna. Hintergrund
Park mit Renaissancepalast und turmartigem romanischen
Kastell dahinter.

Bez. rechts unten: *Rembrandt . f . 1647.* — Ausgeführte Studie
zur Figur der Susanna, ohne die beiden Alten, aber durch die eigentümliche Beleuchtung und die umgebende Landschaft zu einem selbst-
ständigen Bilde gestaltet, im Louvre (Sammlung Lacaze); eine zweite
Studie, nur als Brustbild eines nackten Mädchens behandelt, im Besitze

828 H. Rembrandt van Rijn.

des Herrn Paul Bonnat zu Paris (früher in der Sammlung His de la Salle). Zeichnungen und Skizzen zum Bilde bei Herrn A. von Beckerath in Berlin u. a. a. O. — Die bekannte Legende von Susanna, der Gemahlin des Jojakim, die von den Richtern, welche im Königlichen Palast Recht zu sprechen hatten, im Bade überfallen wurde, steht im Zusammenhang mit der Geschichte des Propheten Daniel. Wir erwähnen dies hier, weil der Meister den Gegenstand zu dem nächstfolgenden Bilde gleichfalls der Geschichte des Daniel entnommen und daher auch denselben romanischen Turm als einen Teil des Palastes Susan in beiden Bildern angebracht hat. — Das Bild befand sich im vorigen Jahrhundert in der Sammlung von Sir Joshua Reynolds, der in seinen Schriften (The Works of Sir J. R., London 1809, II. 344) eigens hervorhebt, daß Rembrandt hier „in Färbung und Wirkung den höchsten Grad von Trefflichkeit" erreicht habe. Bei dem Verkauf dieser Sammlung ging es 1795 in den Besitz der Familie Baronet Lechmere in the Rhydd über, woselbst es bis in die neueste Zeit verblieb.

Eichenholz, h. 0,76, br. 0,91. — Erworben 1883 in Paris.

Die Vision Daniels. An dem Rand einer Schlucht ist **828 F** Daniel in die Kniee gesunken. Er horcht scheu auf den Engel, der mit ausgebreiteten Eulenflügeln hinter ihm steht und ihm jenseits des Baches die Erscheinung des Ziegenbockes mit dem wunderbaren Gehörn deutet. Hintergrund Gebirgslandschaft mit einem romanischen Rundbau, dem Palast von Susan.

Rembrandt hat aus dem 8. Kapitel des Propheten Daniel den Moment zur Darstellung gebracht, wo der Engel Gabriel erscheint, den in Ohnmacht zur Erde gesunkenen Daniel wieder aufrichtet und ihm auf höheres Geheiß das Gesicht von dem Widder und dem Ziegenbock auslegt, das der Prophet soeben gehabt hat (darnach bedeutet der Widder, „vor dem kein anderes Tier bestehen konnte", die Könige in Medien und Persien, der Ziegenbock aber mit dem großen Horn, das aus den kleineren Hörnern immer mächtiger emporwuchs und mit dem der Bock nach der Vernichtung des Widders die Welt zu zerstören drohte, den König von Griechenland). — Auch dieses Bild ist um 1650 zu setzen. — Eine Handzeichnung des Meisters, die als Vorstudie zu unserem Gemälde erscheint, Gabriel im Begriff, den zur Erde gesunkenen Daniel aufzurichten, im Kabinet zu Dresden. — Das Bild stammt gleichfalls, wie die Susanna, aus den Sammlungen Reynolds und Lechmere, s. No. 828 E.

Leinwand, h. 0,96, br. 1,16. — Erworben 1883 in Paris.

Joseph wird bei Potiphar von dessen Frau ver- **828 H** **klagt.** Neben einem reichen Himmelbett sitzt Potiphar's Frau, mit lebendiger Gebärde den Joseph, der jenseits des

15*

Bettes steht, bei ihrem sie ruhig anhörenden Gatten ver-
klagend. Zu ihren Füfsen der grüne Mantel Joseph's.

Bez. über dem Mantel Joseph's: *Rembrandt f. 1655.* — Ein
ähnliches Bild mit demselben Gegenstand und 1654 und 1655 datiert in der
Ermitage zu St. Petersburg. — Sammlung von Sir John Neeld in Gritt-
leton House.

Leinwand, h. 1,10, br. 0,87. — Erworben 1883 in Paris.

Rembrandt. Schule des Rembrandt van Rijn. Holländische
Schule.

815B   Ruhe auf der Flucht nach Aegypten. Maria sitzt
unter einem grofsen Baume, das schlafende Kind im Schofse;
rechts hinter ihr Joseph auf erhöhtes Erdreich gelehnt und
zu Maria niederblickend. Vor Joseph das Reisegerät. Zur
Linken in der Ferne ein steil abfallender Berg mit einer
Ortschaft auf der Höhe; davor im Mittelgrunde ein Viadukt.

Unter dem unverkennbaren Einflusse von Rembrandt's heiliger
Familie in der Pinakothek zu München (datiert 1631) gemalt.

Eichenholz, h. 0,73, br. 0,58. — Sammlung Suermondt, 1874.

Reni. Guido Reni. Schule von Bologna. — Maler und
Radirer, geb. zu Calvenzano bei Bologna den 4. November
1575, † zu Bologna den 18. August 1642. Schüler des Dionysius Calvart und des Lodovico Carracci zu Bologna; in Rom
unter dem Einflusse von Caravaggio und Annibale Carracci,
dann durch Studien nach Raphael und nach der Antike
weiter ausgebildet. Thätig vornehmlich zu Bologna, kurze
Zeit zu Rom (insbesondere von 1605—1610) und Neapel (1621).

363   Mater Dolorosa. Maria nach rechts gewendet, den
Blick in schmerzvoller Andacht aufwärts gerichtet, das Haupt
mit einem grauen Tuche bedeckt. Dunkler Grund.

Lebensgr. Brustb. Leinwand, h. 0,48, br. 0,38. — Königliche
Schlösser.

373   Die Einsiedler Paulus und Antonius in der
Wüste. In einer Felsenhöhle sitzt zur Rechten Paulus
mit langem Haar, den nackten Körper lose mit einer
Decke umhüllt; er spricht zu dem ihm gegenüber sitzenden
Antonius, der die Hände auf den Krückstock stützt. Oben
Maria mit dem Kinde auf Wolken gelagert von ver-
ehrenden Engeln umgeben. Ueber den Einsiedlern ein
schwebender Rabe, der ein Brod im Schnabel hält.

Ein Hauptwerk des Meisters aus seiner früheren Zeit, als er
vorwiegend von Caravaggio beeinflufst war. — Es ist der Moment der
Legende dargestellt, da Antonius, der sich nach fünfundsiebenzigjähriger
Bufse für den ältesten Wüstenbewohner hielt, auf göttliche Weisung
den hl. Paulus besucht, welcher neunzig Jahre in seiner Höhle zu-
gebracht habe, und nun in diesem seinen Meister findet. Der Rabe,
der sonst dem Paulus zu seiner täglichen Nahrung ein halbes Brot
brachte, bringt an diesem Tage für beide ein ganzes.
Ueberlebensgr. Fig. Leinwand, h. 2,90, br. 1,87. — Sammlung
Giustiniani, 1815.

Ribera. Jusepe de Ribera, gen. Spagnoletto. Spanische
und Neapolitanische Schule. — Maler und Radirer, geb. zu
Játiva (jetzt San Felipe, Königreich Valencia) den 12. Januar
1588, † zu Neapel 1656. Schüler des Francisco Ribalta zu
Valencia; durch Studien in Rom, Parma und Venedig, dann
zu Neapel unter dem Einflusse des Caravaggio weiter ausgebildet. Thätig vornehmlich zu Neapel.

Der hl. Hieronymus. Der Heilige, stark abgemagert,   **403**
mit entblöfstem Oberkörper, hält, den Blick aufwärts ge-
richtet, die hl. Schrift in den Händen. Neben ihm zur
Linken ein Totenkopf. Dunkler Grund.
Der Meister hat dieselbe Darstellung mit Veränderungen häufig
gemalt. Eine ganz gleiche Wiederholung im Museo del Prado zu
Madrid (zu einem Cyclus von Gemälden gehörig).
Lebensgr. Halbfig. Leinwand, h. 1,16, br. 0,91. — Sammlung
Solly, 1821.

Der hl. Sebastian. Der Heilige, dessen Handgelenke   **405 B**
hoch an zwei Baumäste geknüpft sind, ist, von einem Pfeil
durchbohrt, zur Erde in die Kniee gesunken. Vorn am Boden
zwei Pfeile. Hintergrund felsiges Terrain und tiefdüsterer
Himmel mit der Mondsichel.
Bez. unten links: *Jusepe de Ribera . . pañol. F 1636.*
Leinwand, h. 2,00, br. 1,49 — Sammlung Suermondt, 1874.

Ribera? Martyrium des hl. Bartholomäus. Der   **416**
nackte Heilige, mit beiden Händen an ein Querholz fest-
gebunden, wird von zwei links stehenden Henkersknechten
an einem Balken hinaufgezogen, um geschunden zu werden;
ein dritter Knecht fafst ihn zur Nachhülfe am Bein. Zur
Rechten hinter einem Felsstück ein Soldat, ein Alter und
eine Frau dem Vorgang zuschauend; zur Linken im Mittel-

grunde eine zweite Gruppe von Zuschauern. Hintergrund
Himmel, rechts ein Felsen.

Das voll bezeichnete und datierte Original befindet sich im Museo
del Prado zu Madrid. Das hiesige Bild, geringer in der Zeichnung
und Behandlung und weniger kräftig in der Färbung, kann nur für
eine Kopie aus der zweiten Hälfte des 17. Jahrhunderts, von einem
Künstler aus dem Kreise der Nachfolger Murillo's, gelten. Eine zweite
geringere Kopie beim Herzog von Osuña in Madrid.

Leinwand, h. 2,18, br. 2,51. — Sammlung Solly, 1821.

Ricolo. S. Neroni.

Rigaud. Hyacinthe Rigaud. Französische Schule. —
Bildnismaler, geb. zu Perpignan, den 20. Juli 1659, † zu Paris
den 27. Dezember 1743. Schüler von Pezet und Verdier zu
Montpellier, in Paris durch das Studium van Dyck's ausgebildet. Thätig zu Paris.

460   Bildnis des Bildhauers Bogaert, gen. Desjardins
(1640—1694). Nach links gewendet, der Kopf nach rechts
gerichtet und nach rechts hinausblickend. In blonder Allongeperrücke, schwarzseidenem Gewande und halboffener Weste,
welche Hals und Brust sehen läfst. Die Rechte in sprechender
Bewegung vor sich haltend, die Linke auf einen bronzenen
Kolossalkopf gestützt (Modell zu dem Kopfe einer Sklaven-
figur an dem Monumente Ludwig's XIV. auf der Place des
Victoires zu Paris). Im Grunde, neben einem aufgerafften
Vorhang, Ausblick in eine Abendlandschaft.

Eine Originalwiederholung mit Veränderungen im Louvre zu Paris.
Lebensgr. Fig. bis zu den Knieen. Leinwand, h. 1,35, br. 1,03. —
Königliche Schlösser.

Ring. Ludger tom Ring d. A. Deutsche Schule (Westfalen).
— Geb. zu Münster 1496, † daselbst am Tage nach Palm-
sonntag 1547. Thätig zu Münster.

700   Bildnis eines jungen Mannes. Von vorn gesehen,
mit geringer Wendung nach rechts, gradaus blickend. Mit
langem zweigeteilten Vollbart. In schwarzem Barett und
schwarzer pelzgefütterter Schaube. Die Linke, welche einen
Brief hält, auf einer Marmorbrüstung ruhend. Dunkelgrüner
Grund.

Bez. oben mit dem Monogramm. — Unten an der Brüstung die
Aufschrift: NATVS. ANNO. MCCCCCX. — Das Wappen auf dem Ring
der linken Hand ist höchst wahrscheinlich das der in Westfalen weit-

verbreiteten Familie von Keppel. Die teilweise undeutliche Aufschrift auf dem Briefe wird demnach Joost von Keppel zu lesen sein.

Brustbild in halber Lebensgr. Eichenholz, h. 0,43, br. 0,28. — Sammlung Solly, 1821.

Roberti. Ercole de' Roberti. Nach seinem Vater Ercole di Mastro Antonio. Ferraresische Schule. — Geb. wahrscheinlich zwischen 1450 und 1460 zu Ferrara, † ebenda gegen Ende Juni 1496. Herangebildet unter dem Einflusse vielleicht des Jacopo Bellini und der Schule des Squarcione, vor allem aber des Cosma Tura. Zuerst erwähnt 1479 in Ferrara, um 1482 in Bologna, seit 1486 wieder in Ferrara, wo er 1487 estensischer Hofmaler wird und mit kurzen Unterbrechungen (zweifelhafte Reise an den Hof des Mathias Corvinus, 1489 in Venedig, 1492 in Rom) bis an sein Ende thätig ist.

Johannes der Täufer. Der Heilige steht auf felsiger Plattform am Ufer eines Sees, mit beiden Händen das Kreuz vor sich haltend. Eine felsige Landzunge mit der Ruine einer Brücke erstreckt sich quer in den See. Am jenseitigen Ufer eine Stadt, an deren Landungsplatz mehrere Schiffe vor Anker liegen. **112 C**

Die Benennung dieses Bildes wird gerechtfertigt durch dessen Uebereinstimmung mit der grofsen, früher dem Stefano da Ferrara zugeschriebenen Altartafel in der Brera, die auf Grund neuerer Forschung als sicheres Werk des Roberti gilt. — Der Heilige findet sich öfters als Hieronymus angegeben; das allerdings wenig sichtbare „härene Gewand" kennzeichnet ihn als den Täufer. — Sammlung Galeazzo Dondi-Orologio zu Padua, wo das Bild als Mantegna galt.

Pappelholz, h. 0,54, br. 0,31. — Erworben 1885 in Venedig als Geschenk eines Ungenannten.

Robusti. Jacopo Robusti, gen. Tintoretto (als der Sohn eines Färbers, tintore). Venetianische Schule. — Geb. zu Venedig 1519, † daselbst den 31. Mai 1594. Schüler Tizian's (nur kurze Zeit); ausgebildet unter dem Einflusse desselben, sowie durch das Studium Michelangelo's. Thätig in Venedig.

Bildnis eines Prokurators des hl. Marcus. In **298** mittleren Jahren, nach links gewendet und gradaus blickend. Mit langem Vollbart und kurzem Haupthaar. In der Amtstracht: rotsammtner Mantel und grüngewässertes Band über der Brust. Die Rechte mit sprechendem Ausdruck vor sich haltend, die Linke in das Band fassend. Dunkler Grund.

Lebensgr. Halbfig. Leinwand, h. 1,05, br. 0,83. — Sammlung Solly, 1821.

299   Bildnis eines Prokurators des hl. Marcus. Nach rechts gewendet, gradaus blickend. Kahlköpfig und mit grauem Vollbart; in rotem hermelingefütterten Sammet-Mantel. Die Linke mit sprechender Geberde vorwärts deutend, die Rechte am Körper ruhend. Durch ein Fenster Ausblick auf eine Landschaft.

Lebensgr. Halbfig. Leinwand, h. 1,12, br. 0,95. — Sammlung Solly, 1821.

300   Maria mit dem Kinde von den Evangelisten Marcus und Lucas verehrt. Maria sitzt mit dem Kinde in der Glorie über der Mondsichel; zwei Engel halten die Sternenkrone über ihrem Haupte. Unten links Marcus auf Wolken sitzend, hinter ihm der Löwe; zur Rechten Lucas im Begriff sein Evangelium niederzuschreiben, hinter ihm der Ochse. Hintergrund Himmel und Wolken.

Aus der späteren Zeit des Meisters.
Leinwand, h. 2,28, br. 1,60. — Erworben 1841 in Venedig.

310   Luna mit den Horen. Diana als Mondgöttin, mit Speer und Köcher, auf ihrem mit Edelsteinen geschmückten Wagen ruhend, vollendet bei den Strahlen der aufgehenden Sonne durch die Lüfte ihre Bahn. Auf dem Vorderteil des Wagens eine Hore, die Zügel führend; die zweite mit einem Pfeil in der Linken vorwärts stürmend; die dritte im Begriff der Diana einen Blätterkranz auf's Haupt zu setzen, in der Linken Rosen haltend. Ueber dem Wagen der Tierkreis mit dem Zeichen des Krebses.

Stammt aus dem Fondaco dei Tedeschi in Venedig.
Leinwand, h. 1,48, br. 2,53. — Erworben 1841 aus der Sammlung des Grafen Lecchi in Brescia.

316   Venetianische Prokuratoren vor dem hl. Marcus. Der Evangelist Marcus, der Schutzheilige von Venedig, zur Linken auf erhöhtem Throne sitzend, scheint drei Prokuratoren, welche in ihrer Amtstracht vor dem Throne knieen, in ihren Pflichten zu unterweisen. Vor ihm am Boden der Marcus-Löwe. Hinter den Prokuratoren ein älterer und ein jüngerer Venetianer, gleichfalls Bildnisse. Im Hintergrund neben einer Palastfront Ausblick auf die Lagunen.

Am Postamente des Thrones über dem Wappen die Jahreszahl 1569; unter derselben die Inschrift: PENSATE LA FIN (bedenket das

Endel — Die Prokuratoren, nach den drei Wappen am Sockel des Thrones zu den Geschlechtern Zane, Cornaro und Molino gehörig. Die Prokuratoren lebensgr. Figuren bis zu den Knieen. Leinwand, h. 2,08, br. 1,77. — Erworben 1842 in Rom.

Roelas. Juan de las Roelas. Spanische Schule (Sevilla). — Geb. von flandrischen Eltern um 1558 in Sevilla, † zu Olivarez den 23. April 1625. Unter dem Einfluſs venetianischer Meister ausgebildet; nach einer italienischen Reise thätig vornehmlich zu Sevilla, zeitweilig zu Madrid und seit 1624 zu Olivarez.

Maria in der Glorie von einem Jesuiten verehrt. **414A** Maria in einem Kranz von Cherubim auf der Mondsichel schwebend, erscheint dem Jesuiten Fernando de Mata, der zur Linken knieend, ein Gebetbuch in der Hand, zu ihr aufschaut. Engel halten eine Krone über Maria's Haupt, weiter unten ein kleiner Engel, in einen Spiegel schauend. In der Landschaft verschiedene Symbole, unter welchen Maria in der Litanei angerufen wird: der Turm Davids, der Rosenstock, der Brunnen u. s. w.

Leinwand, h. 2,79, br. 1,68. — Erworben 1852 aus der Sammlung Soult zu Paris.

Roghman. Roelant Roghman. Holländische Schule. — Maler, Zeichner und Radirer von Landschaften, geb. zu Amsterdam 1597, daselbst 1686 noch am Leben (nach Houbraken). Nach Reisen in den Alpen thätig zu Amsterdam.

Alpine Landschaft. Auf einem breiten Weg, der rechts **807A** einen Berg hinanführt und am Fuſse eines steilen Felskegels einen Gebirgsbach überschreitet, sitzen vorn zwei Landleute, die mit einer Schäferin sprechen.

Bez. rechts unten: *R.* Leinwand, h. 1,15, br. 1,72. — Erworben 1867 in Stuttgart.

Romanino. Girolamo Romanino, bisweilen Girolamo Bresciano genannt. Zeichnet sich selbst öfters Hieronymus Rumanus de Brixia. Venetianische Schule (Brescia). — Geb. zu Brescia um 1485 oder 1486, † zu Brescia 1566. Angeblich Schüler des Stefano Rizzi (?) oder des Floriano Ferramola zu Brescia; später von Pellegrino da San Daniele und Giorgione beeinfluſst. Thätig vornehmlich in Brescia und

Umgegend (Valle Camonica), zeitweilig in Padua (1513), Cremona (um und nach 1517) und Trient (um 1540).

151 Beweinung Christi. Der auf dem Bartuche liegende Leichnam wird von Johannes gestützt, während Maria knieend das Haupt umfaßt und Magdalena sich über die Füße des Heilands beugt. Hinter Johannes steht Joseph von Arimathia mit den Kreuzesnägeln in der Rechten; neben ihm rechts der Stifter in schwarzer Kleidung. Auf der anderen Seite zwei Apostel, Zange und Hammer haltend. Zuäußerst links und rechts Maria Kleophas und Maria Salome, beide wehklagend. Hintergrund links die Grabeshöhle, rechts in der Ferne Jerusalem.

Aus der mittleren Zeit des Meisters, den Einfluß Giorgione's bekundend. — Ehemals in S. Faustino maggiore in Brescia.

Pappelholz, h. 1,85, br. 1,82. — Erworben 1841 aus dem Besitz des Grafen Bragnoli in Brescia.

157 Maria mit dem Kinde und Heiligen. Maria hält, auf dem Throne sitzend, in ihren Armen das liegende Kind. Vorn rechts der hl. Rochus in Pilgertracht, mit der Linken auf die Beule an seinem Beine weisend; neben ihm sein Hund. Links der hl. Ludwig von Toulouse im *Königsmantel*, in der Rechten den Krummstab, den er in die am Boden liegende Königskrone stellt (dieselbe deutet seinen Verzicht auf den Thron des Königreichs Neapel an). Zwei schwebende Engel halten den Vorhang des Thrones, ein dritter spielt die Laute. Hintergrund Landschaft.

Aus der früheren Zeit des Meisters. — Ehemals auf einem Altar in S. Francesco zu Brescia.

Pappelholz, h. 1,39, br. 1,20. — Sammlung Solly, 1821.

155 Romanino? Judith. In venetianische Tracht gekleidet, trägt sie den Kopf des Holofernes auf silberner Schüssel. Sie wendet sich leicht nach der Magd, deren Kopf hinter ihr sichtbar wird; rechts ein schlafender Kriegsknecht und Ausblick in's Freie.

Ein ähnliches Bild im Privatbesitz zu Mailand ist mit dem Namen des Francesco Prato da Caravaggio (Schüler des Romanino) bezeichnet. — Möglicherweise identisch mit dem von Chizzola erwähnten Bilde des Romanino in S. Giovanni zu Brescia.

Halbfig. etwas unter Lebensgr. Pappelholz, h. 0,84, br. 0,70. — Sammlung Solly, 1821.

Rosa. Salvator Rosa. Schule von Neapel. — Maler, Radirer und Dichter, geb. im Dorfe Renella bei Neapel den 20. Juni 1615, † zu Rom den 15. März 1673. Schüler seines Schwagers Franc. Fracanzano, dann des Ribera und des Aniello Falcone. Thätig abwechselnd zu Rom und Neapel bis 1650, dann in Florenz (1650—1660) und wieder in Rom.

Stürmische See. Ein Dreimaster, von der Brandung **421** erfaßt, droht an der felsigen Küste zu scheitern. Vorn am Ufer mehrere Männer. In der Ferne die Mauern und Bauten eines Hafens.

Leinwand, h. 0,75, br. 1,12. — Erworben 1842 in Berlin aus dem Nachlaß des Geh. Medizinalrates Rust.

Rosselli. Cosimo Rosselli. Nach dem Vater: Cosimo di Lorenzo di Filippo. Florentinische Schule. — Geb. zu Florenz 1439, † daselbst den 7. Januar 1507. Schüler und Gehülfe des Neri di Bicci zu Florenz, unter Benozzo Gozzoli daselbst weiter ausgebildet. Thätig zu Florenz, einige Zeit in Rom (zwischen 1480 und 1484).

Maria in der Herrlichkeit mit Heiligen. Oben **59** Maria, in Cherubglorie, in beiden Händen Kränze haltend; auf ihrem Schofse das segnende Kind, das in der Linken die Weltkugel trägt. Schwebende Engel halten eine Krone über ihrem Haupt und Spruchbänder, deren Inschrift sich auf die schirmende Barmherzigkeit der Maria bezieht. Unterhalb in dichtgedrängter Schar von Gläubigen der Papst, der Kaiser, die hl. Katharina von Siena, der Erzbischof Antonino von Florenz, der hl. Dominicus und Bischöfe. Ganz unten in der Mitte das Brustbild des Stifters, eines Dominikaners. Goldgrund.

Tempera. Pappelholz, h. 1,89, br. 1,77. — Sammlung Solly, 1821.

Anna Selbdritt nebst Heiligen. Maria unter einem **59A** säulengetragenen Bau von reicher Architektur thronend, hält das segnende Kind auf dem Schofse; hinter ihr die hl. Anna in feierlicher Haltung, sie mit beiden Händen umfassend. Links der Erzengel Michael und die hl. Katharina, rechts Magdalena und Franciscus, sämtlich stehend.

Bez. unten in der Mitte: $\overline{\text{ANO}} \cdot \overline{\text{XPI}}$. MCCCCLXXI . I . D . Das Bild ist die früheste unter den datierbaren Arbeiten des Meisters. Pappelholz, h. 1,63, br. 1,63. — Sammlung Solly, 1821.

Rotari. Conte Pietro Rotari. Italienische Schule. — Maler und Radirer, geb. 1707 zu Verona, † 1762 zu St. Petersburg. Schüler des Antonio Balestra zu Verona, des Franc. Trevisani in Rom und ·des Franc. Solimena zu Neapel. Thätig als Hofmaler vornehmlich in Dresden, einige Zeit in Wien und seit 1757 in St. Petersburg.

500 A Bildnis des S. Accoramboni (päpstlicher Nuntius in Dresden). Nach links gewendet, den Blick auf den Beschauer gerichtet. In schwarzer Tracht, auf der Brust einen Orden, die Linke mit sprechender Geberde nach aufsen weisend.

Halbfig. in Lebensgr. Leinwand, h. 0,88, br. 0,69. — Erworben 1846.

Rubens. Petrus Paulus Rubens. Zeichnet sich meist Rubbens. Vlämische Schule. — Geb. zu Siegen den 28. Juni 1577, † zu Antwerpen den 30. Mai 1640. Daselbst Schüler des Tobias Verhaegt (nur kurze Zeit), Adam van Noort (von 1591—1594) und vornehmlich des Otho van Veen (1594—1598). Thätig von '1600—1608 in Italien, insbesondere in Venedig, in Mantua (im Dienst des Herzogs Vincenzo I. Gonzaga), in Rom und in Genua; seit Ende 1608 bis zu seinem Ende vornehmlich in Antwerpen (seit 1609 Hofmaler des Erzherzogs Albrecht, dann des Erzherzogs Ferdinand); kurze Zeit in Paris (wiederholt zwischen 1621 und 1627), in Madrid (1603/4 und 1628/29) und in London (1629/30).

762 Krönung der Maria. Maria auf Wolken emporschwebend, zwischen Gottvater und Christus, die ihr gemeinsam die Krone auf's Haupt setzen. Ueber der Krone die Taube des hl. Geistes. Zu Füfsen der Maria drei aufwärts schwebende Engel. In den Ecken oben je zwei Cherubim.

Die Ausführung gehört im Wesentlichen Schülerhänden an.
Leinwand, h. 2,64, br. 1,82. — Königliche Schlösser.

763 Bildnis eines Kindes (des zweiten Knaben) des Künstlers. Im Profil nach links, mit dichten blonden Locken. Im Hemdchen, mit einem Halsband von Korallen und Perlen; mit der Linken einen grünen Vogel am Bande haltend. Dunkler Grund.

Das Bildnis ist zugleich Studie zu einem der Engel auf dem Bilde der Münchener Pinakothek: Maria mit dem Christkinde innerhalb eines von Engeln getragenen Blumengewindes.
Lebensgr. Brustb. Eichenholz, h. 0,48, br. 0,39. — Königliche Schlösser.

Diana auf der Hirschjagd. Diana ist im Begriffe, **774**
einen Hirsch, den ihre Hunde eben erreicht und gepackt
haben, von hinten mit dem Jagdspiefs zu durchbohren. Ihr
folgen zur Rechten ein bärtiger Alter, zum Wurf mit dem
Speer ausholend, eine bogenspannende Nymphe und ein
Jäger, das Jagdhorn blasend. Waldige Flachlandschaft.

Die Tiere sind von der Hand des Frans Snyders, die Landschaft von einem Gehülfen des Rubens, wahrscheinlich Jan Wildens
(Landschaftsmaler, geb. zu Antwerpen 1586, † daselbst den 16. Oktober 1653, Schüler des Peeter Verhulst, thätig zu Antwerpen). —
Das Bild befand sich bis zum Tode des Meisters in dessen Wohnung
und wurde 1641 unter seinen Kunstschätzen mit versteigert. Die Originalzeichnung zu den Figuren befindet sich im Louvre, Sammlung His de
la Salle.

Leinwand, h. 1,76, br. 4,79. — Königliche Schlösser.

Neptun und Amphitrite. Auf einem Felsen, unter **776A**
dem eine Quelle hervorbricht, sitzt Neptun mit dem Dreizack,
zu Amphitrite gewendet. Diese hat einen Arm um den
Nacken des Gottes gelegt und greift mit der Linken in eine
mit Schmuck und Edelsteinen gefüllte Muschel, die ihr ein
aus den Wellen emportauchender Triton reicht. Ein ge-
flügelter Amor ist im Begriff ihr eine Perlenschnur um das
Handgelenk zu legen. Weiter zurück zwei Flufsgötter, von
denen der eine auf dem Schofs eine Urne hält, der andere
von negerartigem Typus, mit beiden Händen eine grofse
Muschel emporhebt, aus welcher Wasser strömt. Ein Kro-
kodil, an das sich eine Nereide anlehnt, schwimmt von rechts
herbei; aus dem Schilf tritt ein Nashorn; am Ufer vorn, sich
anfauchend, Löwe und Tiger, dahinter der Kopf eines Nas-
hornes und in der Ferne zwei Ibise. Ueber Felsen und
Schilf, an einem Maste ausgespannt, ein grofses Segel.

Das Bild hiefs früher Neptun und Venus, dann Neptun und Thetis.
Ueber die Deutung der Göttin als Libye s. Julius Meyer im Jahrbuch
der K. Preufs. Kunstsammlungen II. — Als Pendant zu, oder doch im
Zusammenhang mit diesem Gemälde schuf Rubens das in dem Format
nahezu übereinstimmende Bild der Belvedere Galerie, die ruhenden
Flufsgötter des Nildelta. — Eigenhändiges Werk des Meisters, noch unter
dem Einflusse seiner italienischen Studien, aus der Zeit um 1612—1614.
Verkleinerte Kopie (in Breitformat) aus dem Ende des 17. Jahrhunderts
in der herzoglichen Galerie zu Gotha, unter dem Namen Rubens;
Miniatur-Kopie, bez. F. Bouly pinxit 1703 in dem Gemach der Miniaturen

der Königl. Residenz zu München (Zimmer Kaiser Karl's VII.). Die Mittelgruppe findet sich genau kopiert in dem Bild von David Teniers dem Jüngeren, Neptun und Amphitrite (No. 866 E).

Leinwand, h. 2,91 (ohne die oben und unten angesetzten Stücke 2,3o), br. 3,05. — Erworben 1881 aus der Sammlung des Grafen Schönborn in Wien.

776 B   **Bacchanal.** Der trunkene Silen wird von Pan zur Linken und einem Mohr zur Rechten, der ihn an seinem linken Schenkel faßt, unterstützt. Vorn schreitet ein Bacchant und bläst die Querpfeife. Vor Silen eine Gruppe von Obst naschenden Kindern; ganz links ein Tiger, auf einen Rebenzweig zuspringend und ihn mit dem Maul fassend. Zur Rechten eine blonde Bacchantin, das Tambourin schwingend; daneben ein Satyr, der sie mit dem rechten Arm umfaßt, während er den linken um eine zweite Bacchantin schlingt. Hintergrund Landschaft mit Buschwerk.

Aus der mittleren Zeit des Meisters um 1618—1620; anscheinend mit Beihilfe des A. van Dyck ausgeführt. — Wiederholungen des ganzen Bildes von Schülerhand in Wilton House (nach Smith) und, früher Jacob Jordaens benannt, in den Vorraträumen der hiesigen Galerie (Verzeichnis der im Vorrat der Galerie befindlichen etc. Gemälde unter II. 3og). In Emden, Sammlung der Gesellschaft für bildende Kunst und vaterländische Altertümer, eine alte Kopie nach der Kindergruppe.

Leinwand, h. 2,13, br. 2,66. — Erworben 1885 aus der Sammlung des Herzogs von Marlborough zu Blenheim.

776 C   **Andromeda.** Am Meeresufer steht, von vorn gesehen, das jugendliche Weib, nur mit einem Schleier leicht verhüllt, den Blick angstvoll nach oben gerichtet, die erhobenen Hände an den Felsen angeschmiedet. Zu ihren Füßen rechts ihr rotes Gewand. Ueber ihr ein schwebender Liebesgott, mit der Rechten auf Perseus deutend, der eben auf dem geflügelten Pegasus durch die Luft zur Rettung herbeistürmt. Unten im Wasser das Ungeheuer. Hintergrund Meer und Abendhimmel.

Aus der letzten Zeit des Meisters. Eine ähnliche Haltung hat die Andromeda in dem Bilde des Museo del Prado zu Madrid sowie Minerva im „Urteil des Paris" in der Galerie zu London. In den Zügen der Andromeda ist das Vorbild der zweiten Gattin des Künstlers, der Helene Fourment, unverkennbar. — Eine Kopie des Bildes aus Rubens' Schule im Museo del Prado zu Madrid, eine zweite im Privatbesitz zu Paris. — Das Bild war noch beim Tode des Meisters in dessen eigenem Besitz und ist unter No. 85 in dem Auktionskatalog seines Nachlasses verzeichnet (in einem Stiche von Harrewyn, der die

776 C **P. P. Rubens.**

781. P. P. Rubens.

783. P. P. Rubens.

Innenräume des Rubens'schen Hauses darstellt, befindet sich angeblich die Andromeda unter den die Wände schmückenden Gemälden).

Eichenholz, h. 1,89, br. 0,93. — Erworben 1885 aus der Sammlung des Herzogs von Marlborough zu Blenheim.

Maria mit dem Kinde und Heiligen. Maria thront **780** auf der Freitreppe eines Barockbaues, auf dem Schofse das Kind, das der links vor ihm knieenden hl. Katharina den Ring ansteckt. Links zwischen Säulen die Apostel Paulus und Petrus. Rechts Joseph, Johannes der Täufer, der begeistert nach oben weist, von wo zwei Engel herabschweben, um Maria zu bekränzen, und zwei Engel, das Lamm die Stufen hinaufziehend. Vor der Rampe zehn Heilige in Verehrung, darunter die hh. Franciscus, Laurentius, Georg, Sebastian.

Skizze zu dem Gemälde in der Augustinerkirche zu Antwerpen. Eine ganz ähnliche Schülerkopie, von fast gleichen Mafsen (0,79 auf 0,64), unter dem Namen „Allegorie der Ecclesia militans" befindet sich im Museo del Prado zu Madrid, sein erster Entwurf im Städel'schen Museum zu Frankfurt a. M. Auch Descamps (Peintres Flamands, I, 313) erwähnt drei Skizzen zu dem Altargemälde der Augustinerkirche, mit dem Zusatze, alle drei befänden sich in Frankreich.

Eichenholz, h. 0,79, br. 0,55. — Königliche Schlösser.

Die hl. Cäcilia. Die Heilige, vor einer links stehenden **781** kleinen Orgel sitzend, blickt während des Spiels begeistert nach oben. Links hinter ihr zwei Engel, dem Spiele lauschend; vorn links ein Dritter, an einer Sphinxfigur, die den Fufs der Orgel bildet, hinaufkletternd. Vor einem Vorhange ein schwebender Engel, im Begriff die Heilige mit Rosen zu bekränzen. Durch eine Säulenhalle Blick in die abendlich beleuchtete Landschaft.

Aus der letzten Zeit des Meisters. — Die Heilige trägt die Züge von Rubens' zweiter Gattin Helene Fourment, mit der er sich am 6. Dezember 1630 vermählte. — Das Bild befand sich in den Wohnräumen des Rubens'schen Hauses und wurde mit seinem Nachlafs versteigert.

Lebensgr. ganze Fig. Eichenholz, h. 1,77, br. 1,39. — Königliche Schlösser.

Die Auferweckung des Lazarus. Christus, zur **783** Rechten stehend, hat segnend die Arme gegen Lazarus erhoben, der den Blick auf den Heiland gerichtet, aus dem Grabgewölbe zur Linken emporsteigt. Petrus befreit den Lazarus von seinem Bartuche; mehr rechts ein anderer Apostel, der erstaunt dem Wunder zuschaut. Eine der

Schwestern des Auferweckten ist im Begriff den Bruder von
den einschnürenden Binden zu lösen. Links der Felsen des
Grabgewölbes mit einigen Bäumen auf der Höhe; rechts
Himmel.

Aus der mittleren Zeit des Meisters (um 1618—1620); anscheinend
mit Beihilfe des A. van Dyck ausgeführt. — Eine kleine Skizze zum
Bilde im Louvre.

Leinwand, h. 2,61, br. 1,94 (ursprünglich oben abgerundet). — Königliche Schlösser.

785   **Perseus befreit Andromeda.** Perseus, in voller
Rüstung, ist zu der rechts an den Felsen gebundenen nackten
Andromeda herangetreten, um ihre Bande zu lösen. Amoretten sind ihm dabei behülflich, während sich andere Liebesgötter mit dem Pegasus zu schaffen machen. Auf den
Meereswogen das erschlagene Ungeheuer.

Aus der früheren Zeit des Meisters. — Eine Schulkopie des Bildes
(auf Leinwand) in der Galerie Liechtenstein zu Wien.

Eichenholz, h. 0,99, br. 1,37. — Königliche Schlösser.

798 B   **Mars mit Venus und Amor.** Venus, an ein Postament
gelehnt und die Linke auf den kleinen Amor gelegt, der sich
an sie schmiegt, wendet sich zu Mars, der in voller Rüstung
rechts hinter ihr steht und den linken Arm um sie geschlungen
hat. Im Grunde ein Vorhang und Ausblick in's Freie.

Skizze. — Sammlung Jabach zu Köln.

Eichenholz, h. 0,31, br. 0,23. — Sammlung Suermondt, 1874.

798 C   **Fortuna.** Den linken Fuſs auf einer Kugel schwebt Fortuna, ein Linnen hochhaltend, das der Wind zum Segel aufbläht, nach rechts über die Fläche des leicht bewegten Meeres.

Skizze. — Eine ganz ähnliche Darstellung in Lebensgröſse, dekorativ behandelt, im Museo del Prado zu Madrid, wozu obiges Bild der
Entwurf ist. — Sammlung Jabach zu Köln.

Eichenholz, h. 0,34, br. 0,23. — Sammlung Suermondt, 1874.

798 E   **Die Einnahme von Paris durch Heinrich IV.** Heinrich IV. berührt mit seinem Szepter die zu seinen Füſsen
knieende Figur der Stadt Paris. Hinter ihm ein Fahnenträger, der seinen Fuſs auf die am Boden sich krümmende
Furie der Zwietracht setzt. Von der Brücke werden gefesselte
nackte Männer in die Seine gestürzt.

Skizze. — Gehört wohl, nebst dem schöneren Seitenstück bei Sir
Richard Wallace in London, zu den Entwürfen für eine Folge von

Darstellungen aus dem Leben Heinrich's IV., welche für Maria de'
Medici im Luxembourg zu Paris ausgeführt werden sollten (begonnen
zwischen den J. 1627 und 1630; zu der Folge gehören noch die un-
vollendet gebliebenen grofsen Gemälde in den Uffizien zu Florenz, die
Schlacht von Jvry und der Einzug in Paris).
Eichenholz, h. 0,23, br. 0,45. — Sammlung Suermondt, 1874.

Brustbild eines Mannes. Das von vorn gesehene, **798F**
von einem Vollbart umrahmte Antlitz ist aufwärts gewendet;
der weitfaltige Mantel über die linke Schulter geworfen.
Dunkler Grund.

Studie für die Figur des Apostels Petrus in dem „Gastmahl bei
Simon" in der Ermitage zu St. Petersburg. Wie dieses letztere Bild in
der Ausführung wesentlich van Dyck angehört, so auch unsere Studie,
wie die braune Färbung und der leuchtende Ton beweisen. — Sammlung Théodore Patureau, Paris 1857.
Lebensgr. Brustb. Eichenholz, h. 0,61, br. 0,49. — Sammlung
Suermondt, 1874.

Die Eroberung von Tunis durch Kaiser Karl V. **798G**
(im J. 1535). Erbitterter Reiterkampf zwischen den Kaiser-
lichen und den Berbern. Links im Mittelgrunde in voller
Rüstung der kaiserliche Feldherr, Don Juan d'Austria, den
Kommandostab erhoben; hinter ihm reitet Kaiser Karl. In
der Ferne die brennende Feste von Tunis.

Das Bild ist in seinem unfertigen Zustande von besonderem Interesse, weil darin die eigentümliche Art des Meisters vom ersten Entwurf
bis nahe zur Vollendung offen zu Tage tritt. Die Figur Kaiser Karl's V.
ist Kopie nach dem berühmten Reiterbildnis desselben von Tizian's
Hand im Museo del Prado zu Madrid.
Eichenholz, h. 0,78, br. 1,20. — Erworben 1872 in St. Petersburg.

Der hl. Sebastian. An einen Baumstamm gefesselt, **798H**
mit einem Lendentuch bekleidet, von Pfeilen durchbohrt,
fleht der Heilige mit aufwärts gewandtem Blick um Erlösung.
Links vorn auf den Wurzeln des Baumes Bogen und Köcher.
Hintergrund Landschaft.

In einem Briefe von Rubens an Sir Dudley Carleton vom 28. April
1628 unter den Gemälden angeführt, die er als „die Blüte seiner Sachen"
(fior di robba) in seinem Hause habe: „Ein nackter h. Sebastian von
meiner Hand". Um 1612/14 gemalt.
Leinwand, h. 2,00, br. 1,28. — Erworben 1879 in Paris (aus der
Sammlung Munro zu London).

Beweinung Christi. Hinter dem auf seinem Lager **798K**
hingestreckten Leichnam Christi Maria und Magdalena mit

Verz. d. Gemälde.   16

aufgelösten Haaren, wehklagend. Dunkler Grund; rechts
eine brennende Fackel.

Gehört zu den seltenen Werken des Meisters von kleinerem Format.
Eichenholz, h. 0,34, br. 0,27. — Erworben 1880 in Florenz aus der
Sammlung Demidoff.

917   Maria mit dem Kinde. Maria, in einem mit Miniaturen
geschmückten Buche blätternd, hält das Kind, das auf einem
mit persischem Teppich bedeckten Tische steht. Zur Rechten
ein Korb mit Früchten, links blühende Rosen. Im Grunde
Waldlandschaft.

Bisher nur als Schule des Rubens bezeichnet, indes ist die Madonna
sicher ein eigenhändiges Werk des Meisters, während die Früchte von
von Frans Snyders, die Blumen von Daniel Seghers und die
Landschaft von Jan Brueghel herrühren.
Maria lebensgr. Halbfig. Leinwand, h. 1,50, br. 1,08. — Königliche
Schlösser.

Rubens. Werkstatt des Petrus Paulus Rubens. Vlämische
Schule.

779   Das Christkind mit Johannes und Engeln. Das
Christkind streichelt die Wange des kleinen Johannes, der
in lebhaftem Gespräch ihm zugewendet vor ihm sitzt. Ein
Engel bringt das Lamm herbei; ein kleines Mädchen, hinter
dem Christkinde sitzend, reicht demselben Trauben. Vorn
liegen Früchte, am Baumstamm eine rankende Rebe, im
Hintergrund waldige Landschaft.

Das Original befindet sich im Belvedere in Wien. — Die Früchte
wohl von Frans Snyders. — Wiederholungen bei Lord Pembroke
in Wilton-House, im Privatbesitz in Antwerpen, in Kingston Lacy in
England (mit Veränderungen und umrahmt von einem Fruchtkranz von
Snyders). — Das kleine Mädchen soll die christliche Kirche, die Braut
Christi, vorstellen.
Eichenholz, h. 0,95, br. 1,24. — Königliche Schlösser.

Ruijsch. Rachel Ruijsch. Holländische Schule. — Still-
lebenmalerin, geb. zu Amsterdam 1664 oder 1665, † daselbst
1750. Schülerin des Willem van Aelst. Thätig vornehmlich
zu Amsterdam und im Haag (daselbst nebst ihrem Gatten
Juriaan Pool, mit welchem sie sich 1695 vermählt hatte,
1701 in die Lukasgilde aufgenommen).

999   Blumenstrauß. Auf einer Marmorplatte steht in einem
weiten Glase ein reicher Strauß von Gartenblumen den

allerlei Insekten heimsuchen. Auf der Tischplatte verschiedenes Kernobst und ein grofser Nachtfalter. Dunkler
Grund.

Bez. rechts unten an der Platte: *Rachel Ruysch 1705.*
Leinwand, h. 0,92, br. 0,69. — Erworben 1834 in Frankfurt a. M.

Ruijsdael. Salomon van Ruijsdael. Holländische Schule.
— Landschaftsmaler, geb. zu Haarlem, daselbst 1623 als
Meister in die Gilde aufgenommen und begraben am 1. No-
vember 1670. Bildete sich im Anschlusse an Esajas van de
Velde und Jan van Goijen. Thätig zu Haarlem.

Flufslandschaft. Breite Flufsmündung, auf der ein 901A
Schiff mit vollen Segeln treibt. Am Ufer rechts ein Weg
mit Fuhrwerken und ein Dorf.

Eichenholz, h. 0,39, br. 0,35. — Sammlung Suermondt, 1874.

Holländische Flachlandschaft. Auf einer Strafse, 901B
die sich an Weidenbäumen vorbei durch flaches Land nach
einer in der Ferne sichtbaren Ortschaft zieht, werden von
Reitern geraubte Viehherden herangetrieben.

Bez. unten links von der Mitte: *S v Ruysdael 1656.*
Leinwand, h. 1,06, br. 1,48. — Erworben 1870 aus der Versteigerung
Mecklenburg in Paris.

Holländische Landschaft. Zur Rechten vorn ein 901C
grofses von Bäumen umgebenes Gehöft, auf das ein mit
einem Schimmel bespannter Karren zufährt. Am Horizont
wird ein schmaler Streifen See sichtbar.

Bez. links unten im Erdreich: *S. v. Ruysdael 1631.*
Eichenholz, h. 0,67, br. 1,04. — Erworben 1880 in Berlin aus der
Sammlung v. Gruner.

Ruisdael. Jacob van Ruisdael. Zeichnet sich selten (aur
einzelnen früheren Bildern) **Ruijsdael. Holländische Schule.**
— Landschaftsmaler und Radirer, geb. zu Haarlem 1628 oder
1629, begraben ebenda den 14. März 1682. Vielleicht unter
dem Einflufs des Cornelis Vroom und seines Oheims Salomon van Ruijsdael ausgebildet. Thätig zu Haarlem (1647 in
die Lukasgilde aufgenommen) und vornehmlich zu Amsterdam
(wo er schon 1657 wohnte und bis 1681 verblieb).

Bewegte See bei aufsteigendem Wetter. Ueber 884
der aufgeregten See ziehen von rechts her düstere Wolken-

16*

massen auf. Vorn fährt ein Boot mit vollem hellbraunen
Segel, dahinter ein holländisches Kriegsschiff, das eine Salve
abgiebt. In der Ferne Amsterdam.

Leinwand, h. 1,00, br. 1,46. — Königliche Schlösser.

885 Hügelige Landschaft. Zur Linken unter einer Gruppe
hoher Eichen ein Mann im Gespräch mit einer Frau, deren
Maultier die Straße weiterzieht. Jenseits eines stillen Wassers,
an dem eine Herde getränkt wird, ein mit Buschwerk bestandener Hügel.

Bez. rechts unten: *J v Ruisdael.* — Figuren und Tiere sind
von Jan Lingelbach (Maler und Radirer, geb. zu Frankfurt a. M.
Anfang 1624, † zu Amsterdam im Nov. 1674, nach längeren Reisen in
Holland thätig).
Leinwand, h. 0,49, br. 0,63. — Königliche Schlösser.

885B Bewegte See. Der Sturm, welcher schwere Wolken-
massen zusammengeballt hat, treibt einzelne Boote auf hoch-
gehender See vor sich her. In der Ferne links ein Küsten-
streif mit einer Kirche. Im Vordergrunde flaches Ufer, an
dessen Pfahlwerk die Brandung anschlägt.

Bez. links unten mit dem Monogramm. — Sammlungen Bleuland,
Utrecht 1833, und van Brienen, 1869.
Leinwand, h. 0,49, br. 0,64. — Sammlung Suermondt, 1874.

885C Haarlem von den Dünen bei Overveen gesehen.
Im Vordergrund, am Fuß der Dünen, Overveen auf dessen
Wiesen Linnen zur Bleiche ausgebreitet sind. Im Hinter-
grund Haarlem, überragt durch den hohen Dom.

Bez. rechts unten: *JvRuisdael.* — Ruisdael hat dieses Motiv öfters
und immer mit besonderer Liebe und Sorgfalt behandelt; s. unten
No. 885E, ferner in der Galerie zu Amsterdam, in der Sammlung Vieweg
in Braunschweig u. s. f.
Leinwand, h. 0,52, br. 0,64. — Sammlung Suermondt, 1874.

885D Ansicht des Damplatzes zu Amsterdam. Im Mittelgrunde der alte Bau der Stadtwage, mit dem bemalten Stadtwappen (von 1565), vor deren offenen Thoren Wollsäcke ge-
wogen werden. Links eine schmale Gasse; rechts ein breiter,
mit Booten dicht besetzter Kanal, über dessen Häuserreihe
der Turm der Oudekerk emporsteigt. Auf dem Platze verschiedene Gruppen von Händlern und Käufern.

Bez. links unten: *JvRuisdael.* — Die Figuren sind von Eglon
van der Neer (s. diesen) oder von Gerard van Battem (Maler und

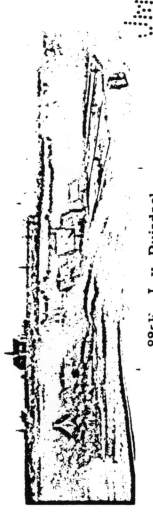

885E.   J. v. Ruisdael.

Radirer von Rotterdam), der ein ganz ähnliches Bild des Meisters,
„der Fischplatz zu Amsterdam" im Museum Boymans zu Rotterdam,
staffiert hat. — Ein dem Gegenstande nach sehr seltenes und gutes
Werk des Meisters aus dessen letzter Zeit, vermutlich Seitenstück zu
dem oben erwähnten Bilde in Rotterdam, das die gleichen Mafse hat.
— Sammlung Pastor, Burtscheid 1820.
Leinwand, h. 0,52, br. 0,65. — Sammlung Suermondt, 1874.

Fernsicht von den Dünen bei Overveen. Im Vorder- **885E**
grunde die spärlich mit Heide und Buschwerk bewachsenen
Dünen, die sich zu dem Dorf Overveen hinabziehen. In der
Ferne rechts die Stadt Haarlem; links am Horizonte der
schmale Streifen der Zuidersee; darüber werden die spitzen
Türme der Oude- und Nieuwekerk von Amsterdam sichtbar.
Bez. rechts unten: *JvRuisdael.*
Leinwand, h. 0,31, br. 0,39. — Erworben 1873 in Hamburg aus der
Sammlung Mestern.

Dorf am Waldesabhang. Am Fuße eines bewaldeten **885F**
Hügels zieht sich im Mittelgrunde eine Ortschaft hin (angeb-
lich das Bad Spaa); vorn Bäume und Buschwerk an einem
stillen Wasser. Am Himmel Gewitterwolken, die sich gegen
den Horizont aufhellen.
Bez. unten rechts mit dem Monogramm. — Aus der früheren
Zeit des Meisters. — Versteigerung Beurnonville, Paris 1880.
Leinwand, h. 0,52, br. 0,69. — Erworben 1884 aus der Sammlung
Habich zu Kassel.

Landschaft mit Bauernhaus. An einem abgestorbenen **893**
Weidenstamm vorbei fließt ein Bergbach dem Vordergrund
zu. Weiter zurück rechts, von einem Baume überragt, ein
Bauernhaus, zu dem eine hohe verfallene Steintreppe hinauf-
führt; in der Thüre des Hauses eine alte Frau; davor ein
Knabe mit einem Hunde.
Bez. rechts unten: *JvRuisdael 1653.*
Leinwand, h. 0,76, br. 0,98. — Königliche Schlösser.

Der Wasserfall. Ein breites Wasser, das zwischen **899A**
niedrigen felsigen Höhen von rechts herabfließt und sich
vorn erweitert, bildet im Vordergrunde zwischen Felsen einen
kleinen Fall. Jenseits des Stromes auf einem Wege mehrere
Fußgänger und einige Schafe am Ufer.
Bez. rechts an einem Felsen: *JvRuisdael.*
Leinwand, h. 0,69, br. 0,53. — Erworben 1858.

899 C Hütte unter hohen Eichen. Ein breiter Weg führt an einer mächtigen Eiche vorüber zu einer Brücke aus Backsteinen. Im Mittelgrunde zwischen Bäumen und Buschwerk eine Bauernhütte. In der Ferne die fahl beleuchteten Dünen.

Bez. unten auf dem Wege: *JvRuisdael*. — Aus der Frühzeit des Meisters, um 1646—1648.

Eichenholz, h. 0,66, br. 0,90. — Erworben 1873 aus dem Besitz des Restaurators Schmidt in Berlin.

899 D Waldesdickicht. Ein breites stehendes Wasser, rechts von einem hochstämmigen Eichenwald beschattet, von Schwänen belebt. Am jenseitigen Ufer einige Fischer.

Bez. rechts unten: (J v) *Ruisdael*. — Sammlung Piérard, Valenciennes.

Leinwand, h. 0,53, br. 0,62. — Sammlung Suermondt, 1874.

Vergl. auch No. 899B (Victor) und Nachtrag.

Ruisdael. Jacob (Salomonszoon) van Ruisdael d. J. Holländische Schule. — Geb. wahrscheinlich zwischen 1630 und 1640 in Haarlem, begraben ebenda den 16. November 1681. Sohn und wohl auch Schüler des Salomon van Ruijsdael. Thätig in Haarlem (1664 Meister in der Lukasgilde), in Amsterdam (seit 1666) und später wieder in Haarlem.

912 Waldige Landschaft mit Herde. An hohen Eichen vorüber treibt auf einem breiten Weg ein Hirte seine Herde von Kühen und Schafen. Vorn links liegen Schafe neben einer Kuh. In der Ferne rechts ein flacher Höhenrücken.

Galt bisher als Roelof van Vries, indes stimmt das Bild weit mehr mit den neuerdings mit Grund dem jüngeren Jacob van Ruisdael zugeschriebenen Landschaften.

Eichenholz, h. 0,51, br. 0,65. — Erworben 1843 aus der Sammlung Reimer zu Berlin.

Ryckaert. David Ryckaert d. J. (III.) Vlämische Schule. — Getauft zu Antwerpen den 2. Dezember 1612, † daselbst den 11. November 1661. Schüler seines gleichnamigen Vaters, unter dem Einflusse von Adriaen Brouwer und David Teniers d. J. weiter ausgebildet. Thätig zu Antwerpen.

856 B Der Dorfnarr. Ein halbwüchsiger Bursche, von hinten gesehen, in hohem·Hut, geflickter Jacke, mit nackten Beinen und weiten Schuhen, wird von einem neben ihm stehenden

Lehrjungen gehänselt. Rechts gegen die Mauer eines Hauses eine dritte Figur. Im Grunde ein Dorf zwischen Bäumen.

Eichenholz, h. 0,32, br. 0,24. — Sammlung Suermondt, 1874.

Der Dorfchirurg. Der Chirurg, ein alter Mann in roter **856C** Jacke und blauer Mütze, legt einem rechts vor ihm sitzenden Bauer ein Pflaster auf den rechten Unterschenkel. Rechts ein roher Holztisch mit Geschirr und ein angelehnter Topf mit glühenden Kohlen. Links im Hintergrund eine ¦Thür, durch die ein auf Krücken gehender Junge eintritt.

Bez. links unten mit dem Monogramm.

Leinwand, h. 0,48, br. 0,63. — Erworben 1887 durch letztwillige Verfügung der Fürstin Alma zu Carolath-Beuthen.

Sabbatini. Lorenzo Sabbatini, früher zumeist gen. **Lorenzino da Bologna.** Schule von Bologna. — Vornehmlich in Bologna thätig, kurze Zeit in Florenz (1566) und unter Gregor XIII. in Rom, vom Papste mit der Leitung der malerischen Ausstattung des Vatikans betraut. † im besten Mannesalter 1577 zu Rom.

Thronende Maria mit dem Kinde und Heiligen. **335** Maria auf hohem Throne das stehende Kind haltend, das den Segen erteilt. Links die hl. Katharina und der knieende Petronius, die Stadt Bologna empfehlend, deren Modell drei Engel emporhalten; rechts Apollonia und Dominicus. Im Grunde Architektur.

Das Bild wird schon von Malvasia erwähnt und befand sich damals in der Kirche Sta. Lucia zu Bologna; im 18. Jahrhundert nach Angabe der Guiden in der Kirche Spirito Santo aufgestellt.

Pappelholz, h. 2,26, br. 1,50. — Sammlung Solly, 1821.

Sacchi. Pier Francesco Sacchi. Zeichnet sich stets **Petrus Franciscus Sachus de Papia.** Lombardische Schule. — Aus Pavia stammend. Geburts- und Todesjahr, sowie Lebensverhältnisse unbekannt. Vermutlich unter dem Einflusse des Carlo del Mantegna zu Genua ausgebildet. Thätig vornehmlich zu Genua, nach den Daten auf seinen Bildern von 1512—1527.

Christus am Kreuze mit Heiligen. Zu den Seiten **53** des Kreuzes stehen links Maria, rechts Johannes wehklagend. Magdalena ist am Kreuzesstamm niedergesunken. Neben ihr kniet eine hl. Frau. Rechts der knieende Stifter in schwarzer

Kleidung. Im Mittelgrunde der bergigen Landschaft links die Kreuztragung, rechts die Bestattung Christi.

Bez. auf einem unten am Kreuze angebrachten Blättchen: *Petri franci sachi de papia opus* und darunter *1514*. — Ueber Maria und Christus die auf den Erlösertod Jesu bezüglichen Inschriften: ACCIPE FILIV MEV ET DA PRO TE; TOLLE ME ET REDIME TE. — Vielleicht identisch mit einem von Soprani erwähnten Bild in Sta. Marta in Nervi. Pappelholz, h. 1,83, br. 1,50. — Sammlung Solly, 1821.

116   Die hh. Martin, Hieronymus und Benedikt. Hieronymus sitzt vor einer über einen Baumstumpf gelegten Tischplatte, auf der ein Totenschädel und Bücher liegen; neben ihm der Löwe, weiter vorn der Kardinalshut. Benedikt in der schwarzen Ordenstracht, den Krummstab in der Hand, steht zur Rechten. Zur Linken weiter zurück der hl. Martin in Rittertracht zu Pferde, im Begriff seinen Mantel, dessen einen Teil die vor ihm stehende Bettler gefafst hat, mit dem Schwerte zu zerschneiden. Im Hintergrunde der bergigen Landschaft das Kloster, zu welchem der Löwe die Karawane, welche den Esel geraubt hatte, zurücktreibt.

Pappelholz, h. 1,96, br. 1,53. — Sammlung Solly, 1821.'

Salvi. Giovanni Battista Salvi, gen. Sassoferrato. Römische Schule. — Geb. zu Sassoferrato (in der Mark Ancona) den 11. Juli 1605, † zu Rom den 8. April 1685. Schüler seines Vaters Tarquinio; ausgebildet durch vielfache Kopieen nach Raphael, sowie durch das Studium der Carracci und ihrer Nachfolger, vermutlich insbesondere unter dem Einflusse Domenichino's in Neapel. Thätig vornehmlich zu Rom.

420   Beweinung Christi. Der Leichnam Christi ruht auf dem Schofs der Maria und der Magdalena. Drei hh. Frauen beschäftigen sich mit der ohnmächtig zurückgesunkenen Mutter. Links Joseph von Arimathia, rechts Johannes. Im Hintergrund Golgatha mit den drei Kreuzen.

Die Komposition schliefst sich eng an Raphael's in der Handzeichnungensammlung des Louvre befindlichen Entwurf zur Grablegung an. Leinwand, h. 0,72, br. 0,60. — 1825 durch Geheimrat von Bunsen in Italien für Friedrich Wilhelm III. erworben und von S. M. dem Könige dem Museum geschenkt.

458   Heilige Familie. Maria, vor einem zurückgerafften

Vorhange sitzend, hält das auf ihrem Schofse stehende Kind, dem Joseph die Hand küfst. Dunkler Grund.

Eine kleinere Wiederholung bei Lord Bute in England.

Maria und Joseph Halbfig. etwas unter Lebensgr. Leinwand, h. 0,73, br. 0,95. — Königliche Schlösser.

Salviati. S. Porta.

Sant-Acker. F. Sant-Acker. Holländische Schule. — Stilllebenmaler, thätig in der zweiten Hälfte des 17. Jahrhunderts, in Holland. Der Künstler ist bis jetzt nur durch einige Bezeichnungen auf seinen Bildern bekannt.

Stillleben. Vor einer grauen Nische ist ein Rebhuhn **909 C** an einem blauen Bande aufgehängt.

Bez. links unten: *F. Sant Acker.* — Der erste Buchstabe (Vorname), nicht mehr ganz deutlich, mufs F (und nicht A wie seiner Zeit in der Suermondt'schen Sammlung) gelesen werden, wie sich aus einem Bilde des Meisters, einem Stilleben von Früchten und Silbergefäfsen im Besitze des Herrn Victor de Stuers im Haag, mit Sicherheit ergiebt: dasselbe ist F. Sant Acker f. 1668 deutlich bezeichnet.

Leinwand, h. 0,57, br. 0,42. — Sammlung Suermondt, 1874.

Santa-Croce. Francesco Rizo da Santa Croce. Nach dem Vater: **Francesco di Simone.** Zeichnet sich **Franciscus Rizus, Franciscus de Santa †** und **Francesco Rizo da Santa Croce.** Venetianische Schule. — Geb. zu Santa Croce im Brembothale unweit Bergamo. Geburts- und Todesjahr wie Lebensverhältnisse unbekannt. Schüler des Gio. Bellini, vermutlich unter dem Einflusse Carpaccio's und der Nachfolger Bellini's ausgebildet. Thätig in der Umgegend von Bergamo und vornehmlich zu Venedig, nach den Daten auf seinen Bildern 1519—1541 (?).

Anbetung der Könige. Maria hält auf dem Schofs **22** das in weifses Linnen gehüllte Kind, welches die Rechte segnend erhebt. Rechts vor demselben die Könige, welche ihre Geschenke darbringen. Grund bergige Landschaft.

Bez. links an der Wand auf einem Blättchen: *Franciscus de Santa † f.* — Eine Originalwiederholung in der Ermitage zu St. Petersburg, andere Wiederholungen in der städtischen Galerie zu Verona und bei Mr. Butler in London.

Halbfig. Pappelholz, h. 0,62, br. 1,00. — Sammlung Solly, 1821.

Santa Croce. Girolamo da Santa Croce. Venetianische Schule. — Geb. angeblich zu Santa Croce im Brembothale

bei Bergamo. Geburts- und Todesjahr unbekannt. Vielleicht
Schüler und Gehülfe des Francesco da Santa Croce; unter
dem Einflusse der Schüler Gio. Bellini's und der großen
venetianischen Meister ausgebildet. Thätig vornehmlich zu
Venedig, nach den Daten auf seinen Bildern von 1520—1549.

24   Geburt Christi. Maria und Joseph verehren in einem
offenen Schuppen das in der Krippe liegende Kind.
Engelchen, auf Wolken schwebend, halten die Marter-
werkzeuge und ein Spruchband mit „Gloria in excelsis". Im
Giebel der Hütte der segnende Gott-Vater. In der Landschaft links die Verkündigung an die Hirten, rechts der
Zug der Könige.

Eine Wiederholung mit geringen Veränderungen in der Galerie
zu Dresden.

Pappelholz, h. 0,58, br. 0,76. — Sammlung Solly, 1821.

26   Martyrium des hl. Sebastian. Unter einer offenen
Halle thront zur Linken Diocletian mit seinen Räten. Vor
ihm, an eine Säule gefesselt, der Märtyrer von Pfeilen durchbohrt, die fünf Bogenschützen auf ihn abgeschossen haben.
Ein von rechts herabschwebender Engel bringt dem Heiligen,
der zu ihm emporsieht, die Märtyrerpalme und -krone. Auf
den Stufen des Thrones ein Kind und ein Hund. Hintergrund bergige Landschaft.

Pappelholz, h. 0,62, br. 0,89. — Sammlung Solly, 1821.

33   Krönung der Maria. Maria, auf Wolken thronend,
wird von Christus, der die Krone über ihrem Haupte hält,
zur Himmelskönigin gekrönt. Auf Wolken schweben blumen-
streuende und musizierende Engel. Unten ausgedehnte
Landschaft.

Pappelholz, h. 0,42, br. 0,55. — Sammlung Solly, 1821.

35   Kreuzigung Christi. Christus am Kreuze zwischen
den beiden Schächern; am Fuße des Kreuzes Magdalena,
dasselbe umfassend. Links die zusammensinkende Maria,
von Johannes und einer hl. Frau unterstützt. Unter dem
Schächer zur Rechten knieen der Apostel Petrus, die hh.
Cäcilia und Franciscus. Links eine Heilige in Dominikaner-
tracht (hl. Katharina?). Im Grunde bergige Landschaft mit
den würfelnden Kriegsknechten.

Pappelholz, h. 0,32, br. 0,28. — Sammlung Solly, 1821.

Santi. **Giovanni Santi.** Zeichnet sich **Johannes Santis.**
Umbrische Schule. — Der Vater Raphael's, geb. zu Colbor-
dolo (Gebiet von Urbino) vermutlich zwischen 1430 und 1440,
† zu Urbino den 1. August 1494. Unter dem Einflusse des
Piero della Francesca und namentlich des Melozzo da Forli
ausgebildet. Thätig zu Urbino, kurze Zeit in Cagli, Pesaro
und vermutlich in Fano.

Thronende Maria mit dem Kinde und Heiligen. 139
Auf einem Thron, dessen Vorhang von zwei Cherubim gestützt wird, sitzt Maria, das Kind auf dem Arm. Vorn zur
Rechten der Apostel Thomas, in der Rechten eine mit einem
Fähnchen gezierte Lanze, hinter ihm der hl. Hieronymus,
in der Linken einen Krückstock; zur Linken der hl. Thomas
von Aquino, ein Kirchenmodell in der Linken, hinter ihm
die hl. Katharina. Auf dem Buche des Apostels: S. THOMAS
APOSTOLVS, auf dem Buche des hl. Thomas: S. THOMAS
AQVINO. Vor dem letzteren kniet zuäufserst links der Stifter,
ein Graf Matarozzi. Im Grunde Landschaft.

Für eine Familie Matarozzi in Urbania ausgeführt. — Die Figur
des Stifters erinnert an ähnliche Gestalten des Melozzo.
Pappelholz, h. 1,92, br. 1,82. — Erworben 1842 in Rom.

Santi. **Raffaello Santi,** gen. **Raffaello da Urbino.** Nach dem
Vater: **Raffaello di Giovanni Santi.** Zeichnet sich **Raphael
Urbinas.** Umbrische, Florentinische und Römische Schule.
— Maler und Architekt, geb. zu Urbino den 6. April 1483,
† zu Rom den 6. April (Charfreitag) 1520. Nachdem er die
erste Unterweisung von seinem Vater Giovanni empfangen,
Schüler und Gehülfe des Pietro Perugino zu Perugia (nach
Einigen vielleicht schon seit Ende 1495, nach Anderen wohl
erst seit 1499 oder 1500); in Florenz (seit Ende 1504) unter
dem Einflusse der Werke Lionardo's und in Wechsel-
beziehung mit Fra Bartolommeo weiter ausgebildet; in Rom
(seit 1508) durch das Studium der Antike und eine Zeitlang
durch Sebastiano del Piombo und Michelangelo beeinflufst.
Thätig zu Perugia und Florenz (vermutlich bis 1504 in
Perugia, von 1504—1508 abwechselnd in Perugia und Florenz);
kurze Zeit in Città di Castello (zwischen den J. 1502 und
1504), Siena (im J. 1504), Urbino (zwischen den J. 1502

und 1507) und vornehmlich zu Rom (seit 1508 bis zu seinem Tode).

141   Maria mit dem Kinde. Maria liest in einem Buche, das sie in der Rechten hält; mit der Linken stützt sie den Fufs des auf ihrem Schofse sitzenden Kindes, das einen an einen Faden gebundenen Stieglitz in der Linken hält. Hintergrund Landschaft.

Aus der Zeit, da der junge Meister in der Werkstatt Perugino's arbeitete und unter dessen bestimmendem Einflufs stand (etwa um 1501); doch zeigt der Vergleich mit Madonnenbildern seines Vaters Giovanni, dafs auch dessen Typen und Auffassung in der Anschauung Raphael's noch nachwirkten. Unter dem Namen Madonna der Sammlung Solly bekannt. — Ueber die fünf auf dieses Bild sich beziehenden Handzeichnungen s. Koopmann, Raffaelstudien p. 47.

Maria Halbfig. in halber Lebensgr. Pappelholz, h. 0,52, br. 0,38. — Sammlung Solly, 1821.

145   Maria mit dem Kinde und Heiligen. Maria hält mit beiden Händen das in ihrem Schofse auf einem Kissen sitzende Kind, das mit der Rechten segnet. Links der hl. Hieronymus mit Kardinalshut, rechts der hl. Franciscus. Hintergrund bergige Landschaft.

Aus der Zeit, da Raphael noch unter dem Einflufse Perugino's stand (etwa 1502 oder 1503) und nach einer Handzeichnung ausgeführt, welche bald dem Perugino, bald dem Pinturicchio zugeteilt worden, aber wohl von Raphael selbst herrührt (in der Albertina zu Wien; mit einigen Abweichungen: so hält in der Zeichnung das Christkind eine Schriftrolle).

Kleine Halbfig. Pappelholz, h. 0,34, br. 0,29. — Erworben 1829 vom Grafen von der Ropp.

147   Maria mit dem Kinde und dem kleinen Johannes. Maria stützt mit der Linken das auf ihrem Schofse sitzende Kind, das den von links herantretenden Johannesknaben segnet. Hintergrund Landschaft.

Bekannt unter dem Namen Madonna della Casa Diotalevi, nach dem früheren Besitzer Marchese Diotalevi zu Rimini. Dort galt das Bild für ein Werk des Perugino; jedenfalls ist es in dessen Werkstatt entstanden. Die Behandlungsweise ist den übrigen Jugendwerken Raphael's nahe verwandt; insbesondere stimmt das Christkind mit den Kinderfiguren des Meisters in der Madonna des hl. Hieronymus (No. 145), in der Madonna Terranuova (No. 247A) und der Madonna Solly (No. 141) sichtlich überein. Allerdings hat der unschöne Kopf der Madonna für Raphael etwas Fremdartiges, zeigt aber doch wieder Verwandtschaft

145. **Raffaello Santi.**

247.A. Raffaello Santi.

mit den Madonnentypen des Vaters Giovanni. Wohl das früheste
bekannte selbständige Werk des Meisters.
Maria Halbfigur in mehr als halber Lebensgr. Pappelholz, h. 0,69,
br. 0,50. — Erworben 1842 von Marchese Diotalevi in Rimini.

**Maria mit dem Kinde und dem kleinen Johannes 247A
dem Täufer.** Maria hält, vor einer Brüstung sitzend, das
Kind, das mit beiden Händen ein Spruchband (ECCE AGNVS
DEI) erfafst, dessen Ende der kleine Johannes noch in der
Rechten hält. Rechts ein kleiner Knabe mit Heiligenschein
zu Maria aufblickend (wahrscheinlich Jacobus minor). Im
Hintergrund Landschaft.
Bekannt unter dem Namen Madonna del Duca di Terra-
nuova, da sich des Bild lange im Besitz dieser Familie zu Genua
(später in Neapel) befand. — Aus der florentinischen Zeit (um 1505).
— Der Darstellung liegt eine Federzeichnung zu Grunde (jetzt im
Kupferstich-Kabinet zu Berlin; auf der Rückseite der Entwurf zur
Madonna Staffa-Connestabile), welche viereckiges Format hat und neben
der Maria zur Rechten noch den hl. Joseph, zu ihrer Linken einen
Engel zeigt; dagegen fehlt das Knäblein unten rechts. Diese Zeichnung,
noch ganz im peruginesken Charakter, stammt offenbar aus einer
früheren Zeit des Meisters, wie auch die etwas spätere, veränderte aber
nachträglich ganz überarbeitete Federzeichnung im Museum zu Lille.
Nahezu ganze Fig. etwas unter Lebensgr. Pappelholz, rund,
Durchmesser 0,87. — Erworben 1854 in Neapel von Duca di Terranuova.

Maria mit dem Kinde. Maria, in der Linken ein 248
offenes Buch emporhaltend, unterstützt mit der Rechten das
Kind, das sich bemüht auf dem Schofse der Mutter sich aufzurichten. Hintergrund bergige Landschaft.
Bekannt unter dem Namen Madonna di Casa Colonna, da
sich das Bild lange im Besitz dieser Familie zu Rom befand. — Nicht
vollendet, daher auch die helle Färbung und die mangelnden Schatten;
das Haar der Maria und des Kindes sowie die Landschaft erst in den
Hauptmassen angelegt. — Vermutlich aus der letzten Zeit des Florentiner Aufenthaltes, etwa Ende 1507 oder erste Hälfte des Jahres 1508.
Das Bild zeigt in den Typen wie in den Formen eine nahe Verwandtschaft zur Madonna Niccolini (bei Lord Cowper), welche mit der
Jahreszahl 1508 bezeichnet ist. Die Haltung der Maria findet sich ganz
ähnlich in einer Handzeichnung der Albertina zu Wien (Braun 153),
dagegen die des Kindes in der Madonna aus dem Hause Orléans. Ueber
andere Zeichnungen, welche zu unserem Bilde in Beziehung stehen
↳ Crowe und Cavalcaselle, I. 347 und 350. — Crowe und Cavalcaselle
halten dafür, dafs nur Erfindung und Zeichnung von Raphael herrühren, während die malerische Ausführung, soweit dieselbe gediehen,

einem Gehülfen der Werkstatt zu Perugia und zwar dem Domenico Alfani zuzuweisen sei.

Maria Fig. bis zu den Knieen etwas unter Lebensgr. Pappelholz, h. 0,78, br. 0,57. — Erworben 1828 in Italien.

Santi. Kopie nach **Raffaello Santi.** Römische Schule.

231   Bildnis der Johanna von Aragonien († 1577), Gemahlin des Ascanio Colonna, Fürsten von Tagliacozzo. Sitzend, nach links gewendet, die Linke auf dem Knie ruhend, die Rechte den um den Hals liegenden Pelzkragen fassend. In ausgeschnittenem rotsammetnen Kleid mit weiten geschlitzten Aermeln. Das rote Sammetbarett mit Edelsteinen geziert. Links eine Loggia, über deren Brüstung nach dem Garten zu eine weibliche Figur lehnt.

Das Original im Louvre, gemalt um 1518, gilt neuerdings für eine Arbeit des Giulio Romano unter Beihülfe Raphael's. Noch andere alte Kopieen in Deutschland und England. Das hiesige Bild wird dem Sassoferrato zugeschrieben und kann nach Färbung und Behandlung wohl von dessen Hand sein.

Halbfig. in Lebensgr. Leinwand, h. 1,19, br. 0,97. — Sammlung Solly, 1821.

232   Bildnis des Papstes Julius II. (1443—1513). Mit weißem langen Vollbart, nach rechts gewendet in einem Lehnsessel sitzend, in der Rechten ein Taschentuch haltend. In der päpstlichen Haustracht: rotes Sammetkäppchen, rotsammetner pelzgefütterter Mantelkragen über weißem Chorhemde. Dunkler Grund.

Das Original, ursprünglich in Sta. Maria del Popolo zu Rom, scheint verschollen (der Original-Carton, stark beschädigt, in der Sammlung Corsini zu Florenz). Von den Exemplaren in den Uffizien und in der Galerie Pitti zu Florenz, welche beide den Anspruch auf Originalität erheben, dürfte wohl nur das erstere von des Meisters Hand sein, während das Exemplar in der Galerie Pitti vermutlich eine alte venetianische Kopie ist. Andere alte Kopieen in der National Gallery zu London, in den Sammlungen Borghese und Corsini zu Rom, im Museum zu Turin u. s. w.

Lebensgr. Fig. bis zu den Knieen. Leinwand, h. 0,93, br. 0,80. — Sammlung Giustiniani, 1815.

Santi. Schule des **Raffaello Santi.** Römische Schule.

144   Drei Bildchen in einem Rahmen. In der Mitte: Christus auf dem Rande seines Grabes sitzend, hinter ihm das Kreuz. — Links: Bischof Ercolano, Schutzpatron von Perugia, in der Linken den Krummstab. — Rechts: Bischof

246. Andrea del Sarto.

Lodovico (oder vielmehr Costanzo?), der andere Schutzheilige von Perugia, in der Linken den Krummstab haltend.
Schwärzlicher Grund.

Kleine Halbfig. (Christus beinahe ganze Fig.) Pappelholz, rund,
jedes Bild im Durchmesser 0,15. — 1830 von Rumohr dem Kronprinzen
Friedrich Wilhelm von Preußen übergeben.

Sarto. **Andrea del Sarto.** Urkundlich **Andrea d' Agnolo**
di Francesco genannt. Den Beinamen del Sarto erhielt er
nach dem Handwerk seines Vaters, der Schneider war. Florentinische Schule. — Geb. zu Florenz den 16. Juli 1486,
† daselbst den 22. Januar 1531. Schüler des Gian Barile,
eines unbedeutenden Malers, dann des Piero di Cosimo;
unter dem Einflusse des Fra Bartolommeo, des Lionardo da
Vinci und des Michelangelo weiter ausgebildet. Thätig zu
Florenz, kurze Zeit zu Paris (1518/19).

Bildnis der Lucrezia, der Gattin des Malers. Nach **240**
links gewendet, Kopf und Blick nach rechts gerichtet. In
gelbem Kleide mit weißem Brusttuch, ein weißes Tuch
turbanartig um den Kopf gebunden. Grüner Grund.

Alla prima gemalte Studie. — Andrea vermählte sich vermutlich
im J. 1517 mit Lucrezia di Bartolommeo del Fede, der Witwe des
Mützenmachers Carlo di Domenico; sie starb erst lange nach ihm, im
Januar 1570.
Lebensgr. Brustbild. Pappelholz, h. 0,44, br. 0,37. — Erworben 1829
durch Rumohr.

Thronende Maria mit dem Kinde und Heiligen. **246**
Maria, in einer Nische auf leichtem Gewölk über zwei
Cherubim thronend, hält das auf ihrem Schoße stehende
Kind. Links Petrus, die Schlüssel in der Hand, der hl. Bruno
im weißen Mönchskleid, den Weihwedel in der Linken und
der völlig nackte greise Onuphrius, die Hüften von einer
Epheuranke umschlungen; rechts der hl. Markus, Antonius
von Padua, das Feuer auf der Handfläche und die hl. Katharina mit einem Bruchstück ihres Rades. Unten links der hl.
Celsus in weltlicher Kleidung; rechts die hl. Julia, die Linke,
welche einen Rosenkranz hält, auf die Brust gelegt.

Bez. mitten auf der obersten Stufe: ANN. DOM. MDXXVIII. —
Ein Hauptwerk des Meisters, von Vasari beschrieben. Die zu der Altar-
tafel gehörige Lunette, die Verkündigung darstellend, jetzt in der Galerie
Pitti zu Florenz (ursprünglich ein Halbrund später durch zugesetzte

Stücke in ein Viereck verwandelt). — Wurde im Auftrage des Giuliano
Scala für Sarzana im Florentinischen gemalt, wo das Bild bis zur
Revolution von 1789 geblieben zu sein scheint. Von da kam es nach
Genua und später nach Paris in die Sammlungen Laperiere und Lafitte;
aus der letzteren wurde es 1834 durch den letzten Besitzer, einem Eng-
länder Arrow Smith, angekauft.

Pappelholz, h. 2,63, br. 1,85. — Erworben 1836 in Paris.

Sassetta. Stefano di Giovanni gen. **Sassetta.** Schule von
Siena. — Urkundlich seit 1427 thätig, 1428 in die Sieneser
Malerzunft aufgenommen, † um 1450. Von den Lorenzetti
und Bartolo di Fredi beeinflufst. Thätig zu Siena.

63 B   **Maria mit dem Kinde.** Maria hält das nackte Kind
auf dem Schofse; über ihrem Haupte halten zwei schwebende
Engel eine Krone. Ganz oben Gott-Vater, der die Taube
herabsendet. Goldgrund.

Tempera. Pappelholz, in gotischer Giebelform abschliefsend,
h. 0,46, br. 0,25. — Vermutlich Sammlung Solly, 1821. 1885 aus dem
Magazin in die Galerie aufgenommen.

Vgl. auch No. 1122 (Schule von Siena).

Sassoferrato. S. Salvi.

Savoldo. Giovanni Girolamo Savoldo. Früher zumeist
Gian Girolamo oder **Girolamo Bresciano** genannt; zeichnet
sich öfters **Joannes Jeronimus de Brescia.** Venetianische
Schule (Brescia). — Geb. zu Brescia; Geburts- und Todesjahr
unbekannt. Unter dem Einflusse des Gio. Bellini und Tizian's
ausgebildet. 1508 als Meister in die Gilde zu Florenz aufgenommen, 1548 zu Venedig noch am Leben; angeblich
daselbst in hohem Alter gestorben. Thätig zu Brescia und
vornehmlich zu Venedig, kurze Zeit in Florenz und Treviso.

307   **Die Venetianerin.** Junges Mädchen, nach links gewendet, aus der Mantille, die sie über den Kopf geworfen,
schalkhaft hervorblickend. Im Grunde Ruine einer Mauer,
darüber der Himmel.

Bez. an der Mauer links: *Joanes Jeronius Savoldus de brisia
faciebat.* — Eine Original-Wiederholung mit Veränderungen (als hl. Magdalena) kam aus der Sammlung Fenaroli zu Brescia in die National-
Galerie zu London. — Eine alte Kopie des Berliner Bildes in Warwick-
Castle, unter dem Namen Lodovico Carracci, der recht wohl der Kopist
sein kann. — Schon Ridolfi (1646) gedenkt des Bildes als eines berühmten Gemäldes, von dem es viele Kopieen gäbe, indem er als das
Original das Bild in der Casa Fenaroli (damals in der Casa Averoldi)

beschreibt. Doch ist auch das Berliner Bild unzweifelhaftes Original,
das dem Londoner fast gleich steht.
  Lebensgr. Halbfig. Leinwand, h. 0,93, br. 0,73. — Sammlung
Solly, 1821.

T r a u e r u m d e n L e i c h n a m C h r i s t i. Maria, auf ihrem **307 A**
Schofse den Leichnam Christi haltend, fafst mit der Rechten
das Haupt desselben; Johannes stützt die Schultern Christi;
Magdalena beugt sich weinend über die Füfse des Heilands.
Im Mittelgrunde links die Stifter, als Joseph von Arimathia
und Nikodemus mit den Nägeln und der Dornenkrone dargestellt. Hinter Maria der Kreuzesstamm, der sich scharf
gegen den roten Abendhimmel absetzt, rechts Landschaft.
  Noch in einer Guida di Brescia (Luigi Chizzola, Le Pitture
e Sculture di Brescia) von 1760 als das Gemälde des Hauptaltars in
Sta. Croce angeführt, später verschollen. Die von Ridolfi (1646) erwähnte
Darstellung des gleichen Gegenstandes in der Casa Antelmi zu Brescia
(„in Casa Antelmi vi è un deposto di Croce") scheint ein anderes Bild
zu sein.
  Leinwand, h. 1,86, br. 2,26. — Erworben 1875 in Brescia.

Schaeufelein. Hans Leonhard Schaeufelein oder Schaeufelin.
Deutsche Schule. — Maler und Zeichner für den Holzschnitt,
geb. um 1480 zu Nürnberg, † zu Nördlingen 1539 oder 1540.
Schüler und Gehülfe des Albrecht Dürer (bis 1505). Thätig
zu Nürnberg und Augsburg (daselbt um 1512) und vornehmlich zu Nördlingen (seit 1515).

D a s A b e n d m a h l. In einer Halle sitzt Christus mit **560**
seinen Jüngern um einen runden Tisch; Johannes ruht mit
dem Haupt an der Brust des Erlösers, während Judas, den
Seckel in der Hand, davon schleicht. Einer der Jünger zur
Linken, in schwarzem Gewand, scheint den Stifter des Bildes
darzustellen.
  Bez. an der Bank rechts mit dem Monogramm und *1511.*
  Weifstannenholz, h. 0,79, br. 1,06. — Sammlung Solly, 1821.

C h r i s t i A b s c h i e d v o n M a r i a. In zwei Tafeln. **R e c h t e** **571**
T a f e l: Maria ist, von einigen Frauen umgeben, händeringend
an der Thür ihres Hauses zusammengebrochen. — **L i n k e**
T a f e l: Christus, im Begriff, sich von Maria wegzuwenden.
Hinter ihm Petrus, Johannes und noch ein Apostel; weiter in
  Verz. d. Gemälde.   17

der Landschaft die neun anderen Apostel auf dem Wege
nach der in der Ferne sichtbaren Stadt Jerusalem.

Fichtenholz, h. 0,45, br. 0,17. — Sammlung Solly, 1821.

631   Christus am Oelberge. Christus kniet, im Gebet
versunken, vor dem Kelch, über dem ein Cherub in der
Glorie erscheint. Vorn die drei schlafenden Jünger. In der
Ferne die Gefangennehmung Christi.

Ein Seitenstück zu dem Bilde, Christi Kreuztragung, befindet sich
im Germanischen Museum zu Nürnberg (früher in der Moritzkapelle
daselbst). — Galt bisher als Barthel Beham. Indes macht eine Vergleichung mit Schaeufelein's sicheren Werken die Zugehörigkeit an
diesen Meister sehr wahrscheinlich. Auch kehrt eine ganz verwandte
Komposition in verschiedenen Holzschnitten Schaeufelein's wieder, so im
Speculum passionis etc., Nürnberg 1507, und in der Evangelienharmonie
des Wolfgang von Mann, Augsburg 1515. — Das Bild zeigt ferner die
gröfste stilistische Verwandtschaft mit dem kleinen Altar der Herrlichkeit Mariä in Donaueschingen, das dort dem Beham zugeschrieben,
von anderer Seite aber gleichfalls für ein Werk des Schaeufelein gehalten wird.

Fichtenholz, h. 0,63, br. 0,50. — Sammlung Solly, 1821.

Schalcken. Godfried Schalcken. Holländische Schule. —
Maler und Radirer, geb. zu Made bei Gertruidenberg 1643,
† im Haag den 16. November 1706. Schüler des S. v. Hoogstraeten und des Gerard Dou. Thätig zu Dordrecht und, nach
mehrjährigem Aufenthalt in England, im Haag (seit 1691).

837   Der angelnde Knabe. Unter einer alten Weide sitzt
ein Junge angelnd am Wasser. Zu seinen Füfsen ein Topf
mit Wasser und ein Fisch. Auf den von einem Sonnenblick
getroffenen Blüten hoher Wasserlilien wiegen sich einige
Schmetterlinge.

Bez. rechts im Terrain: *G. Schalcken.*
Eichenholz, h. 0,31, br. 0,25. — Königliche Schlösser.

Schiavone. S. Meldolla.

Schiavone. Gregorio Schiavone. Schule von Padua. —
Aus Dalmatien gebürtig, daher er sich Dalmaticus zeichnet.
Geburts- und Todesjahr, sowie Lebensverhältnisse unbekannt.
Lernte bei Francesco Squarcione, als dessen Schüler er sich
gern bezeichnet, zu Padua und thätig daselbst um 1440—1470
(1441 in der dortigen Malerzunft aufgeführt).

Thronende Maria mit dem Kinde. Maria sitzt auf **1162** einem Throne und hält das Kind, das von der Thronlehne auf deren Schofs hinübersteigt. Jederseits ein Engelchen mit einer Weintraube. Grund Landschaft.

Bez. auf einem Papierstreifen unten rechts: *Opus . Sclavoni . Dalmatici . Squarcioni.* — Mittelbild eines Triptychons; die beiden Flügel mit je zwei Heiligen befinden sich noch im Dom von Padua, in der Sakristei der Canonici (das ganze Bild früher in S. Francesco; doch wird schon 1776 das Mittelbild allein erwähnt, das sich 1817 im erzbischöflichen Palast in Padua befand).

Pappelholz, oben abgerundet, h. 0,81, br. 0,57. — Sammlung Solly, 1821.

Schongauer. Schule des Martin Schongauer (1445/50—1491). Um 1480. Deutsche Schule.

Flügelaltar. Mittelbild: **Christus am Kreuze mit** **562** **Maria und Johannes.** Unten knien links der Stifter mit acht jungen Söhnen, rechts seine Gattin mit zwei Töchtern. Gemusterter Goldgrund. — Linker Flügel: **Der hl. Hieronymus.** Im Bischofsornat; in der Linken das Kruzifix an grünendem Holze; über ihm schwebt der Kardinalshut. Gemusterter Goldgrund. — Rückseite (jetzt getrennt und links daneben aufgestellt): **Die hl. Apollonia.** In der Linken die Zange. Grund Himmel. — Rechter Flügel: **Der hl. Bernhardin von Siena.** In Franziskanertracht; in der Rechten die Scheibe mit dem von Flammen umgebenen Monogramm Christi. Gemusterter Goldgrund. — Rückseite (jetzt getrennt und daneben aufgestellt): **Der hl. Laurentius.** In Diakonentracht; einen Teufel zertretend. Grund Himmel.

Für die Kreuzigung sind Christus aus Schongauer's kleiner Kreuzigung (B. 17), Maria und Johannes aus der grofsen (B. 25) mit ganz geringen Abweichungen kopiert. Die Appolonia ist freie Kopie nach B. 62, desgl. Laurentius nach B. 56.

Lindenholz, Mittelbild h. 1,36, br. 0,77. Flügel je h. 1,36, br. 0,31. — Sammlung Solly, 1821.

Scorel. Jan van Scorel. Urkundlich auch Schoorle gen. und so auf einem Bilde bezeichnet. Niederländische Schule. — Maler und Baumeister, geb. zu Schoorl (damals Scorel) bei Alkmaar, den 1. August 1495, † den 6. Dezember 1562, vermutlich zu Utrecht. Schüler des Willem Cornelisz zu

Haarlem (um 1509—1512), dann des Jacob Cornelisz zu Amsterdam und des Jan Mabuse zu Utrecht. Nach Reisen in Deutschland, durch Steiermark und Kärnthen (1520) und einer Fahrt
über Venedig nach Jerusalem, in Italien, insbesondere in
Rom (um 1522/23) durch die Römische Schule stark beeinflufst. Thätig vornehmlich in Utrecht (seit etwa 1524), kurze
Zeit in Haarlem (um 1527).

644   Bildnis des Cornelis Aerntsz van der Dussen
(Sekretärs der Stadt Delft seit dem Jahre 1550). Etwas nach
rechts gewendet, gradaus blickend. In schwarzem geblümten
Unterkleide, schwarzem pelzgefütterten Mantel und schwarzer
Kappe. Die Rechte wie sprechend erhoben; in der Linken
einen Brief haltend. Grund Landschaft.

Auf dem Briefe die Aufschrift: *Sy gegeuen aenden Ersame dis-
creten . . . nelis aerntsz secretarius tot delft.* — Wahrscheinlich in
demselben J. 1556 gemalt, als Scorel mit den Kirchenvorstehern der
Nieuwekerk zu Delft über ein von ihm zu lieferndes Flügelbild für
den Hochaltar einen Vertrag abschlofs. — Eine alte Kopie im Rijks-
museum zu Amsterdam.

Lebensgr. Halbfig. Eichenholz, h. 0,98, br. 0,74. — Sammlung
Solly, 1821.

1202   Bildnis der Agathe van Schoenhoven. Nach links
gewendet, gradaus blickend. In weifsem Kopftuch und pelzgefütterter schwarzer Jacke über weifsem Unterkleid.
Schwärzlicher Grund.

Ein in der Galerie Doria zu Rom befindliches Bild, das die Bezeichnung: Agatha Sconhouiana 1529 per Scorelium pin. (nach Scheibler)
trägt, stellt dieselbe Frau dar. Aus Urkunden hat sich nun die inter-
essante Thatsache ergeben, dafs Agathe (Aecht), die Tochter des Isack
von Schoenhoven, als die Geliebte des Meisters mit demselben in
jahrelanger Verbindung lebte (Scorel war als geistlicher Herr verhindert
eine Ehe einzugehen), ihm mehrere Kinder schenkte und von ihm
testamentarisch mit diesen zur Erbin eingesetzt wurde. Auf dem
Berliner Bilde erscheint Agathe um 6 bis 8 Jahre älter als in dem
Bildnis der Sammlung Doria; es wird mithin um 1535 gemalt sein.

Brustbild, etwas unter Lebensgröfse. Eichenholz, h. 0,35, br. 0,31.
— Königliche Schlösser.

Seghers. **Daniel Seghers** (auch **Segers** und **Zeghers**).
Vlämische Schule. — Stilllebenmaler, getauft zu Antwerpen
den 6. Dezember 1590, † daselbst den 2. November 1661.
Schüler seines Vaters Peeter und vornehmlich des Jan

Brueghel. Thätig zu Antwerpen; daselbst nach seinem Uebertritt zum Katholizismus Mitglied des Jesuitenordens.

Stillleben. Ein reiches Blumengewinde ist, zu drei **976** Gruppen geordnet, um den breiten Barockrahmen eines· Steinreliefs gelegt, welches zwei nackte spielende Kinder darstellt. Einzelne Schmetterlinge umfliegen die Blumen oder sitzen auf denselben. Dunkler Grund.

Bez. nach Angabe des alten Katalogs: D. S. — Das Relief ist von der Hand des Erasmus Quellinus (geb. den 19. November 1607 zu Antwerpen, † daselbst den 11. November 1678; Schüler seines Vaters, des Bildhauers Erasmus, sowie des Jan Verhaegen zu Antwerpen, thätig zu Antwerpen).

Eichenholz, h. 1,02, br. 0,72. — Erworben 1832 in Berlin aus dem Besitz des Geh. Ober-Finanzrates Rosenstiel.

Stillleben. Ein reiches Blumengewinde, umschwärmt **978** von Schmetterlingen, umgiebt in vier Gruppen den breiten Barockrahmen eines Steinreliefs, welches die Maria mit dem Kinde und dem Johannesknaben darstellt. Schwärzlicher Grund.

Bez. links unten: *Daniel Seghers Soctis. Jesu.* — Nach Angabe des alten Katalogs wäre auch die Bez. E. Quellinus auf dem Bilde. — Das Relief ist von der Hand des Erasmus Quellinus (s. die Bemerkung zum vorigen Bilde). — Vermutlich dasselbe Bild, das der Grofse Kurfürst von einer Antwerpener Kirche gegen eine Reliquie eintauschte (s. Jahrb. d. K. Preufs. Kunstsammlungen XI, 122).

Leinwand, h. 1,29, br. 0,95. — Königliche Schlösser.

Vergl. auch No. 917 (Rubens).

Seghers. Hercules Seghers, oder Segers. Zeichnet sich selbst zumeist Segers. Holländische Schule. — Landschaftsmaler und Radirer, geb. 1589, † zu Amsterdam um 1650. 1607 in Amsterdam Schüler des Gillis van Coninxloo. Thätig um 1633 vorübergehend im Haag, später wieder in Amsterdam.

Holländische Flachlandschaft. Ueber leicht be- **806 B** wegtes Erdreich führt ein breiter Weg zu einem an einem Flufs gelegenen Dorfe mit hohem Kirchturm. In der flachen weit ausgedehnten Ferne links ein Kirchturm.

Die dargestellte Ortschaft angeblich Amersfoort; man sieht indes leicht, dafs das Motiv mit dem nachfolgenden Bild völlig übereinstimmt und nur einige Umstellungen vorgenommen wurden. — Früher in der

Galerie zu Karlsruhe, wo es sich noch 1833 befand. — Sammlung von
Landauer, Stuttgart, 1860.
    Eichenholz, h. 0,26, br. 0,34. — Sammlung Suermondt, 1874.

808 A   Holländische Flachlandschaft. Ueber leichte Hügel-
wellen führt ein Weg zu einer kleinen Stadt hinab, die sich
im Mittelgrunde an einem Fluſs entlang zieht. Am anderen
Ufer des Flusses weite Ebene mit einzelnen Kirchtürmen
in der Ferne. Vorn zwei Hirten mit ihrer Schafherde.

    Bez. links unten: *Hercules Segers*. — Einziges bezeichnetes Ge-
mälde dieses seltenen Meisters. Nach Vosmaer (Rembrandt, p. 301)
ist die im Mittelgrunde sich hinziehende Ortschaft die kleine Stadt
Rhenen in der Provinz Utrecht. — Auf einer Versteigerung in London
als van Goijen verkauft.
    Eichenholz, h. 0,42, br. 0,66. — Sammlung Suermondt, 1874.

Siena. Schule von Siena um 1350—1380.

1069   Darstellung aus der Legende der hl. Margaretha.
Die Heilige spricht zu dem lorbeerbekränzten Feldherrn Olybrius, der hoch zu Roſs mit Gefolge vor ihr hält; rechts vor
ihr zwei klagende Gefährtinnen. Felsige Landschaft mit
Goldgrund.

    Die Heilige, die in Pisidien die Heerden ihres Vaters Theodosius,
eines heidnischen Priesters in Antiochien, hütet, wird auf Befehl des
Olybrius (Feldherrn des römischen Kaisers Aurelian), der sie zu seinem
Weibe begehrt, hinweggeführt; nach einer anderen Fassung hütete
Margaretha die Schafe ihrer Amme, bei der sie auf dem Lande im
christlichen Glauben aufgewachsen war.
    Tempera. Pappelholz, h. 0,22, br. 0,40. — Sammlung Solly, 1821.

Siena. Schule von Siena um 1400.

1089   Himmelfahrt der Maria. Maria auf Wolken thronend,
von einem Chore musizierender und singender Engel umgeben und zum Himmel emporgetragen. Oben Christus, zu
seinen Seiten links der König David, rechts Johannes der
Täufer und je drei Heilige. Goldgrund.

    Tempera. Pappelholz, h. 0,65, br. 0,42. — Sammlung Solly, 1821.

Siena. Schule von Siena um 1450—1480.

1122   Himmelfahrt der Maria. Maria, mit gefalteten Händen
auf Wolken thronend, wird von Cherubim aufwärts getragen.
Zu ihren Seiten in drei symmetrischen Reihen übereinander
eine grofse Anzahl anbetender, singender und musizierender
Engel. Oben im Kreise von Cherubim und umgeben von

Erzvätern, Propheten und Engeln Christus, Maria mit ausgebreiteten Armen empfangend. Auf der Erde die um das
Grab der Maria versammelten Apostel; unter ihnen Thomas,
der vom Himmel den Gürtel der Maria empfängt. Hintergrund Landschaft, darüber Goldgrund.

Das Bild trägt in seinem oberen Teile deutlich die charakteristischen Züge des Sassetta, der wohl das Bild — wie auch sein
Fresko an der Porta Romana — bei seinem Tode unvollendet zurück-
liefs; in der unteren und späteren Hälfte verrät sich eine andere
Hand, die mehr an Benvenuto di Giovanni erinnert (Benvenuto
di Giovanni di Meo del Guasta, 1436 bis um 1518, thätig zumeist in
Siena).

Tempera. Pappelholz, h. 3,32, br. 2,24. — Erworben vor 1830.

Signorelli. Luca Signorelli, gen. Luca da Cortona. Nach
dem Vater: Luca d'Egidio di Ventura. Zeichnet sich zumeist
Lucas Cortonensis, bisweilen Lucas Coritius, in späteren Jahren
auch Lucas Signorellus. Umbrisch - Toscanische Schule. —
Geb. zu Cortona vermutlich 1441, † daselbst Ende November
oder Anfang Dezember 1523. Zuerst wahrscheinlich Schüler
des Fiorenzo di Lorenzo zu Perugia, dann des Piero della
Francesca zu Arezzo; unter dem Einfluſs florentinischer Meister
weiter ausgebildet. Thätig vornehmlich in Cortona, längere
Zeit in Rom (insbesondere um 1482—1484), in und bei Siena
(1497—1498, 1506 und 1509) und in Orvieto (zwischen 1499
und 1504); kürzere Zeit in Arezzo, Città di Castello, Florenz
und Volterra.

Zwei Flügelbilder eines Altars mit je drei Hei-   **79**
ligen. Linker Flügel: Die hl. Katharina von Siena mit
Buch und Lilienzweig in den Händen, neben ihr rechts die
hl. Clara, in der Linken die Monstranz haltend, beide
stehend; vor ihnen kniet der hl. Hieronymus, sich mit einem
Stein kasteiend. Grund Landschaft mit zwei Figuren. —
Rechter Flügel: Zur Linken Augustinus, stehend, in
vollem Bischofsornat, die Casula mit farbigen Darstellungen
aus der Geschichte Christi geschmückt; vor ihm kniet der
hl. Antonius von Padua; rechts neben diesem steht Katharina
von Alexandrien, Buch und Palme haltend. Grund Landschaft und Himmel. — Die Figuren beider Flügel unter

offenen Bogenstellungen, von denen nur die Gewölbkappen sichtbar sind.

Aus der besten Zeit des Meisters (um 1498) und bei Vasari beschrieben. — Die beiden Gemälde bildeten die Seitenflügel zu einem Mittelstück, auf dem der hl. Christophorus mit dem Christkind auf der Schulter in Relief dargestellt war (von Giacomo della Quercia?); das ganze Altarwerk war für die Kapelle S. Cristoforo in S. Agostino zu Siena bestimmt. Die Staffel enthielt die Darstellungen der Hochzeit zu Kana, des toten Christus im Schofse der Maria und des Martyriums der hl. Katharina und scheint wie das Relief des Christophorus beim Brand der Kirche im Jahre 1655 zu Grunde gegangen zu sein.

Pappelholz, jeder Flügel h. 1,44, br. 0,74. — Sammlung Solly, 1821.

79 A   Pan als Gott des Naturlebens und als Meister der Musik mit seinen Begleitern. Auf einem Felsstück sitzt der jugendliche Pan, bocksfüfsig, mit langem lockigen Haar; auf dem Haupte, welches von einem Glorienschein umgeben ist, die Mondsichel; über den Schultern das mit Sternen besetzte Luchsfell; in der Linken hält er die Rohrflöte, in der Rechten einen Stab. Rechts steht ein junger Hirt (Olympos?), auf der Flöte spielend. Links ein älterer Hirt, der, auf einen Stab gestützt, aufmerksam zuhört und mit der Rechten den Takt angiebt. Vorn am Boden hingestreckt ein junger nackter Satyr, mit der Linken die Flöte, auf der er spielt, emporhaltend. Links vorn steht eine nackte Nymphe (Echo oder Syrinx?), mit der Linken eine lange Rohrflöte zum Munde führend. Rechts ein zweiter älterer Hirt, aufmerksam dem Spiele lauschend. Im Mittelgrunde der Landschaft zwei Nymphen, die eine sitzend und eingeschlafen; die andere, stehend; in der Ferne zwei Reiter bei einem Triumphbogen.

Bez. auf einem Täfelchen, das an dem Stabe der im Vordergrunde stehenden Nymphe hängt: *Luca Cortonen.* — Wahrscheinlich das Gemälde für Lorenzo de' Medici, dessen Vasari gedenkt („dipinse a Lorenzo de' Medici, in una tela, alcuni Dei ignudi, che gli furono molto commendati"); 1865 an einer Decke im Palast Corsi bei S. Gaetano in Florenz wieder aufgefunden. — Signorelli hat den Gegenstand später nochmals behandelt, in dem Palast des Pandolfo Petrucci zu Siena (Fresko, nicht mehr erhalten).

Leinwand, h. 1,93, br. 2,57. — Erworben 1873 in Florenz, aus Palazzo Corsi stammend.

79 B   Maria von Elisabeth begrüfst. Rechts steht Elisabeth, die zutraulich vorgeneigt beide Hände der Maria in den

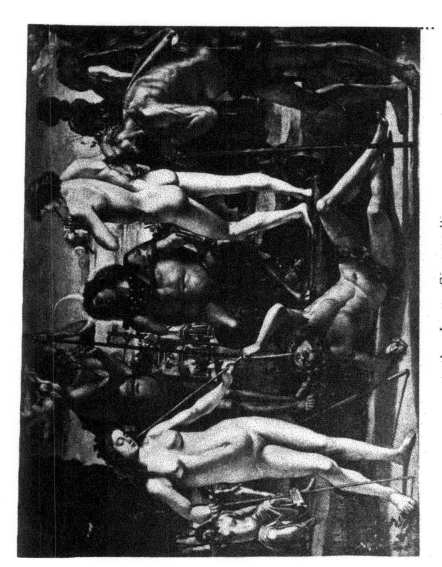

79A. Luca Signorelli.

ihrigen hält. Links sitzt der alte Zacharias, das Christkind
auf dem Knie haltend, während Joseph mit beiden Händen
den kleinen Johannes emporhebt, der über dem Haupt des
Jesusknaben ein silbernes Becken hält (wohl mit symbolischem
Bezug auf die Taufe). Dunkler Grund.

Bez. auf einem Papierstreifen, der am Fussboden liegt: *Luchas .
Signorellus . de Cortona.* — Wohl aus der späteren Zeit des Meisters.
— Alte Kopie mit Veränderungen 1876 im Kunsthandel zu Rom.

Pappelholz, rund, Durchmesser 0,69. — Erworben 1875 in Rom von
Marchese Patrizi.

Simone. Schule des Simone Martini (um 1284—1344).
Schule von Siena.

Maria mit dem Kinde nebst Heiligen. Die thronende **1071 A**
Maria hält das auf ihrem Schoſse stehende Kind. Vorn zur
Linken der hl. Franciscus, rechts der hl. Bruno; weiter
zurück links Jacobus d. Ä., rechts der hl. Laurentius. Im
Giebelfelde der in spitzem Dreieck überhöhten Tafel in drei
Runden: Christus im Grabe stehend, die trauernde Maria
und Johannes. Goldgrund.

Tempera. Pappelholz, in der ursprünglichen Einrahmung mit
dem Giebelfeld h. 0,52; das Hauptbild, oben rund, h. 0,34, br. 0,22. —
Erworben 1863 (?).

Slingeland. Pieter (Cornelisz) van Slingeland oder Slingelant.
Holländische Schule. — Geb. zu Leiden den 20. Oktober 1640,
† daselbst den 7. November 1691. Schüler des Gerard Dou.
Thätig zu Leiden.

Bildnis eines jungen Mannes. Etwas nach rechts **854 B**
gewendet und gradaus blickend. Mit langem schwarzen
Haar, in schwarzer Tracht und flach anliegendem Spitzenkragen; die Linke auf die Brust gelegt. Im Grunde rechts
eine Säule.

Kupfer, oval, h. 0,10, br. 0,08. — Sammlung Suermondt, 1874.

Die Köchin. In einer hohen Küche ist vorn eine Magd **1011**
beschäftigt, auf einer Tonne einen Zinnkrug zu putzen. Vor
ihr am Boden Zinn- und Messinggeschirr und Küchengeräte.
An der Wand ein geflochtener Korb mit Wäsche. Im Grunde
ein groſser Kamin und ein Fenster.

Eichenholz, h. 0,32, br. 0,25. — Königliche Schlösser.

Snayers. Peeter Snayers. Vlämische Schule. — Schlachten-
und Landschaftsmaler, getauft zu Antwerpen den 24. November
1592, † 1667 (?) zu Brüssel. Schüler des Sebastiaen Vrancx.
Thätig zu Antwerpen und vornehmlich zu Brüssel (dorthin
durch Erzherzog Albert als Hofmaler berufen; 1628 in die
Gilde aufgenommen).

751   **Waldweg mit Wanderern.** Auf einem Wege, der
zwischen bewaldeten Höhen und im Mittelgrund durch einen
Bach hindurchführt, mehrere Fufsgänger. In der Ferne eine
Ortschaft.

> Bez. rechts unten: *Peeter . Snayers .. C. I. Pictor.* — C. L Pictor =
> Cardinalis Infantis Pictor (Hofmaler des Kardinalinfanten Ferdinand,
> Bruder Philipp's IV. v. Spanien, † 1641 als Statthalter der Niederlande).
> Leinwand, h. 0,75, br. 1,20. — Sammlung Solly, 1821.

Snyders. Frans Snyders. Vlämische Schule. — Maler von
Tierstücken und Stillleben, getauft zu Antwerpen den 11. No-
vember 1579, † daselbst den 19. August 1657. Schüler des
jüngeren Peeter Brueghel (seit 1593) und des Hendrik van
Balen. Thätig nach einer Studienreise in Italien (1608/9) zu
Antwerpen.

774 A   **Studie von vier Hundeköpfen.** Auf braunem Grunde:
unten die Köpfe von zwei weifsgefleckten Windhunden;
darüber links eine braune gefleckte Bracke; daneben ganz
verkürzt der Kopf eines grauen Schäferhundes.

> Sammlungen Lyversberg zu Köln: Fay zu Aachen.
> Eichenholz, h. 0,52, br. 0,77. — Sammlung Suermondt, 1874.

774 B   **Stillleben.** Auf einer Tischplatte steht neben einigen
Muscheln eine Schale von japanischem Porzellan, mit
Früchten gefüllt. Hellgrauer Grund.

> Sammlung Rothan zu Paris.
> Eichenholz, h. 0,51, br. 0,70. — Sammlung Suermondt, 1874.

878   **Der Hahnenkampf.** Zwei Hähne mit hellbuntem Ge-
fieder kämpfen erbittert mit einander; zur Rechten zwei
Hennen. Im Mittelgrund der flachen Landschaft ein Bauern-
gehöft zwischen niedrigem Buschwerk.

> Bez. rechts unten: *F . Snyders . fecit . 1615.*
> Eichenholz, h. 0,71, br. 1,20. — Erworben 1845.

974   **Die Bärenjagd.** Zwei Bären leisten einer Meute von
neun Hunden, die sie wütend angreift, verzweifelte Gegen-

wehr. Der eine, auf den Hinterbeinen aufrecht stehend,
erdrückt einen Hund zwischen seinen Vordertatzen und
fletscht gegen einen anderen die Zähne. Rechts der andere
Bär, gleichfalls aufrecht stehend und einem Hunde, den er
mit der rechten Tatze gepackt hat, eine Hinterpfote zer-
beifsend. Zwei Hunde liegen heulend mit klaffenden Wunden
am Boden. Grund flache Landschaft mit niedrigem Wald.

Fast ganz dieselbe Darstellung, mit einigen unwesentlichen Abweichungen, befindet sich in der Pinakothek zu München und trägt
von jeher den Namen Paulus de Vos. Auch führt eine kleinere Kopie
des Berliner Bildes, mit vergröfserter Landschaft, in der Galerie zu
Aschaffenburg den Namen des letzteren Meisters. — Dieselbe Komposition kommt aber auch in einer Folge von grofsen Jagdstücken, die
dem Snyders angehören, in Lowther Castle in England vor.

Leinwand, h. 2,10, br. 3,15. — Königliche Schlösser.

Vergl. auch No. 774, 779 und 917 (Rubens).

Sodoma. S. Bazzi.

Soest. Schule von Soest um 1470—1500. Westfälische
Schule.

Kreuzigung nebst Vorgängen aus der Leidens-   1222
geschichte Christi. Im Mittelgrunde Christus am Kreuze
zwischen den beiden Schächern. Die kniende Magdalena
ist am Kreuzesstamm niedergesunken. In der Reitergruppe
links Longinus den Lanzenstich führend, in der Gruppe
rechts der bekehrte Hauptmann. Vorn rechts eine Gruppe
von Juden, deren einer eine Bandrolle beschreibt. Ganz vorn
die Kriegsknechte, welche beim Würfelspiel um den Mantel
Christi in Streit geraten sind. Links vorn Maria von Johannes und ihren Frauen umgeben. Ganz links Christus,
das Kreuz tragend, nebst dem Gefolge aus dem Stadtthor
kommend; weiter zurück (oben) die Gefangennehmung Christi.
Ganz rechts vorn Christus, die Patriarchen aus der Vorhölle
erlösend; weiter zurück Christus von den Angehörigen beweint und zu Grabe bestattet. Hintergrund Landschaft, mit
Goldgrund als Himmel.

Mittelbild eines Altarwerks, dessen beide Seitenflügel mit Darstellungen aus dem Leben Christi bis 1880 in der hiesigen Galerie aufgestellt waren, 1880 aber dem Provinzialmuseum zu Münster leihweise
überlassen wurden. — Vom Meister des hiesigen Bildes findet sich
ein Altar gleichen Umfanges und gleichen Gegenstandes in Schöp-

pingen, nordwestlich von Münster. Der Stil dieses Malers steht
zwischen der Weise des Liesborner Meisters und einer Reihe derb
realistischer Werke der nächstfolgenden Zeit (z. B. dem Altar mit
den heil. Familien in der Wiesenkirche zu Soest). Uebrigens zeigen
die Schulen von Soest und Münster in dieser Zeit keine unter-
scheidenden Merkmale; doch stammt das obige Altarwerk, nach
Waagen's Bericht, aus einer Kirche von Soest.
     Leinwand auf Eichenholz, h. 1,91, br. 3,42. — Erworben vor 1832.

Solario. Andrea Solario. Familienname nach dem Flecken
Solaro bei Saronno im Gebiet von Mailand. Lombardische
Schule (Mailand). — Geb. wahrscheinlich zu Mailand um
1465, † nach 1515 ebenda. In seiner früheren Zeit von Antonello da Messina, später wesentlich von Lionardo beeinflufst. Thätig in Mailand, Venedig (um 1490—1493 und vielleicht auch 1495) und Frankreich (1507—1509).

225   Bildnis eines Mannes, angeblich aus dem
Herrschergeschlechte der Bentivogli zu Bologna.
Nach links gewendet, den Blick ebendahin gerichtet. Bartlos;
in rotem Kleide und schwarzer Mütze. Grüner Grund.
     Wurde früher vermutungsweise dem Boltraffio zugeschrieben, steht
aber jedenfalls A. Solario näher. — Worauf sich die Angabe des
Waagen'schen Katalogs stützt, dafs der Dargestellte ein Bentivoglio
sei, ist uns unbekannt. Hat es mit derselben seine Richtigkeit, so wird
es Antonio Bentivoglio sein, Sohn des Sante B. und Günstling des
letzten Herrschers aus dem Hause der Bentivogli zu Bologna, Giovanni II.
(1443—1509), den er auf seinen Feldzügen begleitete.
     Brustbild unter Lebensgr. (ringsum angestückt). Pappelholz, h. 0,31,
br. 0,24. — Erworben 1841/42 in Italien.

Sorgh. Hendrick Maertensz Sorch, gen. Rokes (von Rochus)-
Holländische Schule. — Geb. angeblich zu Rotterdam um
1611, † daselbst zwischen dem 22. und 29. Juli 1670. Schüler
des Willem Buyteweck; bildete sich nach den Werken des
Adriaen Brouwer. Thätig zu Rotterdam und kurze Zeit zu
Antwerpen (1630 bis um 1632). Mitteilungen von Herrn
Haverkorn van Rysewyk.

     Bauernschlägerei. In einer Bauernkneipe sind zwei
Bauern beim Kartenspiel handgemein geworden, wobei der
eine den anderen, welcher den Säbel zieht, bei den Haaren
hält und ihm mit seinem Zinnkruge über den Kopf schlägt.
Eine Alte zur Rechten und zwei Bauern zur Linken suchen
die Streitenden zu trennen, während von dem Kamin im

Hintergrund und durch eine geöffnete Thür Bauern und Bäuerinnen herbeieilen.

Eichenholz, h. 0,46, br. 0,37. — Erworben 1863.

Spanische Schule um 1650.

Die Rast einer Räuberbande. Unter dem Eingang einer Höhle kniet rechts am Boden auf einem Tischtuch der Hauptmann der Bande, in Landsknechtstracht. Neben ihm liegen die Bestandteile eines bescheidenen Mahles. Links hinter dem Hauptmann sitzt eine junge Frau, die einen Rettig schält. Weiter zurück fünf junge Burschen in lebhafter Unterhaltung. Vorn links ein schlafender junger Bauer und zwei Burschen beim Kartenspiel, denen ein Dritter zuschaut. Zuäufserst links ein Raucher, den ein Jüngling auf einen Trupp Soldaten aufmerksam macht, die in der Ferne einen Bergabhang herabkommen.

Leinwand, h. 1,28, br. 1,42. — Sammlung Solly, 1821.

Spanische Schule um 1650.

Glaube, Liebe und Hoffnung. Drei Frauengestalten, **417** deren mittlere, den Glauben darstellend, auf ihrem Haupte einen Vogel trägt; links die Liebe, in der Rechten ein Szepter, in der Linken ein Körbchen mit zwei Tauben haltend; rechts die Hoffnung, das Kreuz auf der Schulter tragend und zu einem von oben fallenden Lichtstrahl emporblickend. Dunkler Grund.

Maria mit dem Kinde. Maria drückt das auf einer steinernen Brüstung stehende Kind, das sich in ihre Arme geflüchtet hat, an die Brust. Hinter Maria ein Vorhang mit ˀruchtguirlanden, von je einem Kandelaber flankiert. Hinterrund Landschaft.

Bez. auf der Brüstung: *Opus . Squarcioni Pictoris.* — Das Bild ˀt, neben einer mehrteiligen Altartafel in der städtischen Galerie zu ˀadua (urkundlich zwischen dem J. 1449 und 1452 ausgeführt), das einzige noch vorhandene bezeichnete und sicher beglaubigte Gemälde des als Führers der Schule von Padua für die Entwickelung der oberitalienischen Malerei wichtigen Meisters. Es stammt, gleich jenem Altarwerk, aus dem Hause Lazzara zu Padua für das beide Bilder ursprünglich gemalt waren.

Maria fast lebensgr. Halbfig. Tempera, Pappelholz, h. 0,82, br. 0,68. — Erworben 1882 in Padua.

Steen. Jan Steen. Holländische Schule. — Geb. zu Leiden im Jahre 1626, begraben ebenda den 3. Februar 1679. Schüler des Nikolaus Knupfer zu Utrecht, angeblich auch des Adriaan van Ostade zu Haarlem, endlich des Jan van Goijen im Haag, dessen Tochter er am 3. Oktober 1649 heiratete; unter dem Einflusse des Frans Hals weiter ausgebildet. Thätig zu Leiden (1648 in die Lukasgilde aufgenommen), im Haag (urkundlich von 1649—1654 nachweisbar), in Haarlem (von 1661—1670) und vorübergehend zu Delft.

795 **Der Wirtshausgarten.** Unter einer Laube sitzt vorn an einem Gartentisch der Maler Jan Steen, der vergnügt lachend einen Hering abhäutet. Ihm gegenüber eine Frau, die einen Knaben aus einem Becher trinken läfst. Ein junger Bursche ruft Krabben aus. Andere Gäste an den Tischen sitzend oder in Bewegung.

Bez. an einem Querholz des Gartentisches: *J. Steen.*
Leinwand, h. 0,67, br. 0,58. — Königliche Schlösser.

795 B **Der Streit beim Spiel.** Unter einer Wirtshauslaube ist ein elegant gekleideter Mann beim Spiel mit einem Bauern in Streit geraten. Den ersteren, der sein Schwert ziehen will, suchen eine Frau, ein Mädchen und ein Alter zu beruhigen. Aus dˀm　　　　　ˀeilen Bauern zum Kampf herbei Eiˀ　　　　　　ˀ dem Staube zu machen.

: *J. S.* — Sammlung I. L. Nieuwenhuys,

ˀ Sammlung Suermondt, 1874.

Lockere Gesellschaft. Ein alter Lebemann, in der **795 C**
Rechten das Glas, macht sich in zudringlichster Weise an
eine rechts vor ihm sitzende junge Dirne, die ihn lachend
mit beiden Armen zurückstöfst, während eine schmunzelnde
Alte die Börse aus seiner Tasche zieht. Eine Magd, welche
soeben aus der Kanne in ihrer Linken sein Glas gefüllt hat,
zieht mit der Rechten den Hut von seinem kahlen Haupt.
Rechts ein lustiger Fiedler (mit den Zügen Jan Steen's).
An der grauen Wand hängt eine Guitarre.

Sammlung Schönborn, Wien 1866.

Eichenholz, h. 0,26, br. 0,21. — Sammlung Suermondt, 1874.

Stoop. Dirck Stoop. Von seinem Lissaboner Aufenthalte
auch Roderigo Stoop gen. Holländische Schule. — Maler
und Radirer, geb. mutmafslich zu Utrecht 1610, † daselbst
1686. Wahrscheinlich der Sohn und Schüler des Utrechter
Glasmalers Willem Jansz van der Stoop und 1638 in die
Gilde zu Utrecht aufgenommen. Bildete sich nach Esajas
van de Velde und Jan Martsen de Jonge. Thätig zu
Utrecht und längere Zeit im Auslande, insbesondere in
Lissabon (daselbst als Hofmaler) und eine Zeitlang in London
(1662 in Begleitung der Infantin von Portugal dorthin gelangt); 1678 nach Utrecht zurückgekehrt.

Jagdhunde mit ihrem Führer. Vor der Mauer eines **1006**
verfallenen Hauses drei Hunde, von denen zwei zusammen-
gekoppelt sind. Im Hintergrund kauert der Führer; ganz
vorn dessen Wanderstab und Reisetasche.

Wurde bisher auf Grund zweier mit J. Jonckheer bezeichneter Radirungen, welche Hunde darstellen, diesem sonst unbekannten Meister
zugeschrieben. Die Aehnlichkeit unseres Bildchens mit diesen Radirungen erscheint aber keineswegs so grofs, um die obige Benennung
zu rechtfertigen, während dessen Uebereinstimmung mit Stoop's Werken
augenfällig ist.

Eichenholz, h. 0,16, br. 0,16. — Sammlung Solly, 1821.

Strigel. Bernhard Strigel. Der sogen. Meister der Sammlung Hirscher. Schwäbische Schule. — Geb. zu Memmingen
1460 oder 1461, † daselbst 1528, vor dem 23. Juni. Unter dem
Einflufs des Barth. Zeitblom, vielleicht auch des Hans Burckmair ausgebildet. Thätig vornehmlich in Memmingen, wo
der Meister in den J. 1516 bis 1528 urkundlich häufig erwähnt

wird und verschiedene Ehrenämter bekleidete, ferner in
Augsburg (um 1517) und in Wien (um 1520, 1522 und 1525).

563 A   Maria Magdalena und Johannes der Täufer. Magdalena, das Salbgefäfs in der Rechten, steht neben dem
Täufer, welcher mit der Rechten auf das Lamm deutet,
das auf seinem Buche ruht. Goldgrund.

> Bildete mit dem folgenden und zwei an die Kgl. Galerie in Kassel
> abgegebenen Bildern (563 B und 563 C) die Flügel eines Altares.
> Weifstanne, h. 0,85, br. 0,70. — Erworben 1850 aus der Sammlung
> Hirscher zu Freiburg.

563 D   Elisabeth von Thüringen und Kaiser Heinrich II. Die hl. Elisabeth, die Krone auf dem Haupte, in
der Linken Brod und Weinkanne, steht neben dem hl. Heinrich, der das Reichsschwert in der Rechten, den Reichsapfel
in der Linken trägt. Goldgrund.

> Weifstanne, h. 0,87, br. 0,70. — Erworben wie No. 563 A.

583 A   Der hl. Norbert als Schutzheiliger eines Ordens-
bruders. Der Heilige (Stifter des Praemonstratenser-Ordens),
in erzbischöflichem Ornate, hat die Linke einem vor ihm
knieenden Praemonstratenser aufs Haupt gelegt und scheint
ihn der Maria zu empfehlen (die wahrscheinlich auf einem
Mittelbilde, zu dem das Bild als Flügel gehörte, dargestellt
war). Zur Linken die hl. Agnes mit dem Lamm. Links
neben Norbert der Kelch, worin eine Spinne, das Attribut
des Heiligen. Hintergrund Landschaft.

> Weifstanne, h. 0,30, br. 0,23. — Erworben wie No. 563 A.

583 B   Johannes Cuspinian mit Familie. Cuspinian, in
weifsem Untergewand, pelzbesetzter Schaube von grünem
Damast und schwarzem Barett, legt seine Arme um seine
zwei Söhne, von denen der jüngere etwa zwölfjährig, der
ältere fünfzehnjährig ist. Zur Rechten Cuspinian's zweite
Gattin, in rotsammtenem Kleid mit doppelter Goldkette, in
weifser Haube mit grofsen Seitenteilen. Im Grunde tief-
blauer Himmel mit dem schmalen Streifen eines Sees und
etwas Gebüsch.

> Auf dem Bilde sind folgende Inschriften: Zebedeus, neben dem
> Haupte Cuspinian's; Jacobus major Christo coevus, über dem ältesten
> Sohne; Salome uxor i pacifica qula filios pacs (pacificos) genuit, über
> der weiblichen Figur. An einem Ast in der Mitte des Bildes eine Tafel

mit der Inschrift: Filii, colite Deum discite prudenciam diligite houes-
tatem. — Auf der Rückseite der Tafel in goldener Uncialschrift auf
schwarzem Grunde drei längere Inschriften, welche über den Maler selbst,
dann über die Dargestellten und endlich über ein Gegenstück zu dem
obigen Bilde nähere Auskunft geben; durch sie ist auch Name und
Herkommen der Persönlichkeit des Meisters der Sammlung Hirscher
wieder entdeckt worden. Mit Ergänzung der verwischten Buchstaben
sowie der Abkürzungen lauten die Inschriften: anno humanae repara-
cionis MDXX mense octobri Leone X. pont. max. quum Carolus V.
Philippi Castellae regionis ac Granatae regis filius Aquisgrani in
Regem Ro. crearetur ac Ro. Caesar designaretur Bernadinus Strigil
pictor civis Memingensis nobilis qui solus edicto Caesarem Maxi-
milianum ut olim Apelles Alexandrum pingere jussus has imagines
manu sinistra per specula ferme sexagenarius Viennae pingebat. —
Joannes Cuspinianus doctor francus ex Schweinfurt olim Caes. Aug.
Maximiliani Imp. a consiliis et ad Reges Hungariae Boemiae ac Polo-
niae Vladislaum Ludovicum et Sigismundum orator Caroli V. Caes.
consiliarius ac locum tenens in senatu Vienensi quem vulgo Anwaldum
apellat. Ex prima conjuge Anna octo liberos genuit e quibus hic
Sebastianus Foelix annum agebat etatis quintum decimum, minor natu
Nicolaus Chrisostomus duodecimum genitor horum duodequinquage-
simum Hagnes noverca quadragesimum primum. — Prima tabula habet
imagines Maximiliani Caes. Aug. Mariae ducissae Burgundiae filiae
Caroli ducis Phil. filii Regis Castellae Caroli V. Imp. Aug. Ferdinan.
infantis Hisp.-Archiducum ac nepotum Caes. et Ludovi. Regis Hungariae ac Boemiae. — Der Inhalt der ersten Inschrift besagt also, dafs
Strigel, fast sechszigjährig, vom Kaiser geadelt und allein berechtigt,
das Bildnis Maximilian's zu malen, diese Porträts im J. 1520 zu Wien
mit der linken Hand und „mit Hülfe des Spiegels" gemalt habe. Der
zweite Abschnitt belehrt uns über Amt, Würden und Alter des kaiser-
lichen Rates Joh. Cuspinian (eigentl. Spiesshammer, † 1529), der
bekanntlich zugleich Historiograph war und an der Wiener Universität
wirkte, sowie über Namen und Alter der mit dargestellten Glieder seiner
Familie. Der dritte Abschnitt berichtet von dem Gegenstück zum
obigen Bilde, welches die Bildnisse von Kaiser Maximilian I., seiner
Gemahlin Maria von Burgund, ihrem Sohne Philipp I., von den beiden
Söhnen des letzteren, Karl V. und Ferdinand I., endlich vom Prinzen
Ludwig II. von Ungarn enthält. Das Bild befindet sich noch in Wien,
in der Galerie des Belvedere und zeigt auf der Rückseite die Verwandtschaft Christi: steht also auch dadurch in Zusammenhang mit
dem Berliner Bilde, sofern auf diesem die Porträtfiguren mit Namen
aus der Verwandtschaft Christi bedacht sind.

Halbfig. in zwei Drittel Lebensgr. Lindenholz, h. 0,69, br. 0,61. —
1880 aus dem alten Vorrat der Galerie hervorgeholt; wahrscheinlich zur
Sammlung Solly gehörig.

Teile eines Altarwerks. Linker Flügel: Geburt **606 B**
der Maria. Die hl. Anna, in einem Himmelbett liegend,

empfängt den Besuch befreundeter Frauen. Vorn zwei
Frauen damit beschäftigt, das Kind zu baden. Durch eine
Thür zur Linken blickt man in ein anderes Gemach, worin
der hl. Anna das Kind gereicht wird. Goldgrund. — Rechter
Flügel: Darstellung der Maria im Tempel. Die kleine
Maria steigt, von drei Mädchen gefolgt, die Stufen einer
gotischen Treppe zu einem kanzelartigen Bau empor, auf
dem ihr der Hohepriester entgegentritt. Am Fuße der Treppe
links Joachim und rechts die hl. Anna nebst verschiedenen
Zuschauern, unter denen mehrere offenbar Bildnisse von
Zeitgenossen des Malers sind. Goldgrund.

    Bezeichnet links unten auf einem Blättchen: 1515. — Beide Flügel
in einem Rahmen. — Gegenstück zu No. 606 C.
    Weifstanne, h. 1,23, br. 0,33. — Erworben wie No. 563 A.

606 C   Teile eines Altarwerks. Rechter Flügel: Heimsuchung der Maria. Maria reicht der ihr begegnenden
Elisabeth die Hand. Im Mittelgrund der Landschaft zur
Linken Loth mit Gattin und Töchtern, das brennende Sodom
verlassend. — Linker Flügel: Tod der Maria. Vorn die
verscheidende Maria, in der Rechten die Palme, von Johannes
und Petrus unterstützt. Links im Mittelgrunde Christus, von
seinen Jüngern umringt, die Seele der Verstorbenen in Gestalt eines bekleideten Kindes auf den Armen tragend. Im
Hintergrunde links eine Kapelle, worin Gott-Vater Maria
krönt.

    Beide Flügel in einem Rahmen. — Gegenstück zu No. 606 B.
    Weifstanne, h. 1,23, br. 0,33. — Erworben wie No. 563 A.

Strozzi. Bernardo Strozzi, gen. il Prete Genovese oder
il Capucino. Lombardische Schule (Genua). — Maler und
Radirer, geb. zu Genua 1581, † zu Venedig den 3. August
1644. Schüler des Pietro Sorri zu Genua, unter dem Einflusse von Caravaggio weiter ausgebildet. Thätig vornehmlich in Genua, zuletzt in Venedig.

437   Bildnis eines Offiziers. In mittleren Jahren, fast
ganz von vorn gesehen, mit geringer Wendung nach rechts,
gradaus blickend. In hellbraunem rot ausgeschlagenen
Lederkoller und eisernem Halskragen; die mit dem Panzer-

handschuh bekleidete Linke auf den Schwertknauf gestützt.
Grauer Grund.

Lebensgr. Brustbild. Leinwand, h. 0,72, br. 0,60. — Erworben 1842
in Rom.

Subleyras. Pierre Subleyras. Französische Schule. —
Maler und Radirer, geb. zu Uzès 1699, † zu Rom den 28. Mai
1749. Zuerst Schüler seines Vaters Mathieu, dann des Antoine
Rivalz zu Toulouse, in Paris (seit 1724) und Rom weiter ausgebildet. Thätig vornehmlich zu Rom (seit 1728).

Die Verehrung des hl. Januarius, Bischofs von **464**
Benevent. Der Heilige in bischöflichem Ornat, zur Rechten
in einem antiken Bau (Circus?) sitzend, wird von drei jungen
Geistlichen verehrt. Ueber dem Heiligen ein schwebender
Engel, in der Linken die Siegespalme, auf der Rechten eine
Flamme haltend. Vorn zur Linken zwei Löwen, ein Schwert
und Fasces; weiter zurück noch andere Löwen.

Januarius, der Schutzheilige von Neapel, wurde bei einer Christen-
verfolgung daselbst den wilden Tieren im Amphitheater zu Puteoli
vorgeworfen, jedoch von denselben nicht berührt; er sollte dann
in einem feurigen Ofen verbrannt werden, kam aber unversehrt aus
demselben hervor, welcher Vorgang durch die Flamme in der Hand
des Engels angedeutet wird; endlich wurde er enthauptet (daher das
Schwert zu seinen Füfsen).

Leinwand, h. 1,24, br. 0,98. — Königliche Schlösser.

Sueur. S. Lesueur.

Suttermans. Joost oder Justus Suttermans. Vlämische
Schule. — insbesondere Bildnismaler, getauft den 28. September 1597 zu Antwerpen, † zu Florenz den 23. April 1681.
Schüler des Willem de Vos zu Antwerpen (seit 1610), dann
des Frans Pourbus d. J. zu Paris. Thätig vornehmlich in
Florenz (als Hofmaler des Grofsherzogs von Toscana) und
vorher kurze Zeit zu Wien (1623/24).

Bildnis einer jungen Frau. Nach links gewendet, **405**
gradaus blickend. Mit braunem lockigen Haar; in ausgeschnittenem Kleide von rotem Sammet; um den Hals eine
Perlenschnur. Dunkler Grund.

Lebensgr. Brustb. Leinwand, h. 0,66, br. 0,50. — Erworben 1842 in
Rom aus dem Besitz des Malers Ximenez (als ein Werk des Murillo).

Taddeo. Art des Taddeo Bartoli (um 1362—1422). Schule von Siena.

1095   Kleine Altartafel. Mittelbild: Maria mit dem Kinde und Heiligen. Maria thront vor einem von Engeln gehaltenen Vorhang und hält das segnende Kind auf dem Schofse. Links die hl. Katharina, welche die knieende Stifterin, eine Nonne, empfiehlt; rechts Johannes der Täufer. Im Giebelfelde Christus am Kreuze, von Maria Magdalena und Johannes beweint. — Linker Flügel: die hh. Stephanus und Laurentius; im Giebelfelde der verkündigende Engel. — Rechter Flügel: ein jugendlicher Heiliger mit dem Schwerte und der hl. Franciscus; im Giebelfelde Maria, die Botschaft empfangend. Goldgrund.

Noch in seinem ursprünglichen gotischen Rahmen (Bildtafel und Rahmen aus einem Stück). — Vielleicht von Martino di Bartolommeo, einem Schüler des Taddeo, thätig von 1389(?) bis 1434 zu Siena und Pisa (daselbst von 1396—1404).

Tempera. Pappelholz, Mittelbild, h. 0,40, br. 0,17; Flügel je h. 0,38, br. 0,07. — Erworben 1829 durch Rumohr.

Tempel. Abraham Lamberts Jacobsz, gen. Abraham van den Tempel. Holländische Schule. — Bildnismaler, geb. vermutlich 1622/23 zu Leuwarden, begraben zu Amsterdam den 8. Oktober 1672. Schüler seines Vaters Lambert Jacobsz zu Leuwarden und des Joris van Schooten zu Leiden. Thätig zu Leiden (seit 1648 Mitglied der Lukasgilde) und seit 1660 zu Amsterdam.

735   Bildnis des Hendrick van Westerhout. Etwas nach rechts gewendet und gradaus blickend. Mit langem weifsen Haar und kleinem Schnurrbart; in dunklem Rock, mit breitem flachen Kragen; um den Hals eine goldene Kette. Dunkler Grund.

Lebensgr. Brustb. Eichenholz, h. 0,44, br. 0,34. — Erworben 1841 von Professor Rösel in Berlin.

858   Ein Edelmann und seine Gattin in ihrem Parke. Ein junger Edelmann, in reichem Gewand, führt seine in weifsen Atlas gekleidete Gattin, die in ihrer Rechten eine Rose hält, am linken Arm. Im Hintergrund ein steinernes Gartenthor, von welchem eine Allee durch einen holländischen Park zum Schlosse führt.

三
毛

Eine alte Kopie mit nur halben Figuren, im Museum zu Braunschweig, unter dem Namen des Meisters.

Ganze lebensgr. Fig. Leinwand, h. 2,36, br. 1,72. — Königliche Schlösser.

Teniers. David Teniers der Aeltere. Vlämische Schule. — Maler und Radirer, geb. 1582 zu Antwerpen, † daselbst den 29. Juli 1649. Schüler seines älteren Bruders Juliaen und zu Rom unter dem Einflusse Elsheimer's weiter ausgebildet. Thätig zu Antwerpen (1606, nach der italienischen Reise, in die Gilde aufgenommen).

Versuchung des hl. Antonius. Der Heilige, der **866** betend in einer Grotte sitzt, wird von dem Teufel in Gestalt einer alten Frau mit Hörnern und verschiedenen phantastischen Ungetümen geängstigt. Vor ihm hockt ein Geschöpf in Bauerntracht, den Rosenkranz in der Hand. Rechts Ausblick aus der Höhle auf die Landschaft.

Ist ganz ähnlich vom Meister radiert und öfters gemalt. — Eine Wiederholung, ebenfalls unter dem Namen des älteren Teniers, in Bowood in England; doch ist dieses Bild, der geistreichen Behandlung nach, wohl ein frühes Werk des jüngeren Teniers.

Kupfer, h. 0,21, br. 0,16. — Königliche Schlösser.

Vergl. auch No. 678A (Uden).

Teniers. David Teniers der Jüngere. Zeichnet sich in seinen frühesten Werken auch Tenier. Vlämische Schule. — Maler und Radirer, getauft zu Antwerpen den 15. Dezember 1610, † zu Brüssel den 25. April 1690. Schüler seines Vaters David, unter dem Einflusse von Rubens und vornehmlich von Brouwer weitergebildet. Thätig zu Antwerpen und Brüssel (woselbst er sich zwischen 1648 und 1652 niederliefs).

Die Puffspieler. An einem runden Schenktisch zwei **856** Bauern beim Puffspiel, dem drei andere Bauern aufmerksam folgen. Der Wirt kreidet links an einem Pfeiler die Rechnung an. In einem Seitenraum zwei Bauern am Kamin, während durch eine Thür zur Linken eine Alte mit einem Napfe hereintritt.

Bez. rechts unten: *D. Teniers. F.* und auf einer Zeichnung an der Wand: A. 1641.

Eichenholz, h. 0,46, br. 0,66. — Königliche Schlösser.

Der Künstler mit seiner Familie. Auf der Terrasse, **857**

eines am Wasser liegenden Landhauses sitzt rechts de
Künstler das Cello spielend; neben ihm links seine Gattiı
Anna Brueghel (geb. 1620, vermählt 1637), ein Notenblat
haltend; hinter beiden ihr Sohn, mit einem Notenblatt unı
singend. Links vor dem Tische ein Knabe (vielleicht dei
jüngste Bruder des Künstlers, Abraham) Wein kredenzend
In der Thüre lehnt ein anderer Bruder des Künstlers, dei
Maler Juliaen oder Theodoor Teniers. Im Hintergrund eiı
kleiner Ort mit Kirche.

Bez. am Tischfufse mit dem Monogramm. — Gemalt um 1644 '45
Eichenholz, h. 0,39, br. 0,56. — Königliche Schlösser.

859　　Versuchung des hl. Antonius. Der in seiner Höhle
im Gebet begriffene Heilige wird von Ungetümen erfafst unc
auf eine junge Frau in schwarzem Seidenkleide, mit einerr
Weinglas in der Hand, aufmerksam gemacht, die der Teufe
in Gestalt einer alten Frau heranführt. Am Boden und ir
der Luft noch andere Spukgestalten. Durch den Grotten-
eingang Blick in die Landschaft.

Bez. unten rechts an dem Steine: *David . Teniers . Fe. Aº 1647.*
— Die junge Frau ist das Bildnis der ersten Gattin des Künstlerı
(Anna Brueghel). Eine ähnliche Komposition des Meisters, indes kleinet
und weniger bedeutend, im Museo del Prado zu Madrid, sowie an a. O.
Leinwand, h. 0,81, br. 1,17. — Königliche Schlösser.

866 A　　Das Sakrament der Wunder der hl. Gudula. Zwei
Engel tragen schwebend in der Luft das Sakrament: Gott-
Vater, vor sich ein Kruzifix, in einem gotischen Gehäuse
thronend, dessen Spitze mit drei Kronen geschmückt ist.
Unten die Gudulakirche zu Brüssel.

Bez. unten rechts neben der Kirche mit dem Monogramm.
Auf weifsem Marmor, h. 0,45, br. 0,27. — Sammlung Suermondt, 1874.

866 B　　Gesellschaft beim Mahle. Zwei junge Paare sitzen
an einem gedeckten runden Tische; ein Herr singt, während
ihn eine Dame auf der Laute begleitet. Zwei Pagen tragen
Gerichte herbei. Auf einem Schrank ein Gemälde von der
Hand des älteren David Teniers (eine Felsengrotte); an der
Wand rechts ein Bauernstück, anscheinend von Brouwer.

Bez. links unten: *D. Tenier Fe 1634.* — Eines der früheren
datierten Werke des Künstlers, von kräftiger bräunlicher Färbung, die
sich noch an den älteren Teniers anschliefst.
Eichenholz, h. 0,36, br. 0,55. — Erworben 1873 zu Wien.

Vlämische Kirmefs. Vor einer Dorfschenke ein tan- **866 C**
zendes Paar, dem ein Leiermann und ein Knabe mit dem
Triangel aufspielen. Links um einen Tisch sieben Bauern
nebst einer Alten, vergnügt zuschauend. Andere Bauern und
Bäuerinnen im Hintergrund und rechts vorn. Auf einem
nach dem fernen Dorf führenden Weg ein Betrunkener von
zwei Bauern geleitet.

Bez. rechts im Terrain neben einem umgestürztem Fasse:
D Teniers F. Am Wirtshausschild: 1640. — Aus der früheren Zeit
des Meisters. Eine treffliche Zeichnung zu dem Bilde in der Bibliothek
zu Darmstadt. — Sammlung Schönborn, Wien 1866.
Eichenholz, h. 0,38, br. 0,58. — Sammlung Suermondt, 1874.

Die Marter des Reichen im Fegfeuer. In einer **866 D**
Höhle haben zahlreiche Ungetüme von den abenteuer-
lichsten Formen den in Pelzmantel und Pelzmütze gekleideten
Reichen umringt und gepackt, um ihn nach dem von dem
Cerberus bewachten Feuerschlunde zu zerren.

Bez. rechts unten: *D Teniers F.* — Sammlungen Leboeuf, Paris
1782; John Knight, London 1821; Dr. Lombard, Lüttich 1857.
Kupfer, oval, h. 0,55, br. 0,70. — Sammlung Suermondt, 1874.

Neptun und Amphitrite. Auf einem von Seepferden **866 E**
gezogenen und von Najaden, Tritonen und Amoretten um-
ringten Wagen thront Neptun mit dem Dreizack, an seiner
Seite die unbekleidete, von einem Sonnenschirm beschattete
Amphitrite. Als Symbol der Winde vier blasende auf
Wolken ruhende Flügelköpfe. Im Hintergrund die gebirgigen Meeresufer.

Die Mittelgruppe ist eine treue Kopie aus Rubens' Bild Neptun
und Amphitrite (No. 776A). — Das Bild befand sich 1857 auf der Ausstellung zu Manchester und gehörte damals einem Mr. Baxter.
Kupfer, h. 0,30, br. 0,37. — Erworben 1882 in Paris.

Ter Borch. Gerard Ter Borch oder Terborch. Holländische Schule. — Geb. zu Zwolle 1617, 1635 zu Haarlem in
die Lukasgilde aufgenommen, † zu Deventer am 8. Dezember
1681. Nach dem ersten Unterricht bei seinem Vater Gerard
(der 1608 in Rom war), einem nur noch durch einzelne
Zeichnungen bekannten Maler, weiter ausgebildet in Amsterdam und vornehmlich in Haarlem unter dem Einflusse des
Frans Hals und als Schüler des P. Molyn (um 1631), ferner
durch selbständige Verarbeitung der Vorbilder von Tizian,

Rembrandt und Velazquez. Nach längeren Reisen in Deutschland (in Münster während des Friedenskongresses, 1646—1648),
Italien, Spanien, England und Frankreich thätig zu Deventer,
woselbst er 1655 das Bürgerrecht erwarb.

791   „Die väterliche Ermahnung". Ein junger Offizier,
auf einem Stuhle sitzend, den Federhut auf dem übergeschlagenen Bein, spricht zu einer zur Linken vor ihm
stehenden in weifse Seide gekleideten Dame, die dem Beschauer den Rücken kehrt. Neben dem Offizier sitzt eine
zweite Dame in Schwarz, aus einem Weinglas trinkend. Im
Grunde des Zimmers ein hohes Himmelbett, davor links ein
mit Teppich bedeckter Toilettentisch.

Dieselbe Darstellung, etwas breiter im Format, indem rechts ein
Hund hinzugefügt ist, gleichfalls von der Hand des Meisters, im
Museum zu Amsterdam. Alte Kopieen bei Lord Ellesmere (Bridge-
water-Gallery) in London; Marquis de Greffehul zu Paris, und im
Museum zu Gotha, letztere bez. Caspar Netscher fecit 1655. Die junge
Dame allein in der Galerie zu Dresden. — Die bekannte Auslegung
des Bildes von Goethe (in den Wahlverwandtschaften), mit der auch
die herkömmliche Benennung, zuerst als Inschrift unter Wille's Stich
gebraucht, übereinstimmt, steht im Widerspruch mit dem Alter der
dargestellten Personen. Es ist überhaupt fraglich, ob der Künstler
eine novellistische Beziehung im Sinne hatte.

Leinwand, h. 0,70, br. 0,60. — Einzelerwerb aus der Sammlung
Giustiniani vor 1815.

791A   Bildnis des Herrn van Marienburg, Oheims des
Malers (geb. 1592). Nach rechts gewendet, gradaus blickend.
In einfacher schwarzer Tracht, schwarzem Käppchen, mit
breitem Kragen. Dunkler Grund. In ovaler gemalter Stein-
einrahmung.

Wurde, wie das folgende Bild, 1868 von dem Kaufmann Bois aus
Deventer, einem Nachkommen der Familie Terborch, erworben.

Halbfigur in etwa Drittel-Lebensgr. Leinwand, oval, h. 0,36, br. 0,31.
— Sammlung Suermondt, 1874.

791B   Bildnis der Frau Gertrud van Marienburg, Gattin
des Herrn van Marienburg (geb. Ter Borch). Nach
links gewendet, gradaus blickend. In schwarzer Tracht,
schwarzem Kopftuch über weifser Mütze und weifsem anliegendem Tüllkragen. Dunkler Grund. In ovaler gemalter
Steinumrahmung.

Bez. rechts unten mit dem Monogramm. — Gegenstück zu No. 791 A.

791. Gerard Ter Borch.

Halbfig. in etwa Drittel-Lebensgr. Leinwand, oval, h. 0,36, br. 0,31.
— Sammlung Suermondt, 1874.

Die Konsultation. Ein Arzt, in langem grauen Rock   **791C**
und Steinkragen, sitzt links vor seinem mit Schriften, einem
Totenkopf, Stundenglas u. s. w. bedeckten Arbeitstische und
betrachtet ein Uringlas, das er gegen das Licht hält; rechts
hinter dem Tische eine alte Frau, in den Händen einen
irdenen Topf. Vor dem Tische ein Schemel, daneben ein
zerbrochener Krug. Im Grunde des Zimmers am Kamine
ein junger Mann, vom Rücken gesehen.

Bez. an der Tischdecke: *G T Borch 1635.* — Frühestes datiertes
Gemälde des Meisters, das den Einfluß des Frans Hals und seiner
Schule deutlich bekundet.
Eichenholz, h. 0,34, br. 0,44. — Sammlung Suermondt, 1874.

Bildnis eines Mannes. Nach rechts gewendet. In   **791D**
mittleren Jahren; mit langem Haar; in schwarzseidener Tracht
und langem flach anliegenden Kragen; in der Linken die
Handschuhe. Rechts neben ihm liegt sein Hut auf einem
Tisch mit violetter Sammetdecke; links hinter ihm ein Stuhl.
Dunkler Grund.

Bez. an einem Stuhlbein mit dem Monogramm.
Ganze Figur in etwa Drittel-Lebensgröfse. Eichenholz, h. 0,78,
br. 0,60. — Sammlung Suermondt, 1874.

Bildnis eines jungen Mannes. Nach links gewendet   **791E**
und gradaus blickend. Mit langem blonden Haar und
Schnurrbart; in Schwarz gekleidet, mit langem viereckigen
Kragen; in der Rechten den Hut, mit der Linken den herabfallenden Mantel auf der Brust zusammenhaltend. Links
neben ihm ein Tisch, worauf ein Buch in schweinsledernem
Einbande; rechts hinter ihm ein Stuhl, mit violettem Sammet
bezogen. An der Rückwand des Zimmers eine Landkarte;
links eine halboffene Thür.

Ganze Figur in etwa Drittel-Lebensgröfse. Leinwand, h. 0,73,
br. 0,58. — Erworben 1876.

Der Raucher. Ein junger Mann, eine Pelzmütze auf   **791F**
dem lockigen Haar, im Waffenrock und mit breiter Säbel-
koppel, sitzt im Profil gesehen im Vordergrunde eines Zimmers rechts vor einem Tische und zündet sich seine Pfeife
in einem irdenen Kohlenbecken an.

Kniestück in etwa Drittel-Lebensgr. Leinwand, h. 0,42, br. 0,33. — Sammlung Suermondt, 1874.

793   Die Familie des Schleifers. Zur Rechten vorn neben der Hausthüre sitzt die Frau, damit beschäftigt, die Haare ihres Töchterchens zu durchsuchen. In einem Schuppen liegt über einem Schleifstein, der von einem im Göpel gehenden Maultier getrieben wird, der Schleifer und wetzt eine Sense. Ein jüngerer Mann sieht ihm dabei zu. Im Grunde das Dach eines hohen Giebelhauses mit einem Storchennest.

Bez. rechts unten an der Wand mit dem Monogramm. — Sammlungen des Herzogs von Choiseul, und des Herzogs von Berry, Paris. Leinwand, h. 0,72, br, 0,59. — Erworben 1837 in Berlin.

Thulden. Theodoor (Dirik) van Thulden oder Tulden. Vlämische Schule. — Maler, Kupferstecher und Radirer, getauft zu Herzogenbusch den 9. August 1606, † ebenda angeblich 1676. Schüler des Abraham Blyenberch (seit 1622) und des Rubens. Thätig zu Antwerpen und Herzogenbusch, zeitweilig in Paris (um 1632—1634 und wieder 1647) und im Haag (um 1648).

955   Triumphzug der Galatea. Galatea fährt mit drei Genossinnen, umgeben von Tritonen, Nereiden und Amoretten, auf dem Rücken eines mächtigen von zwei Tritonen gelenkten Delphins über das Meer.

Leinwand, h. 2,70, br. 2,99. — Königliche Schlösser.

Tielens. Hans Tielens, Tilens oder Tilen. Vlämische Schule. — Landschaftsmaler, getauft den 6. April 1589 zu Antwerpen, † daselbst den 25. Juli 1630. Thätig zu Antwerpen (1612 als Meister in die Gilde aufgenommen).

732   Das Bergthal. An den Ufern eines Bergstromes liegt links eine italienische Villa zwischen Bäumen; davor einige Bauern und weidende Ziegen. Auf dem Wege, der nach vorn führt, Diana mit ihren Nymphen zur Jagd ausziehend.

Bez. unten in der Mitte: *H. Tilen.* — Die Figuren sind von der Hand des jüngeren Frans Francken. Eichenholz, h. 0,88, br. 1,52. — Sammlung Solly, 1821.

Tiepolo. Giovanni Battista Tiepolo. Venetianische Schule. — Maler und Radirer, geb. zu Venedig den 5. März 1696, † zu Madrid den 27. März 1770. Schüler des Gregorio Lazzarini zu Venedig, unter dem Einflusse des Gio. Batt.

Piazetta und insbesondere durch das Studium des Paolo Veronese weiter ausgebildet. Thätig in Venedig und Umgegend (Udine, Verona, Bergamo etc.), einige Zeit in Würzburg (um 1750) und Madrid (seit 1763).

Nach dem Bade. In einem Marmorbade, das im Halb- **454** kreise von einer mit Pilastern und Nischen gezierten Mauer umgeben ist, sind mehrere Zofen einer Dame, die eben dem Bade entstiegen ist, beim Ankleiden behülflich. Rechts steht vor einer Karyatide ein Jüngling, der Dame einen Spiegel entgegenhaltend. Grund Luft und die über die Mauer ragenden Bäume des Parks.

Ganz in der Art des Paolo Veronese und angeblich sogar Kopie nach ihm.

Leinwand, h. 1,09, br. 1,42. — Königliche Schlösser.

Der feierliche Empfang. Ein Edelmann schreitet **459** die Stufen zu einer Vorhalle empor und wird von dem greisen Hausherrn, der von anderen Herren und seiner Tochter begleitet, ihm entgegenkommt, mit feierlichem Grufs empfangen. Vor dem Palaste andere Besucher zu Pferde und die Karosse des Edelmanns, sowie zuschauendes Volk, das von einem Hellebardier zurückgedrängt wird. Im Hintergrund Häuser einer Stadt am Ufer des Flusses.

Da sich dasselbe Bild auch im Besitz der Baronin Rothschild zu Frankfurt a. M. befindet und dieses eine kräftigere Färbung und geist-reichere Behandlung vor dem Bilde der Königl. Galerie voraus hat, so ist möglich, dafs letzteres nicht vom Meister selbst sondern von seinem Sohne und Schüler Domenico Tiepolo (geb. 1726 zu Venedig) her-rührt, welcher die Werke seines Vaters mehrfach kopiert und gestochen hat.

Leinwand, h. 0,69, br. 1,05. — Königliche Schlösser.

Die Verteilung des Rosenkranzes durch den hl. **459A** Dominicus. Auf der Terrasse eines Palastes steht zur Rechten Dominicus und reicht einer Schaar Andächtiger worunter ein Orientale, einen Rosenkranz dar. Auf Wolken schwebend und von Engeln getragen Maria mit dem Kinde, einen Rosenkranz herabreichend. Unterhalb des Gesimses, das nach unten die Treppe abschliefst, Satan, der kopfüber in den Abgrund stürzt. — Die Figuren alle in der Verkürzung von unten nach oben dargestellt.

Entwurf zu dem mittleren der von der Hand des Meisters ausge-führten Deckengemälde in der Kirche dei Gesuati (früher Dominikanerkirche) zu Venedig. Von den beiden Seitenstücken der Decke stellt das eine Dominicus in der Herrlichkeit dar, das andere den Heiligen, wie er dem Laienbruder Paolo den Segen erteilt.

Leinwand, oben und unten abgerundet, h. 0,98, br. 0,38. — Erworben 1873 in Rom.

459 B   **Martyrium der hl. Agatha.** Die Heilige, an der eben die Marter vollzogen worden, ist in Verzückung niedergesunken. Sie wird gestützt von einem jungen Mädchen, das die blutende Brust der Heiligen mit einem Gewande bedeckt. Hinter Agatha zur Linken ein·Knabe, der in beiden Händen eine silberne Schüssel mit den Brüsten hält und der Henker, das blutige Schwert in der Linken. Auf den Stufen ein Palmenzweig. Grund Architektur und Luft.

Eine ähnliche, im 18. Jahrhundert viel gerühmte Darstellung von der Hand des Meisters in S. Antonio zu Padua (Kapelle Buzzacarini).

Leinwand, h. 1,85, br. 1,31. — Erworben 1878 in Paris, aus der Sammlung Munro zu London.

Tintoretto. S. Robusti.

Tisi. Benvenuto Tisi, gen. Benvenuto (da) Garofalo oder il Garofalo. Schule von Ferrara. — Geb. vermutlich zu Ferrara 1481, † daselbst den 6. September 1559. Schüler des Domenico Panetti zu Ferrara (seit 1492) und des Boccaccio Boccaccino zu Cremona (1499); dann angeblich des Giovanni Baldini (?) zu Rom; unter dem Einflusse des Costa zu Bologna, dann unter dem Raphael's zu Rom weiter ausgebildet (vermutlich um 1510—1512). Thätig vornehmlich zu Ferrara.

243   **Der büfsende Hieronymus.** Der Heilige kniet vor dem Kruzifix und kasteit seine entblöfste Brust mit einem Stein. Rechts neben Hieronymus der Löwe. Grund eine Felsenhöhle mit eingebauter Architektur und Ausblick in eine bergige Landschaft.

Bez. unten an der Mauer links: MDXIIII. SETE (d. h. settembre). Zwischen dem D und X ist ein leerer Zwischenraum; die Zahl war ursprünglich MDXXIIII.

Pappelholz, oben abgerundet, h. 1,69, br. 0,84. — Sammlung Solly, 1821.

262   **Grablegung Christi.** Christus wird im Bartuche von Joseph von Arimathia und Nikodemus in das steinerne Grab gesenkt. Zur Linken hinter dem Leichnam Christi Maria, neben ihr Magdalena, der wehklagende Johannes und die beiden anderen Marien. Ueber der Felsenhöhle Ausblick in die Landschaft.

Der Einfluſs Raphael's ist in diesem Bilde besonders deutlich.
Pappelholz, h. 0,30, br. 0,30. — Sammlung Solly, 1821.

Garofalo? Anbetung der Könige. Maria sitzt rechts **261** auf einem gefällten Baumstamme vor der Ruine eines antiken Baues, das Kind auf dem Schoſse. Links die Könige, deren ältester knieend ein Gefäſs darbringt. In der Landschaft links das Gefolge der Könige; rechts in der Ferne der Zug derselben.

Abweichend von der Eigenart des Garofalo und vielmehr im Charakter der dem Ortolano zugeschriebenen Bilder.
Pappelholz, h. 0,70, br. 0,81. — Sammlung Solly, 1821.

Tiziano. S. Vecellio.

Toskanische Schule des 13. Jahrhunderts.

Gemälde in fünf Abteilungen. Mittelbild: Maria, **1042** auf einem Throne sitzend, hält auf ihrem Schoſse das bekleidete Kind. Oben links: Christus auf der Leiter zum Kreuze emporsteigend. Oben rechts: Christus am Kreuze, zu dessen Seiten Johannes und Maria stehen. Unten links: Christus wird von seinen Angehörigen von dem Kreuz abgenommen. Unten rechts: Christus von seinen Angehörigen betrauert. — Goldgrund (von dem nur noch wenige Spuren sichtbar).

Das Bild scheint, nach der Verwandtschaft mit der Madonna Ruccellai in Sta. Maria Novella zu Florenz, dem Ende des 13. Jahrhunderts anzugehören. Die Kreuzabnahme ist fast ganz, wie im 13. Jahrhundert öfters, nach den Vorschriften der griechischen Kirche gemalt; auch die sehr seltene Darstellung des zum Kreuze aufsteigenden Christus findet sich einige Male im 13. Jahrhundert (in Miniaturen).
Leimfarbe (?). Pappelholz, oben in stumpfem Winkel abschlieſsend h. 0,77, br. 0,65. — Erworben 1829 durch Rumohr.

Treck. Jan Jansz Treck. Holländische Schule. — Geb. zu Amsterdam 1606, † ebenda Ende 1652 oder Anfang 1653. Wahrscheinlich Schüler seines Schwagers, des älteren Stilllebenmalers Jan Jansz den Uijl I. Thätig zu Amsterdam.

Stillleben. In einer Steinnische steht eine Zinnkanne **948C** mit geöffnetem Deckel; davor zwei Zinnteller und eine chinesische Schüssel mit Spargeln. Hinter der letzteren eine chinesische Schale auf Zinnfuſs. Rechts vorn zwei Brodscheiben.

Bez. auf dem Kannenhals: *J J Treck 1659* (die letzte Ziffer nicht ganz deutlich). — Ein Bild mit der gleichen Bezeichnung vom Jahre 1649 in der Schweriner Galerie (im grofsen Katalog noch als Juriaan van Streek).
Leinwand, h. 0,65, br. 0,53. — 1884 aus dem Kupferstichkabinet übernommen.

Trinquesse. L. R. Trinquesse. Französische Schule. — Geburts- und Todesjahr unbekannt. Schüler des Nicolas Largillière. Thätig in der zweiten Hälfte des 18. Jahrhunderts in Paris und im Haag (1767 als Meister in die Gilde aufgenommen).

487 A   Weibliches Bildnis. Junge Dame, etwas nach rechts gewendet, gradaus blickend. Mit gepuderter, federngeschmückter Frisur, ausgeschnittenem rotseidenen Kleid; im Mieder ein Blumensträufschen; mit der Linken ein Notenblatt vor sich haltend. Grauer Grund.
Bez. rechts im Grunde: *L. R. Trinquesse fecit 1774.*
Leinwand, h. 0,98, br. 0,77. — Erworben 1874 in Paris.

Troy. Jean-François de Troy. Französische Schule. — Maler und Radirer, getauft zu Paris den 27. Januar 1679. † zu Rom den 26. Januar 1752. Schüler seines Vaters François; in Rom und später durch das Studium von Rubens und Paolo Veronese weiter ausgebildet. Thätig zu Paris und Rom (Direktor der französischen Akademie daselbst von 1738 bis zu seinem Tode).

469   Das Frühstück. Eine junge Dame sitzt in einem Parke vor einem Marmortische; sie hat eine Tasse vor sich und führt, indem sie den Arm aufstützt, zögernd den Löffel zum Munde.
Bez. links unten: *De Troy . 1723.*
Leinwand, h. 0,33, br. 0,25. — Erworben 1843 aus der Sammlung Reimer.

Tulden. S. Thulden.

Tura. Cosma Tura, gen. Cosmè. Schule von Ferrara. — Geb. wahrscheinlich 1432 zu Ferrara, † daselbst 1495. Thätig zu Ferrara. Von 1452—55 ist der Künstler von Ferrara abwesend (wahrscheinlich in Padua und Venedig) und vielleicht auch von 1465—67.

III   Thronende Maria mit dem Kinde und Heiligen. Auf hohem Throne, an den sich eine reich-ornamentierte

Renaissance-Architektur schliefst, sitzt Maria, mit gefalteten Händen, das auf ihrem Schoofse schlafende Kind verehrend. Auf dem Sockel des Thrones links die hl. Apollonia, in der Linken die Zange mit dem Zahn haltend, rechts die hl. Katharina mit dem Rad. Vor dem Throne stehen links der hl. Augustinus in bischöflichem Ornat, vor ihm der Adler; rechts der hl. Hieronymus in Kardinalstracht, ein Kruzifix in den Händen, vor ihm der Löwe. Auf den Thronsäulen zwei kleine Engel, die an einem Bande die Krone über Maria's Haupte halten; zwischen ihnen auf der Muschel sitzend, ein Engel, der die Laute spielt. In den Lunetten über den beiden Bogen neben der Thronnische zwei kauernde Gestalten mit Tafeln (König David und Moses?). Am Sockel des Thrones Bronze-Reliefs auf Goldgrund. In der unteren Reihe: das Opfer Abel's und Kain's, der Totschlag Abel's; David, wie er mit der Schleuder zu Goliath kommt, und wie er das Haupt des Erschlagenen in die Hirtentasche steckt; Simson, der die Säulen des Hauses zu Gasa umstürzt, die Thore von Gasa davon trägt und den Löwen zerreifst. In der oberen Reihe: das Opfer Isaak's, die Verspottung des trunkenen Noah durch seine Söhne und zwei Männer mit einem Drachen zwischen sich. Unterhalb des auf Füfsen frei stehenden Thronbaues wird die ferne Landschaft sichtbar.

Das Hauptwerk des Meisters. — Es wurde nach Petrucci (Baruffaldi I, 75 Note 1) für den Hauptaltar der Kirche S. Lazzaro in Ferrara gemalt und kam dann nach S. Giovanni Battista dei Canonici Lateranensi. Leinwand, h. 3,09, br. 2,34. — Sammlung Solly, 1821.

Der hl. Sebastian. Der Heilige, an einen Baum ge- **1170 B** bunden und von vielen Pfeilen durchbohrt. Goldgrund.

Gegenstück zum folgenden Bilde und beide wohl zu einem gröfseren Altarwerk gehörig. — Aus der späteren Zeit des Meisters. Tempera. Pappelholz, h. 0,73, br. 0,30. — Sammlung Solly, 1821.

Der hl. Christoph. Der Heilige, auf eine mächtige **1170 C** Stange gestützt und das Christkind auf den Schultern tragend, im Begriff, das Ufer zu besteigen. Goldgrund.

Gegenstück zum vorigen Bilde. Tempera. Pappelholz, h. 0,75, br. 0,32. — Sammlung Solly, 1821.

Ubertini. Francesco Ubertini, gen. Bacchiacca. Nach dem Vater: Francesco di Ubertino di Bartolommeo; Familienname

Verdi. Florentinische Schule. — Geb. den 1. März 1494 z
Florenz, † daselbst den 5. Oktober 1557. Schüler des Pietr
Perugino und des Francia Bigio zu Florenz; unter der
Einflusse des Andrea del Sarto weiter ausgebildet. Thäti
zu Florenz und einige Zeit zu Rom (vermutlich nach 1524'

267   Die Taufe Christi. Inmitten einer reichen Landschaı
steht, von zahlreichen Zuschauern umgeben, Christus iɗ
Wasser des Jordan und neigt sich vor Johannes, der ein¦
Schale über sein Haupt ausgiefst. Hinter Christus zwɛ
Engel mit den Gewändern und andere sich für den Taufak¦
vorbereitende Männer. Die bekleideten Figuren in de
florentinischen Tracht aus der Zeit des Künstlers.

Das Bild ist das eine der nach Vasari für den Florentiner Giova.
Maria Benintendi zum Schmuck von Truhen oder dergl. gemalteı
Stücke und von ihm besonders gerühmt. Das Seitenstück dazu ist da
in der Galerie zu Dresden befindliche Bild, „das Leichenschiefsen", da
der Ueberlieferung zufolge ebenfalls aus der Casa Benintendi stammı
Nach handschriftl. Bemerkung Waagen's war das Berliner Bild frühe
gleichfalls im Besitz der Dresdener Galerie.

Pappelholz, h. 0,78, br. 1,66. — Sammlung Solly, 1821.

Uden. Lucas van Uden. Vlämische Schule. — Maler unɗ
Radirer von Landschaften, geb. zu Antwerpen den 18. Oktobeı
1595, † daselbst den 4. November 1672. Vermutlich zuersı
Schüler seines Vaters Artus van Uden, ausgebildet unteɾ
dem Einflusse des Rubens (in dessen Werkstatt als Landschafter öfters beschäftigt, nachdem er 1627 in die Antwerpener Lucasgilde aufgenommen worden). Thätig zu
Antwerpen.

678A   Hügelige Landschaft. Hinter einem Weiher am Fufs
einer langgestreckten Anhöhe zwei von Buschwerk umgebene
Bauernhäuser. Oben rechts ein Regenbogen. Vorn ein
Bauer, dem eine Zigeunerin wahrsagt und zwei Zigeunerinnen
mit Kindern.

Die Figuren sind von David Teniers d. A.
Leinwand, h. 0,72, br. 0,61. — Erworben 1875 in Berlin.

Umbrische Schule um 1480.

134   Verkündigung. In zwei Abteilungen. Links:
der Engel, knieend. — Rechts: Maria an ihrem Betpult,

knieend und die Botschaft empfangend. Ueber ihr die Taube.
Dunkler Grund.

Weifstannenholz, jede Abteilung h. 0,17, br. 0,17 — Sammlung
Solly, 1821.

Umbrische Schule um 1480.

Maria mit dem Kinde. Maria sitzt auf einer Stein-   137
bank und verehrt das auf ihrem Schofse sitzende Kind. Links
ein hl. Franziskaner, der das Stadtmodell von Bologna trägt,
rechts ein hl. Dominikaner (beide stark abgeschnitten).

Vermutlich im Anschlufs an ein Fresko zu Assisi, früher über der
Porta S. Giacomo, jetzt im Municipio, gemalt, das die Madonna (in
ähnlicher Haltung) mit dem Kinde in der Glorie, von Cherubim umgeben, darstellt und wohl von Fiorenzo di Lorenzo herrührt. — Die
Reste der beiden Heiligen kamen nach Entfernung des modernen Oel-
goldgrundes zu Tage.

Pappelholz, h. 1,17, br. 0,69. — Sammlung Solly, 1821.

Umbrisch-florentinische Schule vom Ende des 15. Jahr-
hunderts.

Darstellungen aus dem Leben des jungen Tobias.   142
Links im Treppenflur eines Hauses des Tobias Abschied
von seinen Eltern. In der Mitte Ausblick in eine weite Landschaft mit Szenen von der Reise des Tobias. Rechts unter
einer offenen Renaissancehalle die Vermählung, daran anschliefsend die Ueberwindung des Teufels und die Abreise
des Engels.

Wie das Gegenstück No. 149 und eine dritte im Palais S. M. des
Kaisers Wilhelm I. befindliche Tafel Teil eines Cassone. — Von Waagen
dem Pinturicchio zugeschrieben, indes sind den umbrischen Einflüssen
gegenüber doch die florentinischen in der Richtung des Ghirlandaio
überwiegend. Auch ist das Mediceerwappen wiederholt angebracht.

Tempera. Pappelholz, h. 0,58, br. 1,57. — Erworben 1841/42 in Italien.

Darstellungen aus dem Leben des jungen Tobias.   149
Links in weiter Renaissancehalle das Hochzeitsmahl mit
Musik und Tanz. In der Mitte am Ende einer Strafsenflucht
ein sechseckiger Tempel, an dem Tobias und der Engel auf
der Heimkehr vorüberreiten. Rechts in dem Vorraum eines
Hauses die Heilung des Vaters und zu äufserst die Offenbarung des Engels.

Gegenstück zu No. 142.

Tempera. Pappelholz, h. 0,58, br. 1,57. — Erworben 1841/42 in Italien.

Verz. d. Gemälde.   19

Utrecht. Adriaen van Utrecht. Zeichnet sich auch Utregt und Uytrecht. Vlämische Schule. — Maler von Stillleben und Hühnerhöfen, geb. zu Antwerpen den 12. Januar 1599, † daselbst den 5. Oktober 1652. Schüler des Harmen de Neyt (seit 1614), Nachfolger von Snyders. Nach Reisen in Frankreich, Italien und Deutschland thätig zu Antwerpen (seit 1625).

886A   Der Hühnerhof. Ein Hahn, sechs Hennen und eine Anzahl Kücken auf einem Hofe beim Futter. Im Grunde eine Mauer mit einer Luke zur Rechten, aus der eine Katze herausschaut. Links ein Stück Himmel.

> Bez. rechts an der Luke: *Adriaen van vtrecht fecit an° 1643*
> Leinwand, h. 0,82, br. 1,21. — Sammlung Solly, 1821.

Utrecht. Jacob van Utrecht. Zeichnet sich Jacobus Trajectensis. Niederländische Schule. — Bildnismaler, geb. zu Utrecht; vielleicht derselbe Künstler, der 1506 als Meister in die Gilde zu Antwerpen aufgenommen wurde. Nach den Daten auf seinen Bildern thätig um 1523/24 zu Utrecht.

623A   Bildnis eines Mannes. Etwas nach rechts gewendet. Mit grauem Vollbart, in schwarzem breiten Hut über einer roten Kappe und weitem schwarzen Mantel. Die Linke faſst das Schwert unterhalb des kunstreich gravierten Griffs. Hintergrund ein Hafen mit einer Stadt am felsigen Ufer.

> Bez. auf einem vom Bilde unten abgesägten Stück Eichenholz, das auf der Rückseite aufgeleimt ist: *Jacobus Traiectensis 1523.* — Ein anderes bezeichnetes Bildnis von 1524 in der ehemaligen Sammlung von Baron Minutoli.
> Lebensgr. Halbfig. Eichenholz, h. 0,73, br. 0,52. — Erworben 1847.

Vannuccio. Francesco (Francio) di Vannuccio. Schule von Siena. — Geb. zu Siena, thätig daselbst, und in der Sieneser Malerliste als Francio di Vannuccio verzeichnet; zuerst 1361, zuletzt 1388 urkundlich erwähnt.

1062B   Christus am Kreuz. Links vom Kreuz Maria, rechts Johannes trauernd. Vor Maria kniet ein hl. Bischof (von ihm die Worte ausgehend: vulnerasti domine carnem caritate tua). Rechts der kniende Stifter, ein Franziskaner. Goldgrund. — Rückseite, Unterglasmalerei. Maria mit Kind zwischen einem männlichen und einer weiblichen Heiligen; rechts der kniende Donator, ein Franziskaner.

160 A. Tiziano Vecellio.

Bezeichnet unten auf der Leiste des Rahmens: *Francischus de Vannucio de Senis pinsit hoc kopus MCCCLXX.* — Das kleine Gemälde, mit seinem gotischen Rahmen (in Form einer gotischen Kirchenfassade mit Fialen und Spitzgiebeln) aus einem Stück, diente wohl als Abzeichen einer religiösen Körperschaft bei Umzügen und dergl. — Ein Reliquiar mit der Madonna und Heiligenmedaillons von demselben Meister bei Herrn R. von Kaufmann in Berlin.

Tempera. Pappelholz, h. (bis zur Spitze des Mittelgiebels) 0,24, br. 0,18. — Erworben als Geschenk des Herrn James Simon 1885 in Florenz

Vecellio. Francesco Vecellio oder Vecelli. Venetianische Schule. — Geb. zu Pieve di Cadore im Friaul, wahrscheinlich nach 1477, † daselbst 1559. Schüler seines Bruders Tiziano. Thätig zu Venedig und Pieve di Cadore.

Thronende Maria mit dem Kinde und Heiligen. 173
Unter einem Kreuzgewölbe sitzt Maria auf hohem Throne und hält auf ihrem Schofse das Kind, das in der Linken einen Apfel hat und die Rechte segnend erhebt. Vor dem Throne stehen links Petrus, rechts der hl. Hieronymus in Kardinalstracht mit dem Löwen. Auf den Thronstufen zwei musizierende Engel.

Nach der Vermutung von Crowe und Cavalcaselle vielleicht unter Beihülfe des Francesco degli Stefani, eines Malers von Belluno, wo sich das Bild früher befand, ausgeführt.

Pappelholz, h. 2,72, br. 1,48. — Sammlung Solly, 1821.

Vecellio. Tiziano Vecellio oder Vecelli, gen. kurzweg **Tiziano.** Venetianische Schule. — Geb. zu Pieve di Cadore im Friaul 1477, †. zu Venedig den 29. August 1576. Schüler des Gio. Bellini (nach Vasari und Lod. Dolce) zu Venedig, daselbst unter dem Einflusse des Giorgione, vermutlich als dessen Gehülfe, weiter ausgebildet. Thätig zu Venedig, kurze Zeit in Padua (1511), Rom (1545/46) und Augsburg (1548, 1550/51).

Bildnis einer Tochter des Roberto Strozzi. Das 160A
zweijährige Mädchen steht in reicher Tracht und kostbarem Schmuck neben einem Postament. In der Rechten hält es eine Bretzel, während es mit der Linken ein Bologneser Hündchen umfafst. An der Vorderseite des Postaments ein Relief mit zwei tanzenden Genien. Im Hintergrund rechts neben einer Wand Ausblick in eine parkartige Landschaft.

Bez. an der oberen Platte des Postaments: *Titianus* *f*. — Auf einer rechts oben an der Wand angebrachten Tafel: ANNOR. IL MDXLII. — Aus der späteren Zeit des Künstlers. Roberto Strozzi, vermählt mit Maddalena de' Medici, lebte abwechselnd in Venedig, Frankreich und Rom. Die dargestellte Tochter Roberto's ist mutmafslich Alfonsina, welche später mit Scipione Fieschi vermählt wurde. — Pietro Aretino schrieb dem Künstler über das „wunderbare" Bild einen begeisterten Brief (vom 6. Juli 1542). — Eine alte Kopie nach dem Bilde befand sich in der Sammlung des Herzogs von Choiseul.

Leinwand, h. 1,15, br. 0,98. — Erworben 1878 aus dem Palazzo Strozzi zu Florenz.

161   **Bildnis des venetianischen Admirals Giovanni Moro**(† 1539). Nach rechts gewendet und gradaus blickend. Mit spärlichem Haupthaar und starkem Vollbart; in Stahlpanzer und purpurrotem Mantel. In der Rechten hält er den Kommandostab. Dunkler Grund.

Bez. oben rechts in späterer jetzt zugedeckter Aufschrift: IOANNES MAVRVS GENERALIS MARIS IMPERATOR. MDXXXVIII.

Lebensgr. Brustb. Leinwand, h. 0,82, br. 0,67. — Erworben 1841 in Venedig.

163   **Bildnis des Künstlers.** Hinter einem Tische sitzend wendet er sich in rascher Bewegung nach rechts. In vorgerücktem Alter, mit grauem Vollbart; ein Hauskäppchen auf dem Haupte; in Pelzschaube; über der Brust eine vierfache goldene Kette (das Zeichen der Ritterwürde). Dunkler Grund.

Unvollendetes Werk. — Das Bildnis Tizian's in den Uffizien zu Florenz ist ähnlich in der Auffassung bei anderer Haltung der Hände.

Lebensgrofse Figur bis zu den Knieen. Leinwand, h. 0,97, br. 0,75. — Sammlung Solly, 1821.

166   **Des Künstlers Tochter Lavinia.** Ueber die rechte Schulter blickend hebt sie eine mit Blumen und Früchten gefüllte Silberschale mit beiden Händen hoch empor. Gewand aus Goldbrokat, reicher Schmuck um den Hals und im Haar. Im Grund neben der Wand Ausblick in die abendlich beleuchtete Landschaft.

Tizian's Tochter Lavinia vermählte sich 1555 mit Cornelio Sarcinelli von Serravalle, woselbst sie seitdem lebte und starb. Nach dem dort noch befindlichen Heiratsvertrage gehörte zu ihrer Mitgift von 2400 Duk. auch eine reiche Perlenschnur, wohl dieselbe, welche sie auf dem Berliner Bilde trägt. Letzteres wird um 1550 gemalt sein; etwas früher

166. Tiziano Vecellio.

fällt das schöne Bildnis in der Galerie zu Dresden. Wiederholungen des Berliner Bildes von Nachahmern Tizian's: in der Sammlung Earl of Cowper zu London, wo Lavinia ein grünliches Kleid und statt des Fruchtkorbes ein Schmuckkästchen auf silberner Platte trägt, und im Museo del Prado zu Madrid, wo Lavinia als Salome mit dem Haupte des Täufers dargestellt ist. Kopie des Kopfes der Lavinia in der Ermitage zu St. Petersburg.

Lebensgr. Halbfig. Leinwand, h. 1,02, br. 0,82. — Erworben 1832 in Florenz aus dem Besitz eines Abbate Celotti.

Bildnis eines jungen Mannes. Nach links gewendet **301** und gradaus blickend. Mit kurzgehaltenem Vollbart und Haupthaar; in schwarzem Wamms mit goldenen Nesteln auf der Schärpe und an den Aermeln. Die Linke in den Gurt fassend. Dunkler Grund.

Bez. links in der Mitte: *Titianus.* — Wurde früher Tintoretto zugeschrieben, unter Hervorhebung von Tizian's Einfluß. Bei der Reinigung des Bildes kam indes obige ächte Bezeichnung zum Vorschein.

Lebensgr. Halbfig. Leinwand, h. 0,94, br. 0,74. — Sammlung Solly, 1821.

Vecellio. Schule des Tiziano Vecellio. Venetianische Schule.

Ringende Liebesgötter. Zwei kleine Genien, ein **159** Knabe und ein Mädchen, ringen in kindlichem Spiele mit einander. Grund leichtbewölkter Himmel.

Stammt wie No. 160 von einem Friese in der Casa Boldù zu Venedig.
Weißtannenholz, h. 0,70, br. 0,69. — Erworben 1841 in Italien.

Ringende Liebesgötter. Zwei Genien halten sich, **160** mit einander ringend, fest umschlungen; neben ihnen sitzt links ein dritter Liebesgott, in beiden Händen Aepfel haltend. Grund leichtbewölkter Himmel.

Gegenstück zu No. 159. — Früher, wie das vorige Bild, dem Meister selbst zugeschrieben; aber zu gering für Tizian und mehr in der Art des Andrea Schiavone.

Weißtannenholz, h. 0,69, br. 0,71. — Erworben 1841 in Italien.

Thronende Maria mit dem Kinde und Heiligen. **202** Maria, auf einem Marmorthrone sitzend, hält das Kind auf ihrem Schoße. Vor dem Throne stehen links Petrus und Paulus; rechts der hl. Antonius von Padua mit der Lilie und der hl. Franciscus, ein Kreuz in der erhobenen Rechten. Auf der Stufe des Thrones ein musizierender Engel; hinter dem Throne halten zwei Engel einen Vorhang. Im Hintergrund Landschaft.

Früher dem Meister selbst zugeschrieben; jedoch nur ein mittel-
mäfsiges Schulbild.

Leinwand, h. 2,78, br. 1,94. — Sammlung Solly, 1821.

Velazquez. Diego Velazquez de Silva, eigentlich Diego
Rodriguez de Silva y Velazquez. Nach andalusischem Brauch
führt er den Namen seiner Mutter: Velazquez. Spanische
Schule (Sevilla und Madrid). — Getauft zu Sevilla den
6. Juni 1599, † zu Madrid den 6. August 1660. Schüler des
Francisco Herrera d. A., dann des Francisco Pacheco zu
Sevilla, unter dem Einflusse des Ribera weiter ausgebildet.
Thätig zu Sevilla und Madrid, bei zweimaligem Aufenthalt
in Italien (1629/31 und 1649/51).

413 A   Bildnis des italienischen Feldhauptmanns Alessandro del Borro. Etwas nach rechts gewendet und
gradaus blickend. Baarhäuptig, von mächtigem Körperbau
und aufgedunsenen Formen; in schwarzer Tracht auf der
obersten Stufe einer Treppe vor einer Säule stehend. Er
hält mit der Rechten den Zipfel des herabfallenden Mantels;
die linke Hand ruht auf der Degenkoppel, während er eine
Fahne, auf deren weifsen und roten Streifen goldene Bienen
zerstreut sind, mit Füfsen tritt.

Die Vermutung, dafs der Dargestellte der italienische Feldhaupt-
mann Aless. del Borro sei, gründet sich auf die Fahne, die unter seinen
Füfsen liegt. Die Bienen sind das Zeichen der Barberini, und in dem
Kampfe, den Parma mit Hülfe von Venedig und Toskana gegen
Urban VIII., das Haupt der Familie Barberini, um den Besitz des
Herzogtums Castro in den J. 1641—1644 führte, war del Borro der
Feldhauptmann Ferdinand's II. von Toskana. Aufserdem befindet sich
in der Bildnissammlung der Uffizien (No. 252) ein ähnlicher Kopf des
toskanischen Marchese. Velazquez war überdies persönlich bekannt mit
dem Heerführer, da derselbe nach Ende des dreifsigjährigen Krieges
in die Dienste Philipp's IV. von Spanien trat, an dessen Hof Velazquez
erst als Maler des Königs, dann auch als Schlofs-Marschall lebte.
Das Bild konnte indes nicht vor 1651 gemalt sein, da erst in diesem
Jahr Velazquez von seinem zweiten italienischen Aufenthalt nach
Madrid zurückkehrte; mit den Malereien dieser Zeit stimmt aber das
Portrait nach Justi (Velazquez I, 352) nicht überein und trägt wohl
überhaupt nicht ganz überzeugend die Merkmale der Kunstweise des
Velazquez. — Das Bild befand sich früher in der Villa Passerini bei
Cortona, und in der Nähe dieses Ortes, in Arezzo, war del Borro
geboren.

Ganze lebensgr. Figur. Leinwand, h. 2,03, br. 1,21. — Erworben
1873 in Florenz.

413 A.   Diego Velasquez.

413C. Diego Velasquez.

Bildnis der Schwester Philipp's IV., Maria Anna **413 C**
(1606—1646, seit 1631 Gemahlin des Königs von Ungarn und
späteren Kaisers Ferdinand III.). Etwas nach links gewendet
und gradaus blickend. In olivengrünem, mit Goldbrokat
besetzten Festkleide, über dessen engen Aermeln weite
Aermelstücke nach hinten herabhängen; mit hohem schmalen
Tüllkragen; um den Hals eine goldene Kette, an der ein
Medaillon zweier die Hostie anbetender Engel hängt. Die
Rechte ruht auf einer Sessellehne, die Linke hält ein Spitzen-
tuch. Die graue Wand des Zimmers fast ganz verdeckt
durch einen roten Vorhang.

Das Bild gleicht völlig dem im Museo del Prado befindlichen
Brustbild der Maria. Dieses letztere wäre nach Justi (Velazquez I, 314)
das von Velazquez 1630 in Neapel, wo sich die Königin auf der
Reise nach Ungarn vorübergehend aufhielt, gemalte, während das
Berliner Porträt damals, worauf das Kostüm deutet, nur entworfen,
und, wie die Technik zu verraten scheint, viel später, vielleicht erst
nach 1646, ausgeführt worden sei. — Das Bild kam 1820 aus dem königlichen Palast in Madrid (es trägt die Inventarnummer 471) durch Geschenk zugleich mit Coello's Porträt Philipp's II. in die Sammlung
des preußischen Ministerresidenten Oberst von Schepeler. 1851 wurde
es von Suermondt erworben und galt auch in dieser Sammlung als
Porträt von Philipp's erster Gemahlin Isabella v. Bourbon, während
der ausgesprochen habsburgische Gesichtstypus die jetzige Benennung
rechtfertigt.

Ganze lebensgr. Figur. Leinwand, h. 2,00, br. 1,06. — Sammlung
Suermondt, 1874.

Bildnis eines spanischen Hofzwerges. Er steht **413 D**
in der reichen Tracht eines vlämischen Großen, den mit
Federn geschmückten Hut in der Rechten, neben einer
mächtigen schwarz- und weißgefleckten Hündin, die er am
Bande hält. Dunkler Grund.

Alte Wiederholung nach dem im Museo del Prado zu Madrid
befindlichen Original in dem der Katalog den Hofzwerg Philipp's IV.,
Don Antonio den Engländer, sehen will. Nach Justi (Velazquez II, 354)
indes möglicherweise das Porträt des königlichen Spaßmachers Velaz-
quillo.

Ganze lebensgroße Figur. Leinwand, h. 1,39, br. 1,01. — Erworben
1879 in Wien, von dem Maler Penther, der das Bild aus Spanien mit-
gebracht hatte.

Weibliches Bildnis. Leicht nach links gewendet, **413 E**
gradaus blickend. In mittleren Jahren. Mit hoher Frisur,

in schwarzem Sammetkleid und blauem golddurchwirkten
Brusteinsatz und eben solchen Aermeln. Im Haar und um
den Hals Diamanten und Perlen. Eine Brosche, eine Kette
und Knöpfe von Gagat schmücken das Gewand. Die Rechte
ruht auf einer Sessellehne, die Linke hält einen zusammen-
geklappten Fächer. Hellgrauer Grund.

Auf der alten jetzt durch eine neue verdeckten Leinwand steht in
alter Handschrift der Name Joana de Miranda. Indes bleibt noch immer
ungewifs, ob damit des Künstlers Gattin gemeint sei, oder eine andere
Dame vom Hofe Philipp's IV., an dem der Name Miranda mehrfach
vorkommt (s. Justi, Velazquez II, 57). Das Bild gehört nach Justi in
die dreifsiger Jahre. — Es läfst sich nur bis auf die Sammlung des
Sebastian Martinez in Cadix zurückverfolgen. Im Jahre 1867 ging es
für 98000 Frs. aus der Salamanca-Galerie in den Besitz von Lord
Ward (Dudley) über.

Lebensgr. Halbfig. Leinwand, h. 1,20, br. 0,99. — Erworben 1887
aus der Sammlung des Lord Dudley.

408A   Velazquez? Männliches Bildnis. Von vorn gesehen,
mit geringer Wendung nach links, gradaus blickend. In
vorgerücktem Alter; mit kleinem Knebelbart und mageren
faltenreichen Zügen; in schwarzem Rock, flachem breiten
Kragen und Manschetten; die Arme auf den Seitenstützen
des Lehnsessels aufliegend. Brauner Grund.

Zeigt weder in der Auffassung noch in der Behandlung die eigen-
tümlichen Züge des Meisters und trägt vielmehr den Charakter der
italienischen Malerei des späteren XVII. Jahrhunderts.

Lebensgr. Halbfig. Leinwand, h. 0,86, br. 0,69. — Erworben 1860
von Baron Duboutin de Rochefort aus Villa Bellosguardo bei Florenz

408C   Velazquez? Männliches Bildnis. Nach links gewendet
und gradaus blickend. In mittleren Jahren, mit vollem
schwarzen Haar und kleinem Schnurrbart; mit breiter roter
Schärpe über dem schwarzen Gewand und Degen an silbergesticktem Bandelier. In der Rechten einen hohen Stab mit
silbernem Knopfe haltend. Die Brust bedeckt ein breites
goldenes Gehänge mit den Insignien des Santiago-Ordens:
einzelne mit Heiligen in flachem Relief verzierte Platten, von
denen kleine sich kreuzende Schwerter und Hellebarden
herabhängen. Dunkler Grund.

Bez. rechts oben: aet. 39. an° 1630. — Das Bildnis zeigt weder
die malerische Behandlung noch die Leichtigkeit und Breite der Ausführung, welche für Velazquez charakteristisch sind. Es bekundet eine

ganz andere Hand und Auffassung, als das weibliche Bildnis No. 413C.,
welches um die gleiche Zeit gemalt ist. Nach Justi (Velazquez II, 82)
könnte es möglicherweise italienisch sein. Auch ist bezweifelt worden,
ob die Tracht die eines Santiago-Ritters und nicht vielmehr das Fest-
kleid eines Herolds dieses Ordens sei. — Sammlung Merlo, Köln 1868.

Lebensgrofse Figur bis zu den Knieen. Leinwand, h. 1,17, br. 0,85.
— Sammlung Suermondt, 1874.

Velde. Adriaan van de Velde. Holländische Schule. —
Maler und Radirer von Landschaften mit Tierstaffage, geb.
zu Amsterdam 1635 oder 1636, † daselbst den 21. Januar 1672.
Schüler seines Vaters, des älteren Marinemalers Willem van
de Velde zu Amsterdam, später des Jan Wynants und des
Philips Wouwerman zu Haarlem; unter dem Einflusse von
Paulus Potter weiter ausgebildet. Thätig zu Amsterdam.

Waldlandschaft mit Herde. Auf einer Strafse, die   **884A**
sich längs eines Laubwaldes nach dem Vordergrund zieht,
treibt ein Hirt, gefolgt von einem Knaben und einem
Mädchen, eine Herde von Schafen, Ziegen und einer Kuh.
Auf einem Felskopf zur Rechten eine sitzende Bäuerin und
ein Bauer. In der Ferne niedrige Höhen.

Bez. rechts unten: *A. v. Velde . f. 1668.*
Leinwand, h 0,53, br. 0,67. — Erworben 1853 in Berlin.

Kühe auf der Weide. Vorn auf einer Wiese grast   **903A**
eine braune Kuh; neben ihr links liegt eine graue Kuh.
Zuäufserst links kommt auf einem Wege eine Magd mit
Milcheimern heran, der ein Hund vorausspringt. In der
Ferne ein Haus zwischen Bäumen.

Bez. rechts unten: *A. v Velde f. 1658.*
Eichenholz, h. 0,27, br. 0,22. — Erworben 1853 in Berlin.

Flache Flufslandschaft. Auf einer Landzunge an   **922B**
der Vereinigungsstelle zweier Flüsse weiden zwei Pferde und
ein paar Schafe. Auf dem jenseitigen Ufer eine holländische
Villa von Obstbäumen umgeben; daneben mehrere Hütten.
In der glatten Fläche des Wassers spiegelt sich das helle
lichte Gewölk.

Meisterwerk aus der früheren Zeit. — Sammlung Schönborn,
Wien 1866.
Leinwand, h. 0,41, br. 0,66. — Sammlung Suermondt, 1874.

Velde. Esajas van de (oder den) Velde. Holländische
Schule. — Maler und Radirer, geb. zu Amsterdam um 1590,

begraben im Haag den 18. November 1630. Thätig zu
Haarlem (1612 in die Gilde aufgenommen), zu Leiden (?)
und im Haag (1618 in die Lukasgilde eingeschrieben), als
Hofmaler des Prinzen Maurits von Oranien.

730A   Das Bollwerk am Kanal. Rechts am Ufer eines Kanals liegen die Mauern eines befestigten holländischen Ortes
mit einem kleinen Thore; vor diesem einige Figuren. Auf
dem Kanale vorn ein Boot.

> Bez. rechts unten an einer Latte der Uferbefestigung: *E. v. Velde.*
> Eichenholz, rund, Durchmesser 0,10. — Sammlung Suermondt, 1874.

Velde. Willem van de Velde. Holländische Schule. —
Marinemaler, geb. zu Amsterdam 1633, † zu Greenwich bei
London den 6. April 1707. Schüler seines gleichnamigen
Vaters und des Simon de Vlieger. Thätig zu Amsterdam (bis
etwa 1677 und dann wieder kurze Zeit um 1686) und zu
Greenwich (1677 von Karl II. zum Hofmaler ernannt).

910B   Holländische Fregatten auf leicht bewegter See.
Im Vordergrunde links steuert mit schwach geblähten Segeln
eine Fregatte nach rechts; weiter zurück eine andere grofse
Fregatte und verschiedene Schiffe und Boote.

> Bez. unten links an einem im Wasser schwimmende u Pfahle: *WVV.*
> — Galerie Schönborn, Wien 1866.
> Eichenholz, h. 0,32, br. 0,40. — Sammlung Suermondt, 1874.

Venetianische Schule um 1500—1510.

49   Maria mit dem Kinde und Heiligen. Maria, hinter
einer mit Muscheln überdeckten Brüstung sitzend, hält das
nackte Kind auf dem Schofse. Hinter Maria links ein Heiliger
in Bischofstracht und ein jugendlicher Heiliger. Rechts der
hl. Georg, die Lanze auf der Schulter, und Johannes d. T. mit
dem Kreuze. Durch ein Fenster blickt man auf den Himmel.

> Bez. auf einem Zettel rechts an der Balustrade: *Petrus . Mario*
> *Pinxit.* — Die Bezeichnung ist, weil undeutlich und zum Teil aus-
> gelöscht, nicht mehr bestimmt zu deuten.' Crowe und Cavalcaselle
> finden in dem Bilde Verwandtschaft mit einem Gemälde des Mar
> Marziale aus seiner früheren Zeit (1499); doch hat es mit dem in Berl
> befindlichen Werke des Marziale (No. 1) keinerlei Zusammenhang. Auc
> zu den Malern Pietro Maria Pennacchi und Pietro Marescalco, au
> welche die Bezeichnung allenfalls hindeuten könnte, steht das Berline
> Bild in keiner Beziehung. Es mag um 1500—1510 gemalt sein unc

zeigt eine ungeschickte Nachahmung des **Mantegna** und des **Luigi Vivarini.**

Halbfig. Pappelholz, h. 0,88, br. 0,67. — Sammlung Solly, 1821.

Venetianische Schule um 1515—1525.

Bildnis zweier Männer. Beide mittleren Alters, mit **152** schwarzem Barett und in schwarzem Kleide. Der zur Rechten, im Profil nach links gewendet, hält einen Brief in der Hand, den er dem Anderen vorzulesen scheint. Neben der Wand im Hintergrund Ausblick auf eine Landschaft.

Früher dem Giorgione zugeschrieben, Indes mehr in der Art des Sebastiano del Piombo.

Halbfig. in Lebensgr. Leinwand, h. 0,87, br. 1,02. — Sammlung Solly, 1821.

Venetianische Schule um 1520—1530.

Christus das Kreuz tragend. Nach links schreitend, **1153** den Blick auf den Beschauer gerichtet. Hintergrund Landschaft.

Der Waagen'sche Katalog bemerkt: dem **Battista Franco** (gen. Semolei, thätig um 1536—1561) verwandt.

Brustbild in Lebensgr. Pappelholz, h. 0,79, br. 0,68. — Sammlung Solly, 1821.

Venetianische Schule um 1500. In byzantinischer (griechischer) Kunstweise.

Der hl. Andreas. In der Rechten einen Stab mit einem **1157** Kreuze, in der Linken eine Papierrolle haltend. Goldgrund.

Nufsbaumholz, h. 0,20, br. 0,15. — Sammlung Solly, 1821.

Beweinung Christi. Der auf dem Grabesrand sitzende **1158** Christus wird von Maria und Johannes betrauert; hinter Christus das Kreuz. Grund heller Abendhimmel.

Freie Kopie nach dem Bilde von Giovanni Bellini, No. 4 der Berliner Galerie. Daraus läfst sich auf die Zeit schliefsen, um welche ungefähr diese Nachbildungen in byzantinischer Kunstweise entstanden sind. Solche Nachahmungen wurden auch von griechischen Künstlern in den Klöstern des Berges Athos ausgeführt; doch waren in Venedig von jeher Meister der traditionellen byzantinischen Richtung thätig.

Nufsbaumholz, h. 0,19, br. 0,14. — Sammlung Solly, 1821.

Der hl. Hieronymus. In Kardinalstracht; mit beiden **1159** Händen ein Kirchenmodell haltend; zu seinen Füfsen der Löwe. Goldgrund.

Nufsbaumholz, h. 0,19, br. 0,14. — Sammlung Solly, 1821.

Venetianischer Meister um 1540.

308   Darstellung Christi im Tempel. Maria, von zwe
Frauen und Joseph gefolgt, reicht das Kind über dem Altar
dem Hohenpriester, der sein Knie beugt. Hinter dem Altar
ein venetianischer Edelmann; rechts neben dem Priester die
alte Anna und zwei Männer in venetianischer Tracht. Auf
den Altarstufen sitzt ein Orientale mit einem Kind, welches
nach den aus einem Korbe herauskommenden Tauben greift.
Grund die innere Architektur des Tempels.

Zeigt mit den späteren Bildern des Francesco da Santa Croce
auffallende Verwandtschaft.

Leinwand, h. 1,66, br. 2,47. — Sammlung Solly, 1821.

Venne. .Adriaan van de Venne. Holländische Schule. —
Maler und Zeichner von Bildnissen, Landschaften und Sittenbildern, auch Dichter, geb. zu Delft 1589, † im Haag den
12. November 1662. Schüler des Goldschmieds Simon Valck.
Thätig zu Middelburg (vermutlich bis 1624) und im Haag
(1625 in die Lukasgilde eingeschrieben und 1656 Mitbegründer
der neuen Malergilde).

741A   Der Sommer. Auf einem Wege, der im Vordergrund
durch einen Bach führt, kommen Reisende zu Wagen und
zu Pferde heran. Bettler drängen sich an den Wagen. Im
Mittelgrund rechts eine Windmühle, weiter vorn ein Bauern-
weib, welches ihrem Manne, der den Korb mit Eiern hat
fallen lassen, den Hühnerkorb um den Kopf schlägt. Links
an einem über den Bach geschlagenen Steg zwei Jäger.
Im Hintergrunde der leicht bewegten Landschaft eine Ortschaft mit Kirche und die Türme einer Stadt.

Bez. unten in der Mitte des Bildes: *A v Venne 1614.* — Gegenstück zu No. 741 B.

Eichenholz, h. 0,42, br. 0,68. — Sammlung Suermondt, 1874.

741B   Der Winter. Auf der Eisfläche eines Flusses eine
groise Anzahl von Schlittschuhläufern, Schlitten und ein in
vollen Segeln gehendes Eisboot. An den Ufern kahles Ge-
hölz, in der Ferne rechts eine Ortschaft, links ein Schlofs.

Bez. rechts unten: *A v Venne 1614.* — Gegenstück zu No. 741 A.
Eichenholz, h. 0,42, br. 0,68. — Sammlung Suermondt, 1874.

Vereist. Pieter Verelst. Holländische Schule. — Geburts-
und Todesjahr unbekannt. Thätig nach den Daten auf

seinen Bildern um 1648—1666; zumeist im Haag, wo er sich,
aus Dordrecht kommend (daselbst 1638 in die Lukasgilde
aufgenommen), 1642 niederliefs, 1656 Mitbegründer der neuen
Malergilde war und 1668 noch urkundlich vorkommt.

Bildnis einer alten Frau. Etwas nach links gewendet   **830**
und gradaus blickend. In dunklem pelzgefütterten Mantel,
der vorn das dunkle Kleid mit einer Brosche und das hohe
gefältelte Hemd sehen läfst; auf dem Kopf eine Haube.
Dunkler Grund.

Bez. links unten: *P. Verelst 1648.*
Lebensgr. Brustb. Eichenholz, h. 0,63, br. 0,53. — Königliche
Schlösser.

Die Nähterin. Vor einem hohen Kamine zur Rechten   **875**
sitzt ein junges Mädchen, von ihrer Näherei aufblickend.
Links neben ihr ein Koffer mit aufgeschlagenem Deckel.

Bez. rechts unten neben dem Stuhle mit dem aus P V E gebildeten Monogramm.
Eichenholz, h. 0,32, br. 0,29. — Königliche Schlösser.

Verendael. Nicolaes van Verendael (oder Veerendael).
Vlämische Schule. — Stilllebenmaler, getauft zu Antwerpen
den 19. Februar 1640, begraben daselbst den 11. August 1691.
Schüler seines Vaters Willem van Verendael und Nachfolger
des Daniel Seghers. Thätig zu Antwerpen.

Stillleben. Ein reiches Blumengewinde ist um einen   **977A**
dunklen Barockrahmen aus Stein gelegt, der ein grau in
grau gemaltes Relief der Maria mit dem Kinde umgiebt.
Dunkler Grund.

Bezeichnet unten am Postamente, auf dem das Relief steht:
Ni. v. Verendael . 1670. — Aehnliche Gemälde des Meisters in der
Galerie zu Schwerin und in der Sammlung Liechtenstein zu Wien. —
Das Relief ist von der Hand des E r a s m u s Q u e l l i n u s (s. diesen unter
Daniel Seghers).
Leinwand, h. 0,87, br. 0,65. — Erworben 1846.

Verkolje. Nicolaas Verkolje. Holländische Schule. —
Maler und Stecher in Schwarzkunst, geb. 1673 zu Delft,
† zu Amsterdam den 21. Januar 1746. Schüler seines Vaters
Jan Verkolje. Thätig zu Amsterdam.

Verweigerte Jagdbeute. In einer steinernen Fenster-   **1012**
brüstung sitzt ein junges Mädchen und weist mit der Linken

ein Rebhuhn zurück, welches ein rechts hinter ihr stehender
jugendlicher Jäger ihr anbietet. Vor der Brüstung ein
schnobernder Jagdhund. Hintergrund Landschaft.

Bez. am Postament der Säule: *N. Verkolje.* — Aus der früheren
Zeit des Meisters, im Anschluſs an die klassischen Sittenbildmaler,
namentlich an Metsu.

Halbfig. Eichenholz, h. 0,38, br. 0,29. — Sammlung Solly, 1821.

Vermeer. S. Meer.

Vernet. Claude‑Joseph Vernet. Französische Schule. —
Landschafts- und Marinemaler, auch Radirer, geb. zu Avignon
den 14. August 1712, † zu Paris den 23. Dezember 1789.
Schüler seines Vaters Antoine und des Landschafters Adrien
Manglard, dann in Rom (seit 1732) des Marinemalers Bernardino Fergioni. Thätig zu Rom (bis 1753) und Paris
(1753 zum Mitglied der Akademie ernannt).

484   Der Tempel der Sibylle zu Tivoli. Rechts in der
Höhe die Ruinen des Tempels der Sibylle, weiter zurück
der Ort Tivoli auf steilem Felsen, an dessen Fuſs der Anio
vorüberströmt. Im Hintergrund ein Aquadukt, vorn Fischer,
die ihre Netze einziehen.

Bez. links unten: *Joseph Vernet . f . Romae 1751.*

Leinwand, h. 0,73, br. 0,98. — Einzelner Erwerb aus der Sammlung
Giustiniani vor 1815.

Veronese. Paolo Caliari, gen. Veronese. Venetianische
Schule. — Geb. zu Verona 1528, † zu Venedig den 19. April
1588. Schüler des Antonio Badile zu Verona, daselbst unter
dem Einflusse der Werke des Paolo Morando Cavazzola,
dann in Venedig unter dem der groſsen venetianischen
Meister weiter ausgebildet. Thätig zu Verona und vornehmlich zu Venedig (seit 1555); auſserdem zeitweilig in Mantua
(um 1548), im Trevisanischen (um 1551—1553 und wieder
1566/67), in Vicenza (1572), Padua etc.

303   Jupiter, Fortuna und Germania. Der auf Wolken
thronende Jupiter wendet sich zu der rechts neben ihm
stehenden Germania, einer Frauengestalt in der venetianischen
Tracht des XVI. Jahrhunderts, und deutet auf die links vor
ihm liegenden Attribute der irdischen Macht: Krone, Szepter
und Bischofsmützen. Ueber dieselben beugt sich Fortuna,

einen Würfel als Zeichen des veränderlichen Glücks in der
Hand. Vorn Genien mit einer Bischofsmütze und andere
mit dem Adler spielend. Am leicht bewölkten Himmel
rechts die Zeichen der Fische und des Bogenschützen.

Gegenstück zu No. 304. — Dieses wie die nachfolgenden zugehörigen Gemälde (No. 304, 309 und 311) sind in der Erfindung und in
dem Entwurfe dem Meister selbst beizumessen, während mancherlei
Schwächen in der Ausführung auf die Mithilfe von Schülern deuten.
In Venedig selbst galten diese Malereien, ursprünglich im Kaufhause
der Deutschen zu Venedig (Fondaco de' Tedeschi, in der Sala dei
banchetti), für Paolo's Werk.

Leinwand, h. 1,45, br. 2,45. — Erworben 1842 aus der Sammlung
des Grafen Lecchi in Brescia.

Saturn als Gott der Zeit hilft der Religion die **304**
Ketzerei überwinden. Saturn, zur Rechten über einen
Erdglobus gelehnt, in der Linken die Sense, blickt auf die
vor ihm kauernde Gestalt der Ketzerei. Hinter dieser sitzt,
einen Mantel über das Haupt gezogen und in einem Buche
lesend, die allegorische Figur der Religion. Neben ihr ein
Genius mit dem Krummstab; oben zwei Genien, welche dem
Saturn ein Gefäfs und Mefsinstrumente bringen. Am leichtbewölkten Himmel links das Zeichen des Steinbocks.

Gegenstück zu No. 303.

Leinwand, h. 1,44, br. 2,42. — Erworben wie No. 303.

Minerva und Mars. Minerva, zur Rechten über Waffen- **309**
stücken sitzend, ist im Begriff, dem Mars das Wamms zu-
zunesteln. Mars stützt sich mit der Rechten auf seinen
Panzer; in der Linken hält er das Schwert erhoben. Zu
beiden Seiten je ein Genius mit einem Lorbeer und Kriegs-
geräte. Am leichtbewölkten Himmel links das Zeichen des
Krebses.

Eigenhändiges gutes Werk des Paolo. — Das Bild soll nach
Ridolfi die Kriegstüchtigkeit Deutschland's, das hier als Minerva dargestellt ist, veranschaulichen. — Gegenstück zu No. 311.

Leinwand, h. 1,44, br. 1,46. — Erworben wie No. 303.

Apollo und Juno. Apollo auf Wolken thronend, die **311**
Lyra in der Hand, wendet sich zu Juno, welche den rechten
Arm über den Pfau gelegt hat und in der erhobenen Linken
ein Tambourin hält. Am leichtbewölkten Himmel rechts
das Zeichen des Löwen.

Bezieht sich wahrscheinlich auf die Blüte der Kunst, namentlich der Musik in Deutschland (nach Ridolfi auf den Reichtum der deutschen Metallbergwerke). — Gegenstück zu No. 309.
Leinwand, h. 1,47, br. 1,36. — Erworben wie No. 303.

326   Mittelbild eines Deckengemäldes: Jupiter, Juno, Cybele und Neptun. Jupiter auf dem Adler, Neptun, dessen Dreizack ein kleiner Genius trägt, Juno mit dem Pfau und Cybele zwischen zwei Löwen, schauen einer von Genien aufwärts getragenen Figur nach.

Die Bemerkung zu No. 303 ist auch für dieses Bild und die zugehörigen No. 327—330 gültig: die Malereien sind vom Meister selbst entworfen und von ihm unter Mitwirkung von Gehülfen ausgeführt. Ursprünglich als Deckengemälde im Palazzo Pisani in Venedig.
Leinwand, h. 2,20, br. 2,27. — Erworben 1842 aus der Sammlung des Grafen Lecchi in Brescia.

327   Drei Genien. Auf leichtbewölktem Himmel schwebend; zwei, sich umfassend, halten ein Szepter, der dritte drückt sich einen Lorbeerkranz auf das Haupt.

Seitenfeld zu dem Mittelbilde No. 326.
Leinwand, h. 0,54, br. 1,23. — Erworben wie No. 326.

328   Drei Genien. Auf leichtbewölktem Himmel schwebend; mit Blumen und Früchten in den Händen.

Seitenfeld zu dem Mittelbilde No. 326.
Leinwand, h. 0,54, br. 1,23. — Erworben wie No. 326.

329   Drei Genien. Auf leichtbewölktem Himmel schwebend; der eine hält einen Fisch im Netze, die beiden anderen greifen nach einer fliegenden Taube.

Seitenfeld zu dem Mittelbild No. 326.
Leinwand, h. 0,54, br. 1,23. — Erworben wie No. 326.

330   Drei Genien. Auf leichtbewölktem Himmel schwebend; zwei haschen nach einem Vogel, der dritte schlägt das Tambourin.

Seitenfeld zu dem Mittelbild No. 326.
Leinwand, h. 0,54, br. 1,23. — Erworben wie No. 326.

Verrocchio. Andrea del Verrocchio (nach seinem ersten Lehrer dem Goldschmied Giuliano Verrocchio). Nach dem Vater: Andrea di Michele di Francesco Cioni. Florentinische Schule. — Goldschmied, Bildhauer und Maler, geb. zu Florenz 1435, † zu Venedig 1488. Schüler des Donatello.

Thätig zu Florenz, kurze Zeit zu Rom (unter Sixtus IV.) und Venedig (zwischen 1480 und 1488).

Maria mit dem Kinde. Maria hält mit beiden Händen **104A** das in ihrem Schofse ruhende Kind, das lächelnd beide Arme der Mutter entgegenstreckt. Im Hintergrund gebirgige Landschaft.

Die Bezeichnung des Bildes als Verrocchio gründet sich auf die Vergleichung mit den beglaubigten Werken dieses Meisters, und zwar insbesondere mit seinen Skulpturen und seinen Zeichnungen, da das einzige authentische Gemälde, das von ihm erhalten ist, die Taufe Christi in der Akademie zu Florenz, für sich allein genügende Anhaltspunkte nicht bieten würde. (S. das Nähere im Jahrbuch der K. Preufs. Kunstsammlungen III, 1 ff.). — Bezeichnend für die Herkunft des Berliner Bildes ist auch die merkwürdige Uebereinstimmung, die dasselbe nach den verschiedensten Seiten mit einer Anzahl von Madonnenbildern zeigt, welche, wie die neue Forschung mit vollem Recht annimmt, aus der Schule des Verrocchio stammen; namentlich mit der Maria mit Kind und Engeln in der National-Galerie zu London (dort Antonio Pollaiuolo benannt), der Maria mit Kind im Städel'schen Institut zu Frankfurt a. M. und der Jungfrau mit Kind in der Berliner Galerie (No. 108, s. unten). Das vorstehende Bild zeigt in der Erfindung und Anordnung eine gröfsere Selbständigkeit, in der Durchbildung der Form eine schärfere Bestimmtheit, während es in der Färbung, zumeist durch den unfertigen Zustand, dunkler und weniger ansprechend ist; insbesondere sind die Fleischpartieen nur erst untermalt. Es sollte wohl, in Tempera begonnen, mit Anwendung von Oel- und Firnifsfarbe vollendet werden, wie der Mantel der Maria zeigt, und wie es dem Verfahren des Verrocchio überhaupt entspricht.
Maria Halbfigur etwas unter Lebensgr. Pappelholz, h. 0,72, br. 0,53. — Erworben 1873 in Florenz; aus der Sammlung des Prinz Napoleon.

Maria mit dem Kinde. Maria hält das vor ihr auf der **108** Brüstung stehende Kind, welches die Rechte segnend erhoben hat. In der Ferne der flachen Landschaft einzelne Felsenkegel.

Kann das Bild auch in der Ausführung dem Meister nicht zugeschrieben werden, so zeigt es doch in den Typen und der Komposition völlig dessen Charakter.
Maria Halbfigur unter Lebensgr. Pappelholz, h. 0,74, br. 0,46. — Sammlung Solly, 1821.

Verrocchio. Schule des Andrea del Verrocchio. Florentinische Schule.

Christus am Kreuz mit Heiligen. In der Mitte **70A** Christus am Kreuz; unter den Kreuzesarmen zwei schwe-

bende Engel, welche das Blut aus den Wunden Christi in
Gefäfsen auffangen. Zur Linken stehen die hh. Antonius
von Padua und Laurentius, zur Rechten Petrus Martyr und
der Erzengel Gabriel mit dem jungen Tobias. Hintergrund
Landschaft.

Unten die Inschrift: QUESSTA TAVOLA SE FATTA FARE PER
LORENTIO DUGOLINO DE ROSSI. LA QUALE A FATTCA FARE
BELTRAME DI STOLDO DE ROSSI. 1475. — Dieselbe besagt, dafs
Beltrame di Stoldo de' Rossi das Bild bestellt und zum Andenken des
Lorenzo d'Ugolino de' Rossi gestiftet habe. — Das Bild liefert einen
weiteren interessanten Beitrag zur Malerschule des Verrocchio und
läfst uns durch seine nahe Verwandtschaft mit der „Vierge Glorieuse"
im Louvre einen Meister dieser Schule erkennen, der, wenn auch dem
Namen nach noch unbekannt, doch sich nun zu einer bestimmten
Individualität gestaltet.

Tempera. Pappelholz, h. 1,77, br. 1,94. — Sammlung Solly, 1821.

72   Krönung der Maria. Gott-Vater in der Mandoria, von
Cherubim umgeben, krönt die links vor ihm knieende Maria.
Zu beiden Seiten Chöre von rosenbekränzten musizierenden
Engeln und tiefer zahlreiche männliche und weibliche Hei-
lige: links angeführt von Johannes dem Täufer und Fran-
ciscus, rechts von Clara und Magdalena.

Von Rumohr als Cosimo Rosselli erworben. Das Bild läfst indes
in der knieenden Maria und den musizierenden Engeln, sowie in der
Färbung deutlich das Vorbild des Verrocchio erkennen, während in
Aufbau und Anordnung die ebenfalls der Werkstatt Verrocchio's ange-
hörige „Vierge glorieuse" im Louvre bestimmend war (s. Jahrbuch der
K. Preufs. Kunstsammlungen III, 24 f. u. 31).

Tempera. Pappelholz, h. 1,81, br. 2,09. — Erworben 1829 durch Rumohr.

Verrocchio. Werkstatt des Andrea del Verrocchio. Florentinische Schule.

80   Bildnis eines jungen Mädchens. Nach links gewendet.
In weifsem Kleide mit hellroten Aermeln, um den Hals eine
Korallenschnur. Hintergrund Landschaft.

Mit der Unterschrift: NOLI ME TANGERE. — Auf der Rückseite
der Tafel in der Mitte ein ausgekratztes Wappen und an den vier
Seiten die Inschriften: FV CHE IDIO VOLLE — SARA CHE IDIO
VORRA — TIMORE DINFAMIA E SOLO DISIO DONORE — PIANSI
GIA QVELLO CHIO VOLLI POI CHIO LEBBI. — Früher vermutungsweise dem Granacci zugeschrieben (s. Jahrb. d. K. Preufs. Kunstsammlungen III, 30).

Brustbild unter Lebensgröfse. Pappelholz, h. 0,45, br. 0,30. — Erworben 1829 durch Rumohr.

Das Christkind und der kleine Johannes. In **93**
felsiger Landschaft wird auf der Rückkehr aus Aegypten der
Christusknabe von dem jugendlichen Johannes als der Heiland begrüfst. Weiter zurück Maria und Joseph. Links im
Vordergrunde Hirsche.

Das Bildchen, das früher dem Piero di Cosimo zugeteilt wurde,
zeigt vielmehr die charakteristischen Merkmale von Verrocchio's Kunst-
weise: sowohl in der Haltung und Bewegung der Figuren, als in der
Formgebung und Gewandung. Vermutlich ist es, worauf auch der
Charakter der Landschaft deutet, ein frühes, noch unter Verrocchio's
Einfluſs entstandenes Werk des Dom. Ghirlandaio.

Pappelholz, h. 0,30, br. 0,75. — 1842 von S. Majestät dem König
Friedrich Wilhelm IV. der Galerie überwiesen.

Verspronck. Jan (Cornelisz) Verspronck (urkundlich auch
Versprong). Zeichnet sich Verspronck, seltener Versprong.
Holländische Schule. — Bildnismaler, geb. zu Haarlem 1597,
begraben ebenda den 30. Juni 1662. Schüler des Frans Hals.
Thätig zu Haarlem (1632 in die Gilde aufgenommen).

Bildnis einer Frau. In mittleren Jahren, nach links **877A**
gewendet auf einem Stuhle sitzend, gradaus blickend. Mit
Schneppenhäubchen, in schwarzem Kleid, mit flachem anliegenden Kragen und Manschetten; einen Fächer von
Straufsenfedern in den Händen. Brauner Grund.

Bez. links unten: *Johan . Verspronck . Aetatis . 56 . 1653.*

Lebensgr. Figur bis zu den Kuleen. Leinwand, h. 0,87, br. 0,71
— Erworben 1862 in Berlin auf der Versteigerung der Sammlung Müller.

Victor. Jacomo Victor. Zeichnet sich auch Fictor. Holländische Schule. — Maler von Federvieh. Lebensverhältnisse
unbekannt. Thätig um 1663 zu Venedig und um 1670 zu
Amsterdam, wo er wahrscheinlich zugleich Kaufmann war.

Federvieh im Park. An einem Bache ein sich sprei- **899B**
zender Truthahn; vor demselben rechts ein gelbes Huhn und
weiter links am Boden eine Taube und zwei bunte Enten;
zuäufserst links mehr zurück eine weiße Ente. Im Hintergrund ein dichter Park und ganz links ein holländisches
Landhaus.

Bez. rechts unten: *Jacomo, Victor f.* — Die Landschaft von
Jacob van Ruisdael.

Leinwand, h. 0,69, br. 0,57. — 1874 aus dem Kupferstichkabinet
überwiesen.

20*

Victors. Jan Victors. Zeichnet sich auch Victor, Victoor
oder Fictoor. Holländische Schule. — Geb. 162o zu Amsterdam, † nach 1672. Schüler Rembrandt's (wahrscheinlich um
1635—164o). Thätig zu Amsterdam.

826A   Hanna übergiebt ihren Sohn Samuel dem Priester
Eli. Eli sitzt zur Rechten in Priestertracht auf einem Podium
und legt die Hand segnend auf das Haupt des vor ihm
knieenden Samuel. Hinter diesem kniet Hanna, während
links ihr Gatte El-Kana steht. Grund die Wand des Gemaches

> Bez. rechts unten: *Jan . Victoor . ft . 1645.*
> Leinwand, h. 1,35, br. 1,33. — Erworben 1861 in Leipzig auf der
> Versteigerung der Sammlung Schumlanski.

Vivarini. Antonio Vivarini, gen. Antonio da Murano.
Zeichnet sich selbst nur Antonio da Murano. Venetianische
Schule. — Geb. zu Murano bei Venedig, nach den Daten
auf seinen noch erhaltenen Gemälden thätig seit etwa 1435,
† zu Venedig 147o. Unter dem Einflusse des Gentile da
Fabriano und des Vittore Pisano gebildet. Thätig zu Venedig.

5   Anbetung der Könige. Maria, vor einer offenen Stroh-
hütte sitzend, hält auf dem Schofse das Kind, dem der alte
König knieend das Füfschen küfst; hinter dieser Gruppe
Joseph. Vorn links die beiden anderen Könige, von zahl-
reichem Gefolge umgeben. Rechts neben Maria ein weiterer
Teil des Gefolges, geführt von einem Oberpriester. In der
Luft posaunenblasende Engel; in der Mitte Gott-Vater in
der Glorie; unter ihm zwei Engel mit einem Spruchbande:
GLORIA IN ALTISSIMIS DEO. Ueber dem Kinde der heilige
Geist. — Die Ornamente und Geräte zum grofsen Teil
plastisch erhöht.

> Aus der früheren Zeit des Meisters (um 1435—144o), als er vor-
> nehmlich unter dem Einflusse des Gentile da Fabriano stand. —
> Ursprünglich im Palazzo Zen, später in der Sammlung Craglietto in
> Venedig.
> Tempera. Pappelholz, h. 1,11, br. 1,76. — Erworben 1844 in Ve-
> nedig von den Erben des Capitano Gasparo Craglietto.

1058   Erste Reihe: Drei Vorgänge aus dem Leben
der Maria. Erstes Bild, links: Mariä Darstellung im
Tempel. Maria steigt die Stufen des Altars hinauf. Zur
Linken ihre Eltern und Zuschauer. — Zweites Bild: Krö-

nung Mariä. Maria, neben Christus thronend, wird von diesem gekrönt; über ihnen Gott-Vater. Ringsum mehrere Engel. — Drittes Bild, rechts: Geburt der Maria. Die hl. Anna im Bette aufrecht sitzend und das Kind haltend, das ihr von einer Frau dargereicht wird. — Goldgrund.

Zweite Reihe. Drei Vorgänge aus dem Leben **1058** der Maria. Erstes Bild, links: Vermählung der Maria. Der Hohepriester legt die Hände von Maria und Joseph, der den grünenden Stab hält, zusammen; rechts Anna und andere Frauen, links die ihre dürren Stäbe zerbrechenden Freier. — Zweites Bild: Anbetung der Könige. Die von links herankommenden Könige bieten dem Christuskinde ihre Gaben dar. — Drittes Bild, rechts: Darstellung Christi im Tempel. Maria reicht das Kind dem Hohepriester dar. Zu beiden Seiten Zuschauer. Vorn die knieende Stifterin, eine Nonne. — Goldgrund.

Früher blofs „Schule des Gentile da Fabriano" benannt; allein ganz im Charakter des Antonio da Murano in seiner frühen Zeit, da er noch unter dem Einfluſs des Gentile da Fabriano stand. — Die sechs kleinen Gemälde bildeten wohl in einer Reihe die Predella zu einer Altartafel.

Tempera. Pappelholz, jedes Bild, oben spitzbogig, h. 0,37, br. 0,23. — Sammlung Solly, 1821.

Vivarini. Bartolommeo Vivarini. Zeichnet sich Bartholomeus Vivarinus de Murano oder de Muriano. Venetianische Schule. — Geb. zu Murano; Geburts- und Todesjahr unbekannt; nach den Daten auf seinen Gemälden thätig von 1450 bis 1499. Zuerst Gehülfe und vermutlich Schüler seines Bruders Antonio; dann von der Paduaner Schule und von Antonello da Messina beeinfluſst. Thätig zu Venedig.

Der hl. Georg. Der. gewappnete Heilige, auf sich **1160** bäumendem Pferde, bohrt die Lanze durch den Kopf des Ungeheuers. Etwas zurück die Königstochter, welche auf den Knieen für ihre Rettung dankt. In der felsigen Landschaft rechts eine befestigte Stadt.

Bez. unten auf einem Zettel: *Factum Venetiis per Bartholomeum Vivarinum de Muriano pinxit . 1 . 485.* — Nicht vom Meister selbst ausgeführt, sondern nur Arbeit der Werkstatt; die Bezeichnung „factum per Bartholomeum u. s. w." soll sich auf den Bildern finden, die nach den Entwürfen des Meisters von Gehülfen ausgeführt sind.

Pappelholz, h. 1,29, br. 0,66. — Sammlung Solly, 1821.

Vivarini. Luigi (Alvise) Vivarini. Zeichnet sich Alvisius Vivarinus de Muriano etc. Venetianische Schule. — Geb. zu Murano (?); Geburts- und Todesjahr unbekannt; thätig von 1464 bis 1503; 1507 nicht mehr am Leben. Vermutlich Schüler seines älteren Verwandten Bartolommeo zu Venedig, unter dem Einflusse der Paduaner Schule, des Antonello da Messina und des Gio. Bellini weitergebildet. Thätig zu Venedig.

38　　Thronende Maria mit dem Kinde und Heiligen. In einer Bogenstellung von reicher Renaissance-Architektur thront auf einem Marmorsessel Maria, das segnende Kind auf dem Schofse. Neben ihr links die hl. Katharina mit dem Rad, rechts Magdalena mit dem Salbgefäfs. Vor den Stufen stehen zuäufserst links der hl. Georg und Petrus, rechts der hL Sebastian und der hl. Hieronymus in Kardinalstracht. Vorn zwei kleine Engel, Mandoline und Flöte spielend. Zu den Seiten Ausblick in Landschaft.

Bez. unten am Sockel auf einem Zettel: *Alvvixe . Vivarin.* — Das Hauptwerk des Meisters aus seiner späteren Zeit, gemalt (1501?) für Sta. Maria dei Battuti zu Belluno; kam nach Aufhebung der Kirche in den Besitz des Grafen Marino Pagani in Belluno.
Pappelholz, h. 3,85, br. 2,31. — Sammlung Solly, 1821.

1165　　Maria mit dem Kinde und Heiligen. Unter einem Kassettengewölbe thront Maria, das segnende Kind auf dem Schofse. Vor dem Throne steht links der hl. Hieronymus, zu Johannes dem Täufer gewendet. Rechts vorn der hl. Sebastian, neben ihm der hl. Augustinus.

Aus der späteren Zeit des Meisters, wie das vorige Bild, aber geringer und weniger gut erhalten. — Ehemals in S. Cristoforo auf Murano.
Pappelholz, h. 2,59, br. 1,81. — Sammlung Solly, 1821.

Vivarini. Schule des Luigi Vivarini. Venetianische Schule.

40　　Maria mit dem Kinde und Engeln. Maria hält das vor ihr auf einer Brüstung stehende Kind; unten vor der Brüstung zwei zur Laute singende Engel. Hintergrund bergige Landschaft.

Sowohl in den Typen, als in der Färbung und Formgebung gehört das Bild entschieden in die Schule des Luigi Vivarini und ist möglicherweise ein Jugendwerk des Basalti.
Maria Halbfig. Pappelholz, h. 0,72, br. 0,49. — Sammlung Solly, 1821

Verkündigung. Der zur Rechten vor ihrem Betpult **1148** knieenden Maria bringt der gleichfalls knieende Engel die himmlische Botschaft. In den Wolken der segnende Gott-Vater (Halbfigur), auf Maria die Taube des hl. Geistes hinab-sendend. Hintergrund Architektur und Landschaft.

Bez. unten: *Franciscus Pexai..i.p.* — Nach Analogie der Be-zeichnung Basaiti's hätten wir hier einen Künstler mit dem Namen Francesco Pesaiti anzunehmen, von dem aber sonst nichts bekannt ist. Pappelholz, h. 0,40, br. 0,32. — Sammlung Solly, 1821.

Vivarini. Schule der Vivarini da Murano. Venetianische Schule.

Dreiteiliges Altarbild. Mittelbild: Der hl. Hie- **1163** ronymus. Thronend, das Modell einer Kirche mit der Linken auf dem Schoße haltend, die Rechte segnend erhoben. — Bild zur Linken: Die hl. Magdalena. Stehend, das Salbgefäß in der Linken. — Bild zur Rechten: Die hl. Katharina. Die Linke auf das Rad gestützt. — Hinter-grund hügelige Landschaft.

Bez. unter der Figur des Heiligen auf einem Blättchen (teilweise restauriert): SUMUS . RUGERI . MANUS . — Früher in Folge der nicht ganz klaren Inschrift Rugeri genannt. Es bezeugt deutlich einen Nachfolger oder Gehülfen der Vivarini unter paduanischem Einfluß und gehört, wie schon seine Herkunft bezeugt, sicher der venetianischen Schule an. Im vorigen Jahrhundert war es in einem schmalen Gang aufgestellt, der von der Kirche S. Gregorio zum benachbarten Kloster führte, befand sich jedoch zu Lanzi's Zeit (gegen Ende des Jahr-hunderts) in dem Palazzo Nani zu Venedig. Tempera. Pappelholz, Mittelbild, oben rund, h. 1,47, br. 0,46; Seitenbild, oben rund, je h. 1,47, br. 0,42. — Sammlung Solly, 1821.

Beweinung Christi. Der Leichnam Christi, mit halbem **1170A** Leibe aus dem Grabe ragend, wird von Maria und Johannes gehalten und betrauert. Grund blauer Himmel.

An das bezeichnete Bild des Lazzaro Bastiani in S. Antonio zu Venedig, gleichfalls eine Beweinung Christi, erinnernd; indes ist das Letztere farbiger und weicher in der Behandlung. Mehr als Halbfiguren in Lebensgr. Tempera. Pappelholz, h. 0,94 br. 0,78. — Sammlung Solly, 1821.

Vivarini. Werkstatt der Vivarini da Murano. Um 1470 bis 1480. Venetianische Schule (Murano).

Altartafel in sechs Abteilungen. Untere Reihe. **1143** Mittelbild: Ausgießung des hl. Geistes. Maria mit

den Aposteln im Innern eines Gebäudes knieend, empfängt
den hl. Geist, welchen Gott-Vater von oben herabsendet.
Ausblick in eine Landschaft. — Linker Flügel: Die hh.
Antonius von Padua und Franciscus. — Rechter Flügel:
Die hh. Bonaventura und Bernardino. — Obere Reihe.
Mittelbild: Der tote Christus von Engeln betrauert.
Christus im Grabe stehend, zu seinen Seiten je ein ver-
ehrender Engel. — Rechter Flügel: Die hh. Hieronymus
und Johannes der Täufer. — Linker Flügel: Die hh. Georg
und Paulus (in der oberen Reihe nur Halbfiguren). —
Goldgrund.

Nur das Mittelbild der oberen Reihe scheint von anderer Hand zu
sein, als die übrigen Teile des Gemäldes und erinnert an Antonio
Vivarini. Die übrigen Stücke schreiben Crowe und Cavalcaselle dem
Luigi Vivarini (frühe Zeit) zu, doch ist eine genaue Bestimmung
schwierig und mag das Ganze in der Werkstatt des Bartolommeo Vivarini entstanden sein, dem namentlich das Mittelbild unten nahe steht.

Tempera. Pappelholz, untere Reihe, Mittelbild, h. 2,00, br. 1,25;
Flügel je h. 1,72, br. 0,60; obere Reihe, Mittelbild, h. 0,91, br. 1,27;
Flügel je h. 0,93, br. 0,60. — Sammlung Solly, 1821.

Vlämische Schule um 1650.

874B   Stillleben von Früchten. Auf einer teppichbedeckten
Tischplatte steht ein Korb mit verschiedenen Früchten,
rechts daneben eine silberne Schale mit Feigen, davor ein
Teller mit Nüssen. Ganz rechts zwei Melonen. Bräunlicher Grund.

Eichenholz, h. 0,62, br. 0,91. — 1884 aus dem Magazin in die
Galerie aufgenommen.

Vlämischer Meister um 1650.

707   Waldlandschaft mit Reitern. Rechts im Vordergrunde mächtige Eichen; zwischen denselben ein kleines
Gewässer mit Schilf und Lilien. Eine Dame, deren Pferd
von einem jungen Herrn im Jagdkostüm geführt wird, reitet
an dem Wasser vorüber; zu ihren Seiten andere Jäger. Links
weiter zurück lagern Jäger mit ihren Hunden. Durch eine
Waldblöfse Ausblick auf bewaldete Hügel, dahinter hohe
Berge mit einer Burg.

Das Bild gehört, wie sich aus den Trachten der Figuren ergiebt,
etwa der Mitte des XVII. Jahrhunderts an und zeigt die Hand eines

vlämischen Landschaftsmalers, der dem allerdings älteren Gillis van
Coninxloo (1545 bis nach 1604) nahe verwandt ist.
Leinwand, h. 1,11, br. 1,87. — Sammlung Solly, 1821.

Vlieger. Simon de Vlieger. Holländische Schule. — Maler
und Radirer, vornehmlich von Marinestücken, geb. um 1601
zu Rotterdam, † zu Weesp 1659. Angeblich Schüler des
älteren Willem van de Velde. Thätig zu Rotterdam, Delft
(1634—1640), Amsterdam (seit 1640) und Weesp, nach den
Daten auf seinen Gemälden von 1620—1658.

Leicht bewegte See. Unter vollem Winde sich tief **934**
auf die Seite neigend steuert rechts ein Boot dem Vordergrunde zu. In der Ferne andere Boote. Links die Küste
mit Dünen.
Bez. links unten: *S. de Vl.eger 163..*
Eichenholz, h. 0,32, br. 0,44. — Königliche Schlösser.

Vliet. Hendrick Cornelisz van Vliet. Holländische Schule.
— Maler von Bildnissen, Sittenbildern und namentlich von
Architekturstücken. Geb. zu Delft 1611/12, begraben ebenda
den 28. Oktober 1675. Schüler seines Oheims Willem van Vliet
und des Michiel van Mierevelt zu Delft (nach Houbraken).
Thätig zu Delft.

Innenansicht einer Kirche. Seitenschiff einer nieder- **830A**
ländischen gotischen Kirche, mit Durchblick nach den anderen
Schiffen. Links ein hoher Lettner vor dem Chor, rechts an
einem Pfeiler des Hauptschiffes die hölzerne Kanzel. In
der Kirche verschiedene Figuren, vorn links zwei Hunde.
Eichenholz, h. 0,48, br. 0,44. — Sammlung Suermondt, 1874.

Voet. Jacob Ferdinand Voet (Vouet). Vlämische Schule.
— Bildnismaler, getauft zu Antwerpen den 14. März 1639,
daselbst ausgebildet unter dem Einflusse des van Dyck, dann
in Rom unter dem des Carlo Maratti. Thätig etwa um
1660—1691, vornehmlich in Rom (unter Papst Alexander VII.
und Clemens IX.), in Turin, Paris und schliefslich in Antwerpen.

Bildnis des Kardinals Dezio Azzolini. In mittleren **413**
Jahren, etwas nach rechts gewendet und gradaus blickend;
er sitzt in einem Lehnsessel, auf dessen Seitenstützen die
Arme ruhen; auf den dunklen Locken ein rotes Sammet-

käppchen; in weifsem Chorhemde und rotem Ueberkragen
in der Rechten hält er die Kardinalsmütze. Hintergrund
aufgerraffter Vorhang und die Zimmerwand.

Auf den Kupferstich nach dem Bilde, der als Maler Ferdinand Voet
nennt, hat zuerst Th. Levin hingewiesen; derselbe befindet sich in
der von De Rossi (Rubeis) in Rom unter dem Titel „Officia, nomina et
cognomina Alexandri Papae VII. (1655—1667) et R. R. D. D. Cardinalium
nunc viventium" veröffentlichten Sammlung von Kardinalsbildnissen
und trägt die Unterschrift: Decius L. R. E. Diaconus Card. Azzolinus
Firmanus II. Martii MDCLIIII. Frd. Voet pinx. Alb. Clouwet sc. —
Dezio Azzolini, geb. zu Fermo den 4. April 1623, wurde den 2. März 1654
zum Kardinal ernannt und starb zu Rom den 10. Juni 1689; mit dem
Beinamen Aquila (wegen der Schärfe seines Geistes u. s. w.).
Lebensgr. Figur bis zu den Knieen. Leinwand, h. 1,17, br. 0,94.
— Erworben 1835 in Paris (als ein Werk des Velazquez).

Vos. Cornelis de Vos. Vlämische Schule. — Vornehmlich Bildnismaler, geb. um 1585 zu Hulst, † zu Antwerpen
den 9. Mai 1651. Schüler des David Remeeus (seit 1595).
Thätig zu Antwerpen (1608 in die Gilde aufgenommen).

757   Bildnis eines Gelehrten mit seinem Töchterchen.
Der Vater in mittlerem Alter neben einem mit persischem
Teppich bedeckten Tische stehend, etwas nach rechts ge-
wendet und gradaus blickend; in schwarzem geblümten
Seidenwamms und schwarzem Mantel. Zur Rechten hinter
dem Tische sein Töchterlein, etwa vierjährig, mit gefalteten
Händen wie der Vater. Auf dem Tische ein aufgeschlagenes
Gebetbuch. Hintergrund der Pfeiler einer Kirche, links ein
gemaltes Kirchenfenster.

Bruchstück eines Flügels von einem Altarbild. — Früher irriger-
weise dem Ravesteijn zugeschrieben.
Lebensgr. Halbfig. Eichenholz, h. 1,08, br. 0,72. — Sammlung
Solly, 1821.

831   Doppelbildnis. Ein junges Ehepaar sitzt in reicher
dunkler Tracht, sich bei der Hand haltend, auf einer
Terrasse, die hinten durch einen Vorhang abgeschlossen ist
und von der links eine Treppe zu einem Ziergarten
hinabführt.

Bez. oben am Postamente der Säule: *C D Vos . F . Ao 1629.*
Ganze lebensgr. Fig. Leinwand, h. 1,66, br. 2,21. — Königliche
Schlösser.

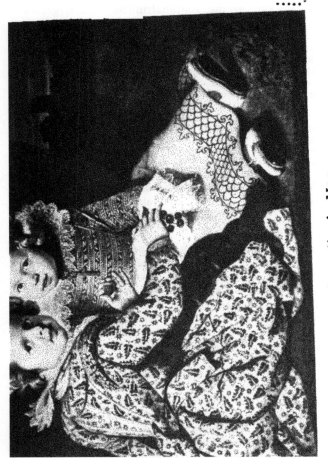

832. Cornelis de Vos.

Die Töchter des Malers. Im Alter von etwa drei **832**
und vier Jahren, in buntem Kostüm, am Boden sitzend. Die
Aeltere zur Linken blickt über die Schulter heraus, während
sie im Begriff steht der Jüngeren in die entgegengehaltene
Schürze Kirschen zu legen. Im Hintergrund eine Felswand
und Ausblick in Landschaft.

Die beiden Mädchen finden sich in einem anderen Werke des
Meisters, seinem Familienbildnisse im Museum zu Brüssel, als seine
eigenen Töchter dargestellt. Doch zeigt das Berliner Bild dieselben
in durchaus verschiedener Auffassung.

Ganze lebensgr. Fig. Leinwand, h. 0,78, br. 0,93. — Erworben 1837
(als ein Werk des van der Heist).

Vos. Simon de Vos. Vlämische Schule. — Geb. zu Antwerpen den 28. Oktober 1603, † daselbst den 15. Oktober 1676.
Schüler des Cornelis de Vos, mit dem er jedoch in keiner
verwandtschaftlichen Beziehung steht. Thätig zu Antwerpen.

Die Züchtigung des Amor. Inmitten eines reichen **704**
Renaissancesaales züchtigt ein junger Mann mit der Rute
den Amor, dessen Köcher und Bogen zerbrochen am Boden
liegen. Von einem Himmelbett sich erhebend will Venus,
welche durch Mars zurückgehalten wird, dem Amor zu Hilfe
eilen. Rechts am Boden sitzen drei junge Frauen, die weinend die Instrumente von sich geworfen haben, auf denen
sie soeben noch spielten; hinter ihnen eine Alte, den leeren
Geldbeutel zeigend. Erschreckte Liebesgötter fliehen nach
rechts. In einem Bogen, durch den man in die Landschaft
blickt, sitzt ein Jüngling in fröhlicher Gesellschaft beim Mahle.

Für die Richtigkeit der Zuschreibung vergl. das bezeichnete und
datierte Bild des Meisters in der Galerie Liechtenstein zu Wien. —
Die Darstellung illustriert wohl die Erfahrung, welche der züchtigende
Kavalier eben gemacht: Amor war nur so lange willfährig, als der
Beutel gefüllt war. Zu dem von Amor Verratenen bildet der schwei-
gende Jüngling im Hintergrund den Gegensatz.

Eichenholz, h. 0,54, br. 0,80. — Königliche Schlösser.

Vries. Abraham de Vries. Holländische Schule. — Bildnismaler, geb. zu Rotterdam, gest. um 1650 im Haag. Thätig
um 1630—40 in Amsterdam, 1635 zeitweilig in Paris, seit 1644
im Haag, wo er 1648 sterbenskrank sein Testament macht.

Männliches Bildnis. Nach links gewendet und gradaus **803**
blickend. Mit spärlichem Vollbart, auf dem langen dunklen

Haar ein purpurrotes Barett; Mantel von gleicher Farbe über
dunkelviolettem Rock; darüber eine goldene Kette. In der
Linken hält er einen Brief empor. Dunkler Grund.

Aus der Vergleichung mit den bezeichneten Bildnissen des Abraham
de Vries, besonders mit den Bildern in Dresden und zu Gotha, ergiebt
sich mit Sicherheit, daſs auch das vorliegende Porträt diesem Künstler
zuzuweisen ist.

Lebensgr. Halbfig. Eichenholz, h. 0,65, br. 0,51. — Erworben 1835
oder 1836 (als ein Werk des Ferdinand Bol).

Vries. Roelof Jansz de Vries. Holländische Schule. —
Landschaftsmaler. Thätig zu Haarlem und zu Amsterdam,
nach den Daten auf seinen Bildern um 1643—1669. Zu Amsterdam vielleicht schon vor 1659 und noch 1667.

882   Der Turm am Walde. In der Mitte ein alter runder
aus Backsteinen erbauter Turm, an den sich rechts eine
verfallene Mauer anlehnt; hinter demselben Laubwald, der
sich nach links zieht. Ueber der Thüre des Turmes ein
mit Wein bewachsenes Dach, unter welchem mehrere Bauern.

Eichenholz, h. 0,58, br. 0,44. — Königliche Schlösser.

Vroom. Cornelis Hendricksz Vroom. Holländische Schule.
— Landschaftsmaler, geb. zu Haarlem um 1600 (?), begraben
daselbst den 16. September 1661. Vermutlich Schüler seines
Vaters Hendrick Vroom. Thätig zu Haarlem (schon vor 1628).

888C   Waldlandschaft. Hohe Eichen am Rande eines
stehenden Wassers, eine derselben mit gebräuntem Laube.
Zwischen den Bäumen hindurch Blick in die Ferne.

Bez. links im Terrain (undeutlich): *C. Vrom.* — Die obige Bezeichnung stimmt, wenn auch nur ein o enthaltend, mit der Inschrift
auf dem Bilde der Schweriner Galerie, das auſserdem noch die Jahreszahl 1630 aufweist, überein. Vroom war schon bei seinen Zeitgenossen
zu groſsem Ansehen gelangt und es werden seine späteren Werke
(wozu auch das obige Bildchen gehört) nicht selten mit den Gemälden
von Ruisdael, Hobbema u. a. verwechselt. — Sammlung Blockhuizen,
Rotterdam 1870 (dem Jac. Ruisdael zugeschrieben).

Eichenholz, h. 0,16, br. 0,21. — Sammlung Suermondt, 1874.

Walscapelle. Jacob van Walscapelle oder **Walskapel.** Zeichnet sich auch **Wals-Kappel** und **Walscapelle.** Holländische
Schule. — Geburts- und Todesjahr unbekannt. Schüler des
Blumen- und Früchtemalers Cornelis Kick. Thätig nach
einigen Daten auf seinen Bildern um 1670—1680, lebte zu

468. Antoine Watteau.

Amsterdam schon vor 1667 und noch um 1717/18 (nach
Houbraken).

Frucht- und Blumengehänge. Ueber einer Stein- **905**
platte hängt, mit einigen Blumen untermischt, ein schweres
Gehänge der verschiedenartigsten Früchte. Auf der Steinplatte zeigen sich zur Linken eine Maus und ein Käfer
Dunkler Grund.

Bez. rechts auf der Tischplatte: *Jacob: Walscapele.*
Leinwand, h. 0,58, br. 0,82. — Erworben 1837.

Watteau. Antoine Watteau. Französische Schule. — Maler
und Radirer, getauft zu Valenciennes (in Flandern) den
10. Oktober 1684, † zu Nogent bei Vincennes den 18. Juli 1721.
Schüler des Claude Gillot und des Claude Audran zu Paris,
durch Studien nach Rubens und Paolo Veronese weiter ausgebildet. Thätig zu Paris (kurze Zeit in England, 1720/21).

Die französische Komödie. In einem französischen **468**
Parke tanzt, umgeben von Schauspielern und Spielleuten,
ein junges Paar Menuet. Auf der Steinbank hinter demselben
lagert ein Jüngling, durch einen Kranz von Weinranken als
Bacchus charakterisiert; er stöfst, das Weinglas in der Hand,
mit einem jungen Herrn zur Rechten an, der durch den
Köcher als Apollo sich kennzeichnet. Der Herr zuäufserst
rechts in der schwarzen Tracht des Scaramuz. Hinter der
Bank ein hoher Pfeiler mit einer weiblichen Büste.

Bekannt unter dem Namen „L'Amour au Théatre Français" (Goncourt, Catalogue raisonné etc. No. 65). — Gegenstück zu No. 470.
Leinwand, h. 0,37, br. 0,48. — Königliche Schlösser.

Die italienische Komödie. In der Mitte eines von **470**
den Schauspielern gebildeten Kreises steht Pierrot, die Laute
spielend; zu ihm beugt sich von hinten links eine junge
Dame (Colombine?). Weiter links in schwarzem Kostüm
mit langer künstlicher Nase der Dottore di Bologna. Rechts
neben Pierrot steht Harlekin; neben diesem die beleibte
Maske des Mezzetin, der mit einer Fackel die Szene be-
leuchtet. Zuäufserst rechts zwei junge Herren im Kostüm
(Scapin und Brighella?).

Bekannt unter dem Namen „L'Amour au Théatre Italien" (Goncourt,
Catalogue raisonné etc. No. 69). — Gegenstück zu No. 468.
Leinwand, h. 0,37, br. 0,48. — Königliche Schlösser.

474A   Das Frühstück im Freien. Unter hohen Bäumen lagern auf grünem Rasen zwei junge Damen, die von zwei Herren bedient werden. Hintergrund flache Landschaft.

Bekannt unter dem Namen „La Colation" (Goncourt, Catalogue raisonné etc. No. 118). — Sammlung Léonard, Köln 1865.

Leinwand, h. 0,35, br. 0,30. — Sammlung Suermondt, 1874.

474B   Gesellschaft im Freien. Unter hohen Parkbäumen, auf einem freien von einer Steinbank begrenzten Platz, unterhält sich eine zahlreiche Gesellschaft von Herren, Damen und Kindern. In der Mitte ein junger Mann mit einer Laute, der zu einem Mädchen spricht, das ein Notenheft in Händen hält. Ganz rechts ein zum Tanz antretendes Paar. Weiter zurück ein Paar, das neben einem mit einer Puttengruppe geschmückten Bassin steht.

Leinwand, h. 1,11, br. 1,63. — 1889 aus den königlichen Schlössern überwiesen.

Watteau. Nachahmer des Antoine Watteau. Deutsche Schule.

474   Musizierende Gesellschaft im Walde. Auf einer Blöfse in einem parkähnlichen Wald lagert ein junger Herr neben zwei Damen und begleitet ihren Gesang mit seinem Flötenspiel; rechts daneben steht eine dritte junge Dame. Durchblick auf ein stilles Wasser, an dem zwei Herren angeln, und in eine ferne Flachlandschaft.

Früher Antoine Watteau benannt. Doch ist die Zeichnung der Figuren viel zu gering für diesen Meister, während Behandlung und Färbung auf einen jüngeren und zwar deutschen Meister hinweisen, wie auch die Tracht der beiden Angler auf eine spätere Zeit (um 1760—1770) deutet. Das Bild scheint uns von Christian Wilhelm Ernst Dietrich (1712—1774, thätig vornehmlich in Dresden) herzurühren.

Leinwand, h. 0,65, br. 0,81. — Sammlung Solly, 1821.

Weenix. Jan Weenix. Holländische Schule. — Maler von Stillleben und Bildnissen, geb. zu Amsterdam 1640, † daselbst den 20. September 1719. Schüler seines Vaters Jan Baptista und wahrscheinlich auch seines Onkels Melchior d'Hondecoeter. Thätig zu Amsterdam und kürzere Zeit in Utrecht (1664 und 1668 als Mitglied der Malergilde verzeichnet); von 1702—1712 von Kurfürst Joh. Wilhelm von der Pfalz für Schlofs Bensberg bei Köln beschäftigt.

Toter Hase und Vögel. Auf die Platte eines Stein- **919 B**
tisches, dessen vordere Seite ein antikes Relief trägt, hängt
ein Hase herab. Daneben auf der Platte ein Eisvogel, ein
Gimpel, ein Birkhahn und ein Rebhuhn. Dahinter ein Käfig
und Falkeniergerät. Im Hintergrund links durch ein barockes
Thor Blick in einen Garten.

Leinwand, h. 1,09, br. 0,93. — Erworben 1887 zu Berlin auf der
Versteigerung der Sammlung v. Kramm-Sierstorpff in Driburg.

Toter Hase und Vögel. Auf einer Marmorplatte liegt **974 A**
neben einer Rohrdommel und kleineren toten Vögeln eine
Flinte und anderes Jagdgeräte. Von dem Aste eines Baumes
hängen ein paar Tauben und ein Hase herab. Zwischen
den Bäumen Ausblick in eine Landschaft.

Leinwand, h. 1,25, br. 1,12. — Erworben 1862.

Blumenstraufs. Auf dem Boden steht ein flaches **1001**
irdenes Gefäfs mit einem Straufs von Gartenblumen. Links
Landschaft mit einer Villa, zur Rechten Buschwerk.

Leinwand, h. 0,65, br. 0,56. — Erworben 1843 aus der Sammlung
Reimer zu Berlin.

Weenix. Jan Baptista Weenix. Zeichnet sich gewöhnlich
Giovanni Battista Weenix. Holländische Schule. — Maler
und Radirer, geb. 1621 zu Amsterdam (nach Houbraken),
† angeblich 1660 auf dem Gute Ter Mey bei Utrecht.
Schüler des Jan Micker, dann namentlich des Abraham
Bloemaert zu Utrecht und des Claas Moeijaert zu Amsterdam. Nach einem Aufenthalte in Italien (1643—1647) thätig
kurze Zeit zu Amsterdam, dann in Utrecht (schon 1649
im Vorstand der Gilde).

**Erminia bittet bei einer Hirtenfamilie um Auf- 867
nahme.** Erminia, in dem Stahlpanzer ihrer Freundin Clo-
rinda, auf der Flucht begriffen und ihren Rappen hinter sich
führend, wendet sich zu einem alten Hirten, der mit seiner
Familie vor der in eine antike Ruine hineingebauten Hütte
das Mahl einnimmt. Links Schafe und Ausblick in eine
bergige Landschaft. (Vergl. Tasso's befreites Jerusalem,
VII, 6 ff.)

Bez. unten in der Mitte: *Gio. Battā Weenix. f.* — Die Figuren
sind wohl gröfstenteils Bildnisse.
Leinwand, h. 1,06, br. 1,41. — Königliche Schlösser.

Westfälische Schule. Meister von Soest um 1200 bis 1230.

1216 A   Altaraufsatz in drei Abteilungen. Linke Abteilung: Christus vor Kaiphas. Christus steht, mit ge-
fesselten Händen, von drei Kriegsknechten umgeben vor
Kaiphas der nebst einem Richter hinter einem Tische sitzt
und in der Linken ein Spruchband hält mit den Worten
Quousque animas nostras tollis? Si tu es XPC dic nobis
palam. Rechts vier Schriftgelehrte, davon einer mit spitzem
Hut (Kennzeichen der Juden). Hinter Kaiphas Säulen mit
einer Draperie, als Andeutung des Gemachs. — Mittlere Abteilung: Kreuzigung. In der Mitte der Gekreuzigte, die
gekreuzten Füfse von einem Nagel durchbohrt und auf ein
schräges Fufsbrett (suppedaneum) gestützt. Unter dem Kreuze
zur Linken Johannes, Maria und drei heilige Frauen. Zur
Rechten der Hauptmann mit zwei Begleitern; hinter ihnen
zwei Pharisäer. Unter dem Querholz des Kreuzes: zur Rechten
die Synagoge mit verbundenen Augen, im Arm die Gesetzestafeln, durch einen Engel vom Kreuze fortgestofsen; zur
Linken die Ecclesia, von einem Engel zum Kreuze hinge-
leitet, um das Blut Christi in einen Kelch aufzufangen. Ueber
dem Querholz, zu beiden Seiten je eine Gruppe von sechs
klagenden Engeln. — Rechte Abteilung: Die Marien am
Grabe. Maria Magdalena, die Mutter des Apostels Jacobus
minor, zuletzt Maria Salome kommen mit Salbgefäfsen zum
Grab. Auf dem vom Grabe weggewälzten Steine sitzt der
Engel, auf die leere Grabhöhle deutend. Vorn eine Gruppe
von sieben schlafenden Soldaten. — Goldgrund. Die beiden
Seiten auf etwas vertieften Rundfeldern. — In den vier oberen
Zwickeln die Brustbilder der vier grofsen Propheten mit
Spruchbändern in den Händen, von denen eins noch lesbar:
Ispe autem vulneratus (est) propter iniquitates nostras
(Jsaias, 53, 5). Ebenso vermutlich die vier kleineren Propheten
in den jetzt fast ganz zerstörten unteren Zwickeln. — In den
spitzigen Feldern mit denen die Tafel nach oben abschliefst
die Halbfiguren von vier Engeln.

Hervorragendes Werk der ältesten deutschen Tafelmalerei, aus
der Wiesenkirche zu Soest stammend, für deren älteren Bau es wohl
ursprünglich gemalt war. Unter byzantinischem Einflufs entstanden,

wie insbesondere das Seitenbild der Myrrhophoren am Grabe bezeugt, dessen Komposition ganz ähnlich schon in älteren byzantinischen Darstellungen vorkommt und daher auch in späteren italienischen Malereien, vornehmlich auf dem Dombilde in Siena von Duccio (1310), noch wiederkehrt. Für die Charakteristik der deutschen Kunst im 13. Jahrhundert und als Zeugnis für die Blüte der damaligen West-fälischen Schule von besonderer Bedeutung. Vergl. noch Aldenkirchen, Die mittelalterliche Kunst in Soest, 1875, und namentlich Cl. Freiherr von Heereman-Zuydwyk, Die älteste Tafelmalerei Westfalens, 1882. — Das Altarwerk, ursprünglich, wie sich deutlich aus seiner Form ergiebt, ein Superfrontale, ist wohl eine Zeitlang als Antependium benutzt worden und war daher in den unteren Teilen stark beschädigt. Neuerdings derartig restauriert und ergänzt, daß durch den anderen Ton des Grundes (ohne Gold) die neu hinzugefügten Teile als solche erkenn-bar sind.

Pergament auf Eichenholz, h. (bis zur Rundung des Mittelbildes) 0,81, br. 1,94. — Erworben 1862 aus der Wiesenkirche zu Soest, erst 1880 der Galerie selbst eingefügt.

Westfälische Schule. Meister von Soest um 1250—1270.

Altaraufsatz in drei gleichen Abteilungen. Die 1216B Dreieinigkeit mit Maria und Johannes dem Evan-gelisten. Die Felder durch plastisch hervortretende Säulen, welche Rundbogen tragen, abgeteilt. Mittelfeld: Gott-Vater, auf reich verziertem Thronsessel von romanischen Formen sitzend, hält den gekreuzigten Christus vor sich. Unter dem Haupte Gott-Vaters schwebt in einer goldenen Scheibe die Taube des heil. Geistes. Neben dem Haupte Gott-Vaters die Buchstaben a und ω, weiter unten rechts (Fi)lius. — Linkes Feld: Maria, die ausgestreckten Hände wie zum Gebet erhebend. Zu Seiten des Hauptes: S. Maria. — Rechtes Feld: Johannes der Evangelist, in der vom Mantel verhüllten Linken ein Buch oder eine Schriftrolle haltend. Zu Seiten des Hauptes: S. Johannes E. — In den vier Zwickeln oben vier Engel in Halbfig. — Goldgrund.

Charakteristisch für die deutsche Malerei in der zweiten Hälfte des 13. Jahrhunderts, der das Bild wohl mit Sicherheit zuzuweisen ist. Dasselbe gehört noch ganz der romanischen Kunstweise an, zeigt aber in dem Gefälte der Gewänder eine absichtliche und ausgebildete Manier (leeres Formenspiel), wie sie nicht selten am Ausgang gewisser Epochen eintritt, ehe neue Formen eine neue Gestaltungsweise herbeiführen. Daß für jene Zeit solche Typen und Gewandungen bezeichnend waren, erhellt aus der auffallenden Verwandtschaft des Bildes mit den Wand-malereien im Dome zu Gurck in Kärnthen — also an einem weit ent-

Verz. d. Gemälde.   21

legenen Orte —, deren Ausführung zum gröfsten Teil in die Jahre von
1250—1279 zu setzen ist (vergl. Mitteilungen der K. K. Central-
Kommission, XVI. 120 ff.). — Noch gröfsere Aehnlichkeit zeigt die
Behandlung der Gestalten in den Wandmalereien der Nikolaikirche zu
Soest, so dafs diese wohl mit allem Recht demselben Meister zugeteilt
werden: s. Cl. Freiherr von Heereman-Zuydwyk, Die älteste Tafelmalerei Westfalens, S. 88 f. Von demselben Künstler ein Madonnenbild im Museo nazionale zu Florenz (aus der Sammlung Carrand).
— Stammt wie das vorige Bild aus der Wiesenkirche zu Soest, mufs
aber für eine ältere Kirche daselbst gemalt gewesen sein. S. Lübke,
Kunst in Westfalen, S. 335, und besonders von Heereman a. a. O. S. 80 ff.

   Tempera. Eichenholz, h. 0,71, br. 1,20. — 1862 aus der Wiesenkirche
zu Soest erworben, erst 1880 in der Galerie aufgestellt.

   Weyden. Roger (Rogier) van der Weyden, auch Roger de la
Pasture, und in älterer Zeit öfters Roger von Brügge oder
Roger von Brüssel gen. Niederländische Schule. — Geb. 1399
oder 1400 zu Tournay, daselbst 1432 als Meister in die Gilde
eingetragen, † zu Brüssel den 16. Juni 1464. Schüler des
Robert Campin, eines sonst unbekannten Lokalmalers von
Tournai (seit 1427); Nachfolger, aber nicht Schüler des Jan
van Eyck und Gründer einer eigenen (Brabanter) Schule.
Thätig zu Tournai und namentlich zu Brüssel (1436 als „Maler
der Stadt" erwähnt), einige Zeit in Löwen, vielleicht auch in
Brügge, 1449/50 in Italien (?).

534A   Flügelaltar. Linker Flügel: Die hl. Familie. In einem
gotischen Gemache sitzt links Maria und betet das Kind an,
welches in ihrem Schofse ruht. Rechts der schlafende Joseph,
die Hände auf seinen Stab gestützt. Oben ein schwebender
blauer Seraph, in den Händen eine Krone und ein Spruchband. In der Hohlkehle des gotischen Bogens sind, grau in
grau, plastische Darstellungen gemalt; von oben links beginnend und nach oben rechts schliefsend: Verkündigung,
Heimsuchung, Anbetung des Kindes, Anbetung der Hirten,
Anbetung der Könige, Darbringung im Tempel; darunter
links die Statue des Apostels Petrus, rechts die des Lukas.
— Mittelbild: Beweinung Christi. Maria hält den
Leichnam des Sohnes in ihrem Schofse. Rechts Joseph von
Arimathia, links Johannes. Durch die offenen Bogen der
gotischen Halle sieht man eine hügelige Landschaft. Oben
schwebend ein violetter Seraph, in den Händen Krone und

534B Roger van der Weyden.

Spruchband. In der Hohlkehle des einrahmenden Bogens:
Christi Abschied, Maria mit zwei Aposteln, die Kreuztragung,
die Aufrichtung des Kreuzes, die Kreuzigung, die Grablegung;
darunter links die Statue des Apostels Johannes, rechts die
des Matthäus. — Rechter Flügel: Christus erscheint
der Maria. Der Auferstandene erscheint, seine blutenden
Wunden zeigend, der erschreckt von ihrem Betschemel auf-
blickenden Maria. In der Landschaft die Auferstehung
und weiter zurück die drei heiligen Frauen, auf dem Wege
zum Grabe. Oben schwebend ein blauer Seraph, in den
Händen Krone und Spruchband. In den Hohlkehlen des
einrahmenden Bogens: die drei Frauen der Maria die Auferstehung Christi meldend, die Himmelfahrt Christi, die
Ausgießung des heiligen Geistes, der Engel Maria den nahen
Tod verkündigend, der Tod Mariä, die Krönung Mariä; darunter links die Statue des Apostels Markus, rechts die des
Paulus.

Wie überhaupt Maria der Mittelpunkt der gesamten Schilderung
ist, so beziehen sich auch die lateinischen Sprüche auf den von den
Seraphim gehaltenen Bändern auf die Eigenschaften der Maria, um
deren willen ihr „die Krone des Lebens" verliehen worden. — Frühestes
erhaltenes Bild des Meisters. Dasselbe kam als Geschenk Papst Martin's V. an König Johann II. 1445 nach der Karthause Miraflores bei
Burgos. Karl V. soll es von hier mitgenommen und als Reisealtärchen
stets bei sich geführt haben. Nach seinem Tode befand sich das Werk
wieder in Burgos bis zur Zeit der Napoleonischen Kriege. Damals
fiel es kurz vor dem Brande des Klosters in die Hände des Generals
d'Armagnac, der es einem Weinhändler verkaufte. Von letzterem
erstand es Nieuwenhuys, der es weiter an König Wilhelm von Holland
verkaufte.

Eichenholz, jede Tafel h. 0,71, br, 0,43. — Erworben 1850 aus der
Sammlung des Königs Wilhelm von Holland im Haag.

Flügelaltar. Linker Flügel: Geburt Johannes des   **534B**
Täufers. Maria steht mit dem kleinen Johannes vor
Zacharias, der den Namen des Kindes einzutragen im Begriff
steht („er soll Johannes heifsen"). Elisabeth in einem grofsen
Himmelbett, dessen Decke eine Magd richtet; im Grunde
kömmt durch die offene Thüre zum Besuche eine junge Frau,
von ihrer Dienerin gefolgt. In der grau in grau gemalten
gotischen Einrahmung unten die Standbilder von: links
Jacobus minor und Philipp, rechts Thomas und Matthäus;

oben die plastischen Darstellungen: links (von unten nach oben) dem Zacharias erscheint der Engel im Tempel, Zacharias verstummt aus dem Tempel tretend, die Vermählung Joseph's und Maria's; rechts (von oben nach unten) die Verkündigung, die Heimsuchung und die Geburt Christi. — Mittelbild: Taufe Christi. An Christus, der im Flufsbett des Jordans steht, vollzieht Johannes die Taufhandlung; rechts kniet ein Engel, das Gewand Christi in den Händen. Oben erscheint Gott-Vater (in roter Farbe). Im Hintergrund das Thal des Jordan. In der Umrahmung unten links die Apostel Petrus und Andreas, rechts Jacobus major und Johannes; oben links Zacharias die Zukunft des Johannes weissagend, Johannes im Gebet in der Wüste, Johannes in der Wüste taufend; rechts Christus vom Teufel versucht, die Steine in Brot zu verwandeln, sich vom Tempel herabzulassen und die Macht des Teufels anzuerkennen. — Rechter Flügel: Enthauptung des Johannes. Der reich geschmückten Salome legt der Henker den eben abgetrennten Kopf des Johannes auf eine Schüssel, die sie abgewandten Hauptes hinhält. Auf einer Treppe, die zu dem unterirdischen Gefängnisse führt, der Rumpf des Johannes. Durch einen offenen Bogen schauen vom Hofe aus zwei Männer tief ergriffen dem Vorgang zu. Im Hintergrunde ein Gemach, worin Salome knieend den an der Tafel sitzenden Herodes und Herodias das Haupt des Johannes überreicht; rechts Ausblick in einen von hoher Mauer umgebenen Hof. In der Umrahmung unten links die Apostel Paulus und Bartholomäus, rechts Thaddäus und Matthias; oben links Johannes von den Zöllnern befragt, Johannes zwei Jüngern Christus als den Messias zeigend, Johannes den Herodes zur Rede stellend; rechts Johannes in's Gefängnis gebracht, Johannes am Gitter des Gefängnisses von seinen Jüngern besucht, Tanz der Salome vor Herodes.

Ein Hauptwerk des Meisters aus seiner früheren Zeit. Eine Wiederholung von seiner Hand, aber von kleineren Dimensionen, im Museum Staedel zu Frankfurt a. M.

Eichenholz, jede Abteilung h. 0,77, br. 0,48. — Erworben 1850, die zwei ersten Tafeln aus der Sammlung des Königs Wilhelm von Holland im Haag, die dritte Tafel in England.

Flügelaltar. Mittelbild: Anbetung des Kindes: **535**
Unter einer mit einem Strohdache bedeckten Ruine von
romanischer Bauart kniet Maria vor dem am Boden liegen-
den Kinde, das drei kleine Engel verehren; links Joseph in der
Linken ein Licht haltend. Rechts kniet der Stifter Peeter
Bladelin, der Gründer der Stadt Middelburg und Schatz-
meister des Herzogs von Burgund († 1472). Im Grunde der
Ruine Rind und Esel. In der Landschaft rechts eine Stadt,
links die Verkündigung an die Hirten. — Linker Flügel:
Die Sibylle von Tibur. Durch das offene Fenster eines
Gemachs zeigt die Sibylle dem in burgundische Herzogs-
tracht gekleideten Kaiser Augustus, der kniend ein Rauch-
faſs schwingt, die Erscheinung der über der Landschaft
schwebenden Maria mit dem Kinde. Rechts drei hohe
Würdenträger, dem Vorgang zuschauend. — Rechter
Flügel: Der Stern erscheint den Königen aus dem
Morgenlande. Die drei Könige knieen, andächtig zu dem
links am Himmel im Strahlenglanze erscheinenden Christ-
kinde emporblickend. Rechts Fluſslandschaft mit einer
Stadt. — Rückseite der Flügel: Verkündigung. Linker
Flügel: Maria, knieend; hinter ihr eine Vase mit einer
Lilie. Rechter Flügel: Der Engel Gabriel im Begriff,
niederzuknieen; er hält mit beiden Händen ein langes
Spruchband, auf welchem die Worte des englischen Gruſses
stehen. — Beide Figuren grau in grau.

Die drei Bilder geben eine in sich abgeschlossene Darstellung,
welche sich auf die weltumfassende Bedeutung Christi bezieht: Geburt
Christi (Mittelbild), Verkündigung derselben an den Herrscher des
Abendlandes (Augustus) und an die Herrscher des Morgenlandes. —
Gemalt für den Hauptaltar der Kirche von Middelburg (in Brabant),
in welcher sich noch eine Kopie befindet. — Ein Hauptwerk des
Meisters aus seiner mittleren Zeit (bald nach 1450). — Die Rückseiten
der Flügel geringer und wohl nur Schülerarbeit.

Eichenholz, Mittelbild, h. 0,91, br. 0,89, Flügel je h. 0,91, br. 0,40.
— Erworben 1834 von Nieuwenhuys in Brüssel.

Bildnis Karl's des Kühnen, Herzogs von Bur- **545**
gund (1433—1477). Nach links gewendet. Mit kurzem
Haar, in schwarzem bis zum Hals geschlossenen Gewande,
darüber den Orden des goldenen Vliefses. Die Hände werden
unten links sichtbar. Dunkler Grund.

Brustb. in etwa halber Lebensgr. Eichenholz, h. 0,49, br. 0,32. —
Sammlung Solly, 1821.

549A Maria mit dem Kinde. Maria, hinter einem oben abge-
rundeten Fensterrahmen stehend, reicht dem vor ihr auf der
Brüstung sitzenden Kinde die rechte Brust. Rechts hinter
Maria eine blaue Lilie.

Früher irriger Weise einem Nachahmer des Memling zugeschrieben.
— Ringsum angestückt.

Maria Halbfigur in zwei Drittel Lebensgröfse. Eichenholz, h. 0,50,
br. 0,39. — Erworben 1862.

Weyden. Kopie nach Roger van der Weyden. Niederländische Schule.

534 Kreuzabnahme. Der Leichnam Christi, den Simon
von Cyrene eben vom Kreuze abgenommen hat, wird von
Joseph von Arimathia unter den Armen ergriffen, während
Nikodemus die Beine hält. Rechts Magdalena, die Hände
ringend; hinter Nikodemus steht Petrus, mit dem Salbgefäfs
der Magdalena. Links Johannes und Maria Salome, welche
die zu Boden sinkende Maria unterstützen. und Maria
Kleophas. Goldgrund.

Bez. in den oberen Ecken in gotischem Mafswerk mit je einer
Armbrust und der Jahreszahl 1488. — Früher Roger van der Weyden
der Jüngere benannt. Doch hat sich die Annahme eines solchen
Künstlers, dem man eine Anzahl Schularbeiten aus der Werkstatt des
älteren Roger zugewiesen, als grundlose Voraussetzung herausgestellt;
denn ein jüngerer Roger van der Weyden, der im Antwerpener Zunft-
buch vorkommt und erst 1528 Meister wurde, hat mit jenen Bildern
nicht das mindeste zu thun. — Treffliche Schulkopie nach dem Originale
von der Hand des älteren Roger, das sich im Escorial zu Madrid befindet. Andere alte Kopieen im Museo del Prado daselbst (No. 1818,
vielleicht von Michiel van Coxie, und No. 2193a, früher im Museo
Nacional de la Trinidad), in der Peterskirche zu Löwen (in kleinerem
Mafsstab, Mittelbild eines Triptychons in der Agatha-Kapelle), in der
Bridgewater-Sammlung zu London etc. Ueber das Original und die
in Spanien befindlichen Kopieen s. Madrazo, Museo Español de Anti-
güedades, IV.

Eichenholz, h. 1,49, br. 2,65; oben in der Mitte kleiner viereckiger
Aufsatz, h. 0,51, br. 0,57. — Erworben 1830.

Wijck. Thomas Wijck. Holländische Schule. — Maler
und Radirer, geb. zu Beverwijk bei Haarlem angeblich 1616,
begraben den 19. August 1677. Schüler seines Vaters, unter
dem Einflusse des Pieter de Laar weiter ausgebildet. Thätig

zu Haarlem (1642 Mitglied der Lukasgilde) nach einem Aufenthalte in Italien.

Ein Seehafen. Auf der Plattform vor den Ruinen **877** eines römischen Tempels allerlei Volk, Waren feilbietend, musizierend und sich unterhaltend. Rechts, jenseits eines Flufsarmes, der in das Meer mündet, ein alter Leuchtturm; weiter zurück eine Stadt und das gebirgige Meeresufer.

Bez. links unten an einer Stufe: *TWyck.*
Leinwand, h. 1,08, br. 1,51. — Königliche Schlösser.

Wilt. **Thomas van der Wilt.** Holländische Schule. — Maler und Stecher in Schwarzkunst, geb. im Dorfe Piershil den 29. Oktober 1659, † zu Delft 1733. Schüler des Jan Verkolje zu Delft. Thätig zu Delft.

Das Brettspiel. Eine junge Dame, die ein Herr um **1004** die Hüfte fafst, steht vor einem Tisch und folgt mit Aufmerksamkeit dem Zuge, den ein ihr gegenüber sitzender junger Herr zu thun im Begriff ist. Eine Zofe bringt einen Teller mit Früchten. Unter dem persischen Tischteppich kommt ein Hund hervor. Durch die offene Thür Ausblick in die Landschaft.

Hauptbild des Künstlers, der sich hier, indem er den deutlichen Einfluſs von Verkolje bezeugt, zugleich an Ter Borch und Ochtervelt anlehnt.
Leinwand, h. 0,69, br. 0,56. — Königliche Schlösser.

Witte. **Emanuel de Witte,** urkundlich auch de Wit genannt. Holländische Schule. — Architekturmaler, geb. zu Alkmaar 1617, daselbst 1636 als Meister in die Lukasgilde aufgenommen, † zu Amsterdam 1692. Schüler des Evert van Aelst zu Delft. Thätig zu Alkmaar, Delft (1642 in die Gilde eingetreten) und namentlich zu Amsterdam (schon vor 1650).

Das Innere einer Kirche. Aus der Vorhalle einer **898** Renaissance-Kirche führt eine Treppe in das von einem Tonnengewölbe überdeckte Hauptschiff; weiter blickt man durch die Kreuzung, über der sich eine Kuppel erhebt, in den hell erleuchteten Chor. Einzelne Figuren in der Vorhalle und im Innern der Kirche.

Bez. auf einer Grabtafel links: *E De Witte fecit A⁰ 1667.*
Leinwand, h. 1,32, br. 1,06. — Königliche Schlösser.

898A   Inneres der Nieuwekerk zu Amsterdam. Vom
Querschiffe aus sieht man schräg in das Langschiff einer
gotischen Kirche. Im Mittelgrunde auf einer Holzkanzel ein
Prediger, um den sich die Gemeinde versammelt hat. Ganz
vorn zur Linken ein junger Kavalier und eine Frau mit
zwei Kindern. Links zwei Hunde.

Leinwand, h. 0,83, br. 0,67. — Sammlung Suermondt, 1874.

Wonsam. Anton Wonsam oder Woensam, zumeist Anton
von Worms genannt (in Urkunden auch Thoniss Wonsam,
daher sein Monogramm bisweilen aus T und W besteht).
Niederrheinische Schule. — Maler und vornehmlich Zeichner
für den Holzschnitt (vielleicht auch selbst Holzschneider),
vermutlich zu Köln geboren und thätig daselbst, nach den
Daten auf seinen Holzschnitten, um 1518—1553.

1242   Das jüngste Gericht. In der Höhe Christus als
Richter in den Wolken thronend; zu seinen Seiten knieen
links Maria, rechts Johannes d. T.; zu seinen Füfsen drei
kleine posaunende Engel. Unten zur Linken die Seligen;
zur Rechten die Verdammten. Vorn vor den Nischen eines
architektonischen Bogens links ein hl. Bischof, rechts Johannes d. T., jeder einen vor ihm knieenden Geistlichen
empfehlend.

Eichenholz, h. 0,86, br. 0,84. — Sammlung Solly, 1821.

Wouwerman. Philips Wouwerman. Holländische Schule. —
Maler und Radirer, getauft zu Haarlem den 24. Mai 1619,
† daselbst den 19. Mai 1668. Schüler seines Vaters Paulus
Joosten Wouwerman und des Jan Wijnants, vielleicht auch
des Pieter de Laer. Thätig zu Haarlem.

899   Die Reitschule. Vor dem Thore einer Festung, auf
deren verfallenen Wällen eine einzelne Kanone steht, reitet
ein Offizier auf einem Schimmel um einen Pfahl. Links
von ihm halten zwei Burschen eine paar andere Pferde.
Vorn rechts eine Säule, auf deren Postament ein Knabe
hinaufklettert. Links ein breiter Flufs mit einem ankernden
Schiff und Badenden. In der Ferne Gebirge.

Bez. rechts unten mit dem Monogramm (das regelmäfsig aus

sämtlichen Buchstaben des Vornamens Philips und einem einzelnen W besteht). — Aus der mittleren Zeit des Künstlers.

Leinwand, h. 0,77, br. 1,20. — Königliche Schlösser.

Halt einer Jagdgesellschaft am Flusse. An einem Brückenbogen, der ein Flüſschen überspannt, hält eine Jagdgesellschaft von drei Reitern und einer Dame. Ein Reitknecht, in rotem Rock, bläst das Jagdhorn. Auf dem Wasser ein Kahn mit zwei Badenden. Hügelige Ferne. **900**

Bez. links unten mit dem Monogramm. — Gegenstück zu No. 903.

Eichenholz, h. 0,35, br. 0,39. — Königliche Schlösser.

Aufbruch zur Jagd. Vor der Treppe eines Schlosses nähern sich ein Herr und eine Dame den von Dienern gehaltenen Pferden, einem Schimmel und einem dunklen Apfelschimmel. Hinter dem Paar ein Jäger zum Aufbruch blasend. Rechts ein Mann mit der Meute und ein Diener, der sich die Schuhe bindet. Links Ausblick über hügelige Ferne mit einem alten Schlosse. **900 B**

Aus der mittleren Zeit des Meisters. — Sammlung Schönborn, Wien 1866.

Eichenholz, h. 0,33, br. 0,40. — Sammlung Suermondt, 1874.

Pferde vor der Schmiede. Vor einer Schmiede, die in eine Felsenhöhle gebaut ist, beschlägt der Schmied einen braunen Gaul. Daneben ein Schimmel aus einem Troge fressend, den ihm eine Frau eben vorsetzt. Oben auf dem Felsen das Häuschen des Schmiedes. Ausblick auf hügelige Ferne. **900 C**

Aus dem Ende der mittleren Zeit des Meisters. — Sammlung Schönborn (Pommersfelden), Paris 1867.

Eichenholz, h. 0,40, br. 0,31. — Sammlung Suermondt, 1874.

Winterlandschaft. Auf einem schneebedeckten Pfad, der am Fuſs eines steilen Felsens über einen Bach führt, ein Reiter und zwei Fuſsgänger. **900 D**

Charakteristisch für die frühere Zeit des Meisters.

Eichenholz, h. 0,27, br. 0,23. — Sammlung Suermondt, 1874.

Der Heuwagen. Vor einem halb zerfallenen Kastell steht ein Wagen, auf den zwei Männer aus einem Boote Heu übergeladen haben. Daneben die abgeschirrten Gäule, grasend; weiter rechts eine Magd mit einem Heurechen zu Pferde. Im Grunde hügelige Ferne. **903**

Gegenstück zu No. 900.

Eichenholz, h. 0,34, br. 0,39. — Königliche Schlösser.

Wouwerman. Pieter Wouwerman. Holländische Schule.
— Getauft zu Haarlem den 13. September 1623, begraben
den 9. Mai 1682 in Amsterdam. Schüler seines Vaters Paulus
Joosten Wouwerman und seines Bruders Philips. Thätig zu
Haarlem, später in Amsterdam (um 1675) und vermutlich
einige Zeit (um 1664) zu Paris.

880   Die Belagerung einer holländischen Stadt. Aus
einer Festung wird von rechts und links zugleich ein Ausfall
auf die beiden nächstgelegenen spanischen Batterien gemacht;
eine starke Kanonade von den Wällen unterstützt die An-
greifer. Das Feuer wird aus den Batterien der Spanier
kräftig erwidert. Im Vordergrunde eine Schanze, auf welcher
die spanische Fahne weht.

Bez. links unten: *P W*.
Leinwand, h. 0,95, br. 1,18. — Königliche Schlösser.

Ykens. Frans Ykens. Vlämische Schule. — Stilllebenmaler, getauft zu Antwerpen den 17. April 1601, † daselbst
vermutlich 1693. Schüler des Osias Beert. Thätig zu Antwerpen und kurze Zeit zu Brüssel (um 1665/67).

910 A   Stillleben. In einer grofsen Porzellanschale, die auf
einem Tische steht, liegen Trauben, Aprikosen, Birnen,
Aepfel, Erdbeeren und Kirschen. Auf der Tischplatte ein
paar abgefallene Beeren und einige Wallnüsse. Grauer Grund.

Bez. in der Mitte der Tischplatte: *Francisco ykens: fecit*.
Eichenholz, h. 0,53, br. 0,81. — Erworben 1865.

Zacchia. Paolo Zacchia d. A. Florentinische Schule. —
Geburts- und Todesjahr wie Lebensverhältnisse unbekannt.
Vermutlich gebildet unter dem Einflusse von Domenico
Ghirlandaio und Fra Bartolommeo, sowie des Sodoma oder
Beccafumi. Thätig um 1520—1530 in Lucca und wahrschein-
lich in Florenz.

278   Maria mit dem Kinde und dem kleinen Johannes.
Maria, auf einer Rasenbank sitzend, reicht dem Kinde auf
ihrem Schofse einen geöffneten Granatapfel. Das Kind
segnet den kleinen Johannes, welcher, von einem Engel geleitet, links vor ihm steht. Im Hintergrund Landschaft.

Pappelholz, rund, Durchmesser 0,85. — Sammlung Solly, 1821.

Zaganelli. **Francesco di Bosio Zaganelli.** Zeichnet sich
auch **Zanganelli.** Schule der Romagna. — Geb. zu Cotignola,
thätig zu Ravenna, nach den Daten auf seinen noch erhaltenen Gemälden von 1505—1527. Schüler des Niccolò Rondinelli, unter dem Einflusse der Werke Francesco Francia's
weiter ausgebildet.

Verkündigung nebst Heiligen. In einer mit ver- **1164**
goldeten und farbigen Ornamenten reich geschmückten
Säulenstellung steht Maria auf verziertem Sockel, zu dem
Engel emporblickend, der von links herabschwebt. Ueber
Maria die Taube des hl. Geistes. Zur Linken Johannes d. T.,
den Stifter empfehlend, der vor ihm kniet. Rechts vorn der
hl. Antonius von Padua. Im Hintergrund Landschaft.

Bez. auf einem Blättchen unten in der Mitte: 1509 A Aprilys;
darüber noch Spuren einer ausgelöschten Inschrift, welche wohl den
Namen des Künstlers enthielt.
Pappelholz, h. 1,98, br. 1,56. — Sammlung Solly, 1821.

Zaganelli? Ein Wunder aus der Legende des hl. An- **236**
tonius von Padua. In der Mitte der Maulesel vor einem
Sieb knieend, in dem die Hostie liegt; ihm gegenüber Antonius und ein Ordensbruder, beim Anblick des Wunders
zum Gebete niederknieend. Zu beiden Seiten Zuschauer,
rechts weiter zurück einige Mönche in Weifs (Camaldulenser?).

Es ist der Vorgang geschildert, wie der Heilige den Ketzer Bovi-
dilla, der an die wirkliche Gegenwart Christi im Sakrament nicht glauben
will, zu bekehren sucht, indem er dem Maulesel des Bovidilla befiehlt,
vor der Hostie niederzuknieen. — Gehört mit dem nachfolgenden
Bild zu einer Predella. — Bisher vermutungsweise der Schule des
A. del Sarto zugeschrieben, während schon Crowe und Cavalcaselle auf
Zaganelli hinwiesen, dem diese Bilder in der That am nächsten stehen.
Leinwand, h. 0,19, br. 0,49. — Erworben 1841/42 in Italien.

Zaganelli? Ein Wunder aus der Legende des hl. An- **241**
tonius von Padua. Der Heilige auf einer kleinen Kanzel
an der Rückwand eines Gemachs spricht eindringlich zu
einem Fürsten, der, vom Gefolge umgeben, auf einem Thronsessel sitzt. Vor dem Fürsten ein kleiner nackter Knabe,
mit lebhafter Bewegung auf ihn zueilend. Dem Fürsten
gegenüber kniet eine gekrönte Frau, mit weiblicher Begleitung; weiter zurück Nonnen im Gebet.

Scheint die Legende darzustellen, wonach der Heilige einen Edelmann (im Bilde scheint ein Fürst gemeint zu sein) zu Ferrara, der
verleitet worden, seine Gattin für untreu zu halten, und seinen neu-
geborenen Sohn nicht anerkennen will, von der Unschuld seiner Gattin
mit Hülfe des Kindes selbst überzeugt; er läfst das Kind aus den
Windeln nehmen und befiehlt ihm kundzuthun, wer sein wirklicher
Vater sei, worauf das Kind seine Hand nach dem Edelmann aus-
streckt und dessen Namen nennt — S. die Bemerkungen unter No. 236.
Leinwand, h. 0,19, br. 0,49. — Erworben 1841/42 in Italien.

Zampieri. Domenico Zampieri, gen. Domenichino. Schule
von Bologna. — Maler und Architekt, geb. zu Bologna den
21. Oktober 1581, † zu Neapel den 15. April 1641. Schüler
des Dionysius Calvart, weiter ausgebildet in der Akademie
der Carracci zu Bologna. Thätig zu Bologna, Rom (von etwa
1600 bis gegen 1617 und wieder von 1622 bis 1630) und zu
Neapel (von 1630 bis zu seinem Tode). ·

362   Der hl. Hieronymus. Der Heilige, nur mit einem
roten Mantel bekleidet, der den Oberkörper frei läfst, begeistert nach oben blickend, sitzt zur Linken neben einem
Tische. Auf dem Tische Bücher, Tintenfafs und Stundenglas; an der Wand der Kardinalshut.
Lebensgr. Fig. bis zu den Kuieen. Leinwand, h. 1,27, br. 0,99. —
Sammlung Solly, 1821.

375   Bildnis des Baumeisters Vincenzo Scamozzi
(1552—1616). Etwas nach links gewendet und gradaus
blickend. Mit kurzem grauen Vollbart; in schwarzem
Barett, schwarzem Rock und schlaffem kleinen Kragen; in
der Rechten einen Zirkel haltend. Grauer Grund.
Lebensgr. Brustbild. Leinwand, h. 0,65, br. 0,53 — Erworben 1829
durch Rumohr.

Zeeman. Reinier (Remigius) Nooms, gen. Zeeman. Holländische Schule. — Maler und Radirer von Seestücken,
geb. 1623, wahrscheinlich zu Amsterdam, † nach 1663 und
vor 1668. Thätig zu Amsterdam, kurze Zeit auch in Frankreich (um 1650) und nach Nicolai („Nachrichten" u. s. w.)
vorübergehend in Berlin.

875B   Ruhige See. Auf flachem Strande liegen zwei gröfsere
Boote. Rechts zwei Fischer bei einem kleinen Nachen; in
der Ferne verschiedene Boote auf der stillen See.
Bez. im Terrain links nahe der Mitte: *R. Zeeman.*
Leinwand, h. 0,24, br. 0,22. — Sammlung Suermondt 1874.

Zeitblom. Bartholme Zeitblom. Schwäbische Schule. — Geb. zwischen 1450 und 1455 (?), † nach 1517. Vermutlich Schüler des Hans Schüchlin zu Ulm, dessen Schwiegersohn (seit 1483) und Gehülfe er war, unter dem Einflusse Martin Schongauer's weiter ausgebildet. Thätig in Ulm und Umgegend.

Der hl. Petrus. Der Heilige steht vor einem auf- **561A** gespannten Teppich von Golddamast, in den Händen ein Buch und einen Schlüssel. Oben auf dem dunkelblauen Grund der Name des Heiligen.

Scheint von dem Stich Schongauer's, B. 34, beeinflufst.

Eichenholz, h. 0,53, br. 0,24. — Erworben 1850 aus der Sammlung Hirscher, Freiburg i. B.

Das Schweifstuch der Veronika. Zwei Engel halten **606A** das Tuch, auf dem das überlebensgrofse Antlitz Christi mit der Dornenkrone erscheint. Grüner Grund.

Vordere Staffel des für die Pfarrkirche von Eschach bei Gemünd um 1496 gemalten Altares, dessen übrige Teile sich in der Galerie zu Stuttgart befinden. — Aus der besten Zeit des Künstlers.

Die Engel lebensgr. Halbfig. Föhrenholz, h. 0,67, br. 1,82. — Erworben 1850 aus der Sammlung Hirscher, Freiburg i. B.

Zelotti. Battista (Giovanni Battista) Zelotti, in älterer Zeit Battista Farinato, Battista da Verona und Battista Veneziano genannt. Venetianische Schule (Verona). — Maler und Radirer, geb. zu Verona um 1532, † 1592. Schüler des Antonio Badile und vermutlich seines Oheims Paolo Farinato zu Verona, unter dem Einflusse des Paolo Veronese als dessen Gehülfe weiter ausgebildet. Thätig vornehmlich zu Verona und Venedig, zeitweilig in Vicenza und Umgegend, sowie im Trevisanischen.

Heilige Familie mit Heiligen. Maria, auf einem **201** Säulen-Postamente sitzend, umfafst das lebhaft ausschreitende Kind, welches einen Zweig mit Kirschen hält. Zur Linken kniet in Verehrung die hl. Katharina; hinter derselben der kleine Johannes, der das Lamm heranbringt, von dem bejahrten Joseph geleitet. Etwas zurück naht der Erzengel Raphael; zuäufserst links, an einen Baum gefesselt, der hl. Sebastian. Hintergrund Landschaft.

Leinwand, h. 1,64, br. 2,35. — Erworben 1832.

Zoppo. Marco Zoppo. Schule von Padua und von Bologna. — Geb. zu Bologna, Geburts- und Todesjahr unbekannt. Schüler des Francesco Squarcione zu Padua.
Thätig um 1468—1498 zu Padua, Venedig und zu Bologna,
woselbst er gestorben sein soll.

1170   Thronende Maria mit dem Kinde und Heiligen.
Maria, auf einem Throne sitzend, über den sich ein Frucht-
gewinde spannt, reicht dem auf ihrem Schofse stehenden
Kind einen Apfel. Links neben dem Throne der hl. Franciscus und Johannes d. T.; zur Rechten der hl. Paulus und
der hl. Hieronymus, in der Rechten einen Stein, in der
Linken ein Kruzifix haltend. Im Grunde bergige Landschaft.

> Bez. unten auf einem Blättchen: *Marco . Zoppo . da Bolognia .
> pinsit . MCCCCLXXI . I Vinexia.* — Das Hauptwerk des Meisters,
> im Charakter der Schule von Padua; Vasari erwähnt das Bild als in
> S. Giov. Evangelista zu Pesaro befindlich, später kam es angeblich zu
> den Osservanti ebenda. — In Gubbio, in der Sammlung des Conte U. Beni
> befanden sich noch vor etwa zwölf Jahren zwei Bildchen, welche
> gleichfalls aus Pesaro stammen und als Stücke der Predella zu dem
> Berliner Bilde gehören: kleine Halbfiguren des hl. Martin und der hl.
> Lucia. Auf dem Hauptbilde sind diese Heiligen nicht.
> Tempera. Pappelholz, h. 2,62, br. 2,54. — Sammlung Solly, 1821.

Zurbaran. Francisco (de) Zurbaran. Spanische Schule
(Sevilla). — Getauft zu Fuente de Cantos in Estremadura
den 7. November 1598, † zu Madrid 1662 (?). Schüler des
Juan de Roelas zu Sevilla. Thätig zu Sevilla und Madrid
(als Hofmaler Philipp's IV).

404A   Der hl. Bonaventura verweist den hl. Thomas
von Aquino auf den Gekreuzigten als die Quelle
alles Wissens. In seiner Zelle vor einem Büchergestell
stehend schlägt der hl. Bonaventura den Vorhang desselben
zurück und weist den hinter ihm eingetretenen Thomas von
Aquino auf das Bild des Gekreuzigten. Hinter diesen zur
Linken noch vier Franziskaner. Durch die offene Thüre
Blick auf einige Häuser.

> Bez. links unten: *Fco . De Zurbaran . fata. 1622.* — Hauptwerk
> des Künstlers aus seiner frühen und besten Zeit. — Gehört zu einer
> Folge von vier Darstellungen aus dem Leben des hl. Bonaventura,
> früher in S. Bonaventura (Kirche des Franziskaner-Kollegs) zu Sevilla,

von denen zwei jetzt im Louvre zu Paris und eine in der Dresdener
Galerie sich befinden. Die im obigen Gemälde dargestellte Begebenheit
ist die folgende: „Thomas von Aquino, erstaunt über die Kraft und
den Reichtum der mystischen Theologie Bonaventura's, besuchte diesen
(der damals noch junger Lehrer der Theologie an der Pariser
Universität war) und bat, ihm seine Bibliothek zu zeigen, damit er sich
die Werke anschaffen könne, aus welchen jener eine so vielseitige und
umfassende Wissensfülle schöpfe. Da wies ihm jener das Bild des
Gekreuzigten, aus welcher ergiebigen Quelle er alles das empfangen
zu haben bekannte, was er gelesen und geschrieben." (Pietro Galesini
Acta Sanct. S. 874).

Leinwand, h. 2,26, br. 2,56. — Erworben 1852 aus der Sammlung
Soult zu Paris.

NACHTRAG.

Beijeren. Abraham van Beijeren. Holländische Schule. Vergl. S. 18.

983 D   Stillleben. Auf einer hölzernen Tischplatte ein Korb mit zwei Schellfischen, einem Stück Lachs und Flundern. Links eine Steinbutte, rechts ein Taschenkrebs. Weiter zurück links ein Blecheimer, ganz vorn ein Tuch und ein Messer. Brauner Grund.

> Bez. rechts auf dem Tischrand: *A v Beyren 1655*.
> Eichenholz, h. 0,75, br. 1,05. — Erworben 1891 in Paris.

Bonsignori. Francesco Bonsignori. Schule von Verona. — Geb. zu Verona nach Vasari 1455, † zu Mantua 1519. Schüler oder Nachfolger des Liberale, später von Mantegna in Mantua und von Costa beeinflufst. Thätig in Verona und seit 1495, vielleicht auch schon früher am Hofe der Gonzaga in Mantua.

46 C   Der hl. Sebastian. Der Heilige steht, die Lenden mit einem weifsen Tuch umgürtet und von drei Pfeilen durchbohrt, mit über dem Kopf gekreuzten Armen an einen Baum ge-fesselt und blickt nach links oben. Im Hintergrunde links Felsen, rechts eine befestigte Stadt (an Verona erinnernd) an einem Flufs.

> Rechts unten ein Zettel mit dem Namen des Stifters und der nicht mehr ganz deutlichen Jahreszahl: Zoane Batista de Antonjo Banbasato a fato fare 1495 (?). — Das Bild verrät auch in der Technik den Einfluls des Mantegna. Der Dialekt der Aufschrift (Zoane) scheint darauf zu deuten, dafs das Werk in Venedig entstanden.
> Ganze lebensgrofse Figur. Leimfarbe. Leinwand, h. 1,52, br. 0,73. — Erworben 1887 in Florenz.

Buonfigli. Benedetto Buonfigli. Umbrische Schule. — Geb. vermutlich zu Perugia, † ebenda 1496. Unter dem Einfluſs von Domenico Veneziano und Piero della Francesca herangebildet. Thätig in Perugia, seit 1453 nachweisbar.

Maria mit dem Kinde. Auf einem reichen Throne **137A** sitzt Maria, auf dem Schoſse das nackte Kind, das in der Linken die Weltkugel emporhält und mit der Rechten segnet. Jederseits ein verehrender Engel; hinter denselben eine Mauer, über welche Baumwipfel emporragen. Goldgrund.

Der Meister zeigt sich in diesem Bildchen besonders von Fra Angelico und von Benozzo Gozzoli beeinfluſst.

Tempera. Pappelholz, h. 0,27, br. 0,21. — Erworben 1887 als Geschenk eines Ungenannten (aus Perugia stammend).

Duchatel. François Duchatel, Duchastel oder du Chatel. Vlämische Schule. — Geb. zu Brüssel 1625, † angeblich 1694. Schüler des David Teniers d. J. Thätig zu Brüssel, nach 1668 in Paris.

Bildnis eines jungen vlämischen Edelmannes. **854A** Fast von vorn gesehen, etwas nach rechts gewendet. Im Lederkoller und Harnisch, darüber rote Schärpe und breiter Spitzenkragen. Die Linke mit dem Helm auf einen Tisch gestützt, an den der Schild angelehnt ist. In der Rechten einen Stock haltend. Im Hintergrund ein roter Vorhang.

Ganze Figur in Lebensgröſse. Leinwand, h. 2,00, br. 1,17. — Erworben 1876.

Kölnischer Meister (?) um 1400.

Maria mit dem Kinde. Maria, die Füſse auf Sonne **1205A** und Mond gestellt, trägt auf dem linken Arme das Kind, das in der Linken einen Vogel hält. Goldgrund mit feinen eingebunzten Mustern.

Möglicherweise auch der westfälischen Schule angehörend.

Eichenholz, h. 0,30, br. 0,18 — Sammlung Suermondt, 1874.

Kölnischer Meister vom Anfang des 15. Jahrhunderts.

Flügelaltar. Mittelbild: Maria mit dem Kinde und **1238** heiligen Frauen. Auf grüner eingehegter Wiese sitzend • hält Maria das Kind auf dem Arm; dasselbe faſst in einen Korb mit Blumen, den ihm die hl. Dorothea zur Linken sitzend darreicht. Vor Dorothea die hl. Katharina, ein rotes Täschchen in den Händen; zur Rechten neben Maria die hl.

Margaretha, ein kleines Kreuz haltend, und vor derselben
die hl. Barbara, den Turm in den Händen. Goldgrund. —
Linker Flügel: Die hl. Elisabeth, Landgräfin von Thüringen. In der Rechten einen Rosenkranz haltend, mit der
Linken einem Armen ein Gewand darreichend. — Rechter
Flügel: Die hl. Agnes. Neben ihr das Lamm, das liebkosend an ihr hinaufspringt. Beide Flügel auf Goldgrund.

In der Art des Meisters Wilhelm von Köln, welchem das Bild
früher zugeschrieben wurde.
Eichenholz, Mittelbild h. 0,32, br. 0,28; jedes Seitenbild h. 0,32, br. 0,18.
— Sammlung Solly, 1821.

Niederrheinischer Meister um 1325—1350.

1216   Joseph erkennt in Maria die Mutter des Heilands.
Unter einem gotischen baldachinartigen Bau aus Holzwerk,
von dessen Giebel eine Ampel herabhängt, sitzen Joseph
und Maria auf einer Bank. Zur Linken Joseph, einen Stock
in der Hand; er bittet der Maria sein Mifstrauen ab, da ihn
ein Engel, der ihm im Traum erschienen, bedeutet hat,
dafs das Kind, welches Maria gebären werde, der Heiland
sei und vom heiligen Geiste stamme. Jederseits ein musizierender Engel. Goldgrund.

Auf zwei Spruchbändern zwischen Maria und Joseph die Inschrift:
vere aþþd ie eſt fons nide; dominvs poſſedit me. Das
„nide" soll wahrscheinlich vite = vitae heifsen. — Die Behandlungsweise scheint auf die alte niederrheinische Kunst hinzuweisen, wofür
auch die Holzart der Tafel spricht. — Von demselben Meister eine
Krönung der Maria zwischen zwei Engeln in der Galerie von Sigmaringen.
Leimfarbe. Eichenholz, h. 0,38, br. 0,27. — Sammlung Solly, 1821.

Ouwater. Albert van Ouwater. Niederländische Schule.

— Geb. vermutlich zu Ouwater bei Haarlem. Nachfolger,
vielleicht Schüler des Jan van Eyck (während dessen Aufenthalt im Haag? 1422—1424). Thätig zu Haarlem um 1430—1460.

532A   Die Auferweckung des Lazarus. Inmitten eines
spätromanischen Kirchenchores sitzt Lazarus, den Schofs
von seinem Laken bedeckt, auf der quer über das Grab gelegten Platte. Links Christus mit erhobener Rechten zu ihm
niederblickend, eine Schwester des Auferweckten, die betend
in die Kniee gesunken ist, und noch vier Zuschauer. Hinter
Lazarus weist Petrus mit lebhafter Geberde den sechs zur

Rechten stehenden Juden, von denen einige die Nase zu-
halten und sich entsetzt abwenden, das Wunder. Durch die
Gitterthür in den Schranken des Chorumganges sieht man
die gedrängten Köpfe zahlreicher Zuschauer. Die Säulen-
kapitäle sind mit Bandwerk, die Kapitäle der Pilaster mit
Reliefs biblischen Inhalts geschmückt.

Einziges autentisches Werk des namentlich auch wegen seiner
Landschaften hochgerühmten Malers. Karel van Mander erwähnt das
Bild (1604), kannte von demselben indes nur eine skizzenhafte Kopie,
da das Original bei der Plünderung von Haarlem 1573 von den spanischen Truppen geraubt worden sei. Später findet sich das Bild bei
den Marchesi Balbi in Genua, deren Familie dasselbe als ein Geschenk
des Königs Philipp II. erworben haben will. Durch Erbschaft ging
es dann auf den letzten Besitzer, Marchese Mamelli, über (s. Jahrbuch
d. K. Preufs. Kunstsammlungen XI, 35 fg.).

Eichenholz, h. 1,22, br. 0,92. — Erworben 1889 in Genua.

Rembrandt. Rembrandt Harmensz van Rijn. Holländische
Schule. Vergl. S. 223.

Der Alte mit der roten Mütze. In einem Lehnsessel **828J**
sitzend, leicht nach links gewendet. Mit vollem grauen Bart
und hoher roter Pelzmütze. Die rechte Hand auf die Seiten-
lehne des Sessels gestützt, in der Linken einen Stock haltend.
Dunkler Grund.

Studie aus Rembrandt's später Zeit (um 1655). Eine ganz ähnliche Studie eines sitzenden Greises aus derselben Zeit bei Sir Francis
Cook in Richmond.

Leinwand, h. 0,51, br. 0,37. — Erworben 1890 in London.

Roberti. Ercole de' Roberti. Ferraresische Schule. Vgl. S. 231. **112D**

Maria mit dem Kinde. Auf einer von einem Baldachin überdeckten Steinbank sitzt Maria und betet mit gefalteten Händen das auf ihrem Schofse liegende Kind an.
Zu den Seiten Ausblick in die Landschaft.

Das Bild zeigt sich in Komposition und Faltengebung stark von
Cosma Tura abhängig. — Befand sich früher in der Sammlung
Costabile in Ferrara, dann bis 1879 bei Mr. Barker in London.

Pappelholz, h. 0,33, br. 0,25. — Erworben 1891 in London bei einer
Versteigerung anonymer Sammlungen.

Rubens. Schule des Petrus Paulus Rubens. Vlämische
Schule. Vergl. S. 236.

Bildnis der Helene Fourment, Rubens' zweiter **758**
Gemahlin. Leicht nach links gewendet, auf der obersten

Stufe einer Treppe stehend. In weifsatlassenem Kleide, mit
rotem Ueberwurf; in der Rechten eine Palme hoch haltend.
Hintergrund Architektur und Landschaft.

Ganze Figur in Lebensgröfse. Leinwand, h. 1,86, br. 1,06. — Königliche Schlösser. Befand sich zeitweilig im Vorrat der Museen.

Ruisdael. Jacob van Ruisdael. Holländische Schule.
Vergl. S. 243.

885G   Eichenwald. Ein dunkler Wasserspiegel, auf dem
blühende Seerosen schwimmen, wird von einem hohen
Eichenwald umsäumt. Ganz vorn links ein mächtiger ab-
gestorbener Buchenstamm, weiter zurück im Waldesschatten
ein Hirt mit zwei Schafen. Rechts ein Hügelzug, der sich
nach der Mitte zu einer waldigen Au senkt, aus der Morgen-
nebel aufsteigen.

Bez. rechts unten: *JvRuisdael* (das d und a zusammengezogen).
— Ein Hauptwerk des Meisters aus seiner mittleren Zeit (um 1660).
— Sammlung Wells in Manchester; 1857 auf der Manchester Ex-
hibition.
Leinwand, h. 1,14, br. 1,41. — Erworben 1891 in Paris.

Sauts. T. Sauts. Holländische Schule. — Unbekannter
Stilllebenmaler von dem indes bezeichnete Bilder auf verschiedenen Versteigerungen vorkamen. Vermutlich der
Haager Schule angehörig und um die Mitte des 17. Jahrhunderts thätig.

983E   Stillleben. Auf einer mit grünem Tuch bedeckten
Tischplatte liegen zwei Taschenkrebse, eine geöffnete und
drei geschlossene Austern. Mehr rechts ein halbgefüllter
Römer hinter dem ein Zweig mit Pflaumen liegt, und eine
Wallnufs. Brauner Grund.

Bez. im Bund über den Muscheln: *T. Sauts.* — Das Bild steht in der
Behandlung und malerischen Wirkung dem A. van Beijeren sehr nahe.
Eichenholz, h. 0,24, br. 0,35. — Erworben 1891 in Köln als Geschenk
eines Ungenannten.

Steenwijck. Pieter Steenwijck. Holländische Schule. —
Geb. zu Leiden. Ebenda Schüler des David Bailly. Am
10. November 1642 zu Delft in die Lukasgilde eingeschrieben.
War 1654 schon nach dem Haag verzogen.

739A   Steenwijck? Stillleben. Auf einer steinernen Tischplatte ein Kästchen, an das ein offenes Notenbuch angelehnt

ist; links ein Dudelsack und eine Flöte, rechts auf Büchern eine Geige und ein Leuchter mit verglimmender Kerze. Hellgrauer Grund.

Befand sich 1890 als Pieter Potter auf der Ausstellung von Werken der niederländischen Kunst des 17. Jahrhunderts in Berlin. — Das Bild zeigt große Aehnlichkeit mit einem in der Galerie des Prado zu Madrid befindlichen Stillleben, das P. Steenwijck bezeichnet ist. Ueber andere ebenso bezeichnete Stillleben und ähnliche Bilder von Pieter's Bruder Harmen s. Bredius in Oud-Holland, 1890.

Eichenholz, h. 0,42, br. 0,59. — Erworben 1891 als Geschenk eines Ungenannten.

Ter Borch. Gerard Ter Borch. Holländische Schule. Vergl. S. 279.

Das Konzert. Eine junge Dame in weifsseidenem **791B** Kleid, lachsroter Jacke und Pelzkragen sitzt, vom Rücken gesehen, im Vordergrund und streicht die Viola a gamba; weiter zurück ein geöffnetes Spinett, auf dem eine zweite Dame spielt. An der Wand rechts ein Spiegel, links ein Gemälde und darunter ein Stuhl.

Bez. auf dem Fuße des Spinetts mit dem Monogramm.
Eichenholz, h. 0,56, br. 0,44. — Erworben 1891 in Paris als Geschenk.

I.

VERZEICHNIS DER BILDER
nach der Nummernfolge.
(Die Zahlen hinter den Namen bedeuten die Seiten.)

786. Dyck, 77.
787. Dyck, 76.
788.
790. } Dyck, 77.
790E. Dyck, 76.
791.
791A. } Ter Borch, 280.
791B.
791C.
791D.
791E. } Ter Borch, 281.
791F.
791G. Ter Borch, 341.
792.
792A. } Metsu, 178.
792B. Metsu, 179.
793. Ter Borch, 282.
795.
795B. } Steen, 270.
795C. Steen, 271.
796A. Brekelenkam, 34.
796C. Laen, 139.
798B.
798C. } Rubens, 240.
798E.
798F.
798G.
798H. } Rubens, 241.
798K.
799. Dyck, 76.
799A. Merck, 178.
800. Hals, 121.
800A. Codde, 53.
801.
801A. } Hals, 121.
801C.
801D. Hals, 122.
801E. Hals, 121.
801F.
801G. } Hals, 122.
801H.
802. Rembrandt, 223.
802A. Helst, 126.
803. Vries, 315.
804. Eeckhout, 78.
805.
806. } Rembrandt, 223.

806A. Gelder, 106.
806B. Seghers, 261.
807. Horst, 131.
807A. Roghman, 233.
808. Rembrandt, 224.
808A. Seghers, 262.
809.
809A. } Bol, 26.
810. Rembrandt, 224.
810A. Meer, 167.
810B. Backer, 11.
810C. Meer, 168.
810D. Meer, 167.
811.
812. } Rembrandt, 224.
813A.
815. } Flinck, 95.
815B. Rembrandt, 228.
816. Livens, 148.
816A. Hals, 120.
818. Diepenbeeck, 69.
819A. Fabritius, 90.
819B. Maes, 155.
820. Eeckhout, 78.
820A. Poorter, 216.
820B. Hooch, 130.
821. Koninck, 138.
821A. Koninck, 137.
823. Rembrandt, 224.
824. Horst, 131.
824A. Hoogstraeten, 131.
825. Heerschop, 125.
825A. Helst, 126.
826A. Victors, 308.
828.
828A. } Rembrandt, 225.
828B.
828C.
828D. } Rembrandt, 226.
828E.
828F.
828H. } Rembrandt, 227.
828J. Rembrandt, 339.
829. Eeckhout, 78.
830. Verelst, 301.
830A. Vliet, 313.
830B. Lorme, 153.

831. Vos, 314.
832. Vos, 315.
832 A. Porcellis, 217.
834. Mieris, 179.
835.
835 A. } Everdingen, 80.
835 B.
836. Berchem, 22.
837. Schalcken, 258.
838. Mieris, 180.
839. Livens, 148.
840.
840 A. } Neer, 189.
840 C.
841. Ostade, 199.
842. Neer, 189.
842 A. } Neer, 190.
842 B.
'843. Dou, 71.
844. } Meert, 168.
844 A.
845. Mommers, 182.
845 B. Ostade, 201.
846 A. Neer, 190.
847. Dou, 72.
848. Netscher, 191.
848 A.
848 D. } Jardin, 134.
848 E.
848 F.
850. Netscher, 191.
850 A. Musscher, 188.
853 A.
853 B. } Brouwer, 37.
853 H.
854. Dou, 72.
854 A. Duchatel, 337.
854 B. Slingeland, 265.
855.
855 A.
855 B. } Ostade, 200.
855 C.
856. Teniers, 277.
856 A. Craesbeeck, 56.
856 B. Ryckaert, 246.
856 C. Ryckaert, 247.
857. Teniers, 277.

858. Tempel, 276.
859. Teniers, 278.
860. Bergen, 23.
861.
861 A. } Cuijp, 65.
861 B.
861 G. Cuijp, 66.
862. Bergen, 23.
863. Both, 30.
864. Duck, 73.
864 B. Coques, 54.
865. Goijen, 114.
865 A.
865 B.
865 C. } Goijen, 115.
865 D.
865 E.
866. Teniers, 277.
866 A. } Teniers, 278.
866 B.
866 C.
866 D. } Teniers, 279.
866 E.
867. Weenix, 319.
868. Crayer, 62.
868 A. Beerstraaten, 16.
870. Huysmans, 133.
871. Bega, 16.
872. Bega, 17.
872 A. Potter, 217.
873. Molenaer, 182.
874 A. Heem, 123.
874 B. Vlämische Schule, 312.
875. Verelst, 301.
875 A. Cappelle, 44.
875 B. Zeeman, 332.
876 A. Hondecoeter, 129.
877. Wijck, 327.
877 A. Verspronck, 307.
878. Snyders, 266.
879. Jordaens, 135.
880. Wouwerman, 330.
882. Vries, 316.
883 A. } Fyt, 102.
883 B.
884. Ruisdael, 243.
884 A. Velde, 297.

II.

VERZEICHNIS DER KÜNSTLER
nach Schulen und chronologisch geordnet.

Deutsche Schulen.

I. Mittelalter.

Westfälische Schule (Soest, um 1200—1230).

Westfälische Schule (Soest, um 1250—1270).

Niederrheinischer Meister um 1325 bis 1350.

II. 15. und 16. Jahrhundert.

Schwaben.

Schule des Martin Schongauer, um 1480.

Hans Baldung, gen. Grien, 1475/80 bis 1545.

Bartholomaeus Zeitblom, geb. 1450/55 (?) † nach 1517.

Bernhard Strigel, 1460/61—1528.

Hans Burckmair, 1473—1531.

Hans Holbein d. J., 1497—1543.

Jörg Breu, thätig seit etwa 1501, † 1536.

Christoph Amberger, um 1500 bis 1561/62.

Franken.

Meister Berthold von Nürnberg, Anfang des 15. Jahrhunderts.

Jakob Walch s. Jacopo de' Barbari (Venezianische Schule).

Albrecht Dürer, 1471—1528.

Hans von Kulmbach, † 1522.

Georg Pencz, nachweisbar seit 1523, † 1550.

Barthel Beham, 1502—1540.

Hans Leonhard Schaeufelein, um 1480—1539/40.

Albrecht Altdorfer, vor 1480—1538.

Sachsen.

Lucas Cranach d. A., 1472—1553.

Werkstatt des Lucas Cranach d. A.

Nachfolger des Lucas Cranach d. A., um 1520—1530.

Lucas Cranach d. J., 1515—1586.

Niederrhein.

Niederrheinischer Meister um 1325 bis 1350.

Kölnischer Meister (?) um 1400.

Kölnischer Meister vom Anfang des 15. Jahrhunderts.

Kölnische Schule, um 1450—1500.

Niederrheinischer Meister, um 1480 bis 1500.

Der Meister des Marienlebens, thätig um 1463—1480.

Der Meister der heiligen Sippe,
thätig 1486—1520.
Der Meister des Todes Mariae,
thätig um 1510—1530.
Art des Meisters des Todes Mariae.
Bartholomaeus Bruyn, 1493 bis
1553/57.
Anton Wonsam, thätig um 1518—1553.

Westfalen.

Schule von Soest, um 1470—1500.
Der Meister von Cappenberg, thätig
  um 1500—1525.
Ludger tom Ring d. A., 1496—1547.
Heinrich Aldegrever, 1502 bis nach
  1555.

Unbestimmte deutsche Meister.

Deutscher Meister (aus Oesterreich),
1480—1500.
Der Meister von Frankfurt, thätig
  um 1500—1520.
Deutscher Meister um 1520—1530;
  um 1530—1550.

III. 17. und 18. Jahrhundert.

Adam Elsheimer, 1578—1620.
Peter Caulitz, um 1650—1719.
Joseph Feistenberger, 1684—1735.
Balthasar Denner, 1685—1749.
Daniel Chodowiecki, 1726—1801.

Niederländische Schulen.

I. 15. und 16. Jahrhundert.

Südliche Niederlande.

Hubert van Eyck, um 1370—1426.
Jan van Eyck, um 1390—1440.
Nachahmer des Jan van Eyck.
Roger van der Weyden, 1399/1400
  bis 1464.
Petrus Cristus, thätig 1444—1472.
Hans Memling, geb. vor 1430 (?)
  † 1495.
Schule des Hans Memling.
Quinten Massys, um 1466—1530.
Jan Gossaart, gen. Jan van Mabuse,
  um 1470—1541.
Nachfolger des Jan Gossaart.
Herri Bles, gen. Civetta, geb. um 1480.
Michiel van Coxie, 1497—1502.
Jean Bellegambe, nachweisbar seit
  1504, † 1533.
Joachim de Patinir, nachweisbar
  seit 1515, † vor 1524.
Lambert Lombard, 1505—1566.
Jan Massys, 1509—1575.
Cornelis Massys, geb. um 1511,
  † nach 1580.

Nicolaes Neufchatel, gen. Lucidel,
  1527 (?) bis nach 1590.
Hans Bol, 1534—1593.
Frans Pourbus d. A., 1545—1581.
Joos van Cleve, nachweisbar seit
  1511, † 1540.

Holland.

Albert van Ouwater, thätig um
  1430—1460.
Dierick Bouts, um 1410/20—1475.
Gerard David, um 1460—1523.
Nachfolger des Gerard David.
Lucas van Leyden, 1494—1533.
Jacob Cornelisz van Amsterdam
  thätig um 1500—1530.
Jan Mostaert, geb. um 1470, † um
  1555/56.
Jan van Scorel, 1495—1562.
Marten van Heemskerck, 1498—1574.
Jan van Hemessen, um 1500 bis
  1555/56.
Jacob van Utrecht, thätig 1506 (?)
  bis 1523/24.
Antonis Mor 1512 (?) — 1576/78.
Peeter Isaaksz, 1569—1625.

23*

Unbestimmte niederländische Meister.

Niederländische Schule, um 1470; um 1480; um 1480—1500; um 1510—1520.

Niederländischer Meister, um 1460; um 1480; um 1490—1510; um 1500; um 1500—1520; um 1510—1520; um 1520.

Meister der Himmelfahrt Mariae, thätig gegen Ende des 15. Jahrhunderts.

II. 17. und 18. Jahrhundert.
Vlämische Schule.

Paulus Bril, 1554—1626.
Jan Brueghel, gen. Sammetbrueghel, 1568—1625.
Abraham Janssens, um 1575—1632.
Petrus Paulus Rubens, 1577—1640.
Schule des Rubens.
Frans Snyders, 1579—1657.
Vlämischer Meister, um 1650.
Vlämische Schule, um 1650.
Frans Francken d. J. (II), 1581—1642.
David Teniers d. A., 1582—1649.
Gaspar de Crayer, 1584—1669.
Cornelis de Vos, um 1585—1651.
Jan Tielens, 1589—1630.
Daniel Seghers, 1590—1661.
Jakob Jordaens, 1593—1678.
Peeter Snayers, 1592—1667 (?).
Lucas van Uden, 1595—1672.
Abraham van Diepenbeeck, 1596 bis 1675.
Joost Suttermans, 1597—1681.
Jan Porcellis, um 1580 (?) — 1632 (s. auch Holländische Schule).
Adriaen van Utrecht, 1599—1652.
Anthonius van Dyck, 1599—1641.
Werkstatt des A. van Dyck; Art des van Dyck.
Peeter van Mol, 1599—1650.
Frans Ykens, 1601—1693.
Simon de Vos, 1603—1676.

Adriaen Brouwer, geb. um 1605/06, † 1638.
Theodoor van Thulden, 1606—1676.
Jan Davidsz de Heem, 1606—1683/84 (s. auch Holländische Schule).
Joos van Craesbeeck, geb. um 1606, † nach 1654.
Jan Fyt, 1611—1661.
Frans de Momper, nachweisbar seit 1629/30, † 1660/61 (s. auch Holländische Schule).
David Teniers d. J., 1610—1690.
David Ryckaert d. J., 1612—1661.
Cornelis Mahu, 1613—1689.
Bonaventura Peeters, 1614—1652.
Gonzales Coques, 1618—1684.
Peeter Meert, 1619—1669.
François Duchatel, 1625—1694 (?).
Jacob Ferdinand Voet, 1639 bis um 1691.
Cornelis de Heem, 1631—1695 (siehe auch Holländische Schule).
Nicolaes van Verendael, 1640—1691.
François Millet, 1642—1679 (s. auch Französische Schule).
Cornelis Huysmans, 1648—1727.

Holländische Schulen.
Schule von Utrecht.

Paulus Moreelse, 1571—1638.
Willem van Honthorst, 1604—1666.
Jan Davidsz de Heem, 1606—1683/84 (s. auch Vlämische Schule).
Jan Both, um 1610—1652.
Dirck Stoop, 1610 (?) — 1686.
Cornelis de Heem, 1631—1695 (siehe auch Vlämische Schule).
Jacob Gillig, 1636 (?) — 1701.

Schule von Delft.

Michiel Jansz Mierevelt, 1567—1641.
Antonis Palamedesz, um 1601—1673.
Evert van Aelst, 1602—1657.
Hendrick Cornelisz van Vliet 1611/12—1675.
Karel Fabritius, um 1620 (?) bis 1654.
Willem van Aelst, 1626 bis um 1683.

Jan van der Meer van Delft, 1632
bis 1675.
Thomas van der Wilt, 1659—1733.

Schule des Haag.

Jan van Ravesteijn, 1572 (?) — 1657.
Adriaan van de Venne, 1589—1662.
Bartholomeus van Bassen, thätig
seit 1613, † 1652.
Abraham de Vries, thätig um 1630
bis um 1650.
Pieter Nason, geb. 1612, † zwischen
1680 und 1691.
Pieter Verelst, nachweisbar seit
1638, † 1668.
Joris van der Hagen, nachweisbar
1640—1669.
Cornelis Lelienbergh, nachweisbar
seit 1646, thätig bis 1672.
Abraham van Beijeren, geb. 1620/21,
nachweisbar bis 1674.
T. Sauts, thätig um 1650.
William Gouw. Ferguson, 1632/33
bis nach 1695.
Caspar Netscher, 1636/39—1684.
Constantijn Netscher, 1668—1721.

Schule von Haarlem.

Frans Hals d. A., um 1580/81—1666.
Esaias van de Velde, um 1590—1630.
Jan Verspronck, 1597—1662.
Dirck Hals, vor 1600—1656.
Jacob Duck, 1600 bis nach 1660.
Jan Miense Molenaer, geb. um 1600,
† 1668.
Cornelis Hendricksz Vroom, um
1600 (?) — 1661.
Pieter Claasz van Haarlem, nach-
weisbar seit 1617, † 1661.
Salomon van Ruijsdael, Meister seit
1623, † 1670.
Adriaan van Ostade, 1610—1685.
Thomas Wijck, 1616 (?) — 1677.
Willem de Poorter, nachweisbar
seit 1635 bis nach 1645.
Frans Hals d. J., thätig 1637—1669.
Philips Wouwerman, 1619—1668.
Cornelis Bega, 1620—1664.

Nicolaas Pietersz Berchem, 1620
bis 1683.
Hendrick Heerschop, geb. 1620/21,
thätig bis 1672.
Meister J.V.R., thätig um 1640/50.
Roelof Jansz de Vries, thätig um
1643—1669.
Guillam du Bois, Meister seit 1646,
† 1680.
Isack van Ostade, 1621—1649.
Hendrick Mommers,1623(?) — 1697(?).
Pieter Wouwerman, 1623—1682.
Jacob van Ruisdael, 1628/29—1682.
Jan van der Meer van Haarlem d.A.,
1628—1691.
Jacob (Salomonszoon) van Ruis-
dael d. J., 1630/40—1681.
Dirck van Bergen, thätig 1661—1690

Schule von Amsterdam.

Pieter Potter, 1587—1651.
Nicolaes Elias, 1590/91—1646/56
Gillis d'Hondekoeter, thätig vor 1610,
† 1638.
Cornelis Janssens van Ceuien, 1594
bis um 1664.
Thomas de Keiiser, 1596/97—1667.
Herkules Seghers, † um 1650.
Roelant Roghman, 1597 bis nach 1686.
Pieter Codde, 1599/1600—1678.
Simon de Vlieger, um 1601, † 1659.
Aart van der Neer, 1603—1677.
Frans de Momper, nachweisbar seit
1629/30, † 1660/61.
Reinier Nooms, gen. Zeeman, nach-
weisbar seit 1623, † zwischen
1663 und 1668.
Jan Jansz Treck, 1606—1652/53.
Jan Livens d. A., 1607—1674.
Rembrandt Harmensz van Rijn,
1606—1669.
Emanuel de Witte, 1617—1692.
Jacob Adriaensz Backer, 1608/09
bis 1651.
Salomon Koninck, 1609—1656.
Gerrit Willemsz Horst, geb. um
1612, † vor 1677.

Bartholomeus van der Helst, 1611/12
  bis 1670.
Jacob van Loo, 1614—1670.
Govert Flinck, 1615—1660.
Ferdinand Bol, 1616—1680.
Philips Koninck, 1619—1688.
J. W. Lansinck, thätig um 1650.
Jan Victors, geb. 1620, † nach 1672.
Willem Kalf, 1621/22—1693.
Gerbrand van den Eeckhout, 1621
  bis 1674.
Jan Baptista Weenix, 1621—1660 (?).
Jan Abrahamsz Beerstraaten, 1622
  bis 1666.
Adam Pijnacker, 1621—1673.
Paulus Potter, 1625—1654.
Jan van de Capelle, thätig seit
  1653, † 1680.
Jan Hackaert, 1629—1699 (?).
Melchior d'Hondekoeter, 1636—1695.
Esaias Boursse, geb. um 1630, nach-
  weishar bis 1672.
Ludolf Bakhuisen, 1633 (?) — 1708.
Pieter de Hooch, 1630 bis nach 1677.
Nicolaas Maes, 1632—1693.
Karel du Jardin, 1632—1678.
Willem van de Velde, 1633—1707.
Adriaan van de Velde, 1635/36—1672.
Gerard Lairesse, 1640/41—1711.
Jan Weenix, 1640—1719.
Eglon van der Neer, 1643—1703.
Jacomo Victor, thätig um 1663 bis
  um 1670.
Michiel van Musscher, 1645—1705.
Jacob van Walscapelle, thätig um
  1667—1680.
Meindert Hobbema, 1638—1709.
Rachel Ruijsch, 1664/65—1750.
Nicolaas Verkolje, 1673—1746.
Jan van Huijsum, 1682—1749.
Philip van Dijk, 1680—1752.

Schule von Leiden.

Jan Porcellis, um 1580 (?) — 1632
  (s. auch Vlämische Schule).
Jan van Goijen, 1596—1656.

Jacob Fransz van der Merck, nach-
  weishar seit 1631, † 1664.
Gerard Dou, 1613—1675.
Adriaan van Gaesbeeck, † 1650.
Pieter Steenwijck, thätig um 1650.
Abraham van den Tempel, 1622 (23?)
  bis 1672.
Jan Steen, 1626—1679.
Quirijn Brekelenkam, thätig vor
  1648, † 1668.
Gabriel Metsu, 1630—1667.
Abraham Jansz Begeijn, um 1630
  bis 1697.
Frans van Mieris d. A., 1635—1681.
Pieter van Slingeland, 1640—1691.

Schule von Dordrecht.

Jacob Gerritsz Cuijp, 1594—1651/52.
Benjamin Gerritsz Cuijp, 1612—1652.
Aalbert Cuijp, 1620—1691.
Samuel van Hoogstraaten, 1627—1678.
Abram Diepram, thätig 1648—1674.
Godfried Schalcken, 1643—1706.
Aaart de Gelder, 1645—1727.

Middelburg.

Philip Angel, 1616 bis nach 1683.

Rotterdam.

Hendrick Martensz Sorch, gen.
  Rokes, um 1611—1669/70.
Antonis de Lorme, thätig um 1640
  bis 1666.

Deventer.

Gerard Ter Borch, 1617—1681.

Alkmaar.

Allart van Everdingen, 1621—1675.

Zwolle.

Dirck Jan van der Laen, 1759—1828/29.

Unbestimmte holländische Schulen.

Holländischer Meister, um 1590.
J. Decker, thätig 1640—1660.
F. Sant-Acker, thätig in der zweiten
  Hälfte des 17. Jahrhunderts.

Italienische Schulen.

Florentinische (Toskanische) Schule.

Toskanische Schule des 13. Jahrhunderts.
Giotto di Boudone, um 1266—1337.
Nachfolger des Giotto.
Taddeo Gaddi, um 1300—1366.
Schule des Taddeo Gaddi; Art des Taddeo Gaddi.
Agnolo Gaddi, † 1396.
Bernardo da Firenze, nachweisbar um 1320—1347.
Art des Spinello Aretino.
Nachfolger des Orcagna.
Schule von Pisa, um 1350.
Meister von Pisa (?), um 1400.
Fra Giovanni Angelico da Fiesole, 1387—1455.
Schule des Fra Giovanni Angelico, um 1456.
Don Lorenzo Monaco, nachweisbar 1400—1422.
Masaccio, 1401—1428.
Fra Filippo Lippi, um 1406—1469.
Schule des Fra Filippo Lippi.
Benozzo Gozzoli, 1420—1498.
Domenico Veneziano, nachweisbar seit 1439, † 1461.
Andrea del Verrocchio, 1435—1488.
Schule des Verrocchio; Werkstatt des Verrocchio.
Cosimo Rosselli, 1439—1507.
Piero Pollaiuolo, 1443—1489.
Sandro Botticelli, 1446—1510.
Schule des Sandro Botticelli.
Domenico Ghirlandaio, 1449—1494.
Davide Ghirlandaio, 1452—1525.
Benedetto Ghirlandaio, 1458—1497.
Filippino Lippi, 1457/58—1504.
Florentinische Schule, um 1400; um 1480; nach 1500.
Lionardo da Vinci, 1452—1519 (siehe auch Mailändische Schule).

Lorenzo di Credi, 1459—1537.
Schule des Lorenzo di Credi.
Piero di Cosimo, 1462—1521.
Bastiano Mainardi, thätig seit 1482, † 1513.
Raffaellino del Garbo, um 1466—1524.
Francesco Granacci, 1477—1543.
Mariotto Albertinelli, 1474—1515.
Fra Bartolommeo della Porta, 1475 bis 1517.
Giuliano Bugiardini, 1475—1554.
Lionardo da Pistoja, 1483 bis nach 1518.
Ridolfo Ghirlandaio, 1483—1561.
Raffaello Santi, 1483—1520 (s. auch Umbrische und Römische Schule).
Francesco Bigi, gen. Franciabigio, 1482—1525.
Andrea del Sarto, 1486—1531.
Paolo Zacchia d. A., thätig um 1520—1530.
Jacopo Carucci, gen. Pontormo, 1494—1557.
Francesco Ubertini, gen. Bacchiacca, 1494—1557.
Agnolo Bronzino, um 1502—1572.
Carlo Dolci, 1616—1686.

Schule von Siena.

Duccio di Buoninsegna, nachweisbar 1282—1320.
Schule des Simone Martini.
Lippo Memmi, † 1356.
Pietro Lorenzetti, nachweisbar seit 1305, thätig bis 1348.
Schule des Ambrogio Lorenzetti.
Bartolo di Fredi, um 1330—1410.
Francesco di Vannuccio, nachweisbar 1361—1388.
Art des Taddeo Bartoli.
Giovanni di Paolo, nachweisbar 1423—1482.
Stefano di Giovanni, gen. Sassetta, nachweisbar seit 1427, † um 1450.

Matteo di Giovanni, um 1435—1495.
Neroccio di Bartolommeo, 1447 bis 1500.
Schule von Siena, um 1350—1380; um 1400; um 1450—1480.
Giovanni Antonio Bazzi, gen. Sodoma, 1477 (?) — 1549 (s. auch Lombardische Schule).
Andrea del Brescianino, thätig 1507 bis nach 1525.
Bartolommeo Neroni, gen. Riccio, nachweisbar seit 1534, † 1571.

Schule von Bologna.

Marco Zoppo, thätig um 1468 bis 1498 (s. auch Schule von Padua).
Francesco Raibolini, gen. Francia, 1450—1517.
Lorenzo Costa, 1460—1535 (s. auch Schule von Ferrara).
Antonio da Crevalcore, nachweisbar seit etwa 1480, † vor 1525.
Amico Aspertini, um 1475—1552.
Girolamo Marchesi, gen. Cotignola, um 1481 bis um 1550 (s. auch Römische Schule).
Bartolommeo Ramenghi, gen. Bagnacavallo, 1484—1542 (s. auch Römische Schule).
Giacomo Francia, vor 1487—1557.
Giulio Francia, 1487—1543.
Innocenzo Francucci, gen. Innocenzo da Imola, um 1493/94 bis um 1550.
Lorenzo Sabbatini (Lorenzino da Bologna), † 1577.
Giulio Cesare Procaccini, 1548 (?) bis um 1626 (s. auch Mailändische Schule).
Agostino Carracci, 1557—1602.
Annibale Carracci, 1560—1609.
Guido Reni, 1575—1642.
Domenico Zampieri, gen. Domenichino, 1581—1641.
Carlo Cignani, 1628—1719.

Schule von Ferrara.

Cosma Tura, gen. Cosmè, 1432 (?) bis 1495.
Ercole de' Roberti, 1450/60—1496.
Schule von Ferrara, um 1460—1470.
Domenico Panetti, 1450/60—1511/12.
Lorenzo Costa, 1460—1535 (s. auch Schule von Bologna).
Schule von Ferrara, um 1480.
Ferraresischer Meister, um 1530; um 1539.
Benvenuto Tisi, gen. Garofalo, 1481—1559.
Lodovico Mazzolini, um 1478—1528.
Michele Coltellini, nachweisbar 1529—1535.

Schule von Modena.

Barnaba da Modena, nachweisbar 1364—1380.
Pellegrino Munari, um 1460—1523.
Modenesischer Meister, um 1520.

Schule von Parma.

Filippo Mazzola, thätig seit 1491, † 1505.

Lombardische und Mailändische Schule.

Lombardische Schule, um 1480 bis 1500; um 1510—1525.
Giovanni Antonio Bazzi, gen. Sodoma, 1477 (?) — 1549 (s. auch Schule von Siena).
Lorenzo Leonbruno, 1489—1537.
Pier Francesco Sacchi, thätig 1512—1527.
Bernardino Fasolo, nachweisbar 1520.
Antonio Allegri, gen. Correggio, um 1494—1534.

———

Ambrogio Borgognone, um 1440/50 bis 1523.
Andrea Solario, 1465 (?) — 1505.

Lionardo da Vinci, 1452—1519 (siehe
auch Florentinische Schule).
Giovanni Antonio Boltraffio, 1467
bis 1516.
Bernardino de' Conti, thätig 1499
bis nach 1522.
Bernardino Luini, um 1475/80 bis
nach 1533.
Gaudenzio Ferrari, um 1471—1546.
FrancescoMelzi,1491/92 bis nach 1566.
Mailändische Schule, um 1510.
Giovanni Pedrini, thätig um 1510
bis 1530.
Michelangelo Amerighi, gen. Cara-
vaggio, 1569—1609 (s. auch Rö-
mische Schule).
Mailändische Schule, nach 1600.
Giulio Cesare Procaccini, 1548 (?)
bis um 1626 (s. auch Schule von
Bologna).
Giovanni Battista Crespi, 1557—1633.
Oberitalienische Schule des 17. Jahr-
hunderts.

Schule von Genua.

Luca Cambiaso, 1527 bis um 1585.
Bernardo Strozzi, 1581—1644.

Venetianische Schule.

Art des Niccolò Semitecolo.
italienische (venetianisch-padua-
nische?) Schule, um 1450.
Michele Giambono, thätig 1440—1460.
Antonio Vivarini (Antonio da Mu-
rano), thätig seit etwa 1435, † 1470.
Schule von Murano, um 1450.
Bartolommeo Vivarini, thätig 1450
bis 1499.
Gentile Bellini, um 1426/27—1507.
Giovanni Bellini, um 1428—1516.
Antonello da Messina, um 1444 bis
um 1493.
Schule des Giovanni Bellini.
Luigi Vivarini, thätig seit 1464,
† vor 1507.
Schule des Luigi Vivarini; Werk-
statt des Luigi Vivarini.

Schule der Vivarini da Murano.
Carlo Crivelli, geb. 1430/40, thätig
bis 1493.
Vittore Carpaccio, thätig 1489—1522.
Pier Maria Pennacchi, 1464—1528.
Jacopo de' Barbari, thätig seit 1472,
† vor 1515.
Giovanni Battista da Conegliano,
gen. Cima, thätig 1489—1508.
Marco Basaiti, thätig 1490 bis
nach 1521.
Marco Marziale, thätig 1492—1507.
Pier Francesco Bissolo, thätig
1492—1530.
Petrus de Inganatis, vermutlich
identisch mit dem vorher-
gehenden.
Vincenzo Catena, thätig seit 1495,
† 1531.
Lorenzo Lotto, 1476/77—1555./56.
Tiziano Vecellio, 1477—1576.
Schule des Tiziano Vecellio.
Francesco Vecellio, nach 1477—1559.
Giacomo Palma, gen. Palma Vec-
chio, um 1480—1528.
Bonifacio Veneziano (B. Veronese
der Jüngere, II), 1491—1553.
Venetianische Schule, um 1500 bis
1510; um 1510; um 1515—1525;
um 1520—1530.
Venetianischer Meister, um 1540.
Francesco Rizo da Santa Croce,
thätig 1519—1541 (?).
Rocco Marconi, thätig um 1505 bis
nach 1520.
Sebastiano del Piombo, um 1485
bis 1547.
Girolamo da Santa Croce, thätig
1520—1549.
Johannes Stephan von Calcar, gen.
Giovanni da Calcar, um 1499
bis 1546.
Paris Bordone, um 1500—1571.
Giovanni Maria Zaffoni, gen. Cal-
derari, thätig 1534—1564.
Giuseppe Porta, gen. Salviati, um
1520—1575.

Jacopo Robusti, gen. Tintoretto, 1519—1594.

Andrea Meldolla, gen. Schiavone, vor 1522 (?) — 1582.

Paolo Callari, gen. Veronese, 1528 bis 1588.

Battista Zelotti, um 1532—1592.

Francesco da Ponte, gen. Bassano, 1549—1592.

Giovanni Battista Tiepolo, 1696 bis 1770.

Schule des Antonio Canal, gen. Canaletto.

Francesco Guardi, 1712—1793.

Bernardo Belotto, gen. Canaletto, 1720—1780.

Friaul.

Lorenzo Luzzi, thätig um 1511.

Schule von Friaul, nach 1530.

Verona.

Vittore Pisano, um 1380—1451.

Liberale da Verona, 1451—1536.

Francesco Bonsignori, 1455—1519.

Giovanni Maria Falconetto, 1458 bis 1534.

Niccolò Giolfino, thätig um 1486 bis 1518.

Francesco Morone, 1473/74—1529.

Girolamo dai Libri, 1474—1556.

Paolo Farinato, um 1524—1606.

Vicenza.

Bartolommeo Montagna, nachweisbar seit 1480, † 1523.

Marcello Fogolino, thätig 1520—1540.

Bergamo.

Andrea Previtali, um 1470/80 bis 1528 (?).

Giovanni Busi, gen. Cariani, 1480/90 bis nach 1541.

Giovanni Battista Moroni, 1520/25 bis 1578.

Brescia.

Floriano Ferramola, vor 1480—1528.

Girolamo Romanino, um 1485/86 bis 1566.

Giovanni Girolamo Savoldo, thätig 1508 bis nach 1548.

Alessandro Bonvicino, gen. Moretto, um 1498—1555.

Schule von Padua.

Schule von Padua, um 1360—1370.

Francesco Squarcione, 1394—1474.

Gregorio Schiavone, thätig 1440 bis 1470.

Andrea Mantegna, 1431—1506.

Marco Zoppo, thätig um 1468 bis 1498 (s. auch Schule von Bologna).

Schule von Padua, um 1470—1480; um 1480—1500; um 1500.

Umbrische Schule.

Alegretto Nuzi, thätig 1346 bis angeblich 1385.

Gentile da Fabriano, 1360/70 (?) bis um 1427.

Giovanni Santi, 1430/40—1494.

Benedetto Buonfigli, nachweisbar seit 1453, † 1496.

Fiorenzo di Lorenzo, nachweisbar 1472—1521.

Bernardino Pinturicchio, um 1454 bis 1513.

Umbrische Schule, um 1480.

Schule von Perugia, um 1500.

Gerino da Pistoja, thätig um 1500 bis 1520.

Raffaello Santi, 1483—1520 (s. auch Florentinische und Römische Schule).

Giovanni Battista Bertucci, thätig um 1503—1516.

Umbrisch-Toskanische Schule.

Melozzo da Forli, 1438—1494.

Marco Palmezzano, nachweisbar seit 1497, thätig bis 1537.

Luca Signorelli, gen. Luca da
  Cortona, 1441—1523.
Umbrisch-florentinische Schule vom
  Ende des 15. Jahrhunderts.
Meister aus den Marken, um 1500.

Schule der Romagna.

Francesco Zaganelli, thätig 1505
  bis 1527.
Luca Longhi, 1507—1580.

Römische Schule.

Girolamo Marchesi, gen. Cotignola,
  um 1481 bis um 1550 (s. auch
  Schule von Bologna).
Raffaello Santi, 1483—1520 (s. auch
  Umbrische und Florentinische
  Schule).
Schule des Raffaello Santi.
Bartolommeo Ramenghi, gen. Bag-
  nacavallo, 1484—1542 (s. auch
  Schule von Bologna).

Sebastiano del Piombo, um 1485
  bis 1547 (s. auch Venetianische
  Schule).
Michelangelo Amerighi, gen. Cara-
  vaggio, 1569—1609 (s. auch Lom-
  bardische Schule).
Domenico Feti, 1589 (?) bis um 1624.
Michelangelo Cerquozzi, gen. delle
  Battaglie, 1602—1660.
Giovanni Battista Salvi, gen. Sasso-
  ferrato, 1605—1685.
Carlo Maratti, 1625—1713.
Giovanni Paolo Panini, 1695—1768.
Pompeo Batoni, 1708 - 1787.

Neapolitanische Schule.

Jusepe de Ribera, gen. Spagnoletto,
  1588 — 1656 (s. auch Spanische
  Schule).
Salvator Rosa, 1615—1673.
Luca Giordano, gen. Fapresto, um
  1632—1705.
Conte Pietro Rotari, 1707—1762.

Französische Schule.

Schule des François Clouet, gen.
  Janet.
Nicolas Poussin, 1594—1665.
Claude Geliée, gen. Claude Lorrain,
  um 1600—1682.
Pierre Mignard, gen. le Romain,
  1612—1695.
Eustache Lesueur, 1616—1655.
Charles Lebrun, 1619—1690.
François Millet, 1642—1679 (s. auch
  Vlämische Schule).
Nicolas Largillière, 1656—1746.
Hyacinthe Rigaud, 1659—1743.
Französischer Meister, um 1700.

Jean Raoux, 1677—1734.
Jean François de Troy, 1679—1752.
Antoine Pesne, 1683—1757.
Antoine Watteau, 1684—1721.
Nachahmer des Watteau.
Nicolas Lancret, 1690—1743.
Pierre Subleyras, 1699—1749.
Art des François Boucher.
Claude Joseph Vernet, 1712—1789.
Jean-Baptiste Greuze, 1725—1805.
Anne Greuze, zweite Hälfte des
  18. Jahrhunderts.
L. R. Trinquesse, zweite Hälfte
  des 18. Jahrhunderts.

Spanische Schule.

Pedro Campaña, um 1490—1588.
Luis de Morales, um 1509—1586.
Alonso Sanchez Coello, 1515 (?)
  bis 1590.
Juan de las Roelas, um 1558—1625.
Jusepe de Ribera, gen. Spagnoletto,
  1588—1656 (s. auch Neapolita-
  nische Schule).
Francisco Zurbaran, 1598—1662 (?).
Diego Velazquez de Silva, 1599
  bis 1660.

Alonso Cano, 1601—1667.
Don Juan Carreño de Miranda,
  1614—1685.
Bartolomé Estéban· Murillo, 1618
  bis 1682.
Henrique de las Marinas, 1620
  bis 1680.
Spanische Schule, um 1650.
Mateo Cerezo, 1635—1675.

III.

VERZEICHNIS

der aufserhalb der alphabetischen Reihenfolge in den Anmerkungen erwähnten Künstlernamen.

(Die Namen der Künstler, die an der betreffenden Stelle durch ein Werk ihrer Hand vertreten sind, sind gesperrt gedruckt. — Die Zahlen hinter den Namen bedeuten die Seiten.)

FACSIMILE

DER

KÜNSTLERBEZEICHNUNGEN.

———

Die Bezeichnungen sind, als zu undeutlich, nicht facsimilirt bei den Bildern:

No. 809 A . . . (Bol. — S. 26),
No. 428 . . . . (Gellée. — S. 107),
No. 985 . . . . (Hondecoeter. — S. 129),
No. 834 . . . . (Mieris. — S. 180),
No. 873 . . . . (Molenaer. — S. 182),
No. 1087 . . . . (Palmezzano. — S. 204).

Guillᵐᵒ Dan

Post 1659

638 B

Albns, Altorffer pistor Rauf
peneu in sohatem air hocfibi
munuf diua maria faruauit
corde fideli: 1540

856 A

GG 1551

18 A

·1474·
Antonellus meſſanus
me pinxit

918   638 A   638 C   638   838

P Augsb 1650   1342   1531   1302

838 D   961

W. V. aller.
1653

·ANTONELLVS·MESANEVS·P·

+ ANTONELLVS·MESSA NESIS·P+

Antonellus meſſanus me pinxit

1076 (verkleinert)

21*

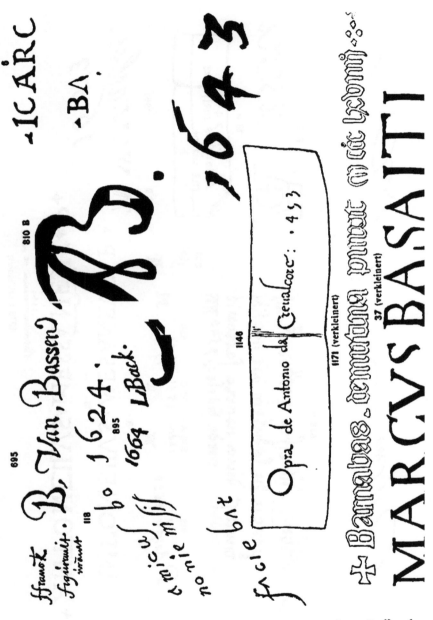

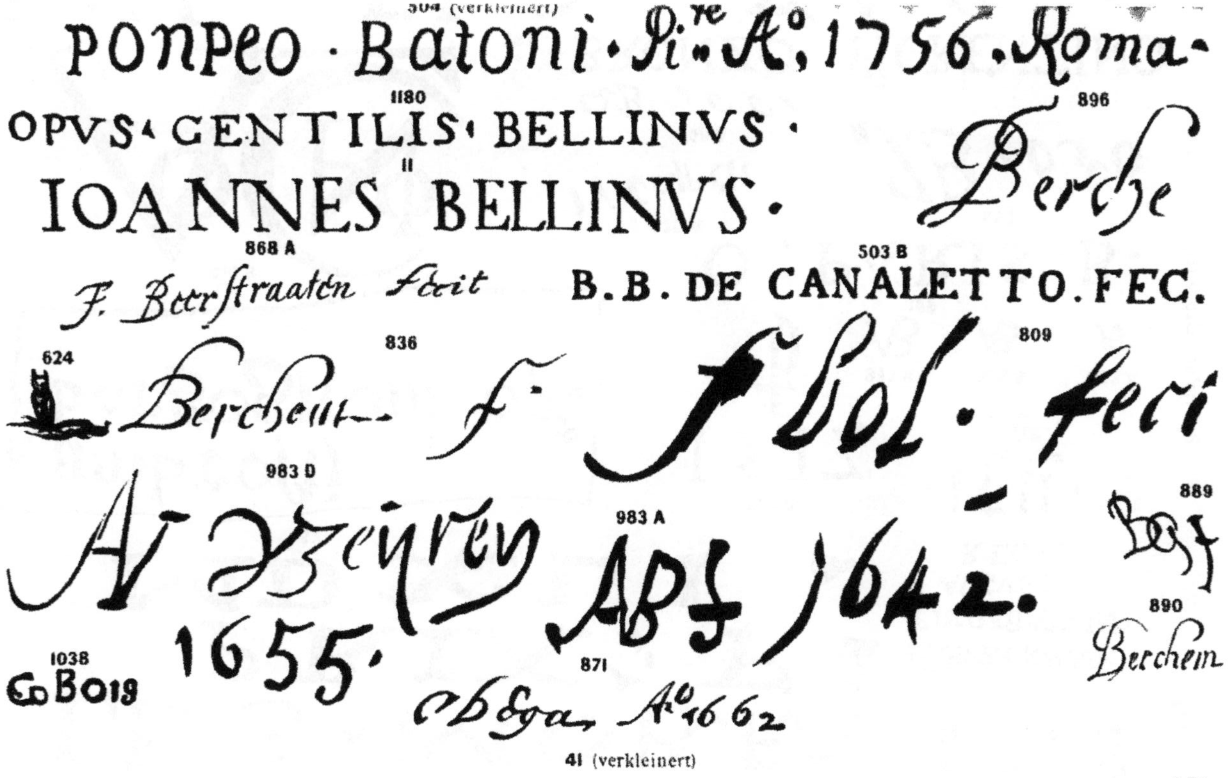

PONPEO · Batoni · Sir.it A.º 1756 . Roma .

OPVS · GENTILIS · BELLINVS ·

1180

IOANNES BELLINVS ·

503 B

B.B. DE CANALETTO. FEC.

896

Berche (Berchem)

809

889

Berchem

890

F. Beerstraaten fecit

868 A

Berchem f.

836

983 D

983 A

ABf 1642.

871

1655.

624

Berga A.º 1662

1038

GoBo19

197   LE S·MORETTVS

PRIX; F

MD XLI

52

584   Io.BVRGKMAIR· PINGEBAT·IN· AVGVSTA· REGIA·

597A   1512

·1511·

853H   853B   853A

169

863   O·PARIS·B·

JB 1650

414B

875A   IV capp ell

796A   QB 1661

338A   BRONZO FIORENTINO

283   IVL·FLO·FAC

ambrosij bergognoni op

JOANNESACARRENNO

PICTOR REG. ET,CVBI ᵛᴮ

FAC, ANNO,1673

832

491 B
D. Chodowiecki: pinx: Berol:

491 A
D. Chodowiecki: pinx: Berol:

P. Catulitz. fecit.

23

ANNIBAL CARATIVS.

364

VICTOR CARPATHIVS

FINXIT M·D·XI ~

MDXCIIII

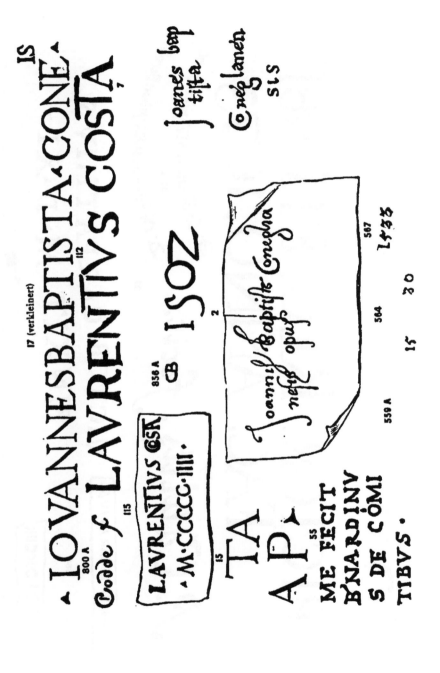

‧IOVANNESBAPTISTA‧CONE‧ IS
Cσdde f LAVRENTIVS COSTĀ
800 A   115   112   7

856 A   CB ISOZ

LAVRENTIVS COST
·M·CCCCC·IIII·

TA
A P
15   55

ME FECIT
B'NARDINV
S DE CŌMI
TIBVS·

Joannes bap tista
Coneglanēñ sis

Joannis Baptiste Coneglia nensis opus

559 A   564   567
15   30   1533

1532

635

1534

637

1538

1190

352

1537

579

589

1527

618

15 28

EDEBAT

M.D C.

529 A (verkleinert)

529 B (verkleinert)

1156 (verkleinert)

OPVS·RAROLI·CRIVELLI·VENET

1173

OPVS·RAOLI. ·CRIVELLI.VENETI.

1026

P. van Dyk. 1727

861 A

A. *cüyp*

743

Ætatis, 68

861 a

A. cüyp. A cüyp

743 A

Cüÿp.f.

1014

Anno, 1624

861

743 B

cüÿp

G. cüÿ ecit

993

*Bediger.*44

891 A

A Diegracm

1014

Denner

†

c:

van Dyk. f: 1728. G. Dov Dou.

557 D 1638

1518

AETATIS·SVAE·ANNO·LV·
SALVTIS·VERO·M·D·XXVI·

557 C

557 E

782 (verkleinert)

799

Ant. van Dyck. Eques Fr.

A. van Dyck. fecit

913

A v̄ Everelingen.

887 A

A v̄ Everdingen

829

G. v̄ Eeckhout. Fe.

A° 1 666.

909 A

St. Gouw. Fergison fec.

835

AVE

835 B

A.L.EVERDINGEN:
1648

528 (verkleinert)

528

AVE·IXH·XAN·

Johes de eyk me fecit & cplimit anno·1638· 31 January

524

OPVS FLORIĀI
FERAMOLÆ
.CIↃ·BX· M·D·XIII·

G.flinck.f
1641

815

G. fflinck ·

125 (verkleinert)

BARTHOLOMEI SVMPTV BIANCHINI MAXIMA MATRVM
HIC VIVIT MANIBVS FRANCIA PICTA TVIS

47 (verkleinert)

MARCELLVS · FOGOLINVS · P·

287

·I·I·FRANCIA·AVRIFI·

RONON·FECER·

M· N· XXV·

122

FRANCIA✷AVRIFABER
BONON 1502

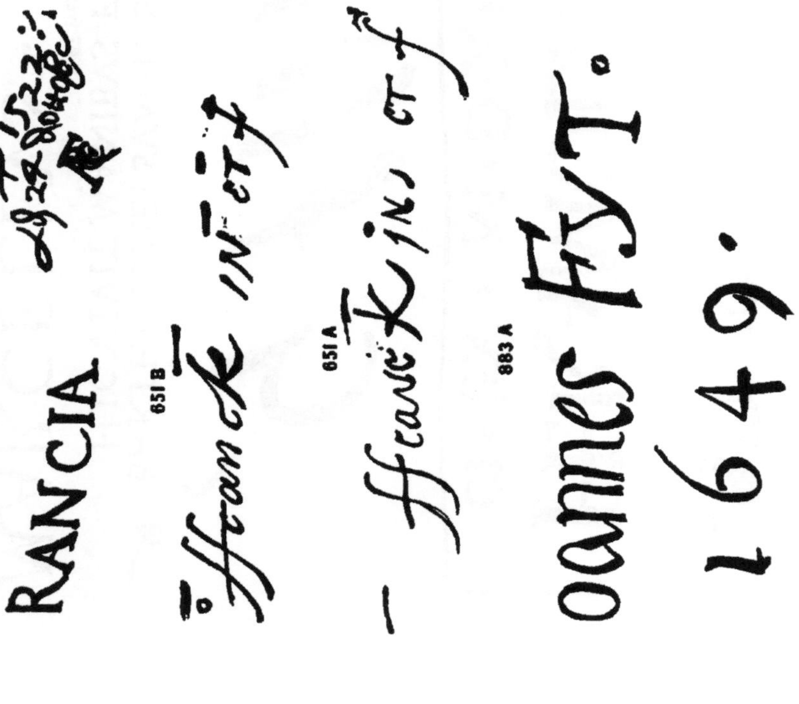

245

281 RANCIA

651 B Ffranck INF et F

651 A Ffranc K ins et F

883 A oannes FYT· 1649·

865
865 A
865 C
865 B
865 D
865 E
983 C
892
494 G
901
448 B
1130 (verkleinert)
1079 (verkleinert)
648 (verkleinert)

816 A

801 E

BALS 1627

HH

801 A

801 C (verkleinert)

Frans Hals

ittle Babbe van Haerlem.

903 A

874 A

FAG 1640

G.(DE(HEEM f

906 B

906

Jeem f

DDe eem

1651

Martinꝰ · van · Heemskerck et in Ventor

825

1561.

906 A

Jerschon 1659

J: D: De Heem f

825 A

B vander · helst

1643

M D Hondecoeter **876 A**

824 (verkleinert)

Honthors 1647 **1008** **866**

J. Horst f. **824 A**

S~Horsl

'165' Cm **972 A**

Jan Bram Huysum fecit

Jan. Van Huysum fecit

868

Jan Van Huijsen

868 D
K. ov. IARDIN. fe
1 6 6 4

868 E
K. ov. IARDIN. fe

848 A K DV·)

286 ,

OPVS,
LEON.PIST
M·D·XVI·

821 A Đ·koning

848 F K· DV· FARDIN· fe

596 A J.OWLamſinck

970

1511

750 C BE 162d?

990 Æ: 1652

765 A (verkleinert)

P. v. Loo In.

1 6 4 · D.

323

L Loto

323

L. Loto (53)

153

117

L ueßot de lo de R.ua p.ingebat mill.mo
geſimo ſecundo pridie kl

ottobriß

1081 A (verkleinert)

LIPPVS ❖ MEMMI ❖ O E SENIS ❖

isii

LAVRENCIVS LVCIVS
FELTREN:is PINGᵀ
325

Hieronymus 288 Cottignola

F

M D XX VI. 944

C M HV 164 4

a Laurentio Lotto pictor

1531

320 L Lotus pict

1109 (verkleinert)

D

M·CCCCC·Z·

PHILIPVS

MAZOLA· PAR

MENSIS

P

5

810 D

Jvmeer

792 A

912 B

Meer

792

MARCHVS MARZIN

VENETVS ·P

·M·D·VII·

748 B

A°1624

Mtf.

266 (verkleinert)

M DXXIIII ZENAR

LVDOVICVS

MAZOLI

NVS

FERRARIEN

Merck.

1640

3

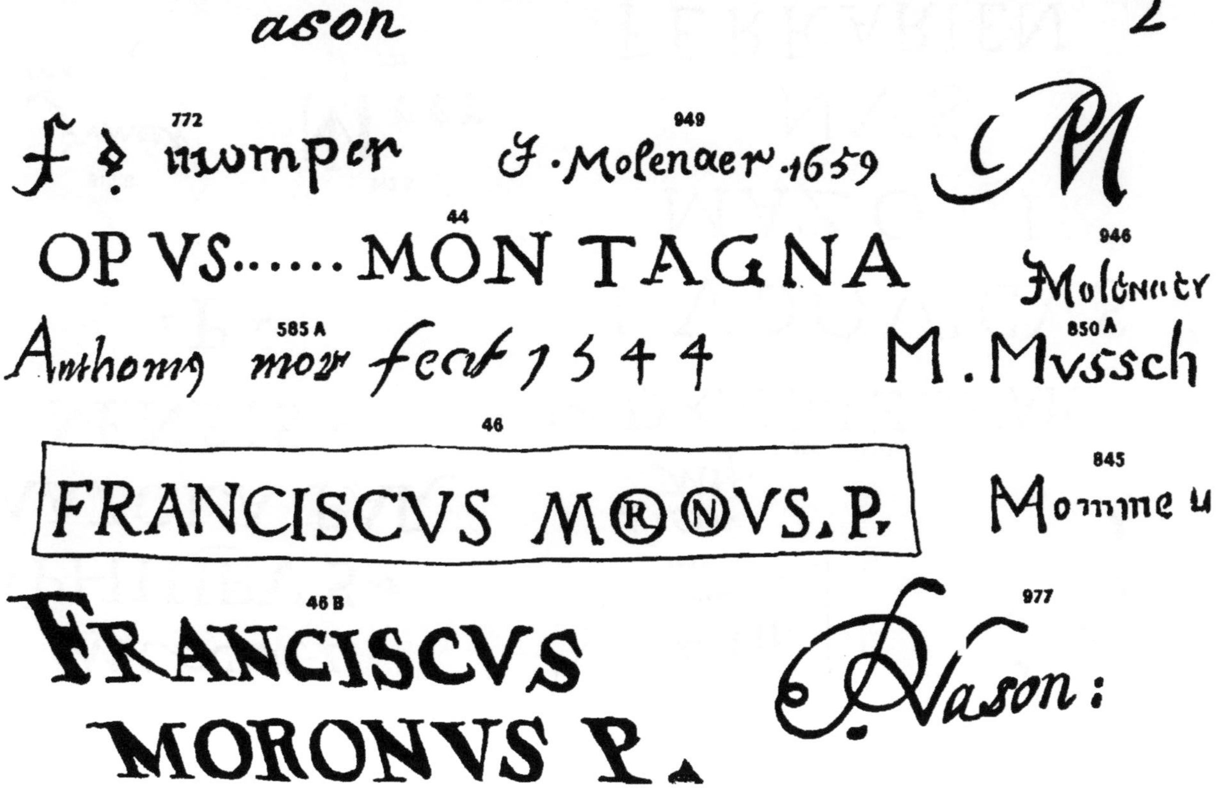

2

ason

[772] F ꝯ nnumper

[949] J. Molenaer. 1659

M

[946] Molonaer

[850A] M. Mvssch

[46] OPVS.....MONTAGNA

[585A] Anthonÿ mozÿ fecit 1544

[843] Monnne u

FRANCISCVS M⊙⊙VS.P. [46]

[977] Nason:

[46B] FRANCISCVS MORONVS P.

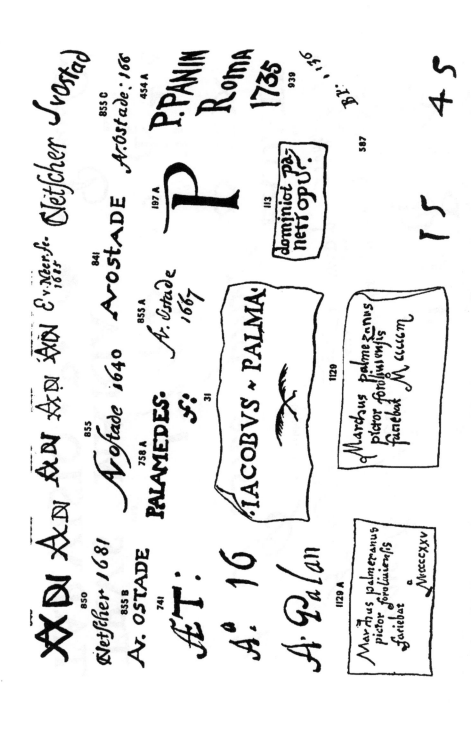

I I P & 3.4.

Paulus Potter. f. i652

W.D.P   D Potter f. 163

I.P.

arestein. fecit.

A°. 1653

nt. Pesne pinxit

EADATI

XXXIX

1748

15 P & 4 4

TRVS MARIA

TARVISIO . P .

Rynacker

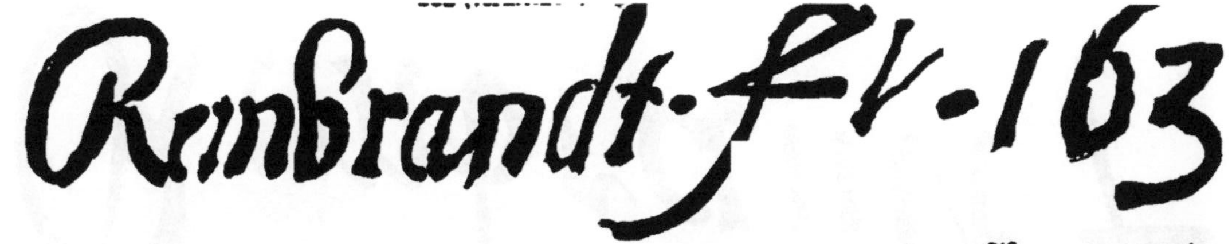

810

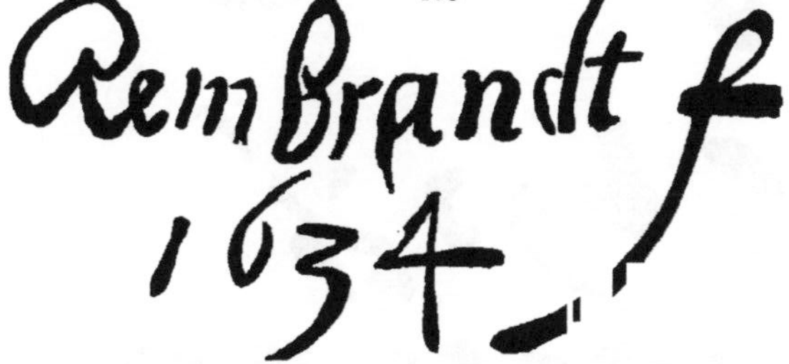

812

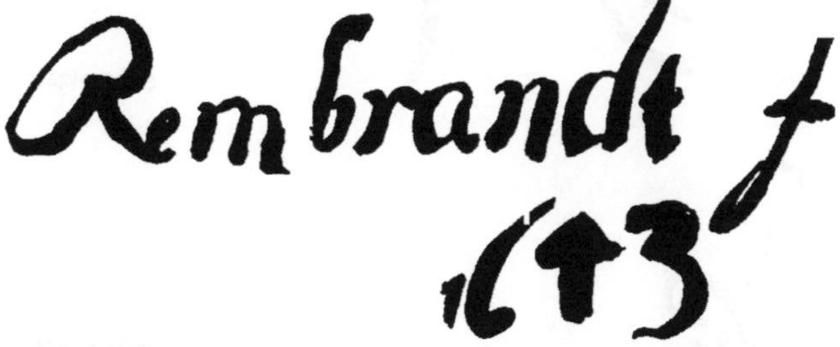

811 (verkleinert)

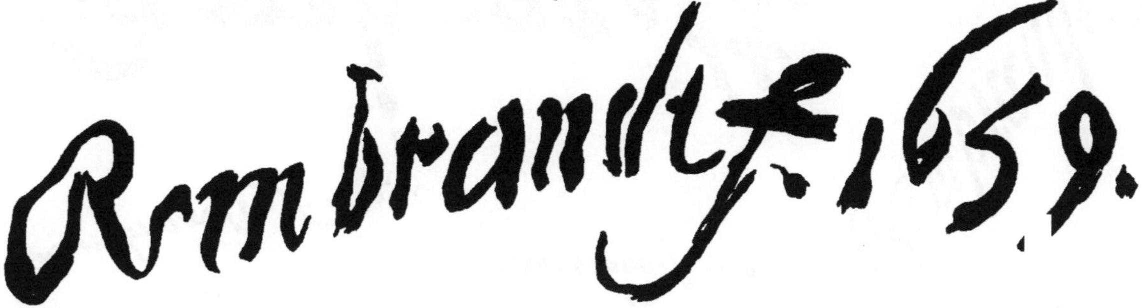

848 a

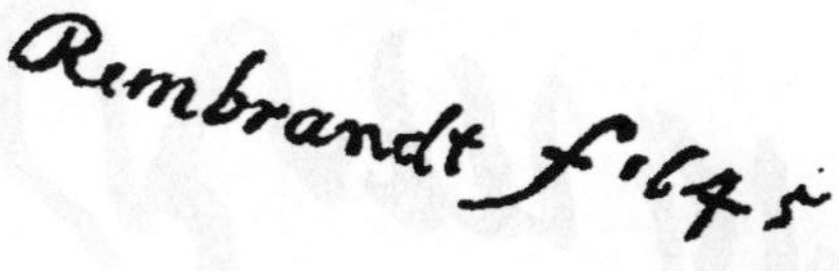

805

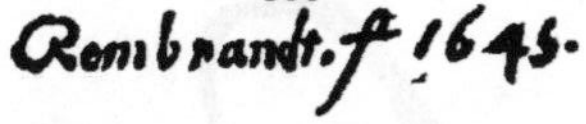

Rembrandt.f. 164

Rembrandt f 1645.

806

Rembrandt f·1645

828 a

Rembrandt.

Rembrandt f 1645.

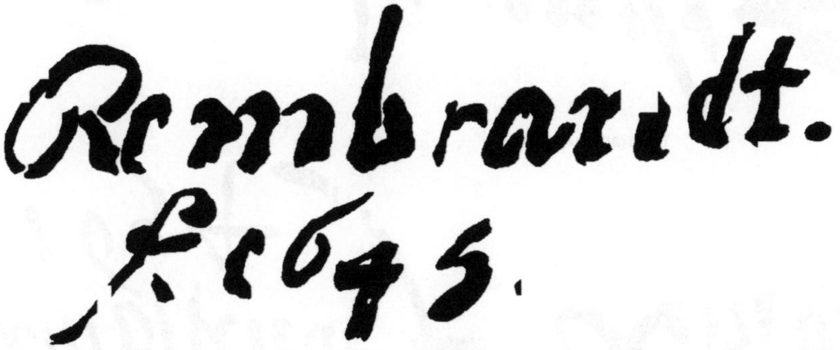

828 (verkleinert)

Rembrandt f

Rembrandt f

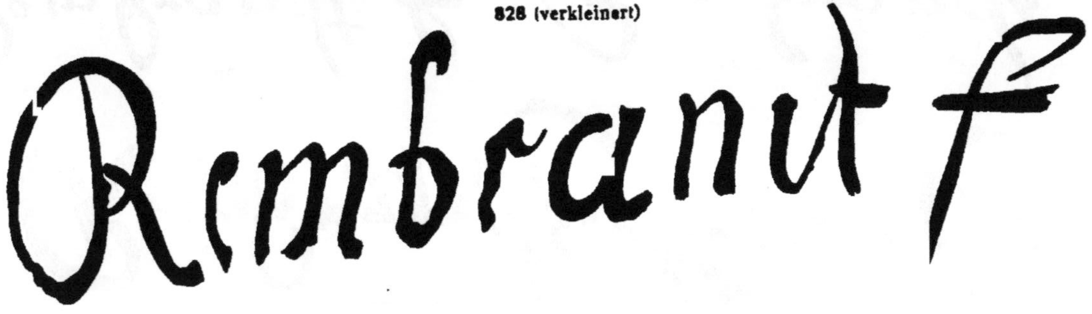

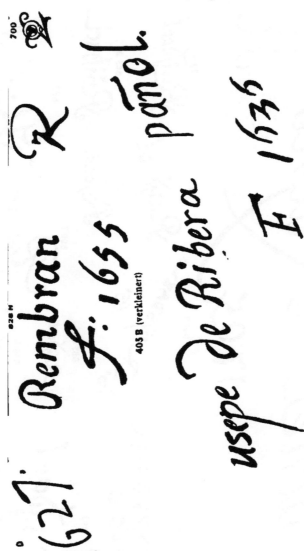

89 D.

1627.

8za M

Rembran

ℛ

700

f: 1655

405 B (verkleinert)

pavnol.

usepe De Ribera

F 1636

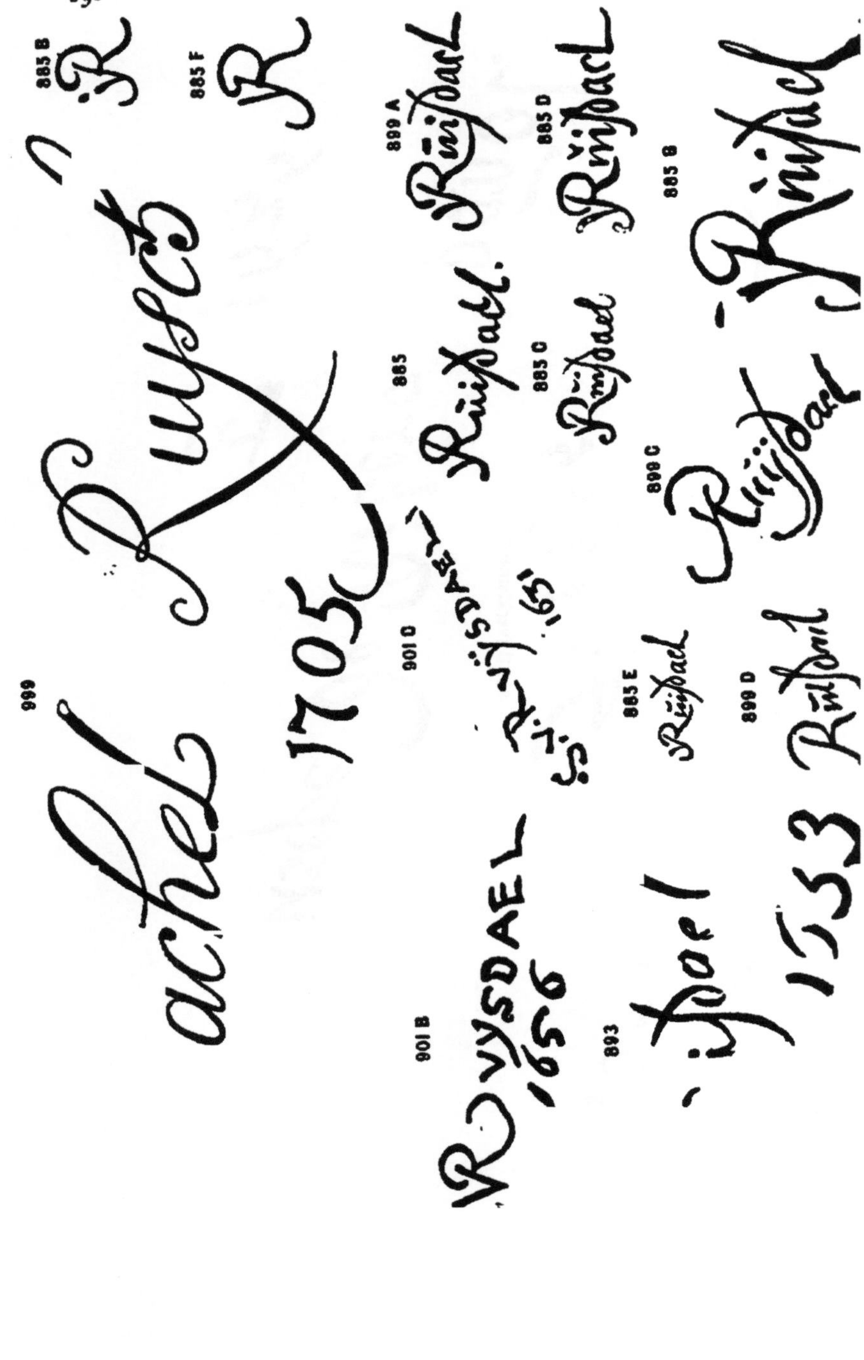

Ruijsch—Ruisdael.

885 B

885 F

899 A

885 D

885 B

999

885

885 C

899 C

901 D

885 E

899 D

901 B

893

achel

Ruysch

1705

RVYSDAEL 1656

S. v. RVYSDAEL

1553

856 C

B

837 G.Schalcken.

560

1511.

1514

15

33

**Petri franč̄
sachi de pa
pia opus**

OPVS·SCLAVONI·DALMAS
ICI·SQVARCIONI·

1162

307

Joanes fracoti
Pauoldup de
brisia
faciebat

DE

C

983 E

T.SAVTS.

909 C

Sankt Aek

Daniel Seghers Soc tis. JESV

808 A

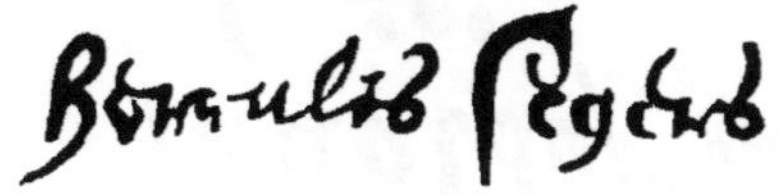

Bonaulis Pigebe

79 B

INCHAS ABIGNORELLVS DECORTONA

751

Peeter. snayers.. c. i. Pict

79 A

LVCA·CO RTONEN·

878

F. Snijders. cit. 1615.

OPVS·SQVARCIONI *Grefn.*

856

857 D'T

850 PICT ORL

D 'Teniers· f

DAVID·TENIERS·F:

866 B

D.TENIER F 1634

N.1647·

795 B

IS

866 C

791 D

793 GB

732 ·H TILEN.

866 A

D.F D D Teniers H

866 D

D TENIERS F

791 B GB

469 DE TROY. 1723.

487 A

L.R Tringuesse. fecit. 1774.

791 C B Borch 1635

948 C Ftreck 1659

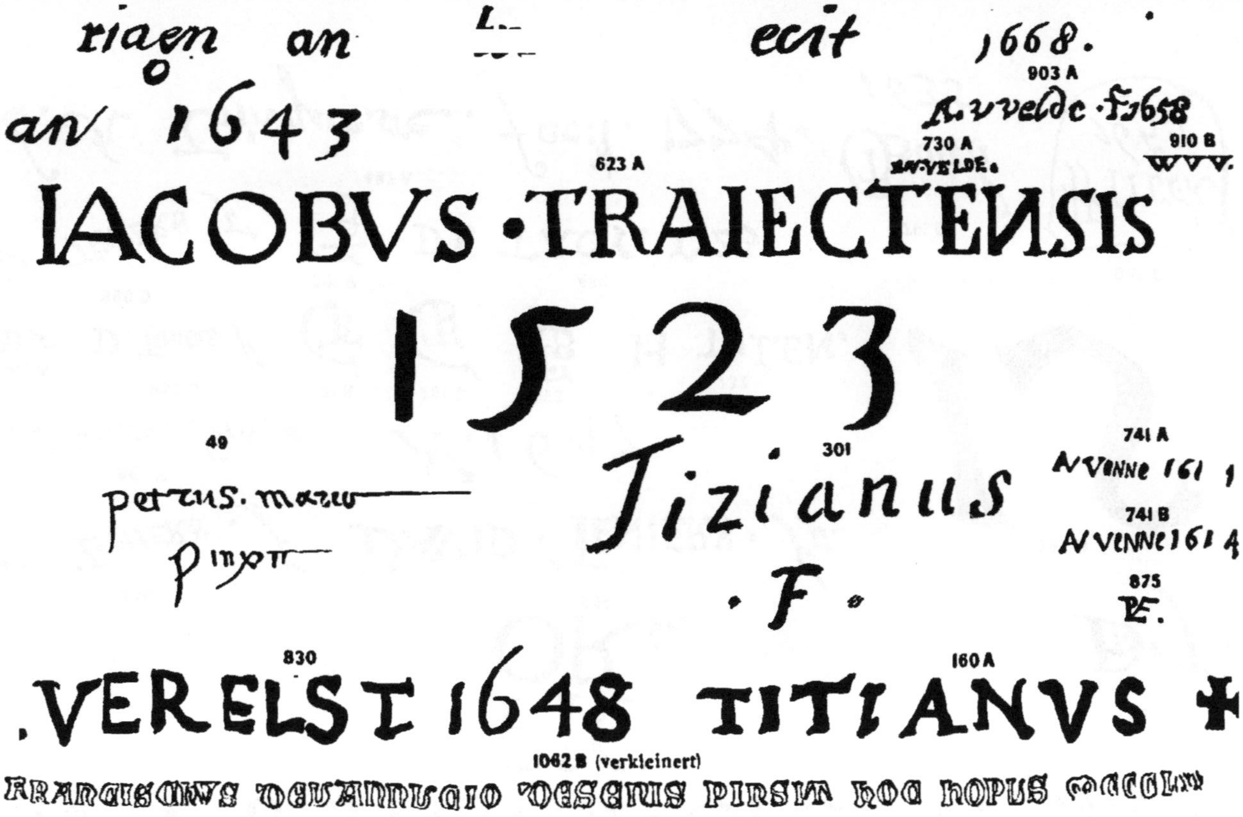

riaen an

ecit

1668.

an 1643

WW.

Av velde F 1658

903 A

730 A

IACOBVS·TRAIECTENSIS

623 A

1523

301

Tizianus

.F.

741 A

AVONNE 161 1

741 B

AVONNE 1614

875

Æ.

160 A

VERELST 1648 TITIANVS ✝

830

petrus. mazu

40

pinxit

1062 B (verkleinert)

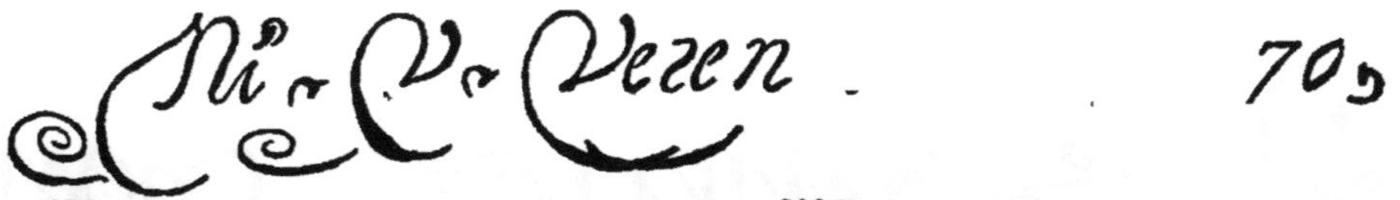

705

484

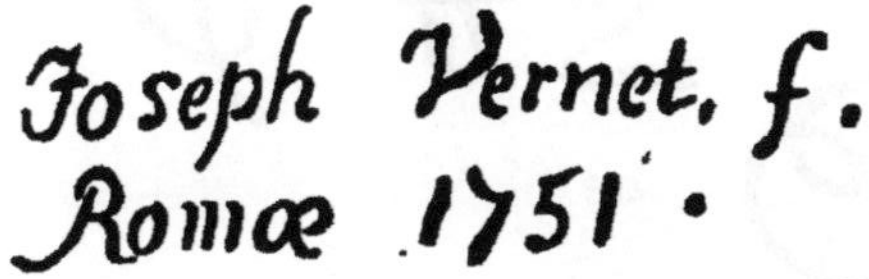

Joseph Vernet. f.
Romæ 1751.

899 B

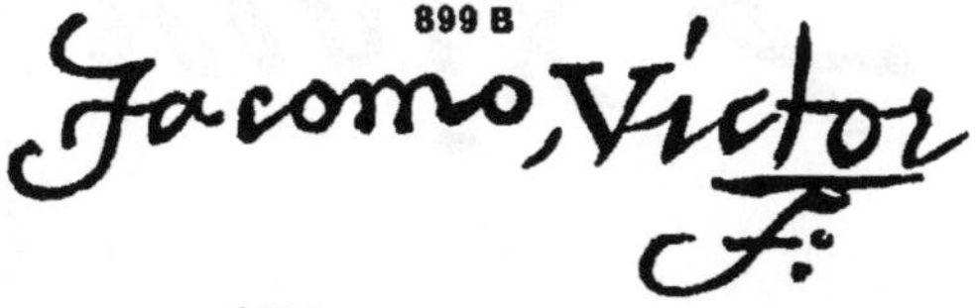

Jacomo Victor

1012

877 A

Johan Sprorack

xvut

Ætatis. 56. 1653

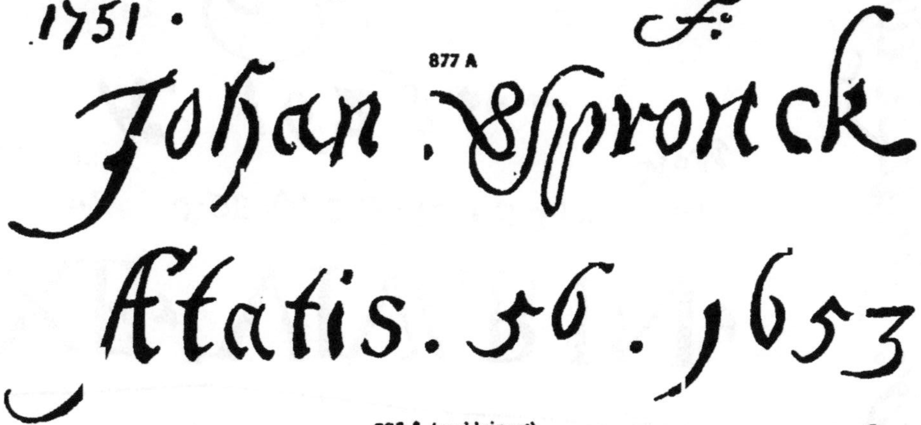

826 A (verkleinert)

· Jan. pictoor. fec 1645.

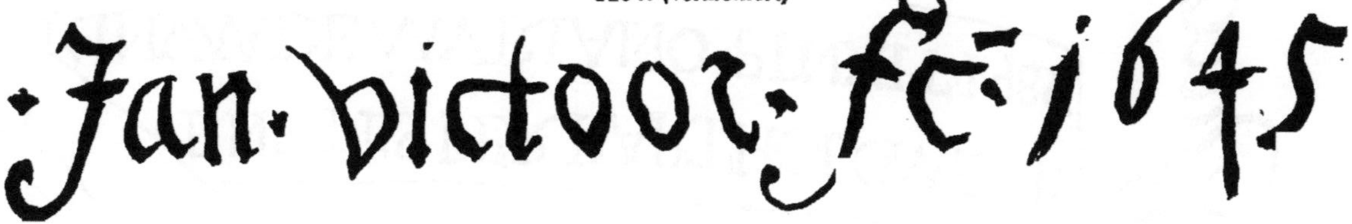

905

Jacob: Walscapelle.

1160

VENETIIS PER BARTHOLOMEVM
RINVM DE MVRLANO PINXIT 1485

TVM

A

38 VIXE · VIVARIN·

934

S DE VLEGER 163;—   888 C   Rom

1148
CISGS PEXAT .T.   831

VOS. F. A. 1629

867

Breenix

Bratto

880

877 ~Zurck. P

899 Pß x

900 Pß w 898

E.D.e.witte fecit Aº ,66

875 B
R: Zocman

404 A (verkleinert)

1170 (verkleinert)

'MARCO'ZOPPO'DÁBOLO
GNIA'PINSIT'MCCCLXXI'
T'VINEXIA

910 A

Francisco Zurß : fecit

CO

F̅. DZVRBARAN.
Aº 162

BERICHTIGUNGEN UND ZUSÄTZE.

S. 17. **Begeijn.** Er war, wie sich aus den Forschungen von Dr. Dozy ergiebt, 1637 oder 1638 zu Leiden geboren und nannte sich, da sein Vater Jean Begeijn hiefs, **Abraham Jansz** (nicht Cornelisz).

S. 17. **Beham.** Die beiden Tafeln 619A und 619B stimmen in Anordnung und Formgebung völlig mit den in Donaueschingen und in der Familie Rynecker in Würzburg befindlichen Flügeln des Altars von Mefskirch überein. Falls sich der Maler dieses letzteren Werkes als Meister von Mefskirch festhalten läfst, so wären auch die Berliner Bilder dem B. Beham abzusprechen.

S. 57. No. 567A befand sich bis 1825 in der Sammlung von Hans Albrecht von Derschau in Nürnberg (nach dem Auktionskatalog wäre das Bild von Cranach für Dr. Christoph Scheurl gemalt worden), kam dann in die Sammlung des Kunst- und Buchhändlers Dr. Friedrich Campe zu Nürnberg und 1851 in diejenige des Stadtrats Lampe in Leipzig.

S. 69. No. 964 gehört, nach einer freundlichen Mitteilung von Herrn Dr. Seidel, zu den Bildern, die im Jahre 1676 aus dem Nachlafs der verwitweten Prinzessin Amalie von Oranien, geb. Gräfin zu Solms an den Kurprinzen Friedrich fielen (Oranische Erbschaft).

S. 77. No. 788 und No. 790 stammen aus der Oranischen Erbschaft, 1676.

S. 96. Zu No. 1119. Das bei C. Fairfax Murray befindliche Bild ist bezeichnet: Opus Rosselli Jacopi Franchi 1439 XXV. Dj. Giungino.

S. 102. No. 967 ist möglicherweise mit einem aus der Oranischen Erbschaft (1676) stammenden Stück, das dort dem „Rubens en Snijers" zugeschrieben wurde, identisch.

S. 112. 20. Zeile von oben ist statt: h. 0,03 zu lesen: h. 1,03.

S. 115. Bei No. 865B ist hinter der Signatur die Jahreszahl *1621* anzufügen.

S. 125. No. 655 ist wohl identisch mit dem aus der Oranischen Erbschaft (1676) stammenden „Götterbanket" von M. Heemskerck.

S. 126. Von No. 558 befindet sich eine etwas gröfsere Kopie im Museo civico zu Venedig.

S. 136. Auf No. 948B fand sich nach der Reinigung links unten die kaum mehr wahrnehmbare Bezeichnung: W. KALF.

S. 138. **Kulmbach.** Nach Koelitz (Hans Suefs von Kulmbach und seine Werke. 1891) geb. wahrscheinlich 1476 und mutmafslich zuerst Schüler des Michel Wolgemut. In Krakau thätig von 1514—1516.

S. 145. 1. Zeile von oben ist statt: 90A zu lesen: 90B.

S. 184. Bei No. 585A ist die Signatur durch die Jahreszahl *1544* zu ergänzen.

S. 187. Eine Zeichnung zu dem Bilde No. 414 befindet sich im Louvre, Sammlung La Salle.

S. 199. 16. Zeile von oben ist statt: br. 1,62 zu lesen: br. 0,62.

S. 205. Bei No. 1129A ist die Jahreszahl in der Signatur zu lesen: MCCCCCXXV. — Bei No. 113 ist in der Signatur statt: *dominicus* zu lesen: *dominici.*

S. 205. **Gio Paolo Panini.** Mariette nennt als Todesdatum des Künstlers den 21. Oktober 1765 und den 21. Oktober 1768. Die letztere Angabe ist wohl irrig. Da P. im Alter von 73 Jahren starb, wäre das Geburtsjahr nach 1592 hinaufzurücken.

S. 212. **Sebastiano del Piombo.** Der Künstler kam erst im Frühjahr 1511 nach Rom und kehrte 1527/28 zu vorübergehendem Aufenthalt nach Venedig zurück.

S. 213. 8. Zeile von unten ist statt: 1510 zu lesen: 1511.

S. 217. 11. Zeile von oben ist statt: Florentinische Schule zu lesen: Venetianische Schule.

S. 224. No. 823 stammt aus der Oranischen Erbschaft, 1676.

S. 237. No. 774 stammt aus der Oranischen Erbschaft, 1676.

S. 249. Von No. 22 findet sich eine weitere Wiederholung unter dem Namen Catena in der Sammlung Manfrin zu Venedig.

S. 251. Bei No. 139 lauten die Aufschriften: S. TOMAS APOSTOLVS und S. TOMAS DE AQVINO. Der Heilige hinter dem Apostel ist nicht Hieronymus sondern Antonius der Abt.

S. 254. 4. Zeile von oben ist statt: 1828 zu lesen: 1827 von der Familie Lante.

S. 261. In der Anmerkung zu No. 976 ist das Todesdatum des Quellinus in den 7. November zu verbessern.

S. 265. No. 1011 zeigte nach der Reinigung auf der Kiste rechts unten die Reste der Bezeichnung: P. v. Slingeland.

S. 268. 13. Zeile von unten ist statt: Sorgh zu lesen: Sorch.

S. 271. 1. Zeile von unten ist statt: 1516 zu lesen: 1506.

S. 282. 3. Zeile von unten ist statt: 5. März zu lesen: 6. April.

S. 293. Bei No. 301 hat die Signatur zu lauten: *Tizianus. F.*

· Im Verlage von **W. Spemann** in Berlin erschienen ferner folgende amtliche Kataloge der Königlichen Museen:

Geräthe und Broncen im Alten Museum
(kleinere Kunst u. Industrie im Alter-
thum), von C. Friederichs. 1871 . . Preis M. 8 —
Das Königl. Münzkabinet. Gesch. u. Uebers.
d. Sammlg. n. erklär. Beschreibg. d. auf
Schautisch. ausgel. Ausw., von Fried-
länder und v. Sallet. 2. Auflage mit
11 Taf. 1877, u. Nachtr. von 1882. geb. „ M. 5 —
Das Münzkabinet. Geschichte u. Uebersicht
der Sammlung nebst Verzeichnis d. aus-
gelegten Stücke. Kleine Ausgabe. 1890 „ M. — 50
Beschreibung der antiken Münzen.
Band I (von A. v. Sallet) mit 8 Taf. u.
63 Textabbildungen. 1888. geb. . . . „ M. 25 —
Dasselbe. Band II, mit 8 Tafeln und 70 Textabbildungen. 1889. geb. . . . . . . „ M. 20 —
Die Gipsabgüsse antiker Bildwerke in
historischer Folge erklärt (Bausteine),
von C. Friederichs, neu bearbeitet
von P. Wolters. 1885. geh. . . . . „ M. 12 —
Dasselbe geb. . . . . „ M. 13 —
Beschreibung d. Vasensammlung im Kgl.
Antiquarium, von A. Furtwängler.
2 Bände mit 7 Tafeln. 1885. geh. . . „ M. 20 —
Dasselbe geb. . . . . „ M. 22 —
Italienische Bildhauer der Renaissance,
von W. Bode. Mit 43 Abbildungen.
1887. geh. . . . . „ M. 10.50
Beschreibung der Bildwerke der christ-
lichen Epoche, von W. Bode und
H. v. Tschudi. Mit 68 Lichtdrucktafeln
und 70 Textillustrationen. 4°. 1888. geb. „ M. 20 —
Dasselbe geb. . . . . „ M. 22 —

Berlin, Druck von W. Büxenstein.

Lightning Source UK Ltd.
Milton Keynes UK
UKHW02f1901260418
321723UK00009B/130/P